Instructor's Resource Manual
Mundo 21

Instructor's Resource Manual

Mundo 21

Second Edition

Fabián A. Samaniego

University of California, Davis

Emeritus

Nelson Rojas

University of Nevada, Reno

Francisco X. Alarcón

University of California, Davis

Houghton Mifflin Company

Boston   New York

Director, World Languages: New Media and Modern Language Publishing
   Beth Kramer
Senior Development Editor Pedro Urbina
Project Editors Harriet C. Dishman, Gloria Oswald/Elm Street Publications
Senior Manufacturing Coordinator Sally Culler
Marketing Manager Tina Crowley Desprez

Printed in the U.S.A.

ISBN: 0-395-96469-5

123456789-VG-04 03 02 01 00

CONTENIDO

Instructor's Resource Manual
Mundo 21

¡Bienvenidos a *Mundo 21*!

Mundo 21 is the only intermediate Spanish program specially designed for both nonnative and heritage Spanish speakers. It offers a wide range of exciting features for the intermediate college Spanish course.

- **Content-based approach**

  Mundo 21's content-based approach provides students with a wealth of opportunities to interact with authentic materials. The text provides multiple levels of authentic comprehensible input through culturally rich readings and a fully integrated text-specific video that features authentic footage from various regions of the Hispanic world.

- **Content equals culture**

  The acquisition of cultural competency is a major goal that is incorporated into every section of *Mundo 21*. To broaden students' knowledge of the twenty-one countries* that comprise the Spanish-speaking world, units are geographically organized and text lessons focus on individual countries. People and events are described in the context of the historical past as well as in light of new developments of the twentieth and twenty-first centuries. Students gain insight not only into Hispanic cultures and civilizations, but achieve a more global understanding of the issues and challenges faced by the Spanish-speaking world in this century and the next.

- **Skill development**

  As a bridge between first-year language courses and third-year literature classes, *Mundo 21* makes a special effort to continue developing student reading skills while emphasizing communication, pair and group work, learning in context, and the use of critical-thinking skills. Students acquire listening skills by using the text-specific video and audio cassettes/CDs that accompany the workbook/laboratory manual. The process writing approach is incorporated through a variety of writing tasks.

- **Heritage learners**

  For heritage learners, a special all-Spanish version of *Mundo 21* entitled *Mundo 21: Edición alternativa* is available. This text includes the same material as *Mundo 21*, including the end-of-textbook grammar manual plus additional material created specifically for heritage learners. Given the wealth of historical and cultural material included in *Mundo 21* and the richness of natural language used throughout both versions, this program has much to offer heritage learners, specifically those who already speak, read, and write the language but need additional practice to develop their fluency further through vocabulary building, reading, and writing.

*This number includes the United States, now the fifth-largest Spanish-speaking country in the world. In addition to these countries, Spanish is also widely spoken in the Philippines and is the official language of Guinea Ecuatorial.

Mundo 21: Edición alternativa allows heritage speakers to delve into their roots, regardless of their ancestries. They also have the opportunity to step outside of their own communities and expand their global awareness as they visit and get to know the history and culture of all twenty-one Spanish-speaking countries of the world. For example, Mexican and Guatemalan students will find many similarities in their indigenous history, while Cubans, Puerto Ricans, and Dominicans will learn that they share many cultural traits common to the Caribbean basin. This cross-cultural approach is carried throughout the various geographical regions covered in *Mundo 21*. (See pp. 5–6 for a complete list of components for heritage learners.)

New to the Second Edition

- *The new edition features a new approach to vocabulary and vocabulary development.* **Mejoremos la comunicación**, the new interactive vocabulary section, presents active vocabulary in a thematic format, expanding on the topics of the cultural sections, such as shopping, theater, the arts, and world economics. A new vocabulary enrichment section, **Palabras claves**, teaches students how to derive new words and understand the meaning of key words taken from **Mejoremos la comunicación**.

- *Literature and literary analysis are highlighted in the second edition.* The **Y ahora, ¡a leer!** sections include literary readings by male and female authors and represent each of the twenty-one Spanish-speaking countries. They comprise a wide variety of genres, including short stories, fragments from novels, poetry, legends, and essays. A new section, **Introducción al análisis literario**, introduces students to various literary techniques and styles and then allows them to apply that information to the literature they read.

- *The second edition's overall cultural content has been updated and expanded.* New celebrities and an extra list per lesson have been added to the **Gente del Mundo 21** section. The **Del pasado al presente** sections have been updated through the end of the twentieth century and now include new questions that address both comprehension and analysis. New and exciting cultural information has been added to the **Ventanas al Mundo 21** sections, along with a greater focus on women in the Spanish-speaking world. Finally, the **Cultura en vivo** sections have been completely rewritten with an emphasis on topics of special interest to the college audience. In addition, these sections now help introduce the lesson's new active vocabulary.

- *The video footage now covers a greater number of countries and includes many new segments.* The **¡Luz! ¡Cámara! ¡Acción!** sections now contain extra footage from sixteen different Spanish-speaking countries.

- *Students have easy access to the Internet.* The **Exploremos el ciberespacio** sections allow students to use the Internet via the *Mundo 21* website, which also provides web-related activities and lesson-based self-tests.

- **Escribamos ahora,** *the process-writing section, now comes at the end of Lesson 2.* This new location allows students and instructors to focus on and develop writing skills long before exam time.

Components of the *Mundo 21* Program

The following components are available to students and instructors.

- **Cuaderno de actividades**

  For each textbook lesson, there is a corresponding lesson in the accompanying workbook/laboratory manual. Every lesson in the **Cuaderno de actividades** has two sections: **¡A escuchar!** and **¡A explorar!** An answer key to all written exercises is provided so that students can monitor their progress throughout the program.

- **Audio Program**

  Coordinated with the **¡A escuchar!** sections of the **Cuaderno de actividades**, the Audio Program emphasizes the development of listening-comprehension skills and a further understanding of the relationship between spoken and written Spanish. The audio cassettes/CDs have approximately sixty minutes of material for each unit and feature over twenty native-speaker voices from different areas of the Hispanic world. A transcript of the Audio Program is available in the Instructor's Resource Manual.

- *Mundo 21* **Video Program**

  Specifically designed for use with Lessons 1 and 3 of each textbook unit, the *Mundo 21* Video presents a rich and exciting opportunity to develop listening skills and cultural awareness. It provides comprehensible input through footage on Mexico, Spain, Puerto Rico, Cuba, El Salvador, Nicaragua, Costa Rica, Colombia, Venezuela, Peru, Bolivia, Argentina, and Chile, as well as of Spanish-language television programs from the U.S. and Spain. A videoscript of the entire video is available in the Instructor's Resource Manual.

  The topics included on the video are as follows:

Unidad 1	**Lección 1**	*Cristina:* **la joven poesía**
		A segment of the popular talk show *Cristina* featuring a young Hispanic poet
	Lección 3	*Hoy es posible:* **Jon Secada**
		A Spanish talk show highlighting Jon Secada and his music
Unidad 2	**Lección 1**	*El Cantar de Mío Cid:* **realidad y fantasía**
		A dramatic reenactment of the Cid's successful defense of Valencia
	Lección 3	**Juan Carlos I: un rey para el siglo XX**
		Several days in the life of the king of Spain

Unidad 8   **Lección 1**   **Buenos Aires: la tumultuosa capital de Argentina**

A casual stroll through the cosmopolitan city of Buenos Aires

Lección 3   **Chile: tierra de arena, agua y vino**

A quick visit to the great desert of Atacama and to the fertile central valley where the best Chilean wine is produced

- **Testing Program**

  The Testing Program includes sixteen **Pruebas**, two for each of the eight units, and two comprehensive exams. In addition, there is a Testing Program Cassette/CD that contains the listening comprehension sections and an answer key (with integrated audioscript) for all exams. The complete Testing Program is found in the Instructor's Resource Manual.

- **Instructor's Resource Manual**

  Designed specifically for instructors of *Mundo 21*, this resource manual contains extensive tips—lesson by lesson—for teaching non-native and heritage learners. Also included are answers for all **Vocabulario activo** sections and for the complete **Manual de gramática**. Additionally, this manual contains the videoscript for the *Mundo 21* Video and the audioscript for the ¡A escuchar! sections of the *Cuaderno de actividades* (including the version for heritage learners). The complete Testing Program (including the version for heritage learners) can also be found within this resource manual.

The following components have been specially designed for heritage learners.

- **Cuaderno de actividades para hispanohablantes**

  To meet the needs of heritage learners, a special version of the *Cuaderno de actividades* has been prepared. It follows the same basic format as the one for non-native speakers. Every lesson has two parts: ¡A escuchar! and ¡A explorar! Within those two main headings, several sections have been added to address the specific needs of heritage learners, including:

  Sonidos y deletreo problemático

  Acentuación y ortografía

  Repaso básico de la gramática

  Lengua en uso (colloquial and regional variations, the oral tradition, false cognates, etc.)

  Dictado

  Correspondencia práctica

An answer key to all written exercises is provided so that students can monitor their progress throughout the program.

- **Audio Program for Heritage Learners**

  Coordinated with the **¡A escuchar!** section of the *Cuaderno de activi-dades para hispanohablantes*, the Audio Program for Heritage Learners emphasizes the development of listening-comprehension skills and a further understanding of the relationship between spoken and written Spanish. The audio cassettes/CDs have approximately sixty minutes of material for each unit and feature over twenty native-speaker voices from different areas of the Hispanic world. A transcript of the Audio Program is available in the Instructor's Resource Manual.

- **Testing Program for Heritage Learners**

  Like the regular Testing Program, the Testing Program for Heritage Learners includes sixteen **Pruebas**, two for each of the eight units, and two comprehensive exams. In addition, there is an answer key (with inte-grated audioscript) for all exams. The complete Testing Program is found in the Instructor's Resource Manual.

Preface to the Instructor's Resource Manual

The introductory material to the Instructor's Resource Manual for *Mundo 21* includes a detailed description of the text's pedagogy and general suggestions for teaching with the text. Additional chapter-by-chapter teaching suggestions follow that include detailed course-planning information. The Instructor's Resource Manual also comes with additional program components including answer keys, audio and video scripts, and testing programs.

The "Lesson-by-Lesson Teaching Suggestions" (beginning on p. 31) include the following information:

- Detailed suggestions for teaching specific text sections

- Ideas for varying or expanding activities

- Supplemental historical and cultural information

- Specific ideas for expanding cultural content to include readily available music, video movies, art books, and additional literary works

- Explicit suggestions for enriching Heritage Spanish Learners' contact with the language and culture of the Spanish-speaking world

General Teaching Suggestions

General Teaching Suggestions

Organization

Mundo 21 is composed of eight units of three lessons each, as well as a grammar manual located at the end of the textbook. Each lesson is designed to develop and reinforce specific language skills and to accommodate various student learning styles. Each unit begins with a one-page unit opener and each lesson contains nine major sections:

Gente del Mundo 21

Del pasado al presente

Ventana al Mundo 21

Y ahora, ¡a leer!

Introducción al análisis literario

Cultura en vivo

Mejoremos la comunicación

Palabras claves

Exploremos el ciberespacio

In addition, the first and third lessons in every unit have a text-specific video section called **¡Luz! ¡Cámara! ¡Acción!** The second lesson also has an extensive process-writing activity called **Escribamos ahora**.

Teaching a Lesson

- **Unit opener**

  The captivating one-page opener sets the stage for the main topics presented in the unit by having students use critical-thinking skills as they anticipate what they will learn.

  Teaching Suggestions

  1. Have students locate the countries to be studied on the appropriate map in their text. (See the map section, pp. xx–xxix.)

  2. Ask students to look at the photos and speculate on the significance of what they see.

  3. Introduce the unit title and ask students to speculate on the content or theme of the unit.

  4. Call on individual students to answer the questions in **¡Bienvenidos al Mundo 21!** and have others comment on each response. Vary the pattern by having students answer these questions in small groups. Go over their responses with the class.

5. Provide additional information found in the annotations or ask students to relate any additional geographical, political, or cultural information they have about the countries, places, or people pictured.

HSS 6. Follow the same procedures with HSS. Ask if anyone in the class comes from one of the countries featured or knows someone from these countries and to tell what they know. Encourage students from the country to give first-hand accounts of their experiences.

- **Gente del Mundo 21**

  This section profiles three noteworthy Hispanic personalities in the arts, literature, sports, or the entertainment industry of the country featured in that lesson. A list of additional noteworthy figures from the country of focus is provided. After reading about these celebrities, students are asked to share any prior knowledge they may have about these individuals and to answer several critical-thinking questions concerning what they read.

  Teaching Suggestions

  1. Vary how students read these short biographies.

     - Call on individual students to read each one aloud in class.

     - Have students read them silently.

     - Assign the readings as homework.

     - Ask students to read silently in groups and have group members clarify any difficulties with comprehension.

  2. Always check for comprehension as students read each biography and vary who performs the comprehension checks.

     Using Comprehension Checks

     - Instructor asks yes/no, either/or questions.

     - Individual students make up and ask yes/no, either/or questions.

     - Pairs or groups of students make up and ask comprehension check questions.

     - The whole class prepares comprehension check questions as homework and then uses them in a pair, group, or whole-class activity.

  3. When working in pairs or groups, always check for accuracy by calling on individual students to respond to the **Personalidades del Mundo 21** activity.

  4. Play "Who am I?" by writing the names of the personalities on self-stick labels and placing them on students' backs without telling them their new identity. Working in pairs, have them discover their new identity by asking each other information questions.

5. Ask if anyone in the class knows any of the people listed under **Otros chicanos sobresalientes** and have them tell the class what they know.

6. Offer extra credit for researching any of the people listed in **Otros chicanos sobresalientes** and writing a report on them.

HSS **7.** Offer extra credit to three students who volunteer to prepare an oral report on any of the people listed in **Otros chicanos sobresalientes**.

HSS **8.** In groups of six, have four HSS assume the personalities of the people featured. The remaining two students play the role of news reporters who interview each person for the **Gente del Mundo 21** column of a newspaper.

• **Del pasado al presente**

These readings provide a brief historical and cultural overview of the country featured in the lesson. The accompanying ¡**A ver si comprendiste!** activities check students' understanding of key facts and events and pose questions that require critical thinking and analysis of some of the historical events just studied.

Teaching Suggestions

1. As a pre-reading activity, ask students to provide any additional geographical, political, or cultural information about the places or people pictured. If they do not have other information, have them speculate about who or what they see in the photos in conjunction with using the text's subheads.

2. Do a jigsaw activity (see description on p. 33). It will reduce considerably the amount of reading each student has to do while providing all students with important information. Help any group having problems with their assigned reading selection by using comprehensible input techniques, such as explaining, defining, describing, contrasting, drawing illustrations on the board, gesturing, and so on, to clarify new language and usage. Also ask comprehension-check questions: yes/no, either/or, point-to, or short-answer formats.

3. Call on individual students to answer the **Hechos y acontecimientos** questions. Have the class confirm each answer.

4. Always have students do the **A pensar y a analizar** activity in groups first, then have each group report to the class.

5. Always verify answers to the ¡**A ver si comprendiste!** questions to ensure accuracy in pair or group work. Insist that students answer these questions in their own words; do not allow reading verbatim from the text.

6. After completing the discussion on the reading or the ¡**A ver si comprendiste!** activities, have students identify all the persons and places in the photos. If time permits, relate to the class additional cultural information that you may have about the photos.

7. Students should not be expected to memorize every name, date, and fact presented in the historical **Del pasado al presente** readings. On the other hand, they should acquire a general understanding of major movements and important factors that greatly influenced the development of that country's culture. Referring to the historical timeline at the back of the book may help.

HSS **8.** Use the HSS variation of the jigsaw reading activity (see description on p. 39).

- **Ventana al Mundo 21**

  To further heighten students' cultural awareness, every lesson features one thematically related cultural vignette that highlights important individuals, traditions, places, or events. The brief comprehension activity that follows the reading encourages the use of critical thinking and inferencing skills.

  Teaching suggestions

  1. Activate students' background knowledge by asking them what they know about the topic. Then have students identify the photo or art and describe what they see. As a variation, ask them to compare the photo/art with those in other lessons.

  2. Vary your approach with these culture capsules.

  - Have students read the selection independently and work through the comprehension activity, writing their responses.

  - Have students read the selection in pairs and work on the comprehension check together.

  - Have students read the selection independently and complete the comprehension check as a class.

  3. Help students who are having trouble understanding the reading by using comprehensible input techniques such as explaining, defining, describing, contrasting, and so on. Also ask comprehension-check questions using yes/no and either/or formats.

  HSS **4.** Ask HSS students to share with the class any additional information they may have about the topic in the **Ventana al Mundo** section.

- **Y ahora, ¡a leer!**

  This section contains the lesson's principal literary reading. Great care has been taken to select topics that are accessible and of particular interest to college-age students. Additionally, the literary selections were chosen to provide a good overview of the Hispanic world of letters. A conscious effort has also been made to include a wide representation of today's writers, both men and women. An extensive pre-reading apparatus, **Anticipando la lectura**, provides activities that foreshadow key content and vocabulary, while **Conozcamos al autor** presents background information on the author. Both these features help prepare students for a successful reading experience. The post-reading section, **¿Comprendiste la lectura?**, checks basic comprehension (in **Hechos y acontecimientos**) and encourages students to analyze and to discuss salient points about the readings' plots, characters, themes, and styles (in **A pensar y analizar**).

Teaching suggestions

1. Follow the specific suggestions for **Y ahora, ¡a leer!** activities in "Lesson-by-Lesson Teaching Suggestions" (beginning on p. 31).

2. Have students describe or identify the photo or illustration that accompanies the reading. Then ask students how it relates to the reading title. This suggestion may be used as a pre-reading or post-reading activity.

3. Assign the reading and **¿Comprendiste la lectura?** section as homework. In class, have students correct each other's homework as you do exercise A. For exercise B, encourage students to use their critical-thinking skills and to support their opinions with specific examples.

4. Do a jigsaw activity (see descriptions on pp. 33 and 39).

5. Before completing the **¿Comprendiste la lectura?** Section, have students summarize the reading by using a chaining activity. (In chronological order, each student relates a key point or event from the reading until all of the content is covered.)

HSS 6. (Heritage Spanish Speakers) Have HSS dramatize the short stories, for example, Sabine R. Ulibarrí's "Adolfo Miller" (pp. 8–10) or Guillermo Samperio's "Tiempo Libre" (pp. 98–99).

7. Have students compare various stylistic or literary aspects of two short stories such as Gabriel García Márquez's "Un día de estos" (pp. 239–240) or Julio Cortázar's "Continuidad de los parques" (pp. 337–338), or have them do a more detailed literary analysis of a specific literary work such as the Cervantes selection from *Don Quixote*, "Aventura de los molinos de viento" (pp. 66–68) or Bertalicia Peralta's poems (pp. 255–256).

- **Introducción al análisis literario**

This section introduces the basic concepts of literary analysis in order to facilitate students' discussion and understanding of various genres: narratives, short stories, poetry, legends, and essays. The activities that follow apply the concepts presented to the literary work just read in **Y ahora, ¡a leer!**

Teaching suggestions

1. Vary how students do this reading.

   - Assign it as homework and ask comprehension-check questions in class to make sure they understood the concepts presented.

   - Have students read the explanations in class in small groups and have them help each other if they have difficulty understanding.

- Call on individuals to read aloud and ask the class questions to check comprehension.

2. Always have students do the activities that follow. Allow students to answer the questions in pairs first, then go over the answers with the class. Make a conscious effort to have students apply the concepts being learned to all future readings.

- **Cultura en vivo**

These sections explore interesting facets of Hispanic culture and allow students to discover and manipulate cultural material through thought-provoking activities. The **Cultura en vivo** sections also help introduce the active vocabulary presented in the **Mejoremos la comunicación** sections.

Teaching suggestions

1. Call on individual students to read aloud or have students read the text independently. Then ask yes/no and either/or questions to check comprehension or have groups prepare comprehension checks to ask the class.

2. Have students comment on the art or photo that accompanies this section.

3. Ask students if they have any additional information about the people or topic presented and have them share it with the class.

4. Call on individual students to answer the questions that follow each reading.

HSS 5. Encourage students to share additional information they are likely to have about the topic. When appropriate, ask them to bring samples of music, magazines, video or anything else relevant to the reading topic.

- **Mejoremos la comunicación**

These mini-dialogues introduce in context the active vocabulary of the lesson. The dialogue topics are drawn from the **Cultura en vivo** cultural reading. An illustration is sometimes used to depict an extensive lexical family. The activities that follow provide students with ample vocabulary-building practice through a variety of interactive discussions, role-plays, debates, and more.

Teaching suggestions

1. Have students read these mini-dialogues aloud or assign them to be read as homework.

2. Ask for volunteers to role-play the functional topics, i.e. **Al invitar a una persona al cine** or **Al aceptar o rechazar una invitación**. Encourage them to use any of the variations presented.

3. Have students do the **¡A conversar!** activities in groups first, then have each group report back to the class.

4. Always allow time for the open-ended **Dramatizaciones** and **Debates**.

- Students should not prepare written or memorized scripts, but rather should play out the situation spontaneously.

- Encourage students to use their creativity as long as they stay within the language they know. If they ask you for vocabulary they have not had, tell them to think of another way of saying the same thing or simply to not say something the rest of the class will not understand.

- Have students perform their role-plays simultaneously in two or three large groups to cut the presentation time down by half or two- thirds. Have each group select the best role-play to be presented to the entire class.

- Grade student performance on some of these activities from time to time using a holistic approach to evaluate accomplishment of the assigned task.

- If a videocamera is available, have students tape their role-plays occasionally. Students can choose some of their productions to show other classes.

HSS
- Have students select a favorite role-play and develop it into a short, one-act play. Then have them perform it for other classes or for children in bilingual programs in the community.

5. Encourage students to use the new active vocabulary whenever appropriate.

HSS
6. Ask students if they know other words or expressions that have the same meaning as the new ones they are learning. If so, have the class decide if those expressions are part of the student's community lexicon or if they are widely used in the Spanish-speaking world.

- **Palabras claves**

These sections focus on a key word from the **Mejoremos la comunicación** section and engage students in understanding its different meanings in various contexts or in related words.

Teaching suggestions

1. Have students work in pairs and write definitions for the words in this section. After students have had time for pair work, call on individual students to give the meaning of the highlighted words. Have the class confirm each response.

2. Ask individual students or the class to create original sentences with the various meanings of the key words.

HSS
3. Ask HSS to write original sentences on the board with each use of the focus word(s) under study. Then have the class correct their work.

HSS
4. Ask HSS to name (list) other words that are derived from or related to the word(s) under study and to define each one.

- **¡Luz! ¡Cámara! ¡Acción!**

  To improve their listening comprehension skills, students need to be exposed to real language. The *Mundo 21* Video provides natural contexts for students to see and hear native speakers in real-life situations. Correlated to the modules of the video, the **¡Luz! ¡Cámara! ¡Acción!** sections in Lección 1 and Lección 3 of each unit are pedagogically designed to exploit fully this authentic video footage. Pre-viewing activities (**Antes de empezar el video**) and post-viewing activities (**¡A ver si comprendiste!**) give students the support they need to comprehend natural speech.

  Teaching suggestions

  1. Call on individual students to read the video segment introductory information aloud, one paragraph at a time. Ask yes/no and either/or comprehension-check questions after each student reads to verify understanding. See the **Del pasado al presente** teaching suggestions for other possible variations on presenting the introductory information.

  2. To prepare students for viewing the video segment, always complete the **Antes de empezar el video** activities. These exercises will activate their background knowledge and focus their attention on the video's topic.

  3. Play the entire video without stopping. Then rewind and replay the video in short segments, pausing after each segment to ask comprehension-check questions or to have students narrate what they saw. The length of each video segment will depend on the level of students' listening comprehension skills and how much they can retain as they view the video. Play the entire video again before asking **¡A ver si comprendiste!** questions.

  4. For the **¡A ver si comprendiste!** activities, check accuracy of pair work by calling on individual students to answer the questions. Have the class confirm each response.

  HSS 5. In HSS classes, play the video one section at a time, stopping to ask comprehension-check questions. HSS should be able to understand longer sections at a time.

  HSS 6. Expect HSS to give more detail and recall more facts when asking the **¡A ver si comprendiste!** questions.

- **Escribamos ahora**

  Located at the end of Lesson 2 in each unit, this section provides an innovative process-oriented approach to developing writing skills and organizational techniques. Each of these sections focuses on a specific type of writing, such as description and point of view, contrast and analogy, direct discourse, expressing and supporting opinions, and hypothesizing. This section takes students step by step through pre-writing activities such as brainstorming, clustering and outlining, writing a rough draft, rewrites, and peer review. The end result is a well-developed composition on a topic that relates thematically to the lesson. For evaluation purposes, only the final draft is submitted for grading.

Teaching suggestions

1. Discuss the unit's writing strategy with the class. See specific suggestions in "Lesson-by-Lesson Teaching Suggestions" (beginning on p. 31). Answer any questions, then have students do the activities in the **A generar ideas** section that provides practice in applying that particular new strategy.

2. Help students brainstorm lists of potential ideas and vocabulary to use. Write lists of their suggestions on the board or on an overhead transparency in clusters as students call out their ideas.

3. Insist that students plan and organize before they write a first draft, using the activities in the text.

4. Assign the draft as homework. Emphasize to students that at this stage, getting the ideas on paper is more important than accuracy. They will have opportunities to refine their work later.

5. An alternative for the first draft is to have students do "timed writes" on a topic. On a signal, they begin writing and keep the pencil/pen moving for the full three to five minutes that you allow. Then have students revise their draft as homework before submitting it for peer review.

6. Allow time for sharing their first draft with classmates to get peer feedback on content only (**Primera revisión**). Insist that partners begin by noting what they liked or found interesting and remind students that suggestions for improvement should be made tactfully.

7. After completing a second draft (**Segundo borrador**) at home, allow time for a second peer feedback to focus on accuracy of spelling, punctuation, and grammar. Teach students to edit by concentrating on one or two points per composition, as instructed in the **Segunda revisión** activity of the text, or edit a sample composition on a transparency as a model.

HSS 8. Encourage students to keep a personal list of common errors that they make and to review their compositions for those particular problems before submitting their final draft (encourage the use of the form provided for this purpose in the **Cuaderno de actividades para hispanohablantes**).

9. The publication activity is an integral part of the writing process because it gives students a feeling of real accomplishment with their writing tasks, especially if their peers compliment them on their final product.

- **Exploremos el ciberespacio**

  Students are referred to the Houghton Mifflin home page, which houses the *Mundo 21* website. Both students and instructors will find numerous related readings, resource materials, activities, and links to Spanish-speaking countries.

Teaching suggestions

1. Have students do these activities as homework or in your computer lab.

2. Require that a written summary of each activity be turned in to you in order for students to receive credit for having done the work.

   • Because the Internet can be very time consuming, you may prefer to require only two or three web-search activities per quarter or semester.

   • You may also decide to assign extra credit for any additional web-search activities completed and summarized in writing.

3. Suggest to students who need extra grammar practice to do the ACE self-scoring quizzes. These quizzes can also be used by students to help prepare for exam time.

HSS 4. Because HSS students have considerably higher listening skills, they should be encouraged to make more extensive use of the web.

   • Expect HSS students to go beyond the minimal level of expectations with all web activities.

   • Request that HSS students spend time in chat rooms with people from the country being studied and have them summarize their conversations for the class.

   • Encourage HSS students to do additional web surfing and to report to the class any interesting discoveries they make. Reward them for this extra work by giving extra-credit points.

• **Manual de gramática**

   For greater flexibility in meeting individual class needs, the **Manual de gramática** appears at the end of the textbook. Its sections are cross-referenced to the textbook lessons. Teachers may choose to work with grammar explanations in class, with the amount of time devoted to the presentation and review of grammar depending upon students' previous preparation. The **Ahora, ¡a practicar!** exercises following each grammar point reinforce the vocabulary and cultural content in the lesson readings so that students practice new structures in a meaningful context. The activities may be assigned as oral or written work for individuals or pairs.

Teaching suggestions

1. When beginning a new lesson, assign half of the lesson's grammatical structures and the corresponding **Ahora, ¡a practicar!** exercises as homework. On the second day, assign the remaining grammar points and accompanying activities. If you wish to assign the grammar at specific points in the text, see "Lesson-by-Lesson Teaching Suggestions" (beginning on p. 31).

2. Always verify the answers to the **Ahora, ¡a practicar!** homework exercises. To motivate students, vary the procedure:

   • Have students exchange papers and correct each other's homework as you call on individual students to give the correct answers.

- Call on several students to write the answers on the board for each item. Have students correct their own papers as you check board work with the class.

- Put answers on a transparency and have students correct their own papers.

- Collect homework papers and grade them holistically.

3. Suggest to students needing extra grammar practice to do the ACE self-scoring quizzes found in the *Mundo 21* website. These quizzes can also be used by students to help prepare for exam time.

Course Planning

Classroom Management

As you move through the lesson design of *Mundo 21*, you will find yourself variously functioning as producer, director, performer, and audience for the students' production. Although the program provides for great flexibility in teaching style, implementing the following principles should prove useful to all instructors.

1. Provide clear and consistent guidance as to how the various phases of the lesson are to be accomplished.

2. Give clear, concise directions before students begin pair or group work.

3. Develop a system of rewards and consequences for appropriate behavior in pair/group work—staying focused on the task, using Spanish exclusively, completing the task, etc.

4. Limit time for pair/group work. Students who have too much time will get off task. It is always best to cut an activity off before it is completed than to allow too much time. If a few students always finish before the rest of the class, give them other tasks to keep them focused. Have them write answers on the board, prepare comprehension check questions to ask their class-mates, do activities orally with another pair, and so forth.

5. Circulate, watch, and listen during pair/group practice.

6. Provide for full-group feedback by asking for a report, a summary of responses, individual or group "reenactments," and so on.

7. Establish a means for immediately getting the class to stop talking when you are ready to end an activity: quickly turn the lights on and off, instruct students that when they see you raise your hand they are to immediately stop talking and raise their hands, etc.

8. Evaluate student performance in pair/group work occasionally.

9. Develop a holistic rubric for evaluating/grading oral and written language production.

Holistic grading of oral and written work

To encourage students to use Spanish for communication at all times, it is advisable to evaluate their communication efforts more globally and not just in terms of their ability to parrot back memorized facts nor their mastery of grammar and vocabulary.

A holistic approach to grading can be used to evaluate the overall quality of communicative efforts during all parts of a lesson: when answering questions based on the readings, when performing creative role-plays, when predicting the content of a specific reading, when writing answers to grammar exercises, or when working on early drafts of the unit writing topic. In a holistic approach, students are evaluated based on satisfactory completion of the task(s) they are required to perform. It is very important that students understand the task and the way in which it will be evaluated. There are a number of approaches to holistic grading of activities. The following suggestions may prove helpful.

1. A simple, all-purpose rubric for grading oral and written production:

 Task was accomplished completely. Language used had very few, minimal errors, none of which interfered with comprehensibility.

 Task was accomplished. Language had some errors, but only two or three that interfered with comprehensibility.

 Task was mostly accomplished. Several errors interfered with comprehensibility.

 Task was not accomplished. Errors rendered language incomprehensible even to instructor and/or classmates.

 Task was not accomplished. Language was totally incomprehensible. Little or no attempt was made. Majority of task was in English.

2. An even simpler, all-purpose rubric:

 Performance exceeded expectations.

 Performance satisfied expectations.

 Performance failed to satisfy expectations.

3. A third approach to holistic grading:

- Specify precisely which elements of a given activity will affect the grade received—for example, pronunciation, number of utterances, variety of sentence types, use of a particular form, inclusion of specific pieces of information.

- Then develop a description of the performance (written or oral) that defines each grade category.

Grading extended writing tasks

Whereas competency in all five skill areas (listening, speaking, reading, writing, and culture) continues to be a major goal at this level, students should begin to concentrate on developing accuracy with respect to high-frequency structures. They should also learn to avoid errors that interfere with communication. The writing students do in **Escribamos ahora** and on the **Composición** sections of the *Cuaderno de actividades*, the **Pruebas** and the **Exámenes** provide excellent opportunities to convey this message to them.

All compositions and other writing tasks should be graded with a scale that rewards students for good communication and penalizes them for poor communication or other inaccuracies. The following rubrics are designed to accomplish this and may be helpful when grading compositions. More detailed explanations on how to apply these two rubrics can be found in the front matter of the Testing Program.

1. Although somewhat subjective, points may be assigned to each of the following categories, in order to give students specific feedback on areas that need improvement. For convenience in grading, the number of points may be adjusted to accommodate other totals.

Ideas y contenido	25 puntos máximo
Organización y transiciones	15 puntos máximo
Gramática	25 puntos máximo
Vocabulario y precisión	20 puntos máximo
Ortografía y presentación	15 puntos máximo
TOTAL	100 puntos

2. If focusing primarily on communication and accuracy, a more objective approach in assigning point values may be used. In this case, a composition can be worth a varied number of points.

   Ideas y contenido

   +1 a +15 por esfuerzos que van más allá de lo normal

   Comunicación

   −1 punto por una palabra que no comunica

   −2 punto por una frase que no comunica

   −3 punto por una oración corta que no comunica

   −4 punto por una oración larga que no comunica

   Estructura y organización, cohesión, gramática, ortografía, acentos, etcétera

   −1/3 punto por cualquier error

Keeping a Student Journal

Journal writing is a proven means of giving students extensive freewriting practice while keeping correction work by the instructor to a minimum. It also benefits the student by eliminating the threat of receiving a poor grade, a threat that unfortunately all too often accompanies student writing. Journal keeping usually consists of having students write down their thoughts and feelings about events and experiences in a notebook set aside for that purpose. Journal keeping may be used for a variety of purposes:

- To help students find out what they think and feel

- To encourage students to think problems through and view them in a new light

- To provide students with a written record of new ideas and topics to write about

- To practice exploratory writing without worrying about a grade

- To communicate ideas or personal experiences with the teacher

How often students write in their journals and how often the instructor collects and reads them varies considerably. Students may be asked to write an entry as often as once a week, if considered desirable. Following are various suggestions for topics that may be used for journal entries.

- **Write a paragraph based on any of the following words or phrases:**

paz	confianza	amor	alegría
orgullo	ambición	desesperación	esperanza
soledad	crueldad	fe	abuso

- **Write a paragraph or two beginning with:**

  Si yo fuera mi padre/madre/hermano/hermana,...

  Si este año fuera 2030, yo...

  Si pudiera volver al pasado,...

  Si tuviera que ser animal, yo...

- **Write an entry beginning with:**

  Admiro a personas que...

  No me gusta la gente que...

  Algo muy interesante me pasó esta semana...

  Lo que mucha gente no sabe de mí es que...

  Si pudiera cambiar mi manera de ser,...

- **Write about the following:**

  Tus experiencias en español

  Tus reacciones a la organización y requisitos del curso

  Lo que te gusta y no te gusta de tu mejor amigo(a)

  Opiniones sobre una clase de español esta semana

  Tus actividades durante el fin de semana

  Tu reacción a trabajo en grupos en la clase

Another option is to assign a topic every other week, and in the intervening weeks, students write on a topic of their own choosing. To promote the habit of keeping journals, notebooks may be collected on Fridays and returned on Mondays. Remember that thoughts expressed in journal entries, like those of personal diaries, should always be respected. However, it is appropriate and desirable to react and to comment on students' writing, but not to correct errors. Comments should always be genuine reactions that avoid criticism or passing judgment, and they are best written on self-stick removable notes. Comments immediately indicate to students that the instructor is reading the journal. In a few instances, it may be appropriate to point out the correct spelling of a word or a verb ending that a student consistently uses incorrectly. If done only occasionally, such comments may be taken to heart and the student is likely to remember them.

HSS
- Journal keeping is especially valuable in courses for HSS. Additional writing practice is useful for these students, and the free-writing style of journals is an excellent vehicle for providing it. Because of their fluency with the language, it is advisable to require a minimum amount per week, say one page.

Maintaining a Student Portfolio

Portfolio assessment can serve both as an ongoing measure of a student's progress toward proficiency and as an ongoing gauge of a department's progress toward meeting curriculum goals. *Mundo 21* provides instructors with a number of convenient opportunities to assemble a portfolio that would include samples of performance in all skill areas: listening, speaking, reading, writing, and cultural awareness. The portfolio should contain instructor-selected as well as student-selected samples and should follow the student throughout his or her years of Spanish study.

Because the *Mundo 21* Testing Program is designed to allow students to demonstrate not only mastery of vocabulary and structure but also of listening comprehension, of spontaneous writing proficiency, and of reading and cultural awareness, inclusion of one or more Exams each semester is appropriate. Teachers may also choose one finished writing piece each semester and allow students to select a second writing piece for inclusion.

Samples of students' speaking proficiency can easily be included through audiotaping. Instructors may record student role-plays and/or student-student or instructor-student interaction during classroom activities. Because it is unnecessary to record every student during every activity, technological requirements need not be oppressive. If each student provides a single audiocassette, and if the instructor provides two small cassette recorders, students may regularly record pair activities on a rotating basis.

Videotaping students may prove to be more of a challenge. Yet if instructors have access to the necessary equipment, video samples of student interaction for the whole class are feasible. Again, it is unnecessary to videotape every student for every activity.

A typical student portfolio might include:

- **Selected unit exams**
- **Semester exam**
- **Final exam**
- **Instructor-selected writing piece each semester**
- **Student-selected writing piece each semester**
- **Other student-selected writings or projects**
- **Speaking sample on tape (at least one per semester)**
- **Video sample (at least one per semester)**

Preparation of Course Syllabus

Mundo 21 can easily be adapted to a variety of course plans and schedules. Some general guidelines on how the scope and sequence of *Mundo 21* might be effectively organized for a two-semester course meeting three class periods per week or a two-quarter course meeting five class periods per week are as follows.

Two-Semester Course
(three class periods per week)

First Sememster			Second Semester		
Week 1	Unidad 1: Lección 1	3 Days	**Week 1**	Unidad 5: Lección 1	3 Days
Week 2	Unidad 1: Lección 2	3	**Week 2**	Unidad 5: Lección 2	3
Week 3	Unidad 1: Lección 3	3	**Week 3**	Unidad 5: Lección 3	3
Week 4	Repaso: Unidad 1	1	**Week 4**	Repaso: Unidad 5	1
	Examen: Unidad 1	1		Examen: Unidad 5	1
	Unidad 2: Lección 1	1		Unidad 6: Lección 1	1
Week 5	Unidad 2: Lección 1	2	**Week 5**	Unidad 6: Lección 1	2
	Unidad 2: Lección 2	1		Unidad 6: Lección 2	1
Week 6	Unidad 2: Lección 2	2	**Week 6**	Unidad 6: Lección 2	2
	Unidad 2: Lección 3	1		Unidad 6: Lección 3	1
Week 7	Unidad 2: Lección 3	2	**Week 7**	Unidad 6: Lección 3	2
	Repaso: Unidad 2	1		Repaso: Unidad 6	1
Week 8	Examen: Unidad 2	1	**Week 8**	Examen: Unidad 6	1
	Unidad 3: Lección 1	2		Unidad 7: Lección 1	2
Week 9	Unidad 3: Lección 1	1	**Week 9**	Unidad 7: Lección 1	1
	Unidad 3: Lección 2	2		Unidad 7: Lección 2	2
Week 10	Unidad 3: Lección 2	1	**Week 10**	Unidad 7: Lección 2	1
	Unidad 3: Lección 3	2		Unidad 7: Lección 3	2
Week 11	Unidad 3: Lección 3	1	**Week 11**	Unidad 7: Lección 3	1
	Repaso: Unidad 3	1		Repaso: Unidad 7	1
	Examen: Unidad 3	1		Examen: Unidad 7	1
Week 12	Unidad 4: Lección 1	3	**Week 12**	Unidad 8: Lección 1	3
Week 13	Unidad 4: Lección 2	3	**Week 13**	Unidad 8: Lección 2	3
Week 14	Unidad 4: Lección 3	3	**Week 14**	Unidad 8: Lección 3	3
	Repaso: Unidad 4	1		Repaso: Unidad 8	1
Week 15	Examen: Unidad 4	1	**Week 15**	Examen: Unidad 8	1
Repaso para el examen final		1	Repaso para el examen final		1

Semester courses that meet four days per week would be able to allow approximately four-and-a-half class periods per lesson in the first semester and five class periods per lesson in the second semester. Courses that meet five days per week would be able to allow approximately five and one-half class periods per lesson in the first semester and six class periods per lesson in the second semester.

Two-Quarter Course
(five class periods per week)

First Quarter			Second Quarter		
Week 1	Unidad 1: Lección 1	3 Days	**Week 1**	Unidad 5: Lección 1	3 Days
	Unidad 1: Lección 2	2		Unidad 5: Lección 2	2
Week 2	Unidad 1: Lección 2	2	**Week 2**	Unidad 5: Lección 2	2
	Unidad 1: Lección 3	3		Unidad 5: Lección 3	3
Week 3	Repaso: Unidad 1	1	**Week 3**	Repaso: Unidad 5	1
	Examen: Unidad 1	1		Examen: Unidad 5	1
	Unidad 2: Lección 1	3		Unidad 6: Lección 1	3
Week 4	Unidad 2: Lección 2	4	**Week 4**	Unidad 6: Lección 2	4
	Unidad 2: Lección 3	1		Unidad 6: Lección 3	1
Week 5	Unidad 2: Lección 3	2	**Week 5**	Unidad 6: Lección 3	2
	Repaso: Unidad 2	1		Repaso: Unidad 6	1
	Examen: Unidad 2	1		Examen: Unidad 6	1
	Unidad 3: Lección 1	1		Unidad 7: Lección 1	1
Week 6	Unidad 3: Lección 1	2	**Week 6**	Unidad 7: Lección 1	2
	Unidad 3: Lección 2	3		Unidad 7: Lección 2	3
Week 7	Unidad 3: Lección 2	1	**Week 7**	Unidad 7: Lección 2	1
	Unidad 3: Lección 3	3		Unidad 7: Lección 3	3
	Repaso: Unidad 3	1		Repaso: Unidad 7	1
Week 8	Examen: Unidad 3	1	**Week 8**	Examen: Unidad 7	1
	Unidad 4: Lección 1	3		Unidad 8: Lección 1	3
	Unidad 4: Lección 2	1		Unidad 8: Lección 2	1
Week 9	Unidad 4: Lección 2	2	**Week 9**	Unidad 8: Lección 2	3
	Unidad 4: Lección 3	2		Unidad 8: Lección 3	2
Week 10	Unidad 4: Lección 3	1	**Week 10**	Unidad 8: Lección 3	1
	Repaso: Unidad 4	1		Repaso: Unidad 8	1
	Examen: Unidad 4	1		Examen: Unidad 8	1
Repaso para el examen final		1	Repaso para el examen final		1

Courses on the quarter system that meet four days per week would be able to allow approximately three class periods per lesson. For courses meeting three days per week, it is recommended that the text be used over three quarters to allow sufficient class time for each lesson: units 1–2 (first quarter), units 3–5 (second quarter), and units 6–8 (third quarter).

In working with *Mundo 21*, it is important to recognize that it is not necessary to use every reading or every activity provided. Selection of course materials should be based on students' abilities, needs, and interests as well as the number of available class hours. *Mundo 21* also provides tremendous flexibility in the way instructors may choose to integrate the **Manual de gramática** and the **Cuaderno de actividades**.

Lesson-by-Lesson Teaching Suggestions

Lesson-by-Lesson Teaching Suggestions

UNIDAD 1

Los hispanos en Estados Unidos: crisol de sueños

Unit Opener

Suggestions

- Make sure students understand that **crisol de sueños** means *melting pot where dreams are forged,* and that **hispanos** refers to anyone of Spanish ancestry, whether in the United States or abroad.

- Note that the **¡Bienvenidos al Mundo 21!** questions are critical-thinking questions with many possible correct answers. Encourage students to express their opinions and to explain why they think their answers are correct.

- Give students additional information about the unit-opener photo. The artist, Salvador Vega, was born and raised in Chicago and has completed many murals in that city, including *La familia* on the façade of Casa Aztlán, a gathering place for many of Chicago's Chicano artists.

- **HSS** Pídales a los estudiantes hispanohablantes que describan su mural favorito. Luego pídales que comparen este mural a su favorito. ¿Qué tienen en común? ¿Cómo son diferentes? Pregúnteles qué significado tienen los murales en la cultura hispana y si saben el origen de los murales.

Lección 1 Los chicanos

Gente del Mundo 21

Suggestions

- Point out that Sandra Cisneros, like a number of other Chicano writers, writes primarily in English. Being born and educated in the United States, many Chicanos did not learn to write in Spanish until they took their first elementary Spanish class in high school or in college. Even though Spanish is the language spoken at home, many bilingual Chicanos are not schooled in Spanish.

- Ask volunteers in the class to tell what they know about any of the people listed in **Otros chicanos sobresalientes**. Have others in the class add any information they can.

Extra

- Offer extra credit to students interested in researching and writing a brief report on any of the people listed in **Otros chicanos sobresalientes**.

- Bring one of Sandra Cisneros's novels to class and read several selections to students.

HSS Pídales a los estudiantes hispanohablantes que preparen preguntas originales para que luego se las hagan a sus compañeros y así verifiquen la comprensión que éstos tienen sobre esta sección. Insista en que preparen por lo menos cuatro preguntas para cada una de las personas descritas.

HSS **Extra**

- Pídales a voluntarios que traigan a clase información que puedan conseguir sobre cualquiera de estos chicanos famosos.

- Traiga una de las novelas de Rodolfo Anaya o Ana Castillo y léales unos trozos a los estudiantes.

- Muestre algunos de los cuadros en los libros de niños de Carmen Lomas Garza a la clase y coméntenlos.

- Muestre una selección de las películas de Edward James Olmos: *Zoot Suit, Stand and Deliver* o *Selena*.

Manual de gramática

The grammar in this first chapter reviews simple concepts that many students may already know. For this reason, it is recommended that the following assignments be optional. Note, however, that certain uses of these concepts may be especially problematic for heritage Spanish speakers.

Suggestions

- As homework, have students read the grammar explanation **1.1 Nouns and Articles** in the grammar manual in the back of their textbooks and have them write the answers to the corresponding exercises.

- In class, answer any questions students may have about nouns and articles and briefly go over the exercises.

HSS La mayoría de excepciones al género mencionadas a lo largo de esta sección son problemáticas para los estudiantes hispanohablantes. Por eso, conviene darles pruebas enfocadas en la traducción del inglés al español de este vocabulario para ayudarles a internalizar estas excepciones.

Algunos estudiantes hispanohablantes tienden a añadir **-es** al formar el plural de palabras como **lunes** y **crisis.** Insista en que estas palabras forman el plural sólo con el uso del artículo plural. Algunos estudiantes hispanohablantes tienden a seguir la sintaxis del inglés y a usar adjetivos posesivos al hablar de partes del cuerpo y de artículos de ropa. Insista en que el uso de verbos reflexivos al hablar de nuestro cuerpo rinde innecesario el adjetivo posesivo.

Algunos estudiantes hispanohablantes tienden a usar el artículo indefinido femenino **una** con sustantivos femeninos como **alma, hacha, agua,...**

Del pasado al presente

Suggestions

- **Jigsaw Reading Activity**

  1. Number students from 1 to 5. All students numbered "1" are responsible for reading and taking notes on the information in the first segment of the reading: **Los orígenes.** Students numbered "2" are responsible for the next segment, **Principios del siglo XX,** and so on.

  2. Students form groups by number—all 1's, all 2's, and so on. Using their notes and their book, they discuss the significant information from their segment. Students are instructed to become "experts" on their segment. They should determine what facts and details are important and how the information should be sequenced and explained.

  3. New groups of five are now formed, including one member from each numbered group—one "expert" on each segment of the reading. Each expert is now responsible for retelling all the significant facts and details from that segment to the new group, using notes but not text. Each expert should present the information to the group and check to see that all the members of the group understand, while group members take notes.

  4. Check on accountability by administering an eight-to-ten-question true/false or short-answer quiz covering significant content of the entire reading. Students take the test independently.

HSS Antes de leer **Del pasado al presente**, pídales a los estudiantes hispanohablantes que digan lo que saben de la historia de los chicanos en EE.UU. ¿Quiénes son los chicanos? ¿Cuándo vinieron a EE.UU.? ¿De dónde vinieron?

HSS Después de leer **Del pasado al presente**, pregunte cuántos estudiantes hispanohablantes se identifican con los chicanos. Pídales que expliquen por qué. Pregúnteles también qué parte de la historia de los chicanos en EE.UU. vivieron sus padres o sus abuelos. Si no lo saben, pídales que hablen con ellos e informen a la clase de lo que descubrieron.

HSS Anime a los estudiantes hispanohablantes a desarrollar más los temas presentados en la lectura. Pregúnteles si algunos son miembros de M.E.Ch.A. Si así es, pídales que expliquen a la clase la función de esta organización.

Manual de gramática

Suggestions

- As homework, have students read the grammar explanation **1.2 Present Indicative: Regular Verbs** in the grammar manual in the back of their textbooks and have them write the answers to the corresponding exercises.

- In class, answer any questions students may have over the present indicative regular verbs and briefly go over the exercises.

 Estos conceptos no tienden a presentar problemas para los estudiantes hispanohablantes.

Ventana al Mundo 21

Suggestions

- Ask students to interpret the photo of the mural **"Canto a los cuatro vientos."**

- Verify answers by having individual students ask a question and call on any classmate to answer.

HSS Pregúnteles a los estudiantes hispanohablantes si tienen parientes o amigos que vivan en Chicago. Pregúnteles si conocen o han asistido a escuelas como la Escuela Secundaria Benito Juárez que sean un símbolo de orgullo para la comunidad latina local. Pídales que comparen su escuela con la de Benito Juárez.

Y ahora, ¡a leer!

Suggestions

- Ask students to look at the drawing of Tierra Amarilla, New Mexico, and to say if they think it is a realistic drawing or not. Have them explain their responses. Then ask if any students in the class are from New Mexico or have visited there and have them comment on the drawing.

- Read the first page aloud for students one paragraph at a time. Ask several yes/no, either/or questions to help aid students' understanding.

- Call on individual students to read aloud for the class. Ask additional yes/no, either/or questions at the end of each paragraph.

- Vary the procedure by asking students to read one paragraph at a time silently and to prepare four to five comprehension-check questions to ask their classmates. Call on several students to ask their questions as each paragraph is read.

- Complete the story as you began, by reading aloud the last two or three paragraphs yourself and asking additional yes/no, either/or questions to check comprehension.

Pídales a los estudiantes hispanohablantes que respondan a las siguientes preguntas en grupos de tres o cuatro. Pídale a cada grupo que informe a la clase de sus conclusiones.

1. ¿Por qué creen que don Anselmo prefirió a Víctor en vez de a Adolfo como marido para Francisquita?

2. ¿Cómo habrá reaccionado Francisquita? ¿Por qué no se opuso?

3. ¿Cuál habrá sido la participación de doña Francisquita? ¿A quién habrá preferido ella para su hija, a Adolfo o a Víctor? ¿Por qué crees eso?

4. ¿Cómo crees que reaccionó don Anselmo cuando supo que Adolfo había huido con el dinero? ¿Crees que lo denunció a las autoridades? Explica tu respuesta.

Introducción al análisis literario

Suggestions

- In groups of three or four, have each student name a novel, play, or poem that they read in high school and identify the characters, the protagonists, the narrator, and the narrative voice in each work. Have each group report to the class.

- Have the class discuss whether don Anselmo is a protagonist or not.

HSS Pídales a los estudiantes hispanohablantes que decidan si el personaje Adolfo Miller era más anglo que hispano o vice versa.

Dígales que apoyen su decisión con ejemplos específicos del cuento.

Manual de gramática

Suggestions

- As homework, have students read the grammar explanation **1.3 Descriptive Adjectives** in the grammar manual in the back of their textbooks and have them write the answers to the corresponding exercises.

- In class, answer any questions students may have about descriptive adjectives and briefly go over the exercises.

HSS El saber cuándo usar las versiones abreviadas de los adjetivos presenta problemas para algunos estudiantes hispanohablantes.

Cultura en vivo

Suggestions

- Divide the class into groups of four or five. Have students read the selection independently in their groups. If they have problems understanding, have them ask anyone in their group for help.

- Call on individual students to answer the questions in **Cine chicano**. Have others in the class comment and expand.

Extra

- Show one of the movies mentioned in the reading to the class.

HSS Pregúnteles a los estudiantes hispanohablantes a cuántos de los primeros actores hispanos conocen. Pídales que nombren algunas de sus películas. Pídales también que expliquen la importancia de tener una buena representación de hispanos en Hollywood.

Mejoremos la comunicación

Suggestions

- With books closed, call on individual students to name a **película de guerra, de vaqueros, de...** or to name one they've seen recently that they considered **aburrida, pésima, conmovedora...**

- Call on several pairs of students to improvise inviting someone to the movies and accepting or rejecting an invitation.

HSS Pídales a los estudiantes hispanohablantes que indiquen otras fórmulas que ellos usan para invitar a una persona al cine y para aceptar o rechazar una invitación. La clase debe indicar si las nuevas fórmulas son apropiadas o no y por qué.

Palabras claves

Suggestions

- Have students do the matching exercise in pairs. Then call on individual students and have the class verify each response.

- Ask for volunteers to create a sentence with each expression.

HSS Pídales a los estudiantes hispanohablantes que pasen a la pizarra y que escriban oraciones originales con estas palabras. Luego pídale a la clase que las corrija.

Answers: **1.** e **2.** a **3.** b **4.** c **5.** d

¡Luz! ¡Cámara! ¡Acción!

Suggestions

Antes de empezar el video

- After students answer the pre-viewing questions in pairs, call on several groups to see how they responded.

HSS Al contestar las preguntas, pídales a los estudiantes hispanohablantes si alguna vez han tenido conflicto de identidad por ser hispanos. Si dicen que sí, pídales que expliquen qué causó el conflicto y cómo lo resolvieron.

Al mostrar el video

- Play the video all the way through without stopping. Then rewind and play it through one section at a time, stopping to ask comprehension-check questions (yes/no, either/or, short-response) to help students understand what they heard and saw. Repeat this procedure to the end. Finally, play the video all the way through one last time before asking ¡A ver si comprendiste! questions.

HSS En clases para hispanohablantes, primero muestre el video completo. Luego, vuelva al principio y muestre las secciones de una en una, parando el video para hacer preguntas y para asegurarse de que todos entienden el contenido.

¡A ver si comprendiste!

- Allow time to answer the content questions in pairs, then call on individuals to answer the same questions with the entire class.

- Call on individuals to answer the **A pensar e interpretar** questions. Have the class comment on each response.

HSS Pídales a los estudiantes hispanohablantes que digan hasta qué punto pueden o no pueden identificarse con Manuel Colón y que expliquen su respuesta.

Exploremos el ciberespacio

Suggestions

- Have students that need extra grammar practice do the ACE activities.

- Require that all students do one or two of the World Wide Web activities for at least three of the countries studied during the semester. Allow them to select the countries they wish to do but require that they turn in the work to prove that they did it.

- Offer extra credit to students that do additional activities for other countries on the Web.

HSS Pídales a los estudiantes hispanohablantes que aprovechen del *Chat Room* para conversar con unos chicanos. Dígales que le entreguen un resumen de la conversación indicando lo que aprendieron al hablar con chicanos.

Lección 2   Los puertorriqueños

Gente del Mundo 21

Suggestions

- Divide the class into three groups and have each group read one biography. Then have students close their books and call on one member of a group to tell the class one fact that the student recalls having read. Keep calling on group members until all pertinent information has been reported. Repeat the process with the remaining two groups. You may want to write on the board, in outline form, the facts being recalled.

- Have volunteers or students interested in extra credit prepare a brief written or oral presentation on one of the persons listed in **Otros puertorriqueños sobresalientes**. Have others in the class add any information they can.

Extra

- Listen to some of Tito Puente's music in class. Ask volunteers to demonstrate or teach the class how to dance salsa.

HSS Si tiene estudiantes puertorriqueños en la clase, pídales que nombren a otros puertorriqueños famosos y luego que le expliquen a la clase por qué son importantes. También pídales que hablen sobre uno de los siguientes temas: la comunidad puertorriqueña en Nueva York, la comida puertorriqueña, la música puertorriqueña o algún escritor puertorriqueño.

HSS **Extra**

- Pida voluntarios para que traigan más información sobre cualquiera de estos puertorriqueños famosos.

- Pídales que expliquen la popularidad de Ricky Martin.

- Traiga una novela o colección de cuentos de Pedro Juan Soto, Piri Thomas o cualquier otro escritor puertorriqueño a la clase y lea una selección.

- Pídales a los aficionados al deporte de la clase que compartan información que tengan sobre los beisbolistas puertorriqueños en EE.UU.

Manual de gramática

Suggestions

- As homework, have students read the grammar explanation **1.4 Stem-changing Verbs: Indicative** in the grammar manual in the back of their textbooks and have them write the answers to the corresponding exercises.

- In class, answer any questions students may have about stem-changing verbs in the indicative and briefly go over the exercises.

HSS El deletreo correcto de todos los verbos que cambian de ortografía en la radical presenta un extenso problema para muchos estudiantes hispanohablantes. Extra trabajo con estos verbos puede ayudar: escribir oraciones originales, conjugar los verbos irregulares, traducir, etcétera.

Del pasado al presente

Suggestions

- Do a **Jigsaw Reading Activity** following the steps outlined on page 33.

- Have students comment on any direct contact they have had with Puerto Ricans and discuss what it must be like to be citizens of the U.S. without having most U.S. citizens recognize them as such.

HSS Jigsaw para hispanohablantes

- Forme cuatro grupos, enumerándolos del 1 al 4, con más o menos el mismo número de estudiantes en cada grupo.

- Asigne líderes para los grupos o pídales a los grupos que seleccionen su propio líder. Pídale al líder del Grupo 1 que abra el libro y les lea en voz alta a los otros miembros de su grupo el primer segmento de la lectura: **Los orígenes**. Haga que el líder del Grupo 2 les lea el segundo segmento de la lectura a los miembros de su grupo, etcétera.

- Mientras los líderes de los grupos leen, los otros estudiantes deben mantener sus libros cerrados y tomar notas sobre toda la información pertinente mientras escuchan la lectura. Si tienen alguna dificultad, cualquier miembro del grupo puede ayudarlos.

- Dé tiempo suficiente para que cada grupo pueda discutir el segmento leído y para que los miembros del grupo puedan comparar notas. Infórmeles que la meta es que cada uno se convierta en un experto sobre el segmento.

- Ahora forme nuevos grupos de cuatro, con un miembro o "experto" de los cuatro grupos anteriores en cada nuevo grupo. Cada experto es responsable de contar todos los hechos y detalles importantes de su segmento al nuevo grupo. Pueden usar los apuntes que tomaron pero no el libro de texto.

- Cuando las cuatro personas de cada grupo hayan terminado, déles una prueba sobre toda la materia de **Del pasado al presente**. La prueba puede consistir en unas dos o tres preguntas tipo verdadero/falso sobre cada sección de la lectura. Los estudiantes deben tomar la prueba individualmente.

Ventana al Mundo 21

Suggestions

- Ask students to describe the photo: Who are the marchers? What is the emblem on their T-shirts? Where are they probably from?

- After students answer questions in pairs, call on individuals to answer each question and have the class confirm each response.

- To make students aware of the close proximity of New York state and the island, have them locate New York City and then Puerto Rico on a map of the western hemisphere.

HSS Pregúnteles a los estudiantes hispanohablantes si han asistido o participado en el Desfile Puertorriqueño de Nueva York o en algún otro desfile hispano en otra ciudad. Si así es, pídales que describan sus experiencias al resto de la clase.

Y ahora, ¡a leer!

Suggestions

- Ask students to look at the drawing of the author fretting over how to translate the word **pitirre**. Ask why a bilingual writer would have such a problem.

- Read the first page aloud for students one paragraph at a time. Ask several yes/no, either/or questions to help aid students' understanding.

- Call on individual students to read aloud for the class. Ask additional yes/no, either/or questions at the end of each paragraph.

- Vary the procedure by asking students to read one paragraph at a time silently and to prepare four to five comprehension-check questions to ask their classmates. Call on several students to ask their questions as each paragraph is read.

- **HSS** Pídales a los estudiantes hispanohablantes que hablen de sus primeras experiencias con el inglés. ¿Cómo lo aprendieron? ¿Dónde? ¿Con cuánta dificultad? ¿Tienen algunos relatos divertidos que puedan contar a la clase?

- **HSS** Pídales a los estudiantes hispanohablantes que comenten sobre el título del libro *Cuando era puertorriqueña*. Pregúnteles si sería apropiado o no usar un título parecido como *Cuando era mexicana* o *Cuando era salvadoreña* para su biografía. Pídales que expliquen su respuesta.

Introducción al análisis literario

Suggestions

- In small groups, ask students to tell what their favorite biography or autobiography is and why. Have each group report to the class.

- **HSS** Pídales a los estudiantes hispanohablantes que decidan qué título le darían a su propia biografía. En grupos pequeños: pídales que le digan a su grupo el título que escogieron y que expliquen por qué seleccionaron ese título. Luego pídale a cada grupo que seleccione el mejor título en el grupo y que le explique a la clase por qué lo consideran el mejor.

Manual de gramática

Suggestions

- As homework, have students read the grammar explanation **1.5 Verbs with Spelling Changes and Irregular Verbs** in the grammar manual in the back of their textbooks and have them write the answers to the corresponding exercises.

- In class, answer any questions students may have about spelling changes and irregular verbs and briefly go over the exercises.

HSS Estos cambios de deletreo son particularmente problemáticos para estudiantes hispanohablantes. Atención especial se debe dar a estos estudiantes para ayudarles a internalizar las reglas que gobiernan los cambios ortográficos.

Cultura en vivo

Suggestions

- Ask students the importance of a place like the one pictured. Ask if they know of other similar places in their community. Ask if they have ever been to one of those places and, if so, to tell what it was like.

- Allow time for students to answer the questions in **Escritores puertorriqueños en EE.UU.** in pairs. Then call on individuals to answer each question and have others in the class comment and expand.

HSS Pregúnteles a los estudiantes hispanohablantes si prefieren leer algo escrito en español por un escritor hispano de EE.UU. o de un país hispano. Desde el punto de vista de sus estudiantes, ¿cuáles son las ventajas y desventajas de esas dos opciones?

Mejoremos la comunicación

Suggestions

- With books closed, call on individual students to name a **novela, ensayo, cuento, poema, drama, escritor, dramaturgo, novelista** that they considered **aburridísimo(a), corto(a), destacado(a)...**

- Play a game. Ask for volunteers to raise their hands and name a favorite **novela, ensayo, cuento, poema...** Then anyone in the class that read the work should state an opinion: **aburridísimo(a), corto(a), destacado(a)...** Don't require any justification. Just move on to the next work and another opinion. Keep it going as long as students can name works and state opinions.

HSS Pídales a individuos que nombren obras que han leído en español y a la clase que exprese opiniones sobre esas obras. (Si no han leído mucho en español, pídales que nombren obras que han leído en inglés.)

Palabras claves

Suggestions

- Have students do the matching exercise and write original sentences individually. Have them check their work by comparing their responses with those of two other classmates. Call on individual students to write some of their original sentences on the board. Have the class correct any errors.

HSS Pídales a los estudiantes hispanohablantes que pasen a la pizarra y que escriban oraciones originales con estas palabras. Luego pídale a la clase que las corrija.

Answers: **1.** c **2.** e **3.** b **4.** a **5.** d

Escribamos ahora

Suggestions

HSS Pídales a los estudiantes hispanohablantes que sigan todos los pasos del proceso a continuación. Es un proceso que da buen resultado a todos los estudiantes.

A. A generar ideas: la descripción

  1. Punto de vista answers:

    a. El narrador es el sobrino de Víctor y Francisquita. Describe su punto de vista.

    b. *Answers will vary, but should include:* **sereno, callado, serio, sonrisa, risa, amabilidad, peleas, borracheras, ombligo, hondo y violento resentimiento**

    c. *Answers will vary.*

  2. Personajes pintorescos: Do a brief brainstorming with the class, if necessary, to get them started.

  3. Recoger y organizar información: Assign as homework.

B. Primer borrador: Suggest that students begin by writing for ten minutes without stopping. After that time period, tell them to read what they wrote and start reorganizing the paragraphs as necessary, adding, deleting, or correcting, as needed. If necessary, this may all be assigned as homework.

C. Primera revisión: Tell students to focus on content only at this point. Point out that as they learn to spot content gaps in their classmates' compositions, they will be able to find similar gaps in their own writing more easily.

D. Segundo borrador: Tell students to seriously consider their peers' comments and accept those that they agree with and ignore those they don't. This rewrite can be done as homework.

E. A revisar: Allow enough time to edit their partner's paper. Circulate among students, answering any questions and checking on their editing.

F. Versión final: Have students do this as homework. Insist they do it on a computer.

G. Reacciones: Tell students to use their sense of humor as they draw. Collect the best from each group and post the drawings on the wall. Then read the compositions randomly and see if the class can identify the appropriate drawing.

Exploremos el ciberespacio

Suggestions

- Have students that need extra grammar practice do the ACE activities.

- Require all students to do one or two of the World Wide Web activities for at least three of the countries studied during the semester. Allow them to select the countries they wish to cover but require that they turn in the work to prove that they did it.

- Offer extra credit to students that do additional activities for other countries on the Web.

HSS Pídales a los estudiantes hispanohablantes que se aprovechen del *Chat Room* para conversar con puertorriqueños en EE.UU. Dígales que le entreguen un resumen de la conversación indicando lo que aprendieron al hablar con puertorriqueños en EE.UU.

Lección 3   Los cubanoamericanos

Gente del Mundo 21

Suggestions

- Have students read the first biography silently, then ask comprehension-check questions. Repeat with the remaining biographies.

- After students answer the **Personalidades del Mundo 21** questions in small groups, ask individuals from each group the same questions and have the class confirm each response.

Extra

- Ask volunteers interested in extra credit to prepare a brief written or oral presentation on one of the people listed in **Otros cubanoamericanos sobresalientes**. Have others in the class add any information they can.

- Listen to one of Gloria Estefan's CDs in class.

HSS Pregúnteles a los estudiantes hispanohablantes a qué se debe la inmensa popularidad de estos tres cubanoamericanos con el público hispano. Pídales que digan qué es lo que los atrae a ellos a estos personajes.

HSS Extra

- Pregúnteles si tienen información aun más actualizada sobre estos tres cubanoamericanos.

- Léale un cuento de Roberto G. Fernández o unos trozos de una novela de Óscar Hijuelos a la clase.

- Escuchen un CD de Celia Cruz, del pianista Horacio Gutiérrez o de la compositora Tania León.

- Muestre un trozo de la película *The Mambo Kings* de Óscar Hijuelos, una de las películas de Andy García o un video o CD de Gloria Estefan.

- Si tiene estudiantes cubanoamericanos en la clase, pregúnteles si tienen grandes deseos de regresar a Cuba a vivir. Pregúnteles si sus padres todavía esperan regresar algún día.

Manual de gramática

Suggestions

- As homework, have students read the grammar explanation **1.6 Uses of the Verbs *ser* and *estar*** in the grammar manual in the back of their textbooks and have them write the answers to the corresponding exercises.

- In class, answer any questions students may have about **ser** and **estar** and briefly go over the exercises.

HSS Dígales a los estudiantes hispanohablantes que hay una tendencia entre algunos hispanohablantes a sustituir el pluscuamperfecto de subjuntivo con un segundo condicional perfecto o el inverso, el sustituir el condicional perfecto con un segundo pluscuamperfecto.

Del pasado al presente

Suggestions

- Do a **Jigsaw Reading Activity** following the steps outlined on page 33.

- Have students comment on any direct contact they have had with Cuban Americans—either personally or through movies, music, art, . . .

HSS Pídales a los estudiantes que sigan la variación del **Jigsaw para hispanohablantes** que aparece en la página 39.

HSS Antes de leer **Del pasado al presente**, pídales a los estudiantes hispanohablantes que digan lo que saben de la historia de los cubanos en EE.UU. ¿Cuándo vinieron a EE.UU.? ¿Por qué vinieron? ¿Dónde se establecieron?

HSS Después de leer **Del pasado al presente**, pídales a los estudiantes hispanohablantes que hagan una comparación entre los tres grupos más grandes de hispanos en EE.UU. ¿Qué diferencias hay en cómo han sido recibidos en este país? ¿Quiénes han recibido más ayuda del gobierno federal? ¿Quiénes gozan de más independencia económica ahora? ¿A qué se deberán esas diferencias?

Manual de gramática

Suggestions

- As homework, have students read the grammar explanation **1.7 Demonstrative Adjectives and Pronouns** in the grammar manual in the back of their textbooks and have them write the answers to the corresponding exercises.

- In class, answer any questions students may have about demonstratives and briefly go over the exercises.

HSS Para los estudiantes hispanohablantes, a veces existe una confusión en saber cuándo estas formas llevan acento escrito. Asegúrese de que estos estudiantes entiendan claramente la diferencia que existe entre un adjetivo demostrativo y un pronombre demostrativo.

Ventana al Mundo 21

Suggestions

- Ask if any students in the class have some of Jon Secada's CDs. If so, ask them what they like about him and/or his music. Ask if they know that he also sings in Spanish.

- Call on individuals to tell if the statements in **Jon Secada** are true or false. Have the class correct the false ones.

HSS Pregúnteles a los estudiantes hispanohablantes si prefieren escuchar a Jon Secada cantar en inglés o en español y por qué. Pídales que digan cuál es el atractivo de este cantante cubanoamericano para el público hispano.

Y ahora, ¡a leer!

Suggestions

- Ask students to look at the drawing of the artist painting the Statue of Liberty and, on the basis of the drawing alone, ask them to write a sentence or two on a sheet of paper predicting what they think the story will be about. Have them come back to their predictions after they have read *Soñar en cubano*.

- Alternate reading aloud half a page at a time. You begin, then call on individual students, then you again. Ask several yes/no, either/or questions to help aid students' understanding before changing readers.

HSS Pregúnteles a los estudiantes hispanohablantes qué opinan de la decisión de la hija de pintar el mural que pintó. ¿Consideran que fue falta de respeto hacia la madre? ¿Qué opinan de murales que muestran una falta de respeto hacia el gobierno de EE.UU. en general? ¿Cuál es el verdadero propósito de esos murales?

Introducción al análisis literario

Suggestions

- Ask students to find examples in the reading selection just completed of Spanish punctuation that . . .

  denote a change of speaker.

  indicate the speaker stopping and the narrator beginning to speak.

  indicate indirect dialogue.

HSS Pregúnteles a los estudiantes hispanohablantes si tienden a usar la puntuación del español cuando escriben composiciones en inglés o, vice versa, si tienden a usar la puntuación del inglés cuando escriben en español. Si dicen que sí, pregúnteles cómo pueden sobreponerse a ese mal hábito.

Manual de gramática

Suggestions

- As homework, have students read the grammar explanation **1.8 Comparatives and Superlatives** in the grammar manual in the back of their textbooks and have them write the answers to the corresponding exercises.

- In class, answer any questions students may have about comparatives and superlatives and briefly go over the exercises.

HSS Explíqueles a los estudiantes hispanohablantes que **más** siempre lleva acento escrito cuando se usa para hacer comparaciones. También pídales que escriban en la pizarra palabras o expresiones con las terminaciones **-ísimo(a),** asegurándose de que siempre usen un acento escrito en las terminaciones y que apliquen las reglas de cambio ortográfico que sean apropiadas.

Cultura en vivo

Suggestions

- Ask students why, in their opinion, Cuban Americans have had such an impact in the world of music in the U.S.

- Call on individual students to answer the questions in **Cantantes cubanos** after students have had time to answer them in pairs. Have others in the class comment and expand.

Extra

- Ask if students are familiar with Lucille Ball and Desi Arnaz. If so, ask them what role Desi usually played. Was it a fair representation of Cuban Americans? Why or why not?

HSS Pregúnteles a los estudiantes hispanohablantes si consideran a Desi Arnaz un buen representante de los hispanos en EE.UU. Pídales que expliquen su respuesta. Pídales también que digan qué hispanos contemporáneos consideran buenos representantes de cubanomericanos, puertorriqueños y chicanos.

Mejoremos la comunicación

Suggestions

- In groups of three or four, have students improvise role-plays involving their favorite singers, musicians, instruments, or type of music.

- Divide the class into two or three large groups and have students perform their role-play for their group. This allows two or three role-plays to be performed simultaneously, cutting down performance time considerably.

Insista en que los estudiantes hispanohablantes usen el nuevo vocabulario en sus dramatizaciones, para asegurarse de la ampliación de su vocabulario.

Palabras claves

Suggestions

- After students have written their definitions, call on individuals to read theirs aloud and have the class comment on each one.

- Ask for volunteers to create a sentence with each word.

 Pídales a los estudiantes hispanohablantes que pasen a la pizarra y que escriban oraciones originales con estas palabras. Luego pídale a la clase que las corrija.

Answers: **1.** que se puede cantar   **2.** composición poética cantable
3. serie de sonidos modulados   **4.** persona que se dedica a cantar por oficio
5. persona que canta

¡Luz! ¡Cámara! ¡Acción!

Suggestions

Antes de empezar el video

- After students answer the pre-viewing questions in pairs, call on several groups to see how they responded.

 Al contestar las preguntas, pídales a los estudiantes hispanohablantes que nombren a todos los cantantes hispanos que conocen. Al nombrarlos, escriban los nombres de los cantantes en la pizarra.

Al mostrar el video

- Play the video all the way through without stopping. Then rewind and play it through one section at a time, stopping to ask comprehension-check questions—yes/no, either/or, or short-response questions, to help students understand what they heard and saw. Repeat this procedure to the end. Finally, play the video all the way through one last time before asking **¡A ver si comprendiste!** questions.

 En clases para hispanohablantes, primero muestre el video completo. Luego, vuelva al principio y muestre las secciones de una en una, parando el video para hacer preguntas y para asegurarse de que todos entienden el contenido.

¡A ver si comprendiste!

- Allow time to answer the content questions in pairs, then call on individuals to answer the same questions with the entire class.

- Call on individuals to answer the **A pensar e interpretar** questions. Have the class comment on each response.

HSS Pregúnteles a los estudiantes hispanohablantes si creen que la mayoría de cantantes latinoamericanos serían recibidos en España de la misma manera que fue recibido Jon Secada. Pídales que expliquen su respuesta.

Exploremos el ciberespacio

Suggestions

- Have students that need extra grammar practice do the ACE activities.

- Require all students to do one or two of the **World Wide Web** activities for at least three of the countries studied during the semester. Allow them to select the countries they wish to do but require that they turn in the work to prove that they did it.

- Offer extra credit to students that do additional activities for other countries on the web.

HSS Pídales a los estudiantes hispanohablantes que se aprovechen del *Chat Room* para conversar con cubanoamericanos. Dígales que le entreguen un resumen de la conversación indicando lo que aprendieron al hablar con cubanoamericanos.

UNIDAD 2
España: puente al futuro

Unit Opener

Suggestions

- Have students infer meaning out of the title of the unit **España: puente al futuro**. Who's future? What is meant by **puente**?

- Note that the **¡Bienvenidos al Mundo 21!** questions are critical-thinking questions with many possible correct answers. Encourage students to express their opinions and to explain why they think their answers are correct.

HSS Pídales a los estudiantes hispanohablantes que expresen sus opiniones sobre España. ¿Qué influencia ha tenido este país en su cultura? ¿Ha sido una influencia positiva o negativa? ¿Cómo creen que sería su cultura ahora si los españoles no hubieran llegado al Nuevo Mundo? ¿Qué lengua hablarían? ¿Qué religión practicarían? ¿Qué sistema político los gobernaría?

Lección 1   Expaña: los orígenes

Gente del Mundo 21

Suggestions

- Point out that the *Cantar de Mío Cid* was written around 1140, although the oldest surviving manuscript dates back to 1307.

- Ask students if they can name other famous epic poems in French, German, or English: *Chanson de Roland, Nibelungenlied,* and *Beowulf.* Of all four, the *Cantar de Mío Cid* is considered the most realistic and the one that best reflects the historical facts of the period.

- Also point out that Alfonso X el Sabio is considered by many the father of Spanish prose, as he would bring together intellectuals from various countries to work in his library and exchange ideas and information.

- Explain that **los Reyes Católicos** is the official title given to Ferdinand and Isabel in 1496 by Pope Alexander VI for the role they played in defending Italy when the French attacked.

- After students do the matching activity in pairs, redo it with the class by calling on individuals and having the class confirm each answer.

Extra

- Offer extra credit to students interested in researching any of the people listed in **Otros peninsulares sobresalientes** and writing a brief report on what they found.

[HSS] Pregúnteles a los estudiantes hispanohablantes si pueden nombrar algunos de los héroes indígenas de la región de donde vienen sus antepasados: Moctezuma, Atahualpa, Lempira,...

[HSS] **Extra**

- Traiga un ejemplar del *Cantar de Mío Cid* y léales unos trozos a la clase. Muestre cómo la lengua española se desarrolló desde entonces.

Del pasado al presente

Suggestions

- Do a **Jigsaw Reading Activity** following the steps outlined on page 33.

- Have students draw parallels between the history of Spain and the history of the U.S. What other cultures and civilizations invaded the shores of the U.S.? Did they stay and establish themselves here? How did they influence American culture?

[HSS] Pídales a los estudiantes que sigan la variación del **Jigsaw para hispanohablantes** que aparece en la página 39.

[HSS] Antes de leer **Del pasado al presente**, pídales a los estudiantes hispanohablantes que digan lo que saben de la prehistoria de España. ¿Quiénes fueron sus primeros habitantes? ¿Cómo se estableció la lengua española en la península que ahora llamamos España?

[HSS] Después de leer **Del pasado al presente**; pregúnteles a los estudiantes hispanohablantes qué aspectos de la cultura hispana que ellos practican hoy en día vienen directamente de los romanos o de los musulmanes.

Manual de gramática

Suggestions

- As homework, have students read the grammar explanation **2.1 Preterite: Regular Verbs** in the grammar manual in the back of their textbooks and have them write the answers to the corresponding exercises.

- In class, answer any questions students may have about regular verbs in the preterite and briefly go over the exercises.

- HSS Llame la atención al hecho de que muchos estudiantes hispanohablantes tienden a añadir una **-s** final o a eliminar las dos **eses** de la segunda persona singular informal del pretérito y decir o escribir **luchastes** o **luchate** por **luchaste**, o **dijistes** o **dijite** por **dijiste**. También llame la atención al hecho de que los cambios de ortografía en el pretérito tienden a presentar muchos problemas para hispanohablantes.

Ventana al Mundo 21

Suggestions

- Ask students to tell what elements in the photo of the Alhambra can be identified as purely Arabic.

- Verify answers to **Joyas musulmanas** by calling on individual students and having the class confirm each answer.

- HSS Pregúnteles a los estudiantes hispanohablantes si ven alguna semejanza física entre la gente árabe y muchos hispanos. Dígales que es natural que haya alguna semejanza después de haber vivido juntos en España por más de 700 años. Explíqueles que la influencia árabe también es muy grande en la lengua española. Por ejemplo, un gran número de palabras que empiezan con el prefijo **al-**, como **algodón, alfalfa, alcazar, alhohada, alfombra,...** vienen directamente del árabe.

Y ahora, ¡a leer!

Suggestions

- Ask students to look at the drawing and anticipate what the reading will be about. Who are the various people in the drawing? Why are they leaving? Where are they going? Tell them to jot down their predictions and to check to see if they were correct after they have completed the reading.

- Set the stage for students by summarizing the scene that is to take place—the last Moorish calif has to abandon his palace, the Alhambra, after almost 800 years of Arab domination, as the Catholic Kings approach the city of Granada. Then read aloud the first twenty to twenty-five stanzas. Ask comprehension-check questions to make sure students understand.

- Call on individual students to read the remainder aloud for the class. Ask additional yes/no, either/or questions after each reader.

HSS Pregúnteles a los estudiantes hispanohablantes si conocen algunas canciones en español que, como los romances, traten de las hazañas y el valor de héroes del pueblo. Si hay estudiantes de descendencia mexicana, pregúnteles si ven alguna relación entre este romance y los corridos mexicanos. Dígales que, en efecto, los corridos son los descendientes modernos del romance.

Introducción al análisis literario

Suggestions

- Make copies of your favorite **romance** and have students tell you the number of **versos** and whether it has **rima asonante** or **consonante**. Tell the class why it is your favorite.

HSS En grupos de tres o cuatro, pídales a los estudiantes hispanohablantes que escriban los versos de su balada o corrido favorito. Luego pídales que identifiquen el número de versos y la rima.

Manual de gramática

Suggestions

- As homework, have students read the grammar explanation **2.2 Direct and Indirect Object Pronouns and the Personal** *a* in the grammar manual in the back of their textbooks and have them write the answers to the corresponding exercises.

- In class, answer any questions students may have about object pronouns and the personal **a** and briefly go over the exercises.

HSS Algunos estudiantes hispanohablantes confunden los complementos directos e indirectos en tercera persona y tienden a usar **le** cuando deben usar **lo** o **la**. Esto, con frecuencia, se debe a una falsa impresión de que el uso de **le** es más culto, más educado.

Los varios usos de **se** (como complemento indirecto, pronombre impersonal, pronombre recíproco y pasivo) tienden a confundir muchísimo a algunos de estos estudiantes. Vale hacer hincapié en la nomenclatura y el uso gramatical de **se** como objeto indirecto para ayudarles a los estudiantes a evitar problemas más tarde. La **a** personal no tiende a presentar problemas para los estudiantes hispanohablantes. Sin embargo, vale practicar su uso para hacerlos conscientes de una estructura que ellos tienden a usar correctamente sin saber realmente por qué la usan.

Cultura en vivo

Suggestions

- Ask students what is unusual about the convent in the picture. Lead them to recognize that it is built inside a non-Christian palace.

- Ask students why Spain is so popular with tourists from all over the world. Lead them to recognize that many cultures have settled there and left their mark: Phoenicians, Greeks, Romans, Africans, Arabs, . . .

Extra

- Show a video or slides of Medieval Spain to the class.

HSS Pregúnteles a los estudiantes hispanohablantes si conocen algunos ejemplos de arte islámico en la arquitectura (de iglesias, edificios públicos, teatros, casas particulares, etcétera) de su región o del país de sus antepasados.

HSS Pregúnteles a los estudiantes hispanohablantes cuál es la atracción de España para los miles de turistas hispanos que la visitan cada año. Ayúdeles a entender que muchos hispanos van allá para ponerse en contacto directo con sus raíces hispanas.

Mejoremos la comunicación

Suggestions

- With books closed, call on individual students to tell you what there is to do in a city like Acapulco, Mexico, or Fort Lauderdale, Florida. Probe until they mention as many of the new vocabulary items as are appropriate.

- Ask students where their favorite **jardín botánico / balneario / parque de atracciones / parque zoológico** is.

HSS Pídales a los estudiantes hispanohablantes que indiquen palabras que ellos usan en vez de las palabras de este vocabulario. La clase debe decir si las nuevas palabras son de uso común por todo el mundo hispanohablante o si son de un uso más limitado dentro de sólo ciertas comunidades.

Palabras claves

Suggestions

- Allow time for pair work. Then call on individual students and have the class verify each response.

- Have students write the names of additional specialized stores on the board and have the class tell their specialization and correct any spelling errors.

HSS Pídales a los estudiantes hispanohablantes que escriban los nombres de otras tiendas especializadas en la pizarra. En particular, dígales que traten de pensar en lugares de negocio muy especializados en el país de sus antepasados: por ejemplo, tamalería en México, pupusería en El Salvador, arepería en Venezuela,...

Answers: **1.** vende libros   **2.** vende joyas   **3.** vende pan   **4.** vende fruta
5. vende muebles   **6.** vende papel   **7.** vende carne   **8.** vende tabaco
9. vende relojes   **10.** lava ropa

¡Luz! ¡Cámara! ¡Acción!

Suggestions

Antes de empezar el video

- After students answer the pre-viewing questions in pairs, call on several groups to see how they responded.

- Ask students how they picture *el Cid.* If a new movie about *el Cid* were to be made, whom would they like to see in the main role. Point out that Charlton Heston played *el Cid* and Sofia Loren played his wife in the last Hollywood version.

- **HSS** Pregúnteles a los estudiantes hispanohablantes a qué actor hispano les gustaría ver en el papel del Cid en una nueva película. Pídales que expliquen por qué creen que tal actor debería hacer ese papel.

Al mostrar el video

- Play the video all the way through without stopping. Then rewind and play it through one section at a time, stopping to ask comprehension-check questions—yes/no, either/or, or short-response—to help students understand what they heard and saw. Finally, play the video all the way through one last time before asking **¡A ver si comprendiste!** questions.

- **HSS** En clases para hispanohablantes, primero muestre el video completo. Luego, vuelva al principio y muestre las secciones de una en una, parando el video para hacer preguntas y para asegurarse de que todos entienden el contenido.

¡A ver si comprendiste!

- Allow time to answer the content questions in pairs, then call on individuals to answer the same questions with the entire class.

- Call on individuals to answer the **A pensar e interpretar** questions. Have the class comment on each response.

- Have students comment on the individual cast to play *el Cid* in this movie. How does he measure up to the person they had selected?

- **HSS** Pregúnteles a los estudiantes hispanohablantes si consideran al Cid un héroe que podría servir de modelo para niños hispanos, tal como lo son el rey Arturo y los caballeros de la tabla redonda para niños ingleses. Pídales que expliquen sus respuestas.

Exploremos el ciberespacio

Suggestions

- Have students that need extra grammar practice do the ACE activities.

- Require all students to do one or two of the **World Wide Web** activities for at least three of the countries studied during the semester. Allow them

- to select the countries they wish to do but require that they turn in the work to prove that they did it.

- Offer extra credit to students that do additional activities for other countries on the web.

HSS Pídales a los estudiantes hispanohablantes que se aprovechen del *Chat Room* para conversar con españoles. Dígales que le entreguen un resumen de la conversación indicando lo que aprendieron al hablar con personas de España.

Lección 2   España: del Siglo de Oro al siglo XIX

Gente del Mundo 21

Suggestions

- Divide the class into groups of three. Have each person in a group read one of the biographies. Then, with books closed, have each person report to their group as much information as they recall in the biography they read.

Extra

- Have volunteers or students interested in extra credit prepare a brief written or oral presentation on one of the persons listed in **Otros españoles sobresalientes**. Have others in the class add any information they can.

- Have an art student in the class bring an art book with works by some of Spain's great Golden Age painters and explain why several of the art pieces are considered great.

- Read a few selections of prose or poetry by Quevedo, San Juan de la Cruz, Santa Teresa de Jesús, Bécquer, or Pardo Bazán.

- Play selections from recordings of plays by Calderón de la Barca, Tirso de Molina, or Lope de Vega.

HSS Pregúnteles a los estudiantes hispanohablantes si saben cómo y dónde conseguían los monarcas españoles el dinero necesario para apoyar el Siglo de Oro de España y las muchas guerras religiosas en las cuales participaban activamente. Explíqueles cómo mucho de ese dinero consistía en las riquezas que los representantes del rey español le mandaban del Nuevo Mundo.

Del pasado al presente

Suggestions

- Do a **Jigsaw Reading Activity** following the steps outlined on page 33.

- Have students explain how a country as powerful as Spain was in the late sixteenth and seventeenth centuries could fall and lose its position of power so quickly.

Pídales a los estudiantes que sigan la variación del **Jigsaw para hispanohablantes**.

Pídales a los estudiantes hispanohablantes que expliquen cómo fue posible que España quedara casi en bancarrota a finales del siglo XVII a pesar de que continuaba sacando grandes riquezas del Nuevo Mundo. Pregúnteles si saben qué papel hacía la iglesia católica para asegurarse de la conversión al cristianismo de los indígenas del Nuevo Mundo y para tratar de controlar el saqueo de las riquezas del Nuevo Mundo. Explíqueles que la iglesia hizo todo lo posible para convertir a los indígenas pero muy poco para defenderlos de los terratenientes que abusaban de ellos enormemente. A la vez, la iglesia se benefició directamente de las grandes cantidades de oro, plata y piedras preciosas que llegaban a España del Nuevo Mundo, muchas de las cuales ahora adornan los altares y las sacristías de las grandes iglesias y catedrales del país.

Manual de gramática

Suggestions

- As homework, have students read the grammar explanation **2.3 Preterite: Stem-changing and Irregular Verbs** in the grammar section in the back of their textbooks and have them write the answers to the corresponding exercises.

- In class, answer any questions students may have about stem-changing and irregular verbs in the preterite and briefly go over the exercises.

Verbos de cambio en la raíz con frecuencia son problemáticos para estudiantes hispanohablantes porque tienden a regularizarlos. Es importante que hagan todos los ejercicios para practicar el escribir correctamente estos verbos lo más posible. Algunos estudiantes hispanohablantes también van a tratar de regularizar los verbos irregulares y decir y escribir **poní, podímos, viní,** etcétera. Para evitar eso, es importante que reciban extensa práctica oral y por escrito con estos verbos.

Ventana al Mundo 21

Suggestions

- Ask students if they recognize the photo of **la Sagrada Familia**. Ask if any have visited Barcelona and actually seen the church under construction. If so, have them explain what they recall of the structure's grandure to the class. Point out that it has been under construction for over a hundred years (since 1882) and it is estimated it will take another hundred years to complete it.

- Ask students if they are aware of any instances in North America where the language and culture of a region, like Catalan in Barcelona, comes in direct conflict with the majority language and culture and where efforts are made to control or eliminate it (i.e., French in Canada).

Pregúnteles a los estudiantes hispanohablantes cuál ha sido el efecto del movimiento de "English only" en EE.UU. ¿Creen que se puede o se debe controlar la lengua de un grupo minoritario de ciudadanos? ¿Por qué?

Y ahora, ¡a leer!

Suggestions

- Ask students to look at the drawing of Don Quijote and Sancho Panza and tell what they know about the book and about this episode in particular.

- Read the first page aloud for students one paragraph at a time. Ask several yes/no, either/or questions to help aid students' understanding. Point out the use of **vosotros**.

- Call on individual students to read the remainder aloud for the class. Ask additional yes/no, either/or questions at the end of each paragraph.

HSS Pídales a los estudiantes hispanohablantes que, en parejas, preparen un episodio donde don Quijote, con todo su idealismo, y Sancho Panza, con su realismo, se enfrentan a una realidad. Dígales que puede ser una realidad de aquellos tiempos o de los tiempos modernos. Luego pídales que dramaticen su episodio frente a la clase.

HSS Pregúnteles a los estudiantes hispanohablantes si se identifican más con don Quijote o con Sancho Panza, o si creen que tienen un poco de ambos en sus propias personalidades. Pídales que expliquen sus respuestas.

Introducción al análisis literario

Suggestions

- Ask students to tell how this episode would change if the perspective or point of view were changed to that of Don Quijote's mother or sister, Sancho Panza's wife or son, the local priest, the local constable, or the owner of the windmills.

HSS Pídales a los estudiantes hispanohablantes que piensen en lo que leyeron en **Del pasado al presente** y que digan cómo cambiaría la historia de España si se contara desde la perspectiva de Felipe II, de Moctezuma, de un cura español o de un cura indígena mexicano o peruano. Pregúnteles si una perspectiva es mejor que otra. Pídales que expliquen sus respuestas.

Manual de gramática

Suggestions

- As homework, have students read the grammar explanation **2.4 *Gustar* and Similar Constructions** in the grammar manual in the back of their textbooks and have them write the answers to the corresponding exercises.

- In class, answer any questions students may have about **gustar** and briefly go over the exercises.

Algunos estudiantes hispanohablantes tratan de regularizar el verbo **doler**. Llame la atención al hecho de que este verbo cambia en la radical en el presente indicativo.

Cultura en vivo

Suggestions

- Bring one of Goya's **pinturas negras** to class and have the students interpret it.

- Ask students what causes a country to reach its Golden Age in the arts. Ask when the U.S. will attain its Golden Age or if it already has. Have students explain their responses.

HSS Pregúnteles a los estudiantes hispanohablantes por qué es importante tener museos como el Museo del Prado. ¿Qué representa tal museo para la cultura hispana, en general? ¿Hay museos equivalentes al Prado en otros países hispanos? ¿Cuáles son?

Mejoremos la comunicación

Suggestions

- Bring an art book with paintings from the Prado. Divide the class into groups of three or four and assign one painting to each group.

  Then have each group prepare an oral analysis of their painting.

  ¿Qué tipo de arte es? ¿Quién es el artista? ¿Qué es lo llamativo de esa obra? etcétera

HSS Pregúnteles a los estudiantes hispanohablantes si conocen algunos artistas hispanos. ¿Quiénes son? Pídales que describan su obra de arte favorita. Anímelos a usar el nuevo vocabulario al describir.

Palabras claves

Suggestions

- Have students do the matching exercise and write original sentences individually. Have them check their work by comparing their responses with those of two other classmates. Call on individual students to write some of their original sentences on the board. Have the class correct any errors.

HSS Pídales a los estudiantes hispanohablantes que pasen a la pizarra y que escriban oraciones originales con estas palabras. Luego pídale a la clase que las corrija.

Answers: **1.** e **2.** c **3.** d **4.** b **5.** a

Escribamos ahora

Suggestions

HSS Pídales a los estudiantes hispanohablantes que sigan todos los pasos del proceso que sigue. Es un proceso que ha dado buen resultado con todos los estudiantes.

A. A generar ideas: descripción imaginativa

1. **De lo común o familiar a lo extraño o raro:** Allow students time to read the short passage in pairs and decide what Sancho sees and what Don Quijote imagines. Then have one group report to the class. Ask if other groups understood something else.

Answers:

Lo que ve don Quijote

1. bultos   **2.** encantadores   **3.** ladrones   **4.** princesa

Lo que es en realidad

1. frailes   **2.** de la orden de San Benito   **3.** viajeros   **4.** gente pasajera

2. **Ideas y organización:** The goal here is for students to get more ideas from their partners. Encourage them to borrow ideas from each other.

B. Primer borrador: Suggest that students begin by writing for ten minutes without stopping. After that time period, tell them to read what they wrote and start reorganizing the paragraphs and adding or deleting or correcting, as needed. If necessary, this may all be assigned as homework.

C. Primera revisión: Tell students to focus on content only at this point. Point out that as they learn to spot content gaps in the content of their classmates' compositions, they will be able to find similar gaps in their own writing more easily. Answers will vary.

D. Segundo borrador: Tell students to seriously consider their peers' comments and accept those that they agree with and ignore those they don't. This rewrite can be done as homework.

E. Segunda revisión: Tell students they must learn to become good editors. In this section they will practice editing preterite and imperfect forms. Allow time for group work. Go over correct answers with the class. Then allow time to edit their partners' papers. Circulate among students, answering any questions and checking on their editing.

Answers:

Pretérito: vio, se imaginó, explicó, rehusó, Decidió, acabó, tuvo

Imperfecto: creía, era, amaba, era, Sentía, hablaba, era, trabajaba, quería, decía, importaba, seguía, era

F. Versión final: Have students do this as homework. Insist they do it on a computer.

G. Publicación: Tell students to use their sense of humor as they draw. Give them an option to make a collage using magazine pictures that have something to do with their story. Select four or five of the episodes and have several groups of students role-play them.

Exploremos el ciberespacio

Suggestions

- Have students who need extra grammar practice do the ACE activities.

- Require all students to do one or two of the **World Wide Web** activities for at least three of the countries studied during the semester. Allow them to select the countries they wish to cover but require that they turn in the work to prove that they did it.

- Offer extra credit to students that do additional activities for other countries on the web.

- **HSS** Pídales a los estudiantes hispanohablantes que se aprovechen del *Chat Room* para conversar con españoles. Dígales que le entreguen un resumen de la conversación indicando lo que aprendieron al hablar con personas de España.

Lección 3   España: al presente

Gente del Mundo 21

Suggestions

- Divide the class into three large groups. Assign each group one of the biographies and have individuals read silently. If they have any questions, tell them to get help from someone in their group.

- After groups have had sufficient time, form new groups of three—one from each of the three previous groups. With books closed, have each group member tell everything they remember about the biography they read. When all have finished, give the class a six-question true/false quiz, two questions on each biography.

  Students take the quiz individually.

- After students answer the **Personalidades del Mundo 21** questions individually and compare answers with two or three classmates, ask individuals from each group the same questions and have the class confirm each response.

Extra

- Ask volunteers interested in extra credit to prepare a brief written or oral presentation on one of the people listed in **Otros españoles sobresalientes**. Have others in the class add any information they can.

- Listen to one of Julio or Enrique Iglesias's CDs in Spanish.

- Read one of García Lorca's poems to the class.

- Have students comment on a painting by Dalí, Miró, or Picasso.

HSS Pregúnteles a los estudiantes si conocen algunas de las películas de Pedro Almodóvar. Si dicen que sí, pregúnteles qué opinan de sus películas. Pregúnteles también por qué creen que ambos Julio y Enrique Iglesias han alcanzado tanta popularidad no sólo en el mundo hispano sino en el mundo entero.

Del pasado al presente

Suggestions

- Do a **Jigsaw Reading Activity** following the steps outlined on page 33.

HSS Pídales a los estudiantes que sigan la variación del **Jigsaw para hispanohablantes** detallada en la página 39.

HSS Antes de leer **Del pasado al presente**, pregúnteles a los estudiantes hispanohablantes si saben quién es Franco, o si saben algo de la Guerra Civil Española. También pregunte para ver qué saben del monarca Juan Carlos y de la España de hoy.

HSS Después de leer **Del pasado al presente**, pregúnteles a los estudiantes hispanohablantes si creen que España ha mejorado desde los tiempos de Franco. Pídales que expliquen sus respuestas. Pregúnteles también si creen que España va a ser el líder de las naciones hispanohablantes en el siglo XXI como lo fue por gran parte del siglo XX. Pídales que expliquen sus respuestas.

Manual de gramática

Suggestions

- As homework, have students read the grammar explanation **2.5 Imperfect** in the grammar manual in the back of their textbooks and have them write the answers to the corresponding exercises.

- In class, answer any questions students may have about the imperfect and briefly go over the exercises.

HSS Por lo general, los estudiantes hispanohablantes no tienen problemas con el uso del imperfecto. Lo que sí se da es el problema de olvidar poner el acento escrito en las terminaciones de los verbos en **-er** o **-ir** y de la primera persona del plural de verbos en **-ar.**

HSS También hay algunos que se confunden en la ortografía y tienden a usar la **v** corta en vez de la **b larga** en las terminaciones de los verbos en **-ar.**

Ventana al Mundo 21

Suggestions

- Ask students how these figures compare with how women in the U.S. are doing.

- Allow students to keep their books open while answering these questions. Remind them of reading strategies for scanning and skimming as they look up these answers.

Answers:

1. En la carrera de montes hubo un aumento del 23 por ciento.

2. La facultad de psicología tuvo el 77 por ciento. La facultad de físicas tuvo el más pequeño, el 29 por ciento.

3. El número de funcionarios del Estado aumentó un 8 por ciento, igual al aumento en las carreras de química, física y geología.

4. Las respuestas van a variar.

5. Las respuestas van a variar.

- Call on individuals to tell if the statements in **Jon Secada** are true or false. Have the class correct the false ones.

HSS Pregúnteles a los estudiantes hispanohablantes si la mujer en Latinoamérica ha avanzado en las profesiones tanto como la mujer española. Si dicen que sí, pídales algunos ejemplos. Si dicen que no, pregúnteles por qué no.

Y ahora, ¡a leer!

Suggestions

- Ask students why the death of a poet is often considered a national tragedy. Then ask what was particularly tragic about the death of Federico García Lorca.

- Teach students how to read poetry aloud. Read the first stanza and point out how the punctuation determines the pausing. Demonstrate also how intonation can determine what is emphasized and how much emotion is communicated.

HSS Pregúnteles a los estudiantes hispanohablantes si la tristeza y emoción que expresa el poeta es típica de hispanos frente a la muerte o si es algo sólo del poeta. Pregúnteles si en efecto existe una actitud hispana frente a la muerte o si simplemente es algo personal.

Introducción al análisis literario

Suggestions

- Ask students why personification is so common in poetry. Also ask them if they have any pets or inanimate objects that they personify all the time. If so, have them tell what they are.

- **HSS** Pregúnteles a los estudiantes hispanohablantes si al personificar a la muerte, consideran apropiado que sea mujer y no hombre. Pídales que expliquen sus respuestas.

Manual de gramática

Suggestions

- As homework, have students read the grammar explanation **2.6 Indefinite and Negative Expressions** in the grammar manual in the back of their textbooks and have them write the answers to the corresponding exercises.

- In class, answer any questions students may have about indefinite and negative expressions and briefly go over the exercises.

- **HSS** Por lo general, los estudiantes hispanohablantes no tienen problemas con el uso de las expresiones indefinidas y negativas. Lo que sí les causa problema a algunos, es la ortografía de **nadie.** Unos tienden a decir y escribir **naide** o **naiden.** Para ayudarles a evitar esta tendencia a transferir las vocales o crear un plural, pídales que lean esta explicación y que hagan las actividades correspondientes aquí y en el *Cuaderno de actividades*. Unos estudiantes hispanohablantes tienden a usar el plural de **ninguno(a)** cuando éstos se usan como adjetivos. Asegúreles que el plural de estos adjetivos nunca se usa. Algunos estudiantes hispanohablantes se sienten inseguros con el uso de **jamás** y, por lo tanto, lo evitan. Asegúrese de que entiendan su uso en los ejemplos del texto.

  Algunos estudiantes hispanohablantes también se sienten inseguros con el uso de **cualquiera** y, por lo tanto, lo evitan. El problema parece ser reconocer cuándo es un adjetivo y, por lo tanto, cuándo debe usarse la forma corta **cualquier.** Asegúrese de que sus alumnos entiendan esto en los ejemplos.

Cultura en vivo

Suggestions

- Ask students if they think that as families have gotten smaller and smaller in the U.S., family unity has also all but disappeared. Have them explain their responses.

- Call on individual students to answer the questions in **Cine chicano.** Have others in the class comment and expand.

Pregúnteles a los estudiantes hispanohablantes si el nuevo modelo de familia en España se puede aplicar al resto del mundo hispanohablante. Pídales que expliquen su respuesta. Pregúnteles también si creen que el nuevo modelo de familia de España es uno que debería seguirse en Latinoamérica.

Mejoremos la comunicación

Suggestions

- Have students draw their family tree individually. Then, in pairs, have one student describe his or her family tree while the other tries to draw it. Then have them reverse roles. They may not look at each other's drawings until both have had a chance to describe and draw.

HSS Pídales a los estudiantes hispanohablantes que, en parejas, describan en detalle la última reunión familiar que tuvieron. Dígales que incluyan a todos los familiares, desde los bisabuelos hasta los sobrinos y suegros, si los tienen. Luego pídales a individuos que informen a la clase de la reunión familiar de sus compañeros.

HSS Pída a algunos estudiantes hispanohablantes que indiquen otras maneras de felicitar a una persona, de expresar alegría o de dar el pésame. La clase debe decidir si son expresiones de uso común o si son más bien expresiones de uso regional.

Palabras claves

Suggestions

- After students have written their definitions, call on individuals to read theirs aloud and have the class comment on each one.

- Ask for volunteers to write their sentences on the board and have the class correct them.

HSS Pídales a los estudiantes hispanohablantes que pasen a la pizarra y que escriban oraciones originales con estas palabras. Luego pídale a la clase que las corrija.

Answers: **1.** miembro de la familia   **2.** intimidad, modo de portarse con una persona   **3.** adquirir familiaridad con una persona   **4.** con familiaridad   **5.** familia grande

¡Luz! ¡Cámara! ¡Acción!

Suggestions

Antes de empezar el video

- After students answer the pre-viewing questions in pairs, call on several groups to see how they responded.

Al contestar las preguntas, pregúnteles a los estudiantes hispanohablantes si saben si hay reyes en otros países hispanohablantes. Pregúnteles si creen que sería buena idea establecer monarquías.

Al mostrar el video

- Play the video all the way through without stopping. Then rewind and play it through one section at a time, stopping to ask comprehension-check questions—yes/no, either/or, short-response—to help students understand what they heard and saw. Repeat this procedure to the end. Finally, play the video all the way through one last time before asking **¡A ver si comprendiste!** questions.

HSS En clases para hispanohablantes, primero muestre el video completo. Luego, vuelva al principio y muestre las secciones de una en una, parando el video para hacer preguntas y para asegurarse de que todos entienden el contenido.

¡A ver si comprendiste!

- Allow time to answer the content questions in pairs, then call on individuals to answer the same questions with the entire class.

- Call on individuals to answer the **A pensar e interpretar** questions. Have the class comment on each response.

- Ask students if they think a monarchy is a good thing for a country.

HSS Have them explain their answers. Ask them how the U.S. might benefit from a monarchy.

Pregúnteles si creen que los otros países hispanohablantes deben ser subsirvientes al rey de España, por ser la madre patria.

Pregúnteles también cómo creen que serían las monarquías en las Américas si los reinos de los aztecas y los incas hubieran sobrevivido.

Exploremos el ciberespacio

Suggestions

- Have students who need extra grammar practice do the ACE activities.

- Require all students to do one or two of the **World Wide Web** activities for at least three of the countries studied during the semester. Allow them to select the countries they wish to do but require that they turn in the work to prove that they did it.

- Offer extra credit to students that do additional activities for other countries on the web.

HSS Pídales a los estudiantes hispanohablantes que se aprovechen del *Chat Room* para conversar con españoles. Dígales que le entreguen un resumen de la conversación indicando lo que aprendieron al hablar con personas de España.

México, Guatemala y El Salvador: raíces de la esperanza

Unit Opener

Suggestions

- Have students infer meaning from the title of the unit: **México, Guatemala y El Salvador: raíces de la esperanza.** Why **raíces**? What is meant by **esperanza**?

- Note that the **¡Bienvenidos al Mundo 21!** questions are critical-thinking questions with many possible correct answers. Encourage students to express their opinions and to explain why they think their answers are correct.

- Pídales a los estudiantes hispanohablantes que digan si consideran el subtítulo de la unidad apropiado para estos tres países y que expliquen por qué. Pregúnteles si saben qué tienen en común los tres países. Anote lo que digan en la pizarra.

Lección 1   México

Gente del Mundo 21

Suggestions

- Call on individual students to read aloud in class. Ask comprehension-check questions after each person to make sure students understand.

- After students answer the questions in pairs, call on individuals and have the class confirm each answer.

Extra

- Listen to one of Luis Miguel's CDs in class.

- Read one of Octavio Paz' poems to the class or a selection from *El laberinto de la soledad.*

- Read the first-hand account of one of the victims of Mexico City's worst earthquake in Elena Poniatowska's *Nada, nadie.*

- Offer extra credit to students interested in researching any of the people listed in **Otros mexicanos sobresalientes** who write a brief report on what they found.

HSS Pregúnteles a los estudiantes hispanohablantes si creen que las tres personas presentadas aquí son buenos representantes de México. Pregúnteles si ellos habrían sugerido a otras personas. ¿Quiénes? ¿Por qué?

HSS Extra

- Traiga un libro con los murales de Siqueiros u Orozco a la clase y pídales a los estudiantes hispanohablantes que los interpreten.

- Escuchen un CD de Alejandro Fernández en clase.

- Muestre la película *Como agua para chocolate* de Laura Esquivel o una de las de Carlos Fuentes.

- Lea un trozo de uno de los cuentos de Juan Rulfo o de Carlos Fuentes, o un ensayo de Carlos Monsiváis.

Del pasado al presente

Suggestions

- Do a **Jigsaw Reading Activity** following the steps outlined on page 33.

- Have students list the various foreign powers that have invaded Mexico throughout its history. Then ask them to rate them by placing the ones that caused the most damage at the top. Ask them to explain their choices.

HSS Pídales a los estudiantes que sigan la variación del **Jigsaw para hispanohablantes** que aparece en la página 39.

HSS Después de leer **Del pasado al presente**, pregúnteles a los estudiantes hispanohablantes quiénes, en su opinión, han sido los enemigos más grandes de México. Pídales que expliquen sus respuestas. Pregúnteles también si no creen que México mismo no habrá sido su peor enemigo al entregarles control del gobierno a líderes como Porfirio Díaz, Antonio López de Santana, Pancho Villa y Emiliano Zapata, entre otros.

Manual de gramática

Suggestions

- As homework, have students read grammar explanation **3.1 Preterite and Imperfect: Completed and Background Actions** in the grammar manual in the back of their textbooks and have them write the answers to the corresponding exercises.

- In class, answer any questions students may have about completed and background actions in the past and briefly go over the exercises.

HSS Por lo general, los estudiantes hispanohablantes no tienen dificultad con el uso del pretérito y del imperfecto en estas situaciones. Lo que sí les presenta problemas a algunos es querer añadir **-s** a las terminaciones de **tú** en el pretérito. Otros hispanohablantes tienden a transferir la **-s** de la radical a la terminación. Por ejemplo:

Norma	Variación	
	1	2
dijiste	dijistes	dijites
fuiste	fuistes	fuites
llamaste	llamastes	llamates

Si sus estudiantes usan estas variaciones, hay que hacerlos concientes de ello e indicarles que requiere un esfuerzo muy especial sobreponerse a esos hábitos lingüísticos.

Ventana al Mundo 21

Suggestions

- Ask students to interpret the portrait of Diego Rivera and Frida Kahlo. Ask them what Kahlo herself was trying to say about her husband, her marriage, herself. Lead them to focus on their exaggerated sizes. Have them look at her feet, then at his.

- Call on individual students to say whom the statements in **Rivera y Kahlo** refer to and have the class confirm each response.

Extra

- Bring art books to class and ask the class to interpret the paintings.

HSS Pregúnteles a los estudiantes hispanohablantes si conocen algunas obras de estos grandes artistas mexicanos y pídales que las describan. Pregúnteles también si saben por qué Diego Rivera fue tan controversial con los Rockefeller en EE.UU. Si no, ofrezca extra crédito al estudiante que quiera investigarlo e informar a la clase.

Y ahora, ¡a leer!

Suggestions

- Ask students to look at the drawing and anticipate what the reading will be about. Who is the person in the drawing? What is the back smudge on his hands, arms, and neck? How does what he is doing relate to the title of the story? What are two things they think will happen in this story? Tell them to jot down their predictions and to check to see if they were correct after they have completed the reading.

- Read the first third of the page aloud and then ask comprehension-check questions. Call on individual students to read the remainder aloud for the class. Ask additional yes/no, either/or questions after each reader.

HSS Pida a voluntarios hispanohablantes para que preparen una lectura dramática del cuento. Dígales a unos que narren mientras otra persona hace el papel del protagonista.

Introducción al análisis literario

Suggestions

- Ask students what other stories they recall where the protagonist is transformed into a fantastic imaginary being. Have them describe the transformations.

HSS La literatura hispana está llena de cuentos y leyendas donde ocurre todo tipo de transformación. Pregúnteles a los estudiantes hispanohablantes si conocen algunas de éstas y pídales que las describan.

Manual de gramática

Suggestions

- As homework, have students read the grammar explanation **3.2 Possessive Adjectives and Pronouns** in the grammar manual in the back of their textbooks and have them write the answers to the corresponding exercises.

- In class, answer any questions students may have about possessive adjectives and pronouns and briefly go over the exercises.

> **HSS** Por lo general, los estudiantes hispanohablantes no tienen dificultad con el uso de los posesivos. Lo que sí es importante es que aprendan la nomenclatura y que puedan distinguir entre un adjetivo posesivo y un pronombre posesivo. Tal vez quiera repasar lo que es un adjetivo y un pronombre.

Cultura en vivo

Suggestions

- Ask students what new foods were introduced in Europe due to the discovery of the New World. Ask what famous dishes in European cuisine would not exist today were it not for the cultivation of fruit, vegetables and game not previously known in Europe. Lead them to think of tomato sauce, which is basic to most Italian cooking, potatoes, which are basic to much of German, Irish, and even French cooking, and so on.

Extra

- Show a video or slides of daily life in Aztec, Mayan, or Incan cultures in pre-Columbian times as well as today.

> **HSS** Pregúnteles a los estudiantes hispanohablantes cuántas de las frutas y verduras mencionadas en la lectura conocen. Pregúnteles cómo las preparan.

> **HSS** Si tiene estudiantes hispanohablantes de distintos países, pregúnteles si hay otras frutas o verduras nativas de sus países que no se mencionaron aquí.

Mejoremos la comunicación

Suggestions

- Ask students how they prepare or like to have prepared **berenjena, bróculi, coliflor,** and **espárragos** and what they like to eat with them.

> **HSS** Pregúnteles a los estudiantes hispanohablantes si están de acuerdo con las sugerencias que se dan para regatear y qué técnicas usan ellos.

> **HSS** Pregúnteles a los estudiantes hispanohablantes si pueden añadir más palabras al cuadro con variaciones en el nombre de comidas.

Palabras claves

Suggestions

- Allow time for pair work. Then call on individual students to tell what the meaning of **verde** is in each question and have them answer the questions. Have the class verify each response.

HSS Pregúnteles a los estudiantes hispanohablantes si saben otros usos o significados de la palabra **verde**.

Answers: **1.** no madura **2.** color verde **3.** no seca **4.** obscenos **5.** con poca experiencia

¡Luz! ¡Cámara! ¡Acción!

Suggestions

Antes de empezar el video

- After students answer the pre-reading question in **Antes de empezar el video**, ask several groups to read their definitions of culture and write them on the board. Then ask other groups if they have anything else they wish to add. Refer back to their definitions after they have seen the video and heard Carlos Fuentes define culture.

- After students answer the second pre-reading question in **Antes de empezar el video**, ask individuals what conclusions they came to. Have the class comment on each response.

HSS Pídales a los estudiantes hispanohablantes que contesten la segunda pregunta en **Antes de empezar el video** por escrito y que guarden lo que escribieron hasta despúes de ver el video. Luego hágales contestar la misma pregunta de nuevo y comparar su respuesta con la original.

Al mostrar el video

- Play the video all the way through without stopping. Then rewind and play it through one section at a time, stopping to ask comprehension-check questions—yes/no, either/or, or short-response—to help students understand what they heard and saw. Repeat this procedure to the end. Finally, play the video all the way through one last time before asking **¡A ver si comprendiste!** questions.

HSS En clases para hispanohablantes, primero muestre el video completo. Luego, vuelva al principio y muestre las secciones de una en una, parando el video para hacer preguntas y para asegurarse de que todos entienden el contenido.

¡A ver si comprendiste!

- Allow time to answer the content questions in pairs, then call on individuals to answer the same questions with the entire class.

- Call on individuals to answer the **A pensar e interpretar** questions. Have the class comment on each response.

- Ask students if they were aware of the many varied cultures that make up today's Hispanic population. Ask if they think they know the many varied cultures behind their own ethnicity. Have those that say yes tell what they are and how they know this.

HSS Pregúnteles a los estudiantes hispanohablantes si sabían que así como podrían tener un rey azteca, maya o inca entre sus antecedentes, también podrían tener un califa árabe, un emperador romano, un sabio griego o un navegante fenicio. Pregúnteles si, en su opinión, es positivo o negativo tener una herencia tan variada. Pregúnteles también si saben si los anglos de descendencia inglesa tienen una herencia similar. Si no lo saben, ofrezca extra crédito a un voluntario que quiera investigarlo e informar a la clase.

Exploremos el ciberespacio

Suggestions

- Have students who need extra grammar practice do the ACE activities.

- Require that all students do one or two of the **World Wide Web** activities for at least three of the countries studied during the semester. Allow them to select the countries they wish to do but require that they turn in the work to prove that they did it.

- Offer extra credit to students who do additional activities for other countries on the web.

HSS Pídales a los estudiantes hispanohablantes que se aprovechen del *Chat Room* para conversar con mexicanos. Dígales que le entreguen un resumen de la conversación indicando lo que aprendieron al hablar con personas de México.

Lección 2   Guatemala

Gente del Mundo 21

Suggestions

- Divide the class into groups of three. Have each person in a group read one of the biographies. Then, with books closed, have each person report to their group as much information as they recall from the biography they read.

- **Extra credit** Have volunteers or students interested in extra credit prepare a brief written or oral presentation on one of the persons listed in **Otros guatemaltecos sobresalientes**. Have others in the class add any information they can.

Extra

- Explain that the term **maya-quiché**, used throughout this lesson, refers to a person of Mayan descent that comes from the region of Quiché and speaks the Quiché dialect.

- Bring an art book with Carlos Mérida's work and have students interpret one of his paintings.

- Ask students if they have any clothing or artifacts made in Guatemala and have them bring them to class to show the fine, colorful handicrafts made in Guatemala.

HSS Pídales a los estudiantes hispanohablantes que digan lo que saben de Guatemala. ¿Dónde se localiza? ¿Qué grupo de indígenas pobló la región? ¿Cómo es la economía del país?

HSS Si tiene estudiantes hispanohablantes de descendencia guatemalteca, pídales que hablen sobre su país. ¿De dónde son sus antecedentes? Si han visitado el país, que lo describan. ¿Qué es lo que más les gusta del país? ¿Cómo es la comida guatemalteca? etcétera.

Del pasado al presente

Suggestions

- Do a **Jigsaw Reading Activity** following the steps outlined on page 33.

- Ask students why they think a small wealthy class can so completely run a country like Guatemala without having the masses revolt. Ask them also to compare how minorities are treated in the U.S. with how they are treated in Guatemala.

HSS Pídales a los estudiantes que sigan la variación del **Jigsaw para hispanohablantes**.

HSS Pídales a los estudiantes hispanohablantes que digan si creen que los indígenas guatemaltecos son tratados mejor o peor que los indígenas en México y que expliquen por qué.

Manual de gramática

Suggestions

- As homework, have students read grammar explanation **3.3 Preterite and Imperfect: Simultaneous and Recurrent Actions** in the grammar manual in the back of their textbooks and have them write the answers to the corresponding exercises.

- In class, answer any questions students may have about simultaneous and recurrent actions in the past and briefly go over the exercises.

HSS Por lo general, los estudiantes hispanohablantes no tienen dificultad en saber cuándo usar el pretérito y el imperfecto. La mayoría de los estudiantes hispanohablantes han internalizado el uso correcto de verbos que cambian su significado en el pretérito. Esto tal vez cause que a algunos les cueste aceptar que estos verbos de veras cambian de significado.

Ventana al Mundo 21

Suggestions

- Ask if anyone in the class can tell how other sacred books were discovered: the Bible, the Book of Mormon, the Koran, and so on.

- Ask students why they think the only existing manuscript of the *Popol Vuh* is in a library in Chicago and not in a museum in Guatemala.

Extra

- Bring a copy of the *Popol Vuh* to class and read selections from it to the class.

HSS Pregúnteles a los estudiantes hispanohablantes si conocen otros libros similares escritos por indígenas de las Américas antes de la llegada de los españoles. Si no, pregúnteles por qué será que no hay más libros. ¿Creen que estas obras nunca existieron o que fueron perdidas o destruidas? Pídales que expliquen cómo fue posible que los colonizadores españoles quemaran todos los manuscritos de los aztecas y los mayas. ¿Qué mentalidad permitiría ese tipo de destrucción?

Y ahora, ¡a leer!

Suggestions

- Ask students to look at the photo and speculate about it. Where was it taken? What kind of place do they think it is? Who are the people in the picture? What are they doing? What kind of life do they lead?

- Then ask students why they think Rigoberta Menchú would select a reading from the *Popol Vuh* to introduce her chapter.

- Read the first page aloud for students one paragraph at a time. Ask several yes/no, either/or questions to help aid students' understanding.

- Call on individual students to read the remainder aloud for the class. Ask additional yes/no, either/or questions at the end of each paragraph.

HSS Pídales a los estudiantes hispanohablantes que digan si creen que el relato que leyeron es verdad o si les parece exagerado. Pídales que expliquen su respuesta.

HSS Dígales a los estudiantes hispanohablantes que un investigador a fines del siglo XX publicó un artículo diciendo que mucho de lo que Rigoberta dice en su libro es mentira. ¿Por qué habrá interés en probar que el libro de Rigoberta no cuenta la verdad? ¿Quiénes se beneficiarían si eso se podría probar? Luego dígales que ni Rigoberta ni el comité del Premio Nobel aceptaron las acusaciones.

Introducción al análisis literario

Suggestions

- Have students reflect on slang expressions they use, such as "cool" and "dude," and have them discuss in small groups when it is and isn't appropriate to use that language both in speaking and in writing.

Pídales a los estudiantes hispanohablantes que piensen en el español que usan en casa y que lo comparen con el español que están aprendiendo en clase. ¿Cuáles son las diferencias principales? ¿Por qué no es apropiado usar el español que hablan en casa en la clase? Si ellos estuvieran escribiendo su propia biografía, ¿cuándo usarían el español que usan en casa y cuándo no?

Manual de gramática

Suggestions

- As homework, have students read the grammar explanation **3.4 The Infinitive** in the grammar manual in the back of their textbooks and have them write the answers to the corresponding exercises.

- In class, answer any questions students may have about the infinitive and briefly go over the exercises.

HSS Por lo general, los estudiantes hispanohablantes no tienen problemas con el uso del infinitivo.

Cultura en vivo

Suggestions

- Have students comment on the photo. Five hundred years of resistance to what? Who is resisting? How is it possible that they have been resisting for so long? Will that resistance come to an end at the end of the twenty-first century?

- Ask students if they are aware of other instances of human rights violations in the Americas, including in the U.S.

HSS Pregúnteles a los estudiantes hispanohablantes por qué creen que la violación de los derechos humanos es tan común en Latinoamérica. ¿Quiénes son los responsables—el gobierno, el ejército, la policía? ¿Hay violación de los derechos humanos en EE.UU? Si dicen que sí, pídales ejemplos.

Mejoremos la comunicación

Suggestions

- In groups of three or four, have students come up with an all-inclusive definition of **derechos humanos**. Then have two or three groups write their definitions on the board and have the class comment on them.

- Ask if anything can be done to guarantee the human rights of all people.

HSS Pregúnteles a los estudiantes hispanohablantes si alguna vez sus derechos humanos o los de sus amigos o familiares han sido violados. Si así es, pídales que describan el caso. Pregúnteles también si creen que el gobierno de EE.UU. hace lo debido para proteger los derechos humanos en Latinoamérica. Pídales que expliquen su respuesta.

Palabras claves

Suggestions

- Call on individual students to write some of their original sentences on the board. Have the class correct any errors.

HSS Pídales a los estudiantes hispanohablantes que pasen a la pizarra y que escriban oraciones originales con estas palabras. Luego pídale a la clase que las corrija.

Answers: **1.** a **2.** c **3.** e **4.** b **5.** d

Escribamos ahora

Suggestions

HSS Pídales a los estudiantes hispanohablantes que sigan todos los pasos del proceso que sigue. Es un proceso que ha dado buen resultado con todos los estudiantes.

A. A generar ideas: el contraste y la analogía

1. **Diferencias y semejanzas:** Go over the exercise with the class. Do the exercises with students and ask them if they can provide additional examples.

   Answers: **a.** analogía **b.** contraste **c.** contraste **d.** analogía

2. **Ideas y organización:** Tell students to list as many differences and similarities as they can. Do a brief brainstorming session with the class, if necessary, to get them started. The charts may be assigned as homework. In class, allow students to share their organizational charts with each other. Encourage them to add to, subtract from, or correct their own charts based on what they see in their classmates' charts.

B. Primer borrador:
Suggest that students begin by writing for ten minutes without stopping. After that time period, tell them to read what they wrote and start reorganizing the paragraphs as necessary. This may all be assigned as homework.

C. Primera revisión:
Tell students to focus on content only at this point.

D. Segundo borrador:
Tell students to seriously consider their peers' comments and accept those that they agree with and ignore those they don't. This rewrite can be done as homework.

E. Segunda revisión:
Do a brief review of the preterite and the imperfect before doing this activity. Tell students they must learn to become good editors. In this section they will practice editing the forms and use of the past tenses. Go over paragraph correction with the class. Circulate among students, answering any questions and checking on their editing.

Answers: aprendió, Adquirió, fue, trabajó, describió, murieron, se trasladó, fueron

F. Versión final: Have students do this as homework. Insist they do it on a computer.

G. Publicación: Collect the best from each group and bind them into one book titled: **"Rigoberta Menchú y cinco estudiantes de (su escuela): una comparación"**

Exploremos el ciberespacio

Suggestions

- Have students who need extra grammar practice do the ACE activities.

- Require that all students do one or two of the **World Wide Web** activities for at least three of the countries studied during the semester. Allow them to select the countries they wish to cover but require that they turn in the work to prove that they did it.

- Offer extra credit to students who do additional activities for other countries on the web.

HSS Pídales a los estudiantes hispanohablantes que se aprovechen del *Chat Room* para conversar con guatemaltecos. Dígales que le entreguen un resumen de la conversación indicando lo que aprendieron al hablar con personas de Guatemala.

Lección 3   El Salvador

Gente del Mundo 21

Suggestions

- Have students read the first biography silently, then ask comprehension-check questions. Repeat with remaining biographies.

- After students answer the **Personalidades del Mundo 21** questions individually and compare answers with two or three classmates, ask individuals the same questions and have the class confirm each response.

Extra

- Ask volunteers interested in extra credit to prepare a brief written or oral presentation on one of the people listed in **Otros salvadoreños sobresalientes**. Have others in the class add any information they can.

- Read a selection from one of Salarrué's novels or short stories to the class.

- Read one of Roque Dalton or Reyna Hernández's poems to the class.

- Have students interested in sports research information on Camilo Cienfuegos and report to the class for extra credit.

HSS Pídales a los estudiantes hispanohablantes que digan lo que saben de El Salvador. ¿Dónde queda el país? ¿Qué ha pasado allí recientemente? ¿Por qué inmigraron a EE.UU. tantos salvadoreños a fines del siglo pasado?

Si tiene estudiantes hispanohablantes de ascendencia salvadoreña, pídales que informen a la clase de cómo eran las condiciones de vida en El Salvador cuando ellos o sus familias vivían allí. Si han vivido allí o han visitado el país, pregúnteles qué es lo que más les gustó.

Del pasado al presente

Suggestions

- Do a **Jigsaw Reading Activity** following the steps outlined on page 33.

HSS Pídales a los estudiantes que sigan la variación del **Jigsaw para hispanohablantes** detallada en la página 39.

HSS Si algunos de sus estudiantes son de ascendencia salvadoreña, pídales que entrevisten a sus padres o a otros parientes para saber cómo ven ellos el papel que ha tomado el FMLN. Pídales que presenten sus conclusiones a la clase.

HSS Si el tiempo lo permite, sería interesante invitar a uno o dos salvadoreños que estuvieron en el país durante la actuación del FMLN para hablarle a la clase.

Manual de gramática

Suggestions

- As homework, have students read grammar explanation **3.5 The Prepositions** *para* **and** *por* in the grammar manual in the back of their textbooks and have them write the answers to the corresponding exercises.

- In class, answer any questions students may have about **por** and **para** and briefly go over the exercises.

HSS Algunos estudiantes hispanohablantes tienden a tener muchos problemas para decidir si deben usar **por** o **para**. Sugiérales que memoricen estas reglas y que se acostumbren a aplicarlas cuando tengan alguna duda.

Ventana al Mundo 21

Suggestions

- Point out that **cipotes** means **niños**.

- Ask the class how they think Isaías Mata feels living back in El Salvador now. **¿Creen que está contento? ¿Preferiría estar en EE.UU.? ¿Cómo se sentirían Uds. si tuvieran que salir exiliados de EE.UU. y regresar después de vivir tres o cinco años en otro país?**

- Have students do some serious thinking about having to live in exile. Tell them to imagine they have just arrived in another country with a total of $50 in their possession and the clothes they are wearing. What would they do first? How would they eat? Where would they sleep? Who and what would they miss most?, and so on.

Pregúnteles a los estudiantes hispanohablantes si conocen a otros artistas, escritores o intelectuales que se vieron obligados a salir de sus patrias. Si así es, pídales que le cuenten las circunstancias de esas personas a la clase.

Y ahora, ¡a leer!

Suggestions

- Ask students what legends they are familiar with. Then ask them if they think legends serve a specific purpose or if they are just pure fantasy.

- Also ask students if they believe this legend is of particular interest to children or if they think adults would also find it interesting. Have them explain their responses.

HSS Pregúnteles a los estudiantes hispanohablantes si conocen otras leyendas hispanas que incorporan varios aspectos de la geografía, gente o cultura nacional. Si dicen que sí, pídales que las describan.

Introducción al análisis literario

Suggestions

- Ask students if the symbolism of this legend is easily understood by children. What effect does the symbolism have if it is not understood or is misinterpreted?

HSS Pregúnteles a los estudiantes hispanohablantes si conocen de otras leyendas hispanas basadas en el simbolismo. Si dicen que sí, pídales que las describan y que describan el simbolismo.

Cultura en vivo

Suggestions

- Ask students if they think that, as we enter the twenty-first century, dictators and corrupt government will come to an end in Latinamerica. Ask them to explain their responses.

- Also ask if they believe that democracy is the answer to Latin America's political and social problems. Have them explain their responses.

HSS Pregúnteles a los estudiantes hispanohablantes si creen que los problemas políticos y sociales terminarán alguna vez en el futuro cercano. Pídales que expliquen sus respuestas. Pregúnteles también qué creen ellos que es necesario para traer reforma política y social a Latinoamérica.

Mejoremos la comunicación

Suggestions

- In small groups, have students discuss their political affiliations and the candidates they supported in the last election or that they are planning to support in the next one. Have them tell how they came to select their affiliations and what influences them most when they vote.

Pregúnteles a los estudiantes hispanohablantes si creen que la comunidad hispana debe hablar con una voz política en EE.UU. Pídales que expliquen sus respuestas.

Pregúnteles a los estudiantes hispanohablantes cuándo y cómo creen ellos que la comunidad hispana llegará a ser una fuerza política en este país.

Palabras claves

Suggestions

- After students have written their definitions, call on individuals to read theirs aloud and have the class comment on each one.

- Ask for volunteers to write their sentences on the board and have the class correct them.

Pídales a los estudiantes hispanohablantes que pasen a la pizarra y que escriban oraciones originales con estas palabras. Luego pídale a la clase que las corrija.

Answers: **1.** b   **2.** e   **3.** a   **4.** c   **5.** d

¡Luz! ¡Cámara! ¡Acción!

Suggestions

Antes de empezar el video

- After students answer the pre-viewing questions in pairs, call on several groups to see how they responded.

- Have students anticipate what they will see based on the questions they just answered. Then, have them come back to their predictions after they view the video to see if they anticipated correctly.

Al contestar las preguntas, pregúnteles a los estudiantes hispanohablantes qué relación habrá entre un ave fénix y una hamaca y El Salvador. Si no lo saben, dígales que adivinen la relación que el video hará. Después de ver el video, pregúnteles si adivinaron correctamente o no.

Al mostrar el video

- Play the video all the way through without stopping. Then rewind and play it through one section at a time, stopping to ask comprehension-check questions—yes/no, either/or, short-response—to help students understand what they heard and saw. Repeat this procedure to the end. Finally, play the video all the way through one last time before asking **¡A ver si comprendiste!** questions.

En clases para hispanohablantes, primero muestre el video completo. Luego, vuelva al principio y muestre las secciones de una en una, parando el video para hacer preguntas y para asegurarse de que todos entienden el contenido.

¡A ver si comprendiste!

- Allow time to answer the content questions in pairs, then call on individuals to answer the same questions with the entire class.

- Call on individuals to answer the **A pensar e interpretar** questions. Have the class comment on each response.

- Ask students if they think they would like to live in El Salvador. Have them explain why or why not.

HSS Pregúnteles a los estudiantes hispanohablantes por qué creen que los salvadoreños siguen construyendo su capital en un valle donde hay volcanes activos. Pregúnteles si saben de otras capitales hispanas donde esto es el caso. ¿Qué hace que la gente quiera vivir en lugares donde tienden a ocurrir desastres naturales?

Exploremos el ciberespacio

Suggestions

- Have students who need extra grammar practice do the ACE activities.

- Require that all students do one or two of the **World Wide Web** activities for at least three of the countries studied during the semester. Allow them to select the countries they wish to cover but require that they turn in the work to prove that they did it.

- Offer extra credit to students who do additional activities for other countries on the web.

HSS Pídales a los estudiantes hispanohablantes que se aprovechen del *Chat Room* para conversar con salvadoreños. Dígales que le entreguen un resumen de la conversación indicando lo que aprendieron al hablar con personas de El Salvador.

UNIDAD 4

Cuba, la República Dominicana y Puerto Rico: en el ojo del huracán

Unit Opener

Suggestions

- Have students infer meaning from the subtitle of the unit: **en el ojo del huracán**. What does **huracán** mean? Why would one say that these countries are **en el ojo del huracán**? What does this mean literally? What does it mean figuratively?

- Ask students what these countries have in common. Lead them to focus on location, a strong African influence, strong cultural/historical ties with Spain, and so on. Then ask them how they differ.

Pregúnteles a los estudiantes hispanohablantes si saben por qué se estableció tanta gente de ascendencia africana en el Caribe. Pregúnteles también si pueden nombrar algunas contribuciones de la cultura africana a la cultura hispana.

Lección 1   Cuba

Gente del Mundo 21

Suggestions

- Call on individual students to read aloud in class. Ask comprehension check-questions after each person to make sure students understand.

- After students answer the questions in pairs, call on individuals and have the class confirm each answer.

Extra

- Read one of Nicolás Guillén's or Nancy Morejón's poem to the class.

- Bring an art book with Wilfredo Lam's paintings and have the class analyze one of them.

- Offer extra credit to students interested in researching any of the people listed in **Otros cubanos sobresalientes** and writing a brief report on what they found.

HSS Pregúnteles a los estudiantes hispanohablantes si tienen algún CD por Los Van-Van u otro conjunto cubano. Si dicen que sí, pídales que lo traigan a clase. Si tiene estudiantes de ascendencia cubana, pregúnteles si tienen algún cantante, pintor, actor,... cubano favorito. Si dicen que sí, pídales que le digan a la clase por qué les gusta tanto.

Del pasado al presente

Suggestions

- Do a **Jigsaw Reading Activity** following the steps outlined on page 33.

- Have students explain the title of this reading: **Cuba: la palma ante la tormenta.** Why a **palma**? What **tormenta**?

HSS Pídales a los estudiantes que sigan la variación del **Jigsaw para hispanohablantes** que aparece en la página 39.

HSS Después de leer **Del pasado al presente**, pregúnteles a los estudiantes hispanohablantes si saben cómo han reaccionado los otros países latinoamericanos al gobieno comunista cubano. Si no lo saben, pídale a un voluntario que lo investigue e informe a la clase, y déle extra crédito. También pregúnteles si saben cuál es el estado actual de la economía cubana. ¿Qué efecto ha tenido el comunismo en el nivel de vida de los cubanos? ¿Ha mejorado, ha empeorado o sigue más o menos igual?

Manual de gramática

Suggestions

- As homework, have students read grammar explanation **4.1 The Present Perfect Indicative** in the grammar manual in the back of their textbooks and have them write the answers to the corresponding exercises.

- In class, answer any questions students may have about the present perfect indicative and briefly go over the exercises.

HSS Algunos estudiantes hispanohablantes no están muy conscientes del concepto de tiempos compuestos, en particular en primera y tercera persona singular. Con frecuencia no escriben el auxiliar **he** y **ha** o lo escriben sin la **hache**.

Algunos hispanohablantes tienden a olvidarse de poner el acento escrito en el participio pasado de verbos que terminan en **-aer**, **-eer**, and **-ir**. También tienden a querer regularizar algunos participios pasados que tienen formas irregulares: **abrido** en vez de **abierto**, **ponido** en vez de **puesto**, **morido** en vez de **muerto**.

Ventana al Mundo 21

Suggestions

- Ask students to say why they think the U.S. has allowed Fidel Castro to remain in power so long in a Communist country so close to the U.S. mainland.

- Allow time for group work. Then ask several groups to tell the class what conclusions they came to. If some used Venn diagrams, have them draw their diagrams on the board.

Extra

- Ask if anyone in the class has visited Cuba recently. If so, have them tell the class their impressions.

HSS Pregúnteles a los estudiantes hispanohablantes si creen que la Revolución Cubana ha tenido un buen o mal efecto en la comunidad latinoamericana. Pídales que expliquen sus respuestas.

Y ahora, ¡a leer!

Suggestions

- Ask students to look at the drawing and anticipate what the reading will be about. What could be the meaning of all the objects: the palm trees, the lightning, the tropical flowers, the canary, the wounded deer? How do they think all these things fit into the poem?

- Read the first two or three stanzas aloud to the class. Then call on individual students to read the remainder aloud for the class. Remind students to pay close attention to punctuation when reading poetry. Ask additional yes/no, either/or questions after each stanza.

- Ask students if they know the name of an American song with these verses that was very popular in the '60s ("Guantanamera"). If anyone has the cassette/CD, have them bring it and play it for the class.

HSS Pídales a los estudiantes hispanohablantes que hagan una comparación entre José Martí y Fidel Castro. ¿Cómo son similares? ¿Cómo difieren el uno del otro?

Introducción al análisis literario

Suggestions

- Divide students into groups of three or four and give each group a copy of another poem in Spanish. Ask them to identify the number of **estrofas**, identify the number of **versos** in each **estrofa**, and to describe the **rima**.

HSS En grupos de tres o cuatro, pídales a los estudiantes hispanohablantes que le lean los versos sencillos que escribieron a su grupo para que todos los comenten y seleccionen el mejor. Luego pida que cada grupo lea el mejor del grupo a toda la clase.

Manual de gramática

Suggestions

- As homework, have students read grammar explanation **4.2 Passive Constructions** in the grammar manual in the back of their textbooks and have them write the answers to the corresponding exercises.

- In class, answer any questions students may have about passive constructions and briefly go over the exercises.

HSS El problema más común que muchos estudiantes hispanohablantes tienen con el uso de la voz pasiva es el querer usar la contrucción **Fue + participio pasado** cuando debe usarse la construcción del **se** pasivo. Es importante hacer hincapié en el hecho que **Fue + participio pasado** sólo se usa si hay un agente precedido por la preposición **por**, es decir, cuando la oración tiene estos elementos:

Fue + participio pasado + por + (agente)

Cuando no interesa quién ejecuta la acción, en el español formal se prefiere usar la construcción con el **se** pasivo. (En algunos casos es aceptable no expresar el agente; sin embargo, la implicación siempre es que hay un agente.)

La construcción con el **se** pasivo puede resultarles complicada a algunos hispanohablantes respecto al número o concordancia del verbo activo con el complemento directo.

Cultura en vivo

Suggestions

- Ask students if they know how to dance to any of the Cuban rhythms mentioned in the reading. If so, have them teach the rest of the class how to do it. If not, you can teach them yourself or invite a couple of Hispanic friends to the class to do it for you.

Extra

- Bring cassettes or CDs of Pérez Prado, Tito Puente, or Tania Libertad and play them for the class, or have a party with their music and teach students how to dance to it.

HSS Pregúnteles a los estudiantes hispanohablantes cuántos de los ritmos mencionados conocen y a cuántos saben bailar. Pregúnteles si sabían que se originaron en Cuba. Luego pregúnteles cuál es su música bailable favorita y si saben dónde se originó.

Mejoremos la comunicación

Suggestions

- Ask students to describe a **cencerro**, **chequere**, **claves**, and **güiro**.

- Have students name as many Latin dance rhythms as they can without looking in their books.

HSS Pregúnteles a los estudiantes hispanohablantes si pueden añadir otros tipos de música bailable a la lista de la página 149 del texto. Escriba los ritmos que mencionen en la pizarra y pregúntele a la clase si los conocen. Pídales a voluntarios que pasen al frente de la clase y que demuestren para la clase algunos pasos básicos de los nuevos ritmos.

Palabras claves

Suggestions

- Have students do the matching exercise and write original sentences individually. Have them check their work by comparing their responses with those of two other classmates. Call on individual students to write some of their original sentences on the board. Have the class correct any errors.

HSS Pídales a los estudiantes hispanohablantes que pasen a la pizarra y que escriban oraciones originales con estas palabras. Luego pídale a la clase que las corrija.

Answers: **1.** b   **2.** e   **3.** a   **4.** c   **5.** d

¡Luz! ¡Cámara! ¡Acción!

Suggestions

Antes de empezar el video

- When students answer the pre-reading questions in **Antes de empezar el video**, explain that they are just expressing opinions and that everyone is entitled to their own opinions.

HSS Tenga un debate con los estudiantes sobre el tema de la tercera pregunta en **Antes de empezar el video**.

Al mostrar el video

- Play the video all the way through without stopping. Then rewind and play it through one section at a time, stopping to ask comprehension-check questions—yes/no, either/or, or short-response—to help students understand what they heard and saw. Repeat this procedure to the end. Finally, play the video all the way through one last time before asking **¡A ver si comprendiste!** questions.

HSS En clases para hispanohablantes, primero muestre el video completo. Luego, vuelva al principio y muestre las secciones de una en una, parando el video para hacer preguntas y para asegurarse de que todos entienden el contenido.

¡A ver si comprendiste!

- Allow time to answer the content questions in pairs, then call on individuals to answer the same questions with the entire class.

- Call on individuals to answer the **A pensar e interpretar** questions. Have the class comment on each response.

- Ask the students which of the four views expressed on the video they side with and why.

HSS Pregúnteles a los estudiantes hispanohablantes si creen que sería difícil ser un joven en Cuba ahora. Pídales que expliquen sus respuestas. Pregunte si alguien ha visto la película *Azúcar amarga*. Si así es, pídales que le expliquen la trama a la clase.

Exploremos el ciberespacio

Suggestions

- Have students who need extra grammar practice do the ACE activities.

- Require that all students do one or two of the **World Wide Web** activities for at least three of the countries studied during the semester. Allow them to select the countries they wish to cover but require that they turn in the work to prove that they did it.

- Offer extra credit to students that do additional activities for other countries on the web.

Lección 2   La República Dominicana

Gente del Mundo 21

Suggestions

- Divide the class into groups of three. Have each person in a group read one of the biographies. Then, with books closed, have each person report to their group as much information as they recall from the biography they read.

- **Extra credit** Have volunteers or students interested in extra credit prepare a brief written or oral presentation on one of the persons listed in **Otros dominicanos sobresalientes**. Have others in the class add any information they can.

Extra

- Listen to a cassette or CD of Juan Luis Guerra's music in class.

- Read a selection out of *How the García Girls Lost Their Accent* to the class.

- Ask the sports enthusiasts in the class to update the information provided on Sammy Sosa.

- Ask a volunteer in the class to explain what makes Óscar de la Renta's designs so special.

HSS Pregúnteles a los estudiantes hispanohablantes si conocen los programas de televisión de Charytín. Si así es, pídales que le digan a la clase cómo son.

HSS Si tiene estudiantes hispanohablantes de ascendencia dominicana, pídales que hablen sobre su país. ¿De dónde son sus antepasados? Si han visitado el país, pídales que lo describan. ¿Qué es lo que más les gusta del país? ¿Cómo es la comida dominicana?, etcétera.

Del pasado al presente

Suggestions

- Do a **Jigsaw Reading Activity** following the steps outlined on page 33.

- Ask students why they think the Dominican Republic continues to have economic problems. Is it due to a lack of natural resources or to corruption in the government? Have them explain their responses.

HSS Pídales a los estudiantes que sigan la variación del **Jigsaw para hispanohablantes**.

HSS Pídales a los estudiantes hispanohablantes que expliquen cómo una familia como los Trujillo puede controlar un país totalmente por un período de más de treinta años. Pregúnteles también si creen que EE.UU. hizo bien en mandar sus tropas al país después del asesinato de Trujillo. ¿Cuándo es aceptable que EE.UU. mande su ejército a otro país.

Manual de gramática

Suggestions

- As homework, have students read grammar explanation **4.3 Present Subjunctive Forms and the Use of the Subjunctive in Main Clauses** in the grammar manual in the back of their textbooks and have them write the answers to the corresponding exercises.

- In class, answer any questions students may have about present subjunctive forms and use in main clauses and briefly go over the exercises.

HSS Algunos estudiantes hispanohablantes tienden a poner un acento esdrújulo en la forma de la primera persona plural del subjuntivo (e.g., **conózcamos** en vez de **conozcamos**, **hágamos** en vez de **hagamos**, **téngamos** en vez de **tengamos**). Hágales conscientes a los estudiantes que usan estas formas que esto todavía se considera incorrecto en muchas partes del mundo hispanohablante y que debe evitarse fuera de su comunidad. Para ayudar a los estudiantes que necesitan controlar el uso de estas formas, pídales que conjuguen algunos de estos verbos irregulares en el presente de subjuntivo en la pizarra. Luego pídales que los lean en voz alta. Asegúrese de que la pronunciación y la ortografía, en particular la de la primera persona plural, sea correcta. Algunos estudiantes hispanohablantes también tienen problemas con la ortografía de algunos verbos irregulares. Por ejemplo, hay una tendencia a escribir **haiga, haigas, háigamos...** en vez de **haya, hayas, hayamos...** Y como con los verbos regulares, también con los irregulares hay una tendencia a ponerles el acento esdrújulo a las formas de la primera persona plural.

Ventana al Mundo 21

Suggestions

- Ask students why they think a sport like baseball has become so popular in a poor country like the Dominican Republic. Also ask why so many Latin American baseball players come to the U.S.

- Ask the sports enthusiasts if they can name other Dominican baseball players.

HSS Pregúnteles a los estudiantes hispanohablantes si pueden nombrar beisbolistas de otros países. Tengan un concurso para ver quién puede nombrar más beisbolistas mexicanos, cubanos, puertorriqueños, etcétera.

Y ahora, ¡a leer!

Suggestions

- Ask students to look at the photo and speculate about it. Where was it taken? Who is the person in the picture? What is that person doing?

- Then ask students if they ever have recurring dreams. If so, have them describe them.

- Have students read the story silently in groups of three or four. If they need help as they read, have them get it from any of their group members.

- Call on individual students to read the remainder aloud for the class. Ask additional yes/no, either/or questions at the end of each paragraph.

HSS Pídales a los estudiantes hispanohablantes que, en grupos pequeños, cuenten algunos de sus sueños. Luego pídale a cada grupo que relate el sueño más interesante del grupo a la clase.

Introducción al análisis literario

Suggestions

- In groups of three or four, have students list as many time expressions not used in this story as they can. Have them do this before they do **Actividad B** and ask them to incorporate into their stories as many of the time expressions on their list as they can.

HSS Pídales a los estudiantes hispanohablantes que hagan la **Actividad B** en voz alta, no por escrito.

Manual de gramática

Suggestions

- As homework, have students read grammar explanation **4.4 Formal and Familiar Commands** in the grammar manual in the back of their textbooks and have them write the answers to the corresponding exercises.

- In class, answer any questions students may have about formal and familiar commands and briefly go over the exercises.

HSS Por lo general, los estudiantes hispanohablantes no tienen problemas con el uso de mandatos formales y familiares. Tienden a saber las formas y usarlas con facilidad. El problema que se presenta es que no tienden a estar conscientes de la diferencia entre un mandato y un pedido. Trate de asegurarse de que entiendan que están usando mandatos y no haciendo pedidos.

Cultura en vivo

Suggestions

- Have students tell which of the sports available in the Caribbean are most attractive to them. Have them explain why.

HSS Pídales a los estudiantes hispanohablantes que describan en detalle cada uno de los deportes del Caribe mencionados. Pregúnteles cuáles de esos deportes han practicado.

Mejoremos la comunicación

Suggestions

- Ask students to tell you what **atletismo, baloncesto, ciclismo, gimnasia,...** mean. Insist that you are not familiar with each sport so that they explain each sport in detail.

HSS Pídales a los estudiantes hispanohablantes que le digan cómo se juega al fútbol. Dígales que nunca ha visto un partido e insista en que lo describan en detalle. Haga lo mismo con otros deportes.

Palabras claves

Suggestions

- Go over the matching activity with the class. Then call on individual students to write some of their original sentences on the board. Have the class correct any errors.

HSS Pídales a los estudiantes hispanohablantes que pasen a la pizarra y que escriban oraciones originales con estas palabras. Luego pídale a la clase que las corrija.

Answers: **1.** e   **2.** d   **3.** b   **4.** c   **5.** a

Escribamos ahora

Suggestions

HSS Pídales a los estudiantes hispanohablantes que sigan todos los pasos del proceso que sigue. Es un proceso que ha dado buen resultado con todos los estudiantes.

A. A generar ideas: descripción de tu persona

1. **Identificación de persona:** Allow time for pair work. Then call on individual students to see what they wrote for each **descripción** and **amplificación.**

2. **Mi persona** Tell students to list as many characteristics as they can. Make a list for yourself with the class, if necessary, to get them started.

Answers:

Sujeto	Descripción	Ampliación
Tercera estrofa		
Yo sé	Los nombres extraños	De las yerbas y las flores
(Yo sé)	(los nombres)	De mortales engaños
(Yo sé)	(los nombres)	De sublimes dolores
Cuarta estrofa		
Yo he visto	los rayos	de la divina belleza de lumbre pura llover sobre mi cabeza
Quinta estrofa		
Yo pienso	en el canario amarillo	cuando me alegro como un escolar sencillo

B. Primer borrador

1. **¡A organizar!** Point out the importance of organizing before starting to write. This step may be done as homework.

2. **¡Mis versos sencillos!** Suggest that students begin by writing for a set amount of time without stopping. After that time period, tell them to read what they wrote and start reorganizing. If necessary, this may be done as homework.

C. Primera revisión: Tell students to focus on content only at this point. Point out that as they learn to spot content gaps in the content of their classmates' compositions, they will be able to find the same gaps in their own writing more easily.

D. Segundo borrador: Tell students to seriously consider their peers' comments and accept those that they agree with and ignore those they don't. This rewrite can be done as homework.

E. Segunda revisión: Do a brief review of the subjunctive before doing this activity. Tell students they must learn to become good editors. In this section they will practice editing the forms and uses of the subjunctive and indicative. Go over poem corrections with the class. Circulate among students, answering any questions and checking on their editing.

Answers: quiero, dé, empleen, aprecien, respeten, muestre, contraria

F. Versión final: Have students do this as homework. Insist they do it on a computer.

G. Concurso de poesía: Have students read the best poem in each group in front of the class. You may want to ask students to rewrite their poems, incorporating all the corrections you had indicated, and put all the rewrites in a class book of poems. Make the book available to students who finish group activities or chapter exams early.

Exploremos el ciberespacio

Suggestions

- Have students who need extra grammar practice do the ACE activities.

- Require all students to do one or two of the **World Wide Web** activities for at least three of the countries studied during the semester. Allow them to select the countries they wish to cover but require that they turn in the work to prove that they did it.

- Offer extra credit to students who do additional activities for other countries on the web.

HSS Pídales a los estudiantes hispanohablantes que se aprovechen del *Chat Room* para conversar con dominicanos. Dígales que le entreguen un resumen de la conversación indicando lo que aprendieron al hablar con personas de la República Dominicana.

Lección 3   Puerto Rico

Gente del Mundo 21

Suggestions

- Divide the class into three large groups. Assign each group one of the biographies and have individuals read silently. If they have any questions, tell them to get help from someone in their group.

- After groups have had sufficient time, form new groups of three—one from each of the three previous groups. With books closed, have each group member tell everything they remember about the biography they read. When all have finished, give the class a six-question true/false quiz, two questions on each biography. Students take the quiz individually.

- After students answer the **Personalidades del Mundo 21** questions individually and compare answers with two or three classmates, ask individuals from each group the same questions and have the class confirm each response.

Extra

- Ask volunteers interested in extra credit to prepare a brief written or oral presentation on one of the people listed in **Otros puertorriqueños sobresalientes**. Have others in the class add any information they can.

- Listen to one of Chayanne's cassettes/CDs in Spanish or view one of his videos.

- Read one of Julia de Burgo's or Víctor Hernández Cruz's poems to the class.

- Have students listen to a recording of Pablo Casals's music.

Pregúnteles a los estudiantes hispanohablantes si conocen algunas de las películas de Idalis De León o de Chayanne. Si dicen que sí, pídales que se las describan a la clase. Pregúnteles también si alguien ha visitado Puerto Rico alguna vez. Si así es, pídales que describan la isla. ¿Qué es lo que más les gustó? ¿lo que más les sorprendió?

Del pasado al presente

Suggestions

- Do a **Jigsaw Reading Activity** following the steps outlined on page 33.

- Ask students if hey think Puerto Ricans should pay taxes in the U.S., since they are citizens and vote in U.S. elections. Have them explain their responses.

Pídales a los estudiantes que sigan la variación del **Jigsaw para hispanohablantes** detallada en la página 39.

Después de leer **Del pasado al presente**, pregúnteles a los estudiantes hispanohablantes por qué creen que tantos puertorriqueños han inmigrado a los EE.UU. y si creen que el gobierno estadounidense debería limitar el número de puertorriqueños que se viene a vivir acá. Pídales que expliquen sus respuestas.

Ventana al Mundo 21

Suggestions

- Ask students why Felisa Rincón can be considered **un excelente ejemplo de la determinación que caracteriza a la mujer puertorriqueña**.

- Ask if they can think of other women that have stood out and succeeded as Felisa did.

Pregúnteles a los estudiantes hispanohablantes si consideran a Felisa Rincón típica de la mujer latinoamericana o una excepción. Pídales que expliquen sus respuestas. Pregúnteles también cómo es posible que una mujer llegue a un puesto político tan alto en un país latino, donde los hombres tienden a dominar.

Y ahora, ¡a leer!

Suggestions

- Make sure that students realize that the subtitle of the story is a phonetic, Spanish version of the first lines of the U.S. National Anthem.

- Read the first page aloud for students one paragraph at a time. Ask several yes/no, either/or questions to help aid students' comprehension.

- Call on individual students to read the remainder aloud for the class. Ask additional yes/no, either/or questions at the end of each paragraph.

Pregúnteles a los estudiantes hispanohablantes si algunos tuvieron una experiencia similar en la escuela primaria. Si así es, pídales que se la describan a la clase. Pregúnteles también si ellos siempre saben el significado de las letras de las canciones francesas o alemanas que aprenden.

Introducción al análisis literario

Suggestions

- Ask students how important they think the **ambiente** is in a literary work. Have them explain responses.

Pregúnteles a los estudiantes hispanohablantes si pueden nombrar alguna obra en la que el ambiente llega a ser tan importante que se convierte en protagonista de la obra.

Manual de gramática

Suggestions

- As homework, have students read grammar explanation **4.5 Subjunctive: Noun Clauses** in the grammar manual in the back of their textbooks and have them write the answers to the corresponding exercises.

- In class, answer any questions students may have about the use of the subjunctive in noun clauses and briefly go over the exercises.

Sin duda, los estudiantes hispanohablantes tanto como los no hispanohablantes van a necesitar un repaso de las definiciones de cierta nomenclatura gramatical antes de entender bien las explicaciones del texto. Déles varios ejemplos de lo que es un cambio de sujetos para que no les quede ninguna duda. Luego haga lo mismo con lo que es una cláusula, una cláusula subordinada y un infinitivo. A algunos estudiantes hispanohablantes les cuesta distinguir entre la duda y falta de duda en expresiones como **creer/no creer, dudar/no dudar,** y **pensar/no pensar**. Tal vez valga la pena darles varios ejemplos e insistir en que entiendan cómo una forma verbal puede imponer duda o falta de duda.

Cultura en vivo

Suggestions

- Ask students to list the advantages and disadvantages of Puerto Rico continuing as a U.S. territory, opting for statehood, or becoming independent.

Pregúnteles a los estudiantes hispanohablantes si creen que los puertorriqueños deberían pagar impuestos ya que son ciudadanos de EE.UU. y reciben todos los beneficios. Pregúnteles también si creen que los puertorriqueños, al llegar a ser Puerto Rico el estado número cincuenta y uno, tendrán que dejar de usar el español como la lengua oficial para los asuntos gubernamentales.

Pregúnteles si creen que sería mejor que Puerto Rico se independizara. Pídales que expliquen sus respuestas.

Mejoremos la comunicación

Suggestions

- Have volunteers describe their worst, scariest, or funniest experience going through customs.

HSS Pídales a los estudiantes hispanohablantes si alguna vez han tenido problemas al pasar por la aduana simplemente por ser hispanos. Si así es, pídales que describan lo que pasó.

Pregúnteles también si creen que es más difícil pasar por la aduana en EE.UU. si uno es hispano. Pídales que expliquen sus respuestas.

Palabras claves

Suggestions

- Call on individuals to answer each question. Have the class confirm each response.

- Ask for volunteers to try to define each word in Spanish.

HSS Pídales a los estudiantes hispanohablantes que pasen a la pizarra y que escriban oraciones originales con estas palabras. Luego pídale a la clase que las corrija.

Answers: **1.** individuos de idéntico origen **2.** dar carácter nacional a ciertas cosas **3.** doctrina nacional **4.** partidario del nacionalismo **5.** que pertenece a una nación

¡Luz! ¡Cámara! ¡Acción!

Suggestions

Antes de empezar el video

- After students answer the pre-viewing questions in pairs, call on several pairs to see how they responded.

HSS Al contestar las preguntas, pregúnteles a los estudiantes hispanohablantes si consideran que es normal hablar con tanta emoción y cariño de las ciudades latinoamericanas. Pídales que expliquen sus respuestas.

Al mostrar el video

- Play the video all the way through without stopping. Then rewind and play it through one section at a time, stopping to ask comprehension-check questions—yes/no, either/or, short-response—to help students understand what they heard and saw. Repeat this procedure to the end. Finally, play the video all the way through one last time before asking **¡A ver si comprendiste!** questions.

HSS En clases para hispanohablantes, primero muestre el video completo. Luego, vuelva al principio y muestre las secciones de una en una, parando el video para hacer preguntas y para asegurarse de que todos entienden el contenido.

¡A ver si comprendiste!

- Allow time to answer the content questions in pairs, then call on individuals to answer the same questions with the entire class.

- Call on individuals to answer the **A pensar e interpretar** questions. Have the class comment on each response.

- Ask students how they think Puerto Ricans feel toward Spain now. Are they resentful of its long period of dominance or do they continue to endorse Spanish culture?

HSS Pídales a los estudiantes hispanohablantes que digan qué problemas creen que Puerto Rico y los puertorriqueños tendrán si llegan a ser el estado número cincuenta y uno de EE.UU.

Exploremos el ciberespacio

Suggestions

- Have students who need extra grammar practice do the ACE activities.

- Require that all students do one or two of the **World Wide Web** activities for at least three of the countries studied during the semester. Allow them to select the countries they wish to cover but require that they turn in the work to prove that they did it.

- Offer extra credit to students who do additional activities for other countries on the web.

HSS Pídales a los estudiantes hispanohablantes que se aprovechen del *Chat Room* para conversar con puertorriqueños. Dígales que le entreguen un resumen de la conversación indicando lo que aprendieron al hablar con personas de Puerto Rico.

UNIDAD 5

Nicaragua, Honduras y Costa Rica: entre el conflicto y la paz

Unit Opener

Suggestions

- Have students infer meaning from the subtitle of the unit: **entre el conflicto y la paz**. What **conflicto**? Why **entre**?

- Ask students if they think this is an appropriate subtitle for these countries. Have them explain their responses.

HSS Pregúnteles a los estudiantes hispanohablantes dónde creen que se sacó la foto. Pídales que expliquen por qué creen eso. Luego pregúnteles a qué se refiere **el conflicto y la paz** del subtítulo.

Lección 1   Nicaragua

Gente del Mundo 21

Suggestions

- Call on individual students to read aloud in class. Ask comprehension-check questions after each person reads to make sure students understand.

- After students answer the questions in pairs, call on individuals and have the class confirm each answer.

Extra

- Read one of Ernesto Cardenal's or Gioconda Bellí's poems to the class.

- Ask students if they have seen José Solano on TV. If so, ask what they think of his acting.

- Offer extra credit to students interested in researching any of the people listed in **Otros nicaragüenses sobresalientes** and writing a brief report on what they found.

HSS Pregúnteles a los estudiantes hispanohablantes si conocen a otros nicaragüenses famosos. Si dicen que sí, pídales que le expliquen a la clase quiénes son y por qué son famosos. Si tiene estudiantes de ascendencia nicaragüense, pregúnteles si han visitado Nicaragua alguna vez. Si así es, pídales que describan el país. También pídales que digan algo de la cultura nicaragüense: la gente, la comida, las costumbres, etcétera.

Del pasado al presente

Suggestions

- Do a **Jigsaw Reading Activity** following the steps outlined on page 33.

- Have students explain the title of this reading: **Nicaragua: reconstrucción de la armonía.** Why **reconstrucción**? What **armonía**?

HSS Pídales a los estudiantes hispanohablantes que sigan la variación del **Jigsaw para hispanohablantes** que aparece en la página 39.

HSS Después de leer **Del pasado al presente**, pregúnteles a los estudiantes hispanohablantes si creen que se justifican las intervenciones militares de EE.UU. en Nicaragua. Pídales que expliquen sus respuestas. Pregúnteles también por qué será que EE.UU. con frecuencia parece apoyar a los dictadores latinoamericanos, como es el caso con los Somoza en Nicaragua.

Manual de gramática

Suggestions

- As homework, have students read grammar explanation **5.1 Relative Pronouns** in the grammar manual in the back of their textbooks and have them write the answers to the corresponding exercises.

- In class, answer any questions students may have about relative pronouns and briefly go over the exercises.

 El uso de pronombres relativos no tiende a presentarles problemas a los estudiantes hispanohablantes. Lo que quizás les cause cierta confusión son la nomenclatura y el tener que tratar de explicar por qué usan una forma y no otra.

Algunos tienen la tendencia a querer usar **el que** o **lo que** todo el tiempo y evitar el uso de **el cual** o **lo cual**, pero generalmente esto ocurre en casos en que se puede usar cualquiera de los dos.

Ventana al Mundo 21

Suggestions

- Ask students if they believe poets are appreciated and respected in the U.S. as much as they are in Nicaragua. Have them explain their responses. Also ask how many nationally acclaimed U.S. poets they can name.

- Allow time for pair work. Then ask several individuals to tell the class what conclusions they reached.

 Si tiene estudiantes hispanohablantes nicaragüenses pídales que hablen de sus experiencias, o las de sus padres, con los sandinistas.

Y ahora, ¡a leer!

Suggestions

- Ask students to look at the drawing and anticipate what the reading will be about. Who is the person in the drawing? What is the object she is holding? What do they think the star, the pen, the line of poetry, and the flower on that object represent?

- Read the first two or three stanzas aloud to the class. Then call on individual students to read the remainder aloud for the class. Remind students to pay close attention to punctuation when reading poetry. Ask additional yes/no, either/or questions after each stanza.

 Pregúnteles a los estudiantes si ven una relación entre la musicalidad y fantasía de este poema y la realidad nicaragüense. Pídales que expliquen sus respuestas.

Introducción al análisis literario

Suggestions

- Ask students if they know any fairy tales in English that are written in poetry. If so, have them tell what they are and ask them if they can recite parts of them in class.

 Pídales a los estudiantes hispanohablantes que nombren otros cuentos de hadas que conocen en español. Pregúnteles también si son cuentos escritos en prosa o poesía.

Manual de gramática

Suggestions

- As homework, have students read grammar explanation **5.2 Present Subjunctive: Adjective Clauses** in the grammar manual in the back of their textbooks and have them write the answers to the corresponding exercises.

- In class, answer any questions students may have about adjective clauses and the subjunctive and briefly go over the exercises.

HSS El saber cuándo usar o no usar el subjuntivo en estos casos es bastante problemático para muchos hispanohablantes. El diferenciar entre antecedentes que se consideran desconocidos y los que se consideran conocidos parece ser bastante difícil. Esto ocurre en particular con antecedentes indefinidos y con expresiones indeterminadas.

Cultura en vivo

Suggestions

- Ask students to identify the different modes of transportation they see in the picture. Ask how this is different from what one sees in U.S. cities.

- Ask students that have traveled in other Spanish-speaking countries if this photo is fairly typical or if one sees very different types of transportation in other countries.

HSS Pregúnteles a los estudiantes hispanohablantes qué importancia tiene el auto en países latinos. ¿Es igual que en EE.UU.? ¿Tienen la mayoría de las familias uno o dos autos? Si no, ¿por qué no? ¿Cuál es la forma de transporte más común?

Mejoremos la comunicación

Suggestions

- Ask students how people in the U.S. usually travel: in the U.S., to Europe, in Europe, in a large city like New York or Chicago, to the mountains, on a cruise, and so on.

HSS Pregúnteles a los estudiantes hispanohablantes si pueden nombrar otros modos de transporte comunes en Latinoamérica. También pregúnteles qué modos de transporte han usado ellos mismos en Latinoamérica. Pídales que los describan en detalle.

Palabras claves

Suggestions

- Allow time for pair work. Then call on individuals to answer each question. Have the class tell if they have correctly or incorrectly interpreted the key words.

- Ask volunteers to create original sentences with the key words.

Pídales a los estudiantes hispanohablantes que pasen a la pizarra y que escriban oraciones originales con estas palabras. Luego pídale a la clase que las corrija.

Answers: **1.** la vía de comunicación **2.** viajan **3.** equivocado **4.** vida ideal **5.** ferrocarril

¡Luz! ¡Cámara! ¡Acción!

Suggestions

Antes de empezar el video

- When students answer the pre-reading questions in **Antes de empezar el video**, keep in mind that these are critical-thinking questions with several possible answers. The important thing is to make sure students have valid reasons for answering as they do.

Pídales a los estudiantes hispanohablantes que trabajen en grupos de tres o cuatro al contestar la tercera pregunta de **Antes de empezar el video**. Luego pregúnteles a los grupos a qué conclusiones llegaron y pídales que escriban sus respuestas en la pizarra. Pídale a la clase que comente sobre la gran variedad de significados distintos.

Al mostrar el video

- Play the video all the way through without stopping. Then rewind and play it through one section at a time, stopping to ask comprehension-check questions—yes/no, either/or, or short-response—to help students understand what they heard and saw. Repeat this procedure to the end. Finally, play the video all the way through one last time before asking **¡A ver si comprendiste!** questions.

En clases para hispanohablantes, primero muestre el video completo. Luego, vuelva al principio y muestre las secciones de una en una, parando el video para hacer preguntas y para asegurarse de que todos entienden el contenido.

¡A ver si comprendiste!

- Allow time to answer the content questions in pairs. Then call on individuals to answer the same questions with the entire class.

- Call on individuals to answer the **A pensar e interpretar** questions. Have the class comment on each response.

- Ask students which of the four views expressed on the video they side with and why.

Pídales a los estudiantes hispanohablantes que comparen el significado del color azul para Rubén Darío con los significados que ellos identificaron antes de ver el video. También pregúnteles por qué los nicaragüenses seguirán construyendo su capital en un lugar de tanto peligro sísmico. ¿Cuál es otra ciudad grande de Latinoamérica que está construida junto a dos grandes volcanes? (México)

Exploremos el ciberespacio

Suggestions

- Have students who need extra grammar practice do the ACE activities.

- Require that all students do one or two of the **World Wide Web** activities for at least three of the countries studied during the semester. Allow them to select the countries they wish to cover but require that they turn in the work to prove that they did it.

- Offer extra credit to students who do additional activities for other countries on the web.

HSS Pídales a los estudiantes hispanohablantes que se aprovechen del *Chat Room* para conversar con nicaragüenses. Dígales que le entreguen un resumen de la conversación indicando lo que aprendieron al hablar con personas de Nicaragua.

Lección 2   Honduras

Gente del Mundo 21

Suggestions

- Divide the class into groups of three. Have each person in a group read one of the biographies. Then, with books closed, have each person report to their group as much information as they recall from the biography they read.

- **Extra credit** Have volunteers or students interested in extra credit prepare a brief written or oral presentation on one of the persons listed in **Otros hondureños sobresalientes**. Have others in the class add any information they can.

Extra

- Read one of Clementina Suárez's or Roberto Sosa's poems to the class.

HSS Pregúnteles a los estudiantes hispanohablantes si conocen a otros héroes indígenas como Lempira. Si así es, pídales que digan quiénes son y qué hicieron.

HSS Si tiene estudiantes hispanohablantes de ascendencia hondureña, pídales que hablen sobre su país. ¿De dónde son sus antecedentes? Si han visitado el país, pídales que lo describan. ¿Qué es lo que más les gusta del país? ¿Cómo es la comida hondureña?, etcétera.

Del pasado al presente

Suggestions

- Do a **Jigsaw Reading Activity** following the steps outlined on page 33.

- Ask students why they think the commercial wealth of Honduras's principal export, bananas, has not benefited the majority of **hondureños**.

Pídales a los estudiantes que sigan la variación del **Jigsaw para hispanohablantes**.

Pregúnteles a los estudiantes hispanohablantes si creen que el subtítulo, **con esperanza en el desarrollo**, le viene bien a Honduras. Pídales que expliquen sus respuestas. ¿A qué tipo de esperanza se refiere? ¿Por qué dice que esa esperanza está en el desarrollo? También pregúnteles por qué creen que Honduras se ha visto libre de las guerras civiles que afectaron a sus vecinos: El Salvador, Nicaragua y Guatemala.

Ventana al Mundo 21

Suggestions

- Ask students if they think American companies like *United Fruit Co.* and *Standard Fruit Company* have a moral obligation to rebuild the banana plantations destroyed by Hurricane Mitch or if they have the right to simply abandon their losses and leave the country.

Pregúnteles a los estudiantes hispanohablantes si creen que es bueno permitir que compañías extranjeras controlen grandes partes de la economía de un país como Honduras. Pídales que expliquen sus respuestas.

Y ahora, ¡a leer!

Suggestions

- Ask students to look at the drawing and speculate about it. Who is the person in the picture? What is that person doing? What do the headlines in the paper mean?

- Have students read the poem silently in groups of three or four. If they need help as they read, have them get it from one of their group members. Ask yes/no, either/or questions to check comprehension questions.

Pregúnteles a los estudiantes hispanohablantes cuánto creen que puede ganar un poeta en Latinoamérica. ¿Por qué no ganan más si son tan bien apreciados? ¿Por qué habrá tantos poetas hispanos si la mayoría gana poco?

Introducción al análisis literario

Suggestions

- Ask students if they have seen poetry written to create a visual image before. Is so, ask what the images were and what the themes of the poems were.

Extra

- Bring a book of modern poetry with poems written to create visual images and show them to the class.

En grupos de dos o tres, pídales a los estudiantes hispanohablantes que escriban un poema corto en una imagen que represente el tema del poema. Puede ser un animal, una planta, un objeto, etcétera. Luego, haga circular los poemas para que todos los vean y los lean.

Manual de gramática

Suggestions

- As homework, have students read grammar explanation **5.2 Present Subjunctive: Adjective Clauses** in the grammar manual in the back of their textbooks and have them write the answers to the corresponding exercises.

- In class, answer any questions students may have about adjective clauses and the subjunctive and briefly go over the exercises.

HSS El saber cuándo usar o no usar el subjuntivo en estos casos es bastante problemático para muchos hispanohablantes. El diferenciar entre antecedentes que se consideran desconocidos y los que se consideran conocidos parece ser bastante difícil. Esto ocurre en particular con antecedentes indefinidos y con expresiones indeterminadas.

- As additional homework, have students read grammar explanation **5.3 Present Subjunctive in Adverbial Clauses: A First Look** in the grammar manual in the back of their textbooks and have them write the answers to the corresponding exercises.

- In class, answer any questions students may have about the use of the subjunctive in adverbial clauses and briefly go over the exercises.

HSS Algunos hispanohablantes tratan de evitar el uso de conjunciones que requieren el subjuntivo. Es importante que estos estudiantes hagan todos estos ejercicios y los del *Cuaderno de actividades*.

Cultura en vivo

Suggestions

- Ask students how multinational companies have affected the U.S economy. Try to get them to provide both positive and negative examples.

HSS Pregúnteles a los estudiantes hispanohablantes si creen que las compañías multinacionales han mejorado o empeorado la economía de los países latinoamericanos. Pídales ejemplos que apoyen sus comentarios.

Mejoremos la comunicación

Suggestions

- Ask students to tell you what aspects of the global economy affect their daily lives. Lead them to focus on food, clothing, automobiles, and so on.

HSS Pídales a los estudiantes hispanohablantes que le digan si saben de algunos casos específicos en que compañías hispanas han tenido un impacto grande en la economía global. Si dicen que sí, pídales que describan esos casos.

Palabras claves

Suggestions

- Allow time for pair work. Then call on several individuals to read their definitions and have the class add to them, if necessary. Ask individuals to read their original sentences or have them write them on the board and have the class correct them.

HSS Pídales a los estudiantes hispanohablantes que pasen a la pizarra y que escriban oraciones originales con estas palabras. Luego pídale a la clase que las corrija.

Answers: **1.** virtud en evitar los gastos inútiles **2.** de una manera económica **3.** período de doce meses que se usa en las instituciones públicas **4.** escritor o experto en economía política **5.** usar pocas palabras al expresarse **6.** persona que administra los gastos de un establecimiento

Escribamos ahora

Suggestions

HSS Pídales a los estudiantes hispanohablantes que sigan todos los pasos del proceso que sigue. Es un proceso que ha dado buen resultado con todo estudiante.

A. A generar ideas: escribir un poema moderno

1. **La poesía moderna:** Allow time for students to answer the questions in pairs. Then call on individuals to answer each question and have the class comment on each response.

Answers: **a.** *Answers will vary.* **b.** No, porque se expresan implícitamente. **c.** *Answers will vary.*

2. **Un incidente personal:** This may be assigned as homework. In class, ask individual students to share their ideas. Encourage all to add to, subtract from, or correct their own ideas based on what their classmates share.

B. Primer borrador

1. **¡A organizar!** Point out the importance of organizing before starting to write. This step may be done as homework.

2. **Un poema moderno:** Encourage students to take risks with their creativity. Remind them that what they write now will be revised several times before it reaches the final stage. If necessary, this may be done as homework.

C. Primera revisión: Allow class time for students to look at each other's poems and ask and answer these questions. As they answer these questions, tell students to focus primarily on content. They will have an opportunity to focus on language later.

D. Segundo borrador: Tell students to seriously consider their peers' comments and accept those that they agree with and ignore those they don't. This rewrite can be done as homework.

E. Segunda revisión: Go over poem corrections with the class. Circulate among students, answering any questions and checking on their editing.

Answers: *Answers may vary:*

Sábado

  5 de julio

  3:15 **de la mañana**

  rin-rin

  Contesto.

  voz de Ángel

  amiga

  de primaria

  llama del aeropuerto

  ¿Tú?

  Nunca **te he** olvidado

  Te amo.

  ¿Quién será?

F. Versión final: Have students do this as homework. Insist they do it on a computer.

G. Concurso de poesía: Have students read the best poem in each group in front of the class. You may want to ask students to rewrite their poems, incorporating all the corrections you had indicated and put all the rewrites in a class book of poems. Make the book available to students who finish group activities or chapter exams early.

Exploremos el ciberespacio

Suggestions

- Have students who need extra grammar practice do the ACE activities.

- Require that all students do one or two of the **World Wide Web** activities for at least three of the countries studied during the semester. Allow them to select the countries they wish to cover but require that they turn in the work to prove that they did it.

- Offer extra credit to students who do additional activities for other countries on the web.

HSS Pídales a los estudiantes hispanohablantes que se aprovechen del *Chat Room* para conversar con hondureños. Dígales que le entreguen un resumen de la conversación indicando lo que aprendieron al hablar con personas de Honduras.

Lección 3   Costa Rica

Gente del Mundo 21

Suggestions

- Divide the class into three large groups. Assign each group one of the biographies and have individuals read silently. If they have any questions, tell them to get help from someone in their group.

- After groups have had sufficient time, form new groups of three—one from each of the three previous groups. With books closed, have each group member tell everything they remember about the biography they read. When all have finished, give the class a six-question true/false quiz, two questions on each biography. Students take the quiz individually.

- After students answer the **Personalidades del Mundo 21** questions individually and compare answers with two or three classmates, ask individuals from each group the same questions and have the class confirm each response.

Extra

- Ask volunteers interested in extra credit to prepare a brief written or oral presentation on one of the people listed in **Otros costarricenses sobresalientes**. Have others in the class add any information they can.

- Read a selection from one of Ana Istarú's or Carmen Naranjo's works to the class.

- Ask students what, in their opinion, in Franklin Chang-Díaz's background best prepared him for a career as an astronaut with NASA.

HSS Pregúnteles a los estudiantes hispanohablantes si creen que será posible que otros hispanos lleguen a ser astronautas. Pídales que expliquen sus respuestas. Pídales también que en una hoja de papel escriban el nombre de dos personas de la clase que ellos creen van a lograr una carrera sobresaliente. Dígales que escriban la carrera que creen que esas dos personas van a alcanzar y que expliquen por qué creen eso. Luego recoja los papeles y léaselos a la clase sin decir quién escribió cada uno.

Del pasado al presente

Suggestions

- Do a **Jigsaw Reading Activity** following the steps outlined on page 33.

- Ask students how they think Costa Rica has been able to maintain democracy throughout most of its history and avoid the dictatorships that have been so common in Central America.

HSS Pídales a los estudiantes hispanohablantes que sigan la variación del **Jigsaw para hispanohablantes** detallada en la página 39.

HSS Después de leer **Del pasado al presente**, pídales a los estudiantes hispanohablantes que expliquen cómo un país tan pequeño, y con tan pocos recursos naturales como Costa Rica, ha podido mantener un buen nivel de vida para su gente, con muy poco analfabetismo.

Ventana al Mundo 21

Suggestions

- Ask students why Costa Rica has succeeded without an army when there is so much military turmoil among and within neighboring countries.

HSS Pregúnteles a los estudiantes hispanohablantes por qué creen que más países latinos no han seguido el modelo de Costa Rica —abandonar el presupuesto militar e invertir más en la educación. ¿Qué prohibe que el plan de Costa Rica funcione en otros países?

Y ahora, ¡a leer!

Suggestions

- Read the first page aloud for students one paragraph at a time. Ask several yes/no, either/or questions to help aid students' understanding.

- Call on individual students to read the remainder aloud for the class. Ask additional yes/no, either/or questions at the end of each paragraph.

- Working in groups of three or four, ask students to list as many reasons as they can as to why they think the Nobel Prize Committee chose the president of such a small Latin American country to receive the Nobel Peace Prize. Surely there must be other diplomats in much more influential countries that have achieved major progress in the movement toward world peace. Ask one group to read their list to the class and have the class comment and expand on it.

HSS Pregúnteles a los estudiantes hispanohablantes si creen que Óscar Arias mereció recibir el Premio Nobel de la Paz. Pídales que expliquen sus respuestas. Pregúnteles también cuál fue el significado de que recibiera ese premio.

Introducción al análisis literario

Suggestions

- Ask students if they have ever had to give an appreciation speech. If so, ask them what the occasion was and how they organized their speeches.

HSS Pregúnteles a los estudiantes hispanohablantes si pueden imaginar las circunstancias en que tendrían que dar un discurso de agradecimiento. Luego pregúnteles qué podrían decir en esas circunstancias.

Manual de gramática

Suggestions

- As homework, have students read grammar explanation **5.4. Present Subjunctive in Adverbial Clauses: A Second Look** in the grammar manual in the back of their textbooks and have them write the answers to the corresponding exercises.

- In class, answer any questions students may have about the use of the subjunctive in adverbial clauses and briefly go over the exercises.

- **HSS** Las conjunciones temporales tienden a presentarles muchos problemas a los estudiantes hispanohablantes. Es importante analizar cada ejemplo con la clase entera para asegurarse de que entienden por qué es necesario usar el subjuntivo en unos casos y no en otros. Vale la pena hacer lo mismo con cada ejercicio en el texto.

Cultura en vivo

Suggestions

- Ask students if they think there should be more environmentally protected areas in the U.S. Ask where the opposition to establishing more protected areas is likely to come from.

- **HSS** Pregúnteles a los estudiantes hispanohablantes si creen que el resto de Latinoamérica ha hecho y está haciendo lo necesario para proteger el medio ambiente. Si no, pregúnteles qué es lo que se podría hacer.

Mejoremos la comunicación

Suggestions

- Have students name as many different types of pollution as they can. Then ask them what can/should be done to avoid each type mentioned.

- **HSS** Pregúnteles a los estudiantes hispanohablantes si creen que hay más contaminación en Latinoamérica que en EE.UU. Pídales que expliquen sus respuestas. ¿Qué se puede o debe hacer para controlar o totalmente evitar la contaminación en países hispanohablantes?

Palabras claves

Suggestions

- Call on individuals to answer each question. Have the class confirm each response

- Ask for volunteers to try to define each word in Spanish.

- **HSS** Pídales a los estudiantes hispanohablantes que pasen a la pizarra y que escriban oraciones originales con estas palabras. Luego pídale a la clase que las corrija.

Answers: **1.** acostumbrarte al cambio   **2.** desodorizante del aire
3. relacionadas al medio ambiente   **4.** hacer propaganda positiva
5. nivel de intelectualidad

¡Luz! ¡Cámara! ¡Acción!

Suggestions

Antes de empezar el video

- After students answer the pre-viewing questions in pairs, call on several pairs to see how they responded.

- Ask what they think a **teleférico** might have to do with Costa Rica and ecology.

> **HSS** Al contestar las preguntas, pídales a los estudiantes hispanohablantes que expliquen el subtítulo de esta sección: **para amantes de la naturaleza**. ¿Por qué se habrá escogido este país para hablar de la naturaleza? ¿No habrá naturaleza parecida en otros países latinos?

Al mostrar el video

- Play the video all the way through without stopping. Then rewind and play it through one section at a time, stopping to ask comprehension-check questions—yes/no, either/or, short-response—to help students understand what they heard and saw. Repeat this procedure to the end. Finally, play the video all the way through one last time before asking **¡A ver si comprendiste!** questions.

> **HSS** En clases para hispanohablantes, primero muestre el video completo. Luego, vuelva al principio y muestre las secciones de una en una, parando el video para hacer preguntas y para asegurarse de que todos entienden el contenido.

¡A ver si comprendiste!

- Allow time to answer the content questions in pairs, then call on individuals to answer the same questions with the entire class.

- Call on individuals to answer the **A pensar e interpretar** questions. Have the class comment on each response.

- Ask students what they would want to see if they went to Costa Rica.

> **HSS** Pregúnteles a los estudiantes hispanohablantes cómo es que los costarricenses están tan conscientes de la ecología mientras que en otros países latinos no lo están.

Exploremos el ciberespacio

Suggestions

- Have students who need extra grammar practice do the ACE activities.

- Require that all students do one or two of the **World Wide Web** activities for at least three of the countries studied. Allow them to select the countries they wish to do but require that they turn in the work to prove that they did it.

- Offer extra credit to students that do additional activities for other countries on the web.

HSS Pídales a los estudiantes hispanohablantes que se aprovechen del *Chat Room* para conversar con costarricenses. Dígales que le entreguen un resumen de la conversación indicando lo que aprendieron al hablar con personas de Costa Rica.

UNIDAD 6

Colombia, Panamá y Venezuela: la modernidad en desafío

Unit Opener

Suggestions

- Have students infer meaning from the subtitle of the unit: **la modernidad en desafío**. What **modernidad**? Why is it **en desafío**?

- Ask students why the banking district is an appropriate visual representation of these countries.

HSS Pregúnteles a los estudiantes hispanohablantes por qué creen que se ha seleccionado una foto de un distrito bancario para esta unidad. Pregúnteles si ellos habrían seleccionado algo más representativo. Si dicen que sí, pídales que digan qué.

Lección 1   Colombia

Gente del Mundo 21

Suggestions

- Call on individual students to read aloud in class. Ask comprehension-check questions after each person to make sure students understand.

- After students answer the questions in pairs, call on individuals and have the class confirm each answer.

Extra

- Play a selection from a CD or cassette by the **Aterciopelados**.

- Bring an art book with Beatriz Gonzales's work and have the class comment on it.

- Have students work in groups of three or four. Give each group a drawing of Fernando Botero's work and ask them to analyze it. Is it only humorous or is it also criticizing society? Where is the humor and where is the social criticism? What other meaning does it convey?

- Offer extra credit to students interested in researching any of the people listed in **Otros colombianos sobresalientes** who write a brief report on what they found.

HSS Pregúnteles a los estudiantes hispanohablantes si es ofensivo para ellos cómo Botero representa a la sociedad colombiana. Pídales que expliquen sus respuestas.

Del pasado al presente

Suggestions

- Do a **Jigsaw Reading Activity** following the steps outlined on page 33.

- Have students explain the title of this reading: **Colombia: la esmeralda del continente.** Why would Colombia be called **la esmeralda del continente**?

HSS Pídales a los estudiantes hispanohablantes que sigan la variación del **Jigsaw para hispanohablantes** que aparece en la página 39.

HSS Después de leer **Del pasado al presente**, pregúnteles a los estudiantes hispanohablantes por qué creen que hubo tanta violencia en Colombia durante el siglo XX. Pregúnteles también si creen que la violencia seguirá en el siglo XXI. Pídales que expliquen sus respuestas.

Ventana al Mundo 21

Suggestions

- Ask students if they know of a comparable leader in the struggle for independence of the U.S. If so, have them tell what this leader or leaders did.

- Allow time for pair work. Then ask several individuals to tell the class what conclusions they reached.

HSS Pregúnteles a los estudiantes hispanohablantes quién puede ser un héroe comparable del país de sus antepasados. Pídales que le digan a la clase lo que estas personas hicieron. Si tiene algunos estudiantes de los países que Bolívar liberó, pregúnteles si conocen algunos incidentes particulares e interesantes de la vida de Bolívar que podrían relatar para la clase.

Y ahora, ¡a leer!

Suggestions

- Ask students to look at the drawings and anticipate what the reading will be about. Who are the persons in the drawing? Where are they? What are they doing? What do you suppose they are talking about?

- Read the first page aloud to the class. Then ask yes/no, either/or questions to check comprehension. Then call on individual students to read the remainder aloud for the class. Ask additional yes/no, either/or questions after each student reads.

- Ask students if it is common in Latin America for the military to hold public office as is the case here. Ask if it occurs in the U.S.

HSS Pregúnteles a los estudiantes hispanohablantes si creen que la animosidad entre el dentista y el alcalde es típica de la relación entre los militares y el pueblo en los países latinos. Pídales que expliquen sus respuestas.

Introducción al análisis literario

Suggestions

- Have students go back to a story previously read, like Guillermo Samperio's "Tiempo libre" (**Unidad 3, Lección 1**) or the selection from *Raquelo tiene un mensaje* (**Unidad 4, Lección 3**), and ask them to identify **el ambiente físico, psicológico, sociológico,** and **simbólico**.

HSS Pregúnteles a los estudiantes hispanohablantes cuál de los cuatro ambientes consideran el más importante de este cuento y por qué.

Manual de gramática

Suggestions

- As homework, have students read grammar explanation **6.1 Future: Regular and Irregular Verbs** in the grammar manual in the back of their textbooks and have them write the answers to the corresponding exercises.

- In class, answer any questions students may have about the use of regular and irregular verbs in the future and briefly go over the exercises.

HSS Por lo general, los estudiantes hispanohablantes no tienen problemas con el uso del futuro. Pero sí hay una tendencia con algunos hispanohablantes a transferir el patrón irregular de sustituir la última vocal del infinitivo por **d** al conjugar el verbo **querer**. Por lo tanto, en el uso cotidiano se escucha **quedrán** por **querrán**.

Algunos estudiantes hispanohablantes tienden a usar solamente las formas de **ir a + infinitivo** y a evitar uso del verdadero futuro. Haga que sus estudiantes estén conscientes de esto y asegúrese de que practiquen estas nuevas formas.

Cultura en vivo

Suggestions

- Ask students why they think there isn't more outrage expressed by Colombians all over the country, demanding that drug trafficking be brought under control.

- Ask if any students have traveled to Colombia. If so, have them tell what the country is like and if there are any outward signs of the control of the drug cartel.

Mejoremos la comunicación

Suggestions

- Ask students to talk about the drug problem on campus. How extensive is it? What types of drugs are involved? How available are they? Why do they think students use them? What should be done to control them.

HSS Pregúnteles a los estudiantes hispanohablantes si creen que el narcotráfico es más extenso entre la comunidad hispana o fuera de la misma. Pídales que expliquen sus respuestas. Pregúnteles también qué harían si se dieran cuenta de que uno de sus mejores amigos estaba usando drogas. Pídales que sean específicos en sus respuestas.

Palabras claves

Suggestions

- Go over the matching activity with the class. Then call on individual students to write some of their original sentences on the board. Have the class correct any errors.

HSS Pídales a los estudiantes hispanohablantes que pasen a la pizarra y que escriban oraciones originales con estas palabras. Luego pídale a la clase que las corrija.

Answers: **1.** c **2.** e **3.** d **4.** b **5.** a

¡Luz! ¡Cámara! ¡Acción!

Suggestions

Antes de empezar el video

- When students answer the pre-reading questions in **Antes de empezar el video**, keep in mind that they are critical-thinking questions with several possible correct answers. The important thing is to make sure students have valid reasons for answering as they do.

HSS Pídales a los estudiantes hispanohablantes que trabajen en grupos de tres o cuatro para contestar la tercera pregunta de **Antes de empezar el video**. Luego pregúntele a cada grupo a qué conclusión llegó y escriba sus respuestas en la pizarra. Pídale a la clase que comente sobre la gran variedad de significados distintos.

Al mostrar el video

- Play the video all the way through without stopping. Then rewind and play it through one section at a time, stopping to ask comprehension-check questions—yes/no, either/or, or short-response—to help students understand what they heard and saw. Repeat this procedure to the end. Finally, play the video all the way through one last time before asking **¡A ver si comprendiste!** questions.

HSS En clases para hispanohablantes, primero muestre el video completo. Luego, vuelva al principio y muestre las secciones de una en una, parando el video para hacer preguntas y para asegurarse de que todos entienden el contenido.

¡A ver si comprendiste!

- Allow time to answer the content questions in pairs. Then call on individuals to answer the same questions with the entire class.

- Call on individuals to answer the **A pensar e interpretar** questions. Have the class comment on each response.

- Ask students what they learned about Medellín that they never expected.

HSS Pregúnteles a los estudiantes hispanohablantes cómo creen que reacciona la gente de Medellín al narcotráfico que ha llegado a ser sinónimo con el nombre de la bella ciudad. Pídales que expliquen sus respuestas. Pregúnteles también qué creen que puede hacer la gente de una ciudad que ha llegado a ser controlada por narcotraficantes. ¿Hay alguna manera de tomar el control de esa gente? Pídales que sean específicos en sus respuestas.

Exploremos el ciberespacio

Suggestions

- Have students who need extra grammar practice do the ACE activities.

- Require all students to do one or two of the **World Wide Web** activities for at least three of the countries studied during the semester. Allow them to select the countries they wish to cover but require that they turn in the work to prove that they did it.

- Offer extra credit to students who do additional activities for other countries on the web.

HSS Pídales a los estudiantes hispanohablantes que se aprovechen del *Chat Room* para conversar con colombianos. Dígales que le entreguen un resumen de la conversación indicando lo que aprendieron al hablar con personas de Colombia.

Lección 2   Panamá

Gente del Mundo 21

Suggestions

- Divide the class into groups of three. Have each person in a group read one of the biographies. Then, with books closed, have each person report to their group as much information as they recall from the biography they read.

- **Extra credit** Have volunteers or students interested in extra credit prepare a brief written or oral presentation on one of the persons listed in **Otros panameños sobresalientes**. Have others in the class add any information they can.

Extra

- Listen to one of Rubén Blades's cassettes or CDs in class.

- Bring in an art book with Shella Lichacz, Alberto Dutary, or J.A. Zachrisson's works and discuss them with the class.

- **HSS** Pregúnteles a los estudiantes hispanohablantes si conocen a otros hispanos que han logrado fama tanto en EE.UU. como en sus países.

Del pasado al presente

Suggestions

- Do a **Jigsaw Reading Activity** following the steps outlined on page 33.

- Ask students to explain the title of this section **Panamá: el puente entre las Américas**.

- **HSS** Pídales a los estudiantes hispanohablantes que sigan la variación del **Jigsaw para hispanohablantes**.

- **HSS** Pídales a los estudiantes hispanohablantes que enumeren las varias intervenciones/participaciones del gobierno estadounidense en Panamá. Luego pregúnteles cómo creen que los panameños reaccionan hoy día a EE.UU. dada toda la intervención y participación de este país en Panamá.

Ventana al Mundo 21

Suggestions

- Ask students if Panama already existed when the U.S. began to build the Panama Canal or if the country was created to allow the U.S. to build the canal. If they do not know, offer extra credit to a volunteer who will research the point and report back to the class.

- Also ask students if they think the powerful countries of the world should have the right to divide existing countries in order to "create" a new country more willing to meet the needs of the dominant ones.

- **HSS** Pregúnteles a los estudiantes hispanohablantes si creen que los panameños podrán mantener el canal sin la participación de EE.UU. Si dicen que sí, pregúnteles cómo lo harán. Pregúnteles también si están de acuerdo con el hecho de que EE.UU. ha devuelto el canal a Panamá, a pesar de la importancia económica y militar que tiene. Pídales que expliquen sus respuestas.

Y ahora, ¡a leer!

Suggestions

- Ask students to look at the drawing and speculate about it. Who are the persons in the picture? Where are they? How are they related?

- Have students read the first poem silently in groups of three or four. If they need help as they read, have them get it from one of their group members. Ask yes/no, either/or questions to check comprehension questions.

- Call on individuals to read the second poem aloud. Ask yes/no, either/or questions to check comprehension.

HSS Pregúnteles a los estudiantes hispanohablantes si Bertalicia Peralta es una típica mujer latina. Pídales que expliquen sus respuestas. Pregúnteles también si creen que la mjuer descrita en "La mujer única" es un válido modelo para la mujer hispana o si es un modelo más bien válido para la mujer norteamericana. Pídales que expliquen sus respuestas.

Introducción al análisis literario

Suggestions

- Ask students if they prefer modern poetry with free verse or if they prefer more traditional poetry. Have them explain their preferences.

HSS Pregúnteles a los estudiantes hispanohablantes si tienen algún (alguna) poeta hispano(a) favorito(a). Si dicen que sí, pregúnteles si escribe(n) poesía moderna o tradicional. Pídales que reciten uno de sus poemas si se lo saben de memoria.

Manual de gramática

Suggestions

- As homework, have students read grammar explanation **6.2 Conditional: Regular and Irregular Verbs** in the grammar manual in the back of their textbooks and have them write the answers to the corresponding exercises.

- In class, answer any questions students may have about the use of regular and irregular verbs in the conditional and briefly go over the exercises.

HSS Algunos estudiantes hispanohablantes tienden a regularizar las formas irregulares del condicional (e.g. **veniría** por **vendría**) o crear nuevas variaciones (e.g. **quedría** por **querría**). Pídales a los estudiantes que escriban oraciones originales usando estas formas en la pizarra.

Cultura en vivo

Suggestions

- Ask if any of your students own a **mola**. If so, have them bring it to class and show the students how they are made. If not, explain to the class how they are made of several layers of cloth of different colors. Explain how they cut through to the various layers to get the desired color on the design that the cuts are creating. Finally, point out how each cut is hand-stitched with tiny stitches that are almost invisible.

HSS Pídales a los estudiantes hispanohablantes que comparen la sociedad de los cunas con las sociedades latinas.

Mejoremos la comunicación

Suggestions

- Ask students what their favorite **artesanía** is. Ask what they like about it. Also ask if they practice it themselves. If so, have them tell the class what is involved.

HSS Pídales a los estudiantes hispanohablantes que describan la artesanía típica del país o región de donde vienen sus antepasados. Pídales que expliquen lo que es único de esa artesanía.

Palabras claves

Suggestions

- Go over the matching activity with the class. Then call on individual students to write some of their original sentences on the board. Have the class correct any errors.

HSS Pídales a los estudiantes hispanohablantes que pasen a la pizarra y que escriban oraciones originales con estas palabras. Luego pídale a la clase que las corrija.

Answers: **1.** b   **2.** d   **3.** e   **4.** c   **5.** a

Escribamos ahora

Suggestions

HSS Pídales a los estudiantes hispanohablantes que sigan todos los pasos del proceso que sigue. Es un proceso que ha dado buen resultado con todos los estudiantes.

A. A generar ideas: diálogo por escrito

1. **Usos de diálogo:** Lead students to conclude that dialogue is able to do everything listed in this section and have them give examples of each item listed.

2. **Influencia de diálogos:** You may want to have students answer the questions in pairs first. Then call on individual students and have the class indicate if they agree or disagree with each response.

Answers: *Answers will vary.*

3. **Diálogo en tiras cómicas:** Allow time for students to create their own dialogues for the comic strips. Anything they write, provided it is appropriate and humorous, is valid. Have students read each other's comic strips in groups of five or six. Have each group select the best one in the group to be read to the class.

4. **Incómodo:** This may be assigned as homework. In class, have students share their lists in groups of two or three. Encourage all to add to or subtract from their own lists based on what their classmates shared.

B. Primer borrador: This step may be done as homework.

C. Primera revisión: Tell students to focus primarily on content at this time. They will have an opportunity to focus on language later.

D. Segundo borrador: Tell students to seriously consider their peers' comments and accept those that they agree with and ignore those they don't. This rewrite can be done as homework.

E. Segunda revisión: Tell students that in this section they will practice editing Spanish punctuation for dialogue writing. Allow time to edit their partner's paper. Circulate among students, answering any questions and checking on their editing.

F. Versión final: Have students do this as homework. Insist they do it on a computer.

G. Publicación: Allow time for group work. Have students prepare their dramatic readings outside of class and assign a specific day for all to be ready to do them for the class.

Exploremos el ciberespacio

Suggestions

- Have students who need extra grammar practice do the ACE activities.

- Require all students to do one or two of the **World Wide Web** activities for at least three of the countries studied during the semester. Allow them to select the countries they wish to cover but require that they turn in the work to prove that they did it.

- Offer extra credit to students who do additional activities for other countries on the web.

HSS Pídales a los estudiantes hispanohablantes que se aprovechen del *Chat Room* para conversar con panameños. Dígales que le entreguen un resumen de la conversación indicando lo que aprendieron al hablar con personas de Panamá.

Lección 3   Venezuela

Gente del Mundo 21

Suggestions

- Divide the class into three large groups. Assign each group one of the biographies and have individuals read silently. If they have any questions, tell them to get help from someone in their group.

- After groups have had sufficient time, form new groups of three—one from each of the three previous groups. With books closed, have each group member tell everything they remember about the biography they read. When all have finished, give the class a six-question true/false quiz, two questions on each biography. Students take the quiz individually.

- After students answer the **Personalidades del Mundo 21** questions individually and compare answers with two or three classmates, ask individuals from each group the same questions and have the class confirm each response.

Extra

- Ask volunteers interested in extra credit to prepare a brief written or oral presentation on one of the people listed in **Otros venezolanos sobresalientes**. Have others in the class add any information they can.

- Listen to one of El Puma's cassettes/CDs in class.

- Read a selection from one of Salvador Garendia's, Rómulo Gallego's, or Teresa de la Parra's works to the class.

- Bring an art book with Jesús Rafael Soto's work to discuss with the class.

- Ask if any female students have some of Carolina Herrera's designs they would care to model for the class. If not, have a discussion on what makes a particular designer's work so desirable.

- [HSS] Pregúnteles a los estudiantes hispanohablantes por qué será que muchos artistas latinos, como Carolina Herrera, acaban por venirse a vivir a EE.UU. Pídales que expliquen sus respuestas y que nombren a otros latinos que han hecho lo mismo.

Del pasado al presente

Suggestions

- Do a **Jigsaw Reading Activity** following the steps outlined on page 33.

- Ask students what effect the disastrous rains at the end of the twentieth century had on the Venezuelan people and economy. If they do not know, offer extra credit for a volunteer to research it and report to the class.

- [HSS] Pídales a los estudiantes hispanohablantes que sigan la variación del **Jigsaw para hispanohablantes** detallada en la página 39.

- [HSS] Después de leer **Del pasado al presente**, pregúnteles a los estudiantes hispanohablantes si hay otros países latinos que han basado gran parte de su economía en la producción de petroleo. Si los hay, pídales que digan cuáles son y qué efecto ha tenido el petróleo en la economía de esos países. Si el tiempo lo permite, tengan una discusión sobre el peligro de basar la economía de un país en un solo producto.

Ventana al Mundo 21

Suggestions

- Ask students if they think future Miss Universe contestants should have an opportunity to prepare as they do in Venezuela, with a special academy to attend. Have them explain their responses.

Pregúnteles a los estudiantes hispanohablantes por qué será que en Venezuela específicamente y en los países latinos en general hay mucho interés en los concursos de belleza mientras que en EE.UU. hay mucha oposición a estos concursos. Pregúnteles también si creen que es ofensivo que una mujer exhiba su belleza como lo hacen en los concursos de belleza. ¿Permitirían que su hija o su esposa participara en esas competiciones? ¿Por qué sí o por qué no?

Y ahora, ¡a leer!

Suggestions

- Read the first page aloud for students one paragraph at a time. Ask several yes/no, either/or questions to help aid students' understanding.

- Call on individual students to read the remainder aloud for the class. Ask additional yes/no, either/or questions at the end of each paragraph.

- Ask students what they think the origin of this legend must be. Who created it first? When would it have been created? Why would it have been created? How did it survive to the present? Is it likely to still be in the original form as when first created? Why or why not?

Pregúnteles a los estudiantes hispanohablantes si conocen otras leyendas parecidas. Si así es, pídales que se las cuenten a la clase. Pregúnteles también si creen que estas leyendas fueron creadas por indígenas o por mestizos. Pídales que expliquen sus respuestas.

Introducción al análisis literario

Suggestions

- In groups of three or four, have students prepare a list of as many myths as they can recall. Then have one group read off their list and the others add to it as appropriate.

Pregúnteles a los estudiantes hispanohablantes si los mitos del mundo anglosajón son los mismos que los del mundo hispano. Si dicen que no, pídales ejemplos que lo prueben. Pregúnteles también si hay ciertos elementos comunes en todos los mitos del mundo. Si dicen que sí, pídales varios ejemplos.

Manual de gramática

Suggestions

- As homework, have students read grammar explanation **6.3 Imperfect Subjunctive: Forms and *si* clauses** in the grammar manual in the back of their textbooks and have them write the answers to the corresponding exercises.

- In class, answer any questions students may have about the use of the imperfect subjunctive in **si** clauses and briefly go over the exercises.

HSS Algunos estudiantes hispanohablantes tienden a crear un diptongo antes de las terminaciones del imperfecto del subjuntivo. Por ejemplo, dirán **dijiera** en vez de **dijera**, **trijiera** en vez de **trajera**.

Con verbos cuyas raíces terminan en **-cir**, algunos hispanohablantes tendrán la tendencia a convertirlos en regulares; por ejemplo, dirán **traduciera** en vez de **tradujera** y **conduciera** en vez de **condujera**. En cláusulas con **si**, algunos estudiantes hispanohablantes tienden a sustituir el condicional por el imperfecto del subjuntivo. Esto es muy común en la lengua hablada. Se necesita hacer esta distinción al escribir.

Cultura en vivo

Suggestions

- List the names of the New World countries studied thus far on the board. Then assign one of those countries to students in groups of three. Tell them to prepare a list of the principle natural resources found in their assigned country. Call on each group to read their list and have the class add to the list if necessary.

HSS Pregúnteles a los estudiantes hispanohablantes cuáles son los recursos naturales principales del país de sus antepasados. Si no lo saben, pídales que lo investiguen e informen a la clase.

Mejoremos la comunicación

Suggestions

- Have groups of three or four students, all from the same state, list as many natural resources as possible found in their state. Determine which state listed the most resources and have the class verify and/or add to the lists as they are read.

HSS Con los libros cerrados, pídales a los estudiantes hispanohablantes que nombren todos los recursos naturales que puedan en cada una de las siguientes categorías: la fauna, la flora, los minerales y las piedras preciosas.

Palabras claves

Suggestions

- Call on individuals to answer each question. Have the class confirm each response.

- Ask for volunteers to try to explain the meaning of each phrase in Spanish.

HSS Pídales a los estudiantes hispanohablantes que pasen a la pizarra y que escriban oraciones originales con estas palabras. Luego pídale a la clase que las corrija.

Answers: **1.** perfumada **2.** la no salada o la gaseosa natural **3.** que no forma espuma con el jabón **4.** la estancada o inmoviliza **5.** que salen del suelo con una temperatura elevada

¡Luz! ¡Cámara! ¡Acción!

Suggestions

Antes de empezar el video

- After students answer the pre-viewing **Antes de empezar el video** matching in pairs, call on several groups to see how they responded. Then point out that all of the natural phenomena described in the second column is actually found in Venezuela!

HSS Al contestar las preguntas, pídales a los estudiantes hispanohablantes que expliquen el título de esta sección: **La abundante naturaleza venezolana**. ¿A qué se refiere esa abundancia? ¿Es un título que podría usarse con cualquiera de los países hispanohablantes? ¿Con cuáles sí y con cuáles no?

Al mostrar el video

- Play the video all the way through without stopping. Then rewind and play it through one section at a time, stopping to ask comprehension-check questions—yes/no, either/or, short-response—to help students understand what they heard and saw. Repeat this procedure to the end. Finally, play the video all the way through one last time before asking **¡A ver si comprendiste!** questions.

HSS En clases para hispanohablantes, primero muestre el video completo. Luego, vuelva al principio y muestre las secciones de una en una, parando el video para hacer preguntas y para asegurarse de que todos entienden el contenido.

¡A ver si comprendiste!

- Allow time to answer the content questions in pairs, then call on individuals to answer the same questions with the entire class.

- Call on individuals to answer the **A pensar e interpretar** questions. Have the class comment on each response.

- Ask students to compare the natural resources of Venezuela to those of the U.S.

HSS Pregúnteles a los estudiantes hispanohablantes que expliquen el significado de la leyenda de El Dorado. ¿Cuál es la leyenda? ¿Hay más de una versión? ¿Qué efecto tuvo en el descubrimiento del Nuevo Mundo? ¿Existe, en efecto? ¿Dónde?

Exploremos el ciberespacio

Suggestions

- Have students who need extra grammar practice do the ACE activities.

- Require that all students do one or two of the **World Wide Web** activities for at least three of the countries studied during the semester. Allow them to select the countries they wish to do but require that they turn in the work to prove that they did it.

- Offer extra credit to students who do additional activities for other countries on the web.

HSS Pídales a los estudiantes hispanohablantes que se aprovechen del *Chat Room* para conversar con venezolanos. Dígales que le entreguen un resumen de la conversación indicando lo que aprendieron al hablar con personas de Venezuela.

UNIDAD 7

Perú, Ecuador y Bolivia: camino al sol

Unit Opener

Suggestions

- Ask students to explain why this photo of Cuzco with the llamas in the foreground is an appropriate representation of these countries.

HSS Pregúnteles a los estudiantes hispanohablantes si ellos habrían seleccionado algo más representativo de estos tres países. Si dicen que sí, pídales que digan qué.

Lección 1   Perú

Gente del Mundo 21

Suggestions

- Call on individual students to read aloud in class. Ask comprehension-check questions after each person reads to make sure students understand.

- After students answer the questions in pairs, call on individuals and have the class confirm each answer.

Extra

- Read a selection from one of Ciro Alegría's, César Vallejo's, or Mario Vargas Llosa's works to the class.

- Play a selection from a CD or cassette by Tania Libertad or Ciro Hurtado.

- Bring an art book with the work of Peruvian artists and have the class analyze several of the drawings.

- Offer extra credit to students interested in researching any of the people listed in **Otros peruanos sobresalientes** and in writing a brief report on what they found.

HSS Pídales a los estudiantes que lean un cuento de Ciro Alegría, César Vallejo o Mario Vargas Llosa y que escriban un breve informe sobre lo que leyeron: una sinopsis con comentario acerca de si les gustó o no, y por qué.

Del pasado al presente

Suggestions

- Do a **Jigsaw Reading Activity** following the steps outlined on page 33.

- Ask if any students have ever visited Peru. If so, have them give their impressions of the country to the class. If not, ask them to tell all they know about Peru.

HSS Pídales a los estudiantes que sigan la variación del **Jigsaw para hispanohablantes** que aparece en la página 39.

HSS Después de leer **Del pasado al presente**, pídales a los estudiantes hispanohablantes que expliquen el título de la sección **Perú: piedra angular de los Andes**. ¿Cuál es el significado de **piedra angular**? ¿Por qué se refiere a Perú como la **piedra angular de los Andes**?

Ventana al Mundo 21

Suggestions

- Ask students how many different varieties of potatoes they have eaten. Have them describe them. Then tell them that there are over 250 different varieties of potatoes, and ask why they think so few are available in the U.S.

- Allow time for group work. Then ask several groups to report their findings to the class. Have the class comment on each report.

HSS Pídales a los estudiantes hispanohablantes que expliquen la importancia de las contribuciones de los incas a Europa. Pregúnteles también qué práctica ya habían dominado los incas cuando llegaron los españoles que en EE.UU. no llegó a conocerse hasta mediados del siglo pasado con el programa de los astronautas (el proceso de comida *freeze-dried* como el chuño).

Y ahora, ¡a leer!

Suggestions

- Read the first stanza aloud to the class. Point out the rhythm and musicality of this poem as well as the rhyme. Then ask yes/no, either/or questions to check comprehension. Then call on individual students to read the remainder aloud for the class. Ask additional yes/no, either/or questions after each student reads.

- Ask students how they think this poet feels about Peru. Ask if any of them have strong feelings for their hometowns or other locations. If so, ask how they would describe those locations.

HSS Pregúnteles a los estudiantes hispanohablantes si creen que los hispanos son más sentimentales con respecto a lugares específicos. Pídales que expliquen sus respuestas. Pregúnteles también si conocen otros lugares que se podrían describir de la misma manera que se describe aquí. Si dicen que sí, pregúnteles cuáles son y pídales que los describan en detalle.

Introducción al análisis literario

Suggestions

- Have students go back to a poem previously read, such as José Martí's *Versos sencillos* (**Unidad 4, Lección 1**) or the poem from "A Margarita Debayle" de Rubén Darío (**Unidad 5, Lección 1**), and ask them to identify all descriptions using one of **los cinco sentidos**.

- **HSS** Pregúnteles a los estudiantes hispanohablantes si hay uno de los cinco sentidos que se destaca más en este poema de Velarde. Si dicen que sí, pregúnteles cuál y pídales varios ejemplos.

Manual de gramática

Suggestions

- As homework, have students read grammar explanation **7.1 Imperfect Subjunctive: Noun and Adjective Clauses** in the grammar manual in the back of their textbooks and have them write the answers to the corresponding exercises.

- In class, answer any questions students may have about the use of the imperfect subjunctive in noun and adjective clauses and briefly go over the exercises.

- **HSS** Hay una tendencia entre algunos estudiantes hispanohablantes a siempre querer usar el presente del subjuntivo y evitar el imperfecto del subjuntivo. Hay que insistir en la importancia de mantener concordancia de tiempos verbales en estas cláusulas.

Cultura en vivo

Suggestions

- Ask students what kind of preparation is required in order to run a marathon. Ask how long a marathon is in miles (26+). Then ask what kind of runners it would take to run 150 miles in an altitude of over 14,000 feet. Point out that the descendents of the Incas have developed unusually large lungs from living and working in the Andes.

- **HSS** Pídales a los estudiantes hispanohablantes que traten de explicar cómo fue posible que los incas construyeran los enormes templos y fortalezas que todavía existen. Hágales recordar que todavía no habían inventado la rueda y que no tenían grandes animales domesticados como el caballo y el elefante. Pregúnteles cómo se explica el hecho de que muchas de las construcciones incaicas, como los cimientos de edificios modernos, todavía están en uso, a pesar del movimiento telúrico de la región.

Mejoremos la comunicación

Suggestions

- Have students tell what type of exercise they would do to prepare themselves to walk the Inca Trail, from Cuzco to Machu Picchu, all along the Andes. Also ask them how one prepares for a marathon and a triathlon.

Pregúnteles a los estudiantes hispanohablantes si creen que los hispanos son tan fanáticos por mantenerse en forma como los anglos. Pídales que expliquen sus respuestas. Pregúnteles también si es costoso mantenerse en forma o si puede hacerse sin adquirir costos exagerados. Pídales que expliquen sus respuestas.

Palabras claves

Suggestions

- Allow time for pair work. Then call on individual students to answer each question. Have the class indicate if the students answering understood the key vocabulary.

- Ask volunteers to define each use of **ejercicio** in Spanish.

Pídales a los estudiantes hispanohablantes que pasen a la pizarra y que escriban oraciones originales con estas palabras. Luego pídale a la clase que las corrija.

Answers: **1.** actividad física **2.** trabajo intelectual **3.** negocio **4.** uso **5.** movimiento militar

¡Luz! ¡Cámara! ¡Acción!

Suggestions

Antes de empezar el video

- When students answer the pre-reading questions in **Antes de empezar el video**, keep in mind that these are critical-thinking questions with several possible answers. The important thing is to make sure students have valid reasons for answering as they do.

Pídales a los estudiantes hispanohablantes que describan los textiles y el vestuario típico de los indígenas de la región de donde vinieron sus antepasados. Pregúnteles si tienen algún significado específico los diseños que usan.

Al mostrar el video

- Play the video all the way through without stopping. Then rewind and play it through one section at a time, stopping to ask comprehension-check questions—yes/no, either/or, or short-response—to help students understand what they heard and saw. Repeat this procedure to the end. Finally, play the video all the way through one last time before asking **¡A ver si comprendiste!** questions.

En clases para hispanohablantes, primero muestre el video completo. Luego, vuelva al principio y muestre las secciones de una en una, parando el video para hacer preguntas y para asegurarse de que todos entienden el contenido.

¡A ver si comprendiste!

- Allow time to answer the content questions in pairs, then call on individuals to answer the same questions with the entire class.

- Call on individuals to answer the **A pensar e interpretar** questions. Have the class comment on each response.

- Ask students what they learned about Cuzco and Pisac that surprised them.

HSS Pídales a los estudiantes hispanohablantes que comparen el legado incaico con el de los aztecas y mayas. ¿Qué tienen en común? ¿Cómo son diferentes? ¿Se puede decir que un grupo de indígenas era superior a los otros? ¿Por qué sí o por qué no?

Exploremos el ciberespacio

Suggestions

- Have students who need extra grammar practice do the ACE activities.

- Require that all students do one or two of the **World Wide Web** activities for at least three of the countries studied during the semester. Allow them to select the countries they wish to do but require that they turn in the work to prove that they did it.

- Offer extra credit to students who do additional activities for other countries on the web.

HSS Pídales a los estudiantes hispanohablantes que se aprovechen del *Chat Room* para conversar con peruanos. Dígales que le entreguen un resumen de lu conversación indicando lo que aprendieron al hablar con personas de Perú.

Lección 2   Ecuador

Gente del Mundo 21

Suggestions

- Divide the class into groups of three. Have each person in a group read one of the biographies. Then, with books closed, have each person report to their group as much information as they recall in the biography they read.

Extra

- Have volunteers or students interested in extra credit prepare a brief written or oral presentation on one of the persons listed in **Otros ecuatorianos sobresalientes**. Have others in the class add any information they can.

Extra

- Read a selection from one of Jorge Icaza's or Gilda Holst's works to the class.

- Bring an art book of Oswaldo Guayasamín's works and discuss them with the class.

HSS Pregúnteles a los estudiantes hispanohablantes si saben cómo llegó Geraldo Rivera del Ecuador a ser locutor en la televisión de EE.UU. Si no lo saben, déle extra crédito a un voluntario que se ofrezca a investigarlo e informar a la clase.

Del pasado al presente

Suggestions

- Do a **Jigsaw Reading Activity** following the steps outlined on page 33.

- Ask students to explain the title of this secion **Ecuador: corazón de América**.

HSS Pídales a los estudiantes que sigan la variación del **Jigsaw para hispanohablantes**.

HSS Pídales a los estudiantes hispanohablantes que expliquen a qué se puede deber la rivalidad entre la gente de la costa y la de gente de la sierra. ¿Por qué tienen intereses distintos? Pregúnteles también si conocen otros países donde existe esta rivalidad.

Ventana al Mundo 21

Suggestions

- Ask students if they know the origin of the name of the Galapagos Islands. If not, offer extra credit to a volunteer to research it and report to the class.

HSS Pregúnteles a los estudiantes hispanohablantes si creen que las Islas Galápagos deben continuar despobladas o si deberían permitir que se colonizaran. Pídales que expliquen sus respuestas. Pregúnteles también si conocen otras islas hispanas parecidas donde hay una variedad de flora y fauna.

Y ahora, ¡a leer!

Suggestions

- Ask students to look at the drawing and speculate about it. Who are the persons in the picture? Where are they? What might they be talking about?

HSS Pregúnteles a los estudiantes hispanohablantes si notan algo distinto en los nombres de los militares. ¿Son nombres comunes? ¿Por qué los habrá nombrado así el autor? Luego pídales que preparen una lectura dramatizada de este cuento en grupos de ocho. Dos pueden hacer el papel de narradores y otros seis el papel de los militares.

Introducción al análisis literario

Suggestions

- In groups of three or four, have students prepare a list of the various elements that make this story humorous. Then call on one group to read their list and have others add to it as appropriate.

HSS Pregúnteles a los estudiantes hispanohablantes si conocen otros cuentos en los cuales la repetición se usa para crear un ambiente humorístico. Si dicen que sí, pídales que se los cuenten brevemente a la clase.

Manual de gramática

Suggestions

- As homework, have students read grammar explanation **7.2 Imperfect Subjunctive: Adverbial Clauses** in the grammar manual in the back of their textbooks and have them write the answers to the corresponding exercises.

- In class, answer any questions students may have about the use of the imperfect subjunctive in adverbial clauses and briefly go over the exercises.

HSS Algunos estudiantes hispanohablantes tienden a evitar el uso de las conjunciones adverbiales. Es importante que tengan amplia práctica con cláusulas adverbiales. Pídales a sus estudiantes que escriban los ejercicios del texto en la pizarra para que la clase los corrija. También repase los ejercicios en el *Cuaderno de actividades* con la clase entera.

Cultura en vivo

Suggestions

- Ask students if there are any festivals in the U.S. that, like the one in Latacunga, combine the religious with the secular (Mardi Gras, Christmas, etc.). Ask them to describe both the religious and the secular aspects of those festivals.

HSS Pídales a los estudiantes hispanohablantes que describan festivales hispanos parecidos, en los que lo religioso y lo secular se combinan.

Mejoremos la comunicación

Suggestions

- Ask students to name all the official U.S. holidays on which government offices close.

HSS Pídales a los estudiantes hispanohablantes que nombren todos los días feriados que puedan en los países hispanos. Pídales que incluyan días religiosos también. ¿Dónde tiende a haber más días feriados, en EE.UU. o en los países latinos? ¿Por qué será? ¿Qué días feriados se celebran en países latinos que no se celebran en EE.UU., y cuáles se celebran en EE.UU. que no se celebran en los países latinos?

Palabras claves

Suggestions

- Allow time for pair work. Then call on individual students to define each word. Ask volunteers to read their original sentences. Have the class correct any errors.

HSS Pídales a los estudiantes hispanohablantes que pasen a la pizarra y que escriban oraciones originales con estas palabras. Luego pídale a la clase que las corrija.

Answers: **1.** culto de una divinidad **2.** persona que practica la religión **3.** con religión **4.** carácter religioso, piedad

Escribamos ahora

Suggestions

HSS Pídales a los estudiantes hispanohablantes que sigan todos los pasos del proceso que sigue. Es un proceso que ha dado buen resultado con todos los estudiantes.

A. A generar ideas: escribir un cuento humorístico

1. **Un mensaje:** Allow time for group work. Then ask one group what type of misinterpretations they see possible. Have other groups tell what they predicted, if different from the first group.

Answers: *Predictions will vary.*

2. **Un mensaje interpretado incorrectamente:** Allow time for group work. Then call on one group to tell how they would misinterpret the message. Ask other groups if they would do it differently.

Answers: *Misinterpretations will vary.*

3. **A generar ideas:** Point out the importance of organizing before writing this type of story. Tell them they must be aware of exactly which steps they will take in order for it to make sense and be humorous.

B. Primer borrador

1. **¡A organizar!** Tell students to organize the order in which the message will be misinterpreted first. Then have them decide who will be doing each misinterpretation. This step may be done as homework.

2. **Mi cuento humorístico.** This step may be done as homework. Remind students that they should just try to get their ideas down in writing at this time. There will be ample opportunity to edit language and content later on.

C. Primera revisión: Tell students to focus primarily on content at this time. They will have an opportunity to focus on language later.

D. Segundo borrador: Tell students to seriously consider their peers' comments and accept those that they agree with and ignore those they don't. This rewrite can be done as homework.

E. Segunda revisión: Tell students that in this section they will practice using the past subjunctive. Allow time to do the paragraph individually. Then call on individual students to read each sentence. Have the class say if each verb use is correct.

Answers: quería, dijeran, buscaba, había, sabía, iba, hablara, dudaba, pudiera, fuera, decidió

F. Versión final: Have students do this as homework. Insist they do it on a computer.

G. Cuento humorístico sobresaliente: Select the two best ones and read them to the class.

Exploremos el ciberespacio

Suggestions

- Have students who need extra grammar practice do the ACE activities.

- Require that all students do one or two of the **World Wide Web** activities for at least three of the countries studied during the semester. Allow them to select the countries they wish to cover but require that they turn in the work to prove that they did it.

- Offer extra credit to students who do additional activities for other countries on the web.

HSS Pídales a los estudiantes hispanohablantes que se aprovechen del *Chat Room* para conversar con ecuatorianos. Dígales que le entreguen un resumen de la conversación indicando lo que aprendieron al hablar con personas de Ecuador.

Lección 3   Bolivia

Gente del Mundo 21

Suggestions

- Divide the class into three large groups. Assign each group one of the biographies and have individuals read silently. If they have any questions, tell them to get help from someone in their group.

- After groups have had sufficient time, form new groups of three—one from each of the three previous groups. With books closed, have group members tell everything they remember about the biography they read. When all have finished, give the class a six-question true/false quiz, two questions on each biography. Students take the quiz individually.

- After students answer the **Personalidades del Mundo 21** questions individually and compare answers with two or three classmates, ask individuals from each group the same questions and have the class confirm each response.

Extra

- Ask volunteers interested in extra credit to prepare a brief written or oral presentation on one of the people listed in **Otros bolivianos sobresalientes**. Have others in the class add any information they can.

- Read a selection from one of María Luisa Pacheco's works to the class.

- Show part of one of Jorge Sanjinés Aramayo's movies to the class.

- Show part of *Stand and Deliver* to the class and then discuss what was happening in the movie.

HSS Pregúnteles a los estudiantes hispanohablantes qué se debe aprender del incidente en Los Ángeles que fue el tema de *Stand and Deliver*. Pídales que piensen en el maestro (un boliviano), en los estudiantes (todos hispanos), en los resultados del examen (la primera y la segunda vez), y en la intepretación de esos resultados (ambas veces). Pregúnteles también si saben por qué decidió Jaime Escalante regresar a Bolivia. Si no lo saben, déle extra crédito a un voluntario que se ofrezca a investigarlo e informar a la clase del resultado.

Del pasado al presente

Suggestions

- Do a **Jigsaw Reading Activity** following the steps outlined on page 33.

- Ask students to interpret the title of this section **Bolivia: desde las alturas de América**.

HSS Pídales a los estudiantes que sigan la variación del **Jigsaw para hispanohablantes** detallada en la página 39.

HSS Después de leer **Del pasado al presente**, pregúnteles a los estudiantes hispanohablantes por qué será que Bolivia, uno de los países más ricos de las Américas durante la colonia, es ahora uno de los más pobres.

Ventana al Mundo 21

Suggestions

- Ask students if they are familiar with Andean music. If so, ask them what they like about it and what makes it different from other music.

HSS Pídales a los estudiantes hispanohablantes que comparen la música andina con la música latina popular. Pídales que comparen los instrumentos típicos también.

Y ahora, ¡a leer!

Suggestions

- Read the first page aloud for students one paragraph at a time. Ask several yes/no, either/or questions to help aid students' understanding.

- Call on individual students to read the remainder aloud for the class. Ask additional yes/no, either/or questions at the end of each paragraph.

- Ask students to explain the title of the story **"Chino-japonés"**. Also ask them if the prejudice and racism the young boy suffered in Bolivia is very different from what African-Americans and Hispanics suffer in the U.S. Have them explain their responses.

HSS Pregúnteles a los estudiantes hispanohablantes si creen que el prejuicio y racismo que se ve en este cuento existe a través del mundo hispano. Pídales que expliquen sus respuestas. Pregúnteles también si alguna vez han sufrido un tratamiento parecido al del protagonista. Si así es, pídales que describan esos incidentes.

Introducción al análisis literario

Suggestions

- Ask students which of the three **ambientes—el físico, el psicológico o el social—**they consider more important in this story. Have them explain why and give specific examples from the story.

HSS Pregúnteles a los estudiantes hispanohablantes cuál de los tres ambientes —el físico, el psicológico o el social— influye más en el prejuicio y racismo que experimenta el joven. Pídales que apoyen sus respuestas con ejem-plos específicos del cuento.

Manual de gramática

Suggestions

- As homework, have students read grammar explanation **7.3 Present Perfect Subjunctive** in the grammar manual in the back of their textbooks and have them write the answers to the corresponding exercises.

- In class, answer any questions students may have about the use of the present perfect subjunctive and briefly go over the exercises.

HSS Algunos estudiantes hispanohablantes tienden a sustituir el auxiliar del presente de subjuntivo con **haiga, haigas, háigamos, haigan**. Es importante que hagan estos ejercicios por escrito y que se les pida que lean sus respuestas en voz alta para que se acostumbren a escribir y oír estas formas.

Cultura en vivo

Suggestions

- Ask students if a piece of clothing worn a particular way or of a particular color ever communicates a specific message in the U.S. If so, have them describe the clothing and tell what it communicates in different situations. If not, ask them if they know how certain groups like fraternities or sororities, or even gangs, use clothing to communicate.

HSS Pregúnteles a los estudiantes hispanohablantes si tienen alguna manera de comunicarse con otras personas sólo a base de la vestimenta. Si así es, pídales que digan en qué consiste esa vestimenta y que mensajes se comunican. Si dicen que no, pregúnteles si saben cuáles son algunas de las maneras de comunicarse de las pandillas, ya sea con ropa de ciertos colores, con pañuelos en una bolsa u otra, etcétera.

Mejoremos la comunicación

Suggestions

- In groups of two or three, have students take turns describing what someone in the class is wearing without telling who they are describing. Their partners have to guess the person being described. If time permits, ask students to describe the most outrageous outfit they have ever seen anyone wear. It can be real or just a product of their imagination.

HSS Pídales a los estudiantes hispanohablantes que comenten la lista de variaciones en la vestimenta. ¿Cuál de las variaciones usan ellos? ¿Hay otras variaciones para las vestimentas mencionadas aquí? ¿Pueden añadir otras vestimentas con variaciones que no aparecen en esta lista?

Palabras claves

Suggestions

- Allow time for pair work. Then call on individuals to tell the meaning of each word. Have the class confirm each definition. Ask for volunteers to answer each question.

HSS Pídales a los estudiantes hispanohablantes que pasen a la pizarra y que escriban oraciones originales con estas palabras. Luego pídale a la clase que las corrija.

Answers: **1.** lugar donde se visten los actores **2.** ornamentos eclesiásticos **3.** ropa de mujer **4.** entrada de un edificio **5.** ropa

¡Luz! ¡Cámara! ¡Acción!

Suggestions

Antes de empezar el video

- As students answer the first **Antes de empezar el video** question in pairs, tell them to keep in mind the weather/temperature at that height, the growing conditions, the effect of altitude, and so on.

HSS Al contestar las preguntas, pídales a los estudiantes hispanohablantes que expliquen el título de esta sección: **La maravillosa geografía musical boliviana**. ¿Qué es una geografía musical? ¿Por qué será maravillosa?

Al mostrar el video

- Play the video all the way through without stopping. Then rewind and play it through one section at a time, stopping to ask comprehension-check questions—yes/no, either/or, or short-response—to help students understand what they heard and saw. Repeat this procedure to the end. Finally, play the video all the way through one last time before asking **¡A ver si comprendiste!** questions.

HSS En clases para hispanohablantes, primero muestre el video completo. Luego, vuelva al principio y muestre las secciones de una en una, parando el video para hacer preguntas y para asegurarse de que todos entienden el contenido.

¡A ver si comprendiste!

- Allow time to answer the content questions in pairs, then call on individuals to answer the same questions with the entire class.

- Call on individuals to answer the **A pensar e interpretar** questions. Have the class comment on each response.

- Ask students to tell what their impressions of Bolivia are after having seen this video. Is it a place they would like to visit? Why or why not?

HSS Pregúnteles a los estudiantes hispanohablantes si saben el origen de la música boliviana. Si dicen que no, dígales que lo adivinen. Pregúnteles también si conocen otros instrumentos típicamente hispanos. Pídales que se los describan a la clase.

Exploremos el ciberespacio

Suggestions

- Have students who need extra grammar practice do the ACE activities.

- Require that all students do one or two of the **World Wide Web** activities for at least three of the countries studied during the semester. Allow them to select the countries they wish to cover but require that they turn in the work to prove that they did it.

- Offer extra credit to students who do additional activities for other countries on the web.

HSS Pídales a los estudiantes hispanohablantes que se aprovechen del *Chat Room* para conversar con bolivianos. Dígales que le entreguen un resumen de la conversación indicando lo que aprendieron al hablar con personas de Bolivia.

Argentina, Uruguay, Paraguay y Chile: aspiraciones y contrastes

Unit Opener

Suggestions

- Tell students this photo of Puerto Varas is representative of only two of these four countries. Ask them to explain what countries it represents and why not the others.

- **HSS** Pídales a los estudiantes hispanohablantes que expliquen el significado del subtítulo **aspiraciones y contrastes**. ¿A qué aspiraciones se refiere? ¿A qué contrastes? ¿Es un buen subtítulo para estos cuatro países? ¿Pueden ellos pensar en otros subtítulos apropiados?

Lección 1   Argentina

Gente del Mundo 21

Suggestions

- Call on individual students to read aloud in class. Ask comprehension-check questions after each person reads to make sure students understand.

- After students answer the questions in pairs, call on individuals and have the class confirm each answer.

Extra

- Read a selection from one of Jorge Luis Borges's, Marta Lynch's, Manuel Puig's, or Ernesto Sábato's works to the class.

- Play a selection from a CD or cassette of Astor Piazzolla, Carlos Gardel, or Alberto Ginastera.

- Bring an art book with the work of Argentine artists and have the class analyze several of the drawings.

- Offer extra credit to students interested in researching any of the people listed in **Otros argentinos sobresalientes** and in writing a brief report on what they found.

- **HSS** Pídales a los estudiantes que lean un cuento de Jorge Luis Borges, Marta Lynch, Manuel Puig o Ernesto Sábato y que escriban un breve informe sobre lo que leyeron: una sinopsis con comentario diciendo si les gustó o no, y por qué.

Del pasado al presente

Suggestions

- Do a **Jigsaw Reading Activity** following the steps outlined on page 33.

- Ask if any students have ever visited Argentina. If so, have them give their impressions of the country to the class. If not, ask them to tell all they know about Argentina.

- **HSS** Pídales a los estudiantes que sigan la variación del **Jigsaw para hispanohablantes** que aparece en la página 39.

- **HSS** Después de leer **Del pasado al presente**, pídales a los estudiantes hispanohablantes que expliquen el título de esta sección **Argentina: gran país con un nuevo comienzo**. ¿Qué hace que sea un gran país? ¿A qué se refiere el **nuevo comienzo**? Pregúnteles si se les ocurren otros subtítulos apropiados para Argentina.

Ventana al Mundo 21

Suggestions

- Ask students if they have read anything written by any of these women or if they have heard any of Mercedes Sosa's music. If so, have them describe it to the class. If not, read a brief selection of one of their works to the class (e.g., Alfonsina Storni's poem "Hombre pequeñito").

- Allow time for pair work. Call on individuals to see how they responded to the questions. Have the class comment on each response.

- **HSS** Pregúnteles a los estudiantes hispanohablantes si creen que el número de mujeres sobresalientes en Argentina es representativo de las mujeres en otros países latinos. Si dicen que sí, pídales ejemplos de mujeres sobresalientes de otros países. Si dicen que no, pregúnteles por qué será.

Y ahora, ¡a leer!

Suggestions

- In groups of four, have students read silently. Tell them if they need help with comprehension to ask someone in their group to help them. Then ask yes/no, either/or questions to check comprehension.

- Ask students at what point they realized that the young couple was actually planning to kill the reader of the story. Ask what made them realize it. Also ask if they can name any other stories that have similar plots, in which the actors at one level become part of the story or play they are performing (e.g., *Shakespeare in Love* and *The French Lieutenant's Wife*).

- **HSS** Pregúnteles a los estudiantes hispanohablantes si han leído otros cuentos de Julio Cortázar o de otros autores que usan una técnica muy parecida. Si dicen que sí, pregúnteles cuáles y pídales que le digan a la clase brevemente cuál fue la trama. Si dicen que no, pregúnteles si les gustó este cuento y si les gustaría leer otros por el mismo autor.

Introducción al análisis literario

Suggestions

- Ask students if they have read any stories similar to this one, in which the reader becomes an integral part of the story. If so, have them summarize the plot for the class.

- **HSS** Pídales a los estudiantes hispanohablantes que escriban el cuento que describieron en **Actividad B, La película**, de la página 339 del texto. Luego, en grupos de seis, pida que cada pareja lea su cuento a las otras dos parejas.

Manual de gramática

Suggestions

- As homework, have students read the grammar explanation **8.1 Other Perfect Tenses** in the grammar manual in the back of their textbooks and have them write the answers to the corresponding exercises.

- In class, answer any questions students may have over perfect tenses and briefly go over the exercises.

- **HSS** Hay una tendencia entre algunos hispanohablantes a sustituir el condicional perfecto y el pluscuamperfecto perfecto de subjuntivo con el pasado perfecto de indicativo.

  Lo **había comprado** (sic.) si **había tenido** (sic.) el dinero. Dígales a sus estudiantes que aunque estas sustituciones se empiezan a oír más y más, en la mayor parte del mundo hispanohablante se consideran un error.

Cultura en vivo

Suggestions

- Ask students why they think that a sport like soccer, with worldwide popularity, has taken so long to become popular in the U.S., in spite of the fact that the U.S. is a very sports-driven country. Ask if they ever expect soccer to become as popular as American football in the U.S. If not, ask why.

- **HSS** Pídales a los estudiantes hispanohablantes que expliquen el fanatismo por el fútbol en Latinoamérica. Pregúnteles también quiénes, en su opinión, son los mejores jugadores del fútbol ahora y quiénes han sido los mejores en la historia del deporte.

Mejoremos la comunicación

Suggestions

- Match up students that know and have played soccer with students that have never played it and don't really understand it. Ask the ones that do know the game to explain it to the ones that don't. Tell them that they will be quizzed on the game at the end of this activity and encourage them to ask questions about anything they don't understand. Then give a short quiz asking what the role of each player is. Have students take the quiz individually.

HSS En pequeños grupos, pídales a los estudiantes hispanohablantes que vieron el campeonato de la última Copa Mundial que se lo describan a los que no lo vieron. Dígales que no sólo mencionen quiénes jugaron y quién ganó sino también cuáles fueron las mejores jugadas, quiénes sobresalieron y cuándo y dónde se jugará el siguiente campeonato.

Palabras claves

Suggestions

- Allow time for pair work. Then call on individual students to answer each question. Have the class indicate if the students answering understood the key vocabulary.

- Ask volunteers to define the key words in Spanish.

HSS Pídales a los estudiantes hispanohablantes que pasen a la pizarra y que escriban oraciones originales con estas palabras. Luego pídale a la clase que las corrija.

Answers: 1. servido de árbitro   2. sin seguir ninguna regla   3. que proponen planes disparatados   4. que necesitan árbitro   5. sin ninguna base válida

¡Luz! ¡Cámara! ¡Acción!

Suggestions

Antes de empezar el video

- When students answer the pre-reading questions in **Antes de empezar el video**, keep in mind that they are critical-thinking questions with several possible correct answers. The important thing is to make sure students have valid reasons for answering as they do.

- Have students explain the title of this video: **Buenos Aires: la tumultuosa capital de Argentina**.

HSS Pregunte quiénes de sus estudiantes hispanohablantes han vivido en una ciudad grande de Latinoamérica. Pídales a esos estudiantes que describan cómo fue la vida allá. Pregúnteles si creen que la vida en una ciudad grande latina es muy diferente de la vida en una ciudad grande de EE.UU. Pídales que expliquen sus respuestas.

Al mostrar el video

- Play the video all the way through without stopping. Then rewind and play it through one section at a time, stopping to ask comprehension-check questions—yes/no, either/or, or short-response—to help students understand what they heard and saw. Repeat this procedure to the end. Finally, play the video all the way through one last time before asking **¡A ver si comprendiste!** questions.

En clases para hispanohablantes, primero muestre el video completo. Luego, vuelva al principio y muestre las secciones de una en una, parando el video para hacer preguntas y para asegurarse de que todos entienden el contenido.

¡A ver si comprendiste!

- Allow time to answer the content questions in pairs, then call on individuals to answer the same questions with the entire class.

- Call on individuals to answer the **A pensar e interpretar** questions. Have the class comment on each response.

- Ask students if they think Buenos Aires is like many large cities in the U.S. Have them explain their answers.

Pídales a los estudiantes hispanohablantes que comparen Buenos Aires con otras ciudades capitales de Latinoamérica. ¿Qué tienen en común? ¿Cómo es diferente Buenos Aires? Pregúnteles si creen que les gustaría visitar Buenos Aires y por qué.

Exploremos el ciberespacio

Suggestions

- Have students who need extra grammar practice do the ACE activities.

- Require that all students do one or two of the **World Wide Web** activities for at least three of the countries studied during the semester. Allow them to select the countries they wish to cover but require that they turn in the work to prove that they did it.

- Offer extra credit to students who do additional activities for other countries on the web.

Pídales a los estudiantes hispanohablantes que se aprovechen del *Chat Room* para conversar con argentinos. Dígales que le entreguen un resumen de la conversación indicando lo que aprendieron al hablar con personas de Argentina.

Lección 2   Uruguay y Paraguay

Gente del Mundo 21

Suggestions

- Divide the class into groups of four. Have each person in a group read one of the biographies. Then, with books closed, have each person report to their group as much information as they recall in the biography they read.

Extra

- Have volunteers or students interested in extra credit prepare a brief written or oral presentation on one of the persons listed in **Otros uruguayos/paraguayos sobresalientes**. Have others in the class add any information they can.

Extra

- Read one of Mario Benedetti's or Cristina Peri Rossi's short stories to the class.

- Read a selection from one of Augusto Roa Basto's or Josefina Plá's works to the class.

- Bring an art book of Uruguayan or Paraguayan artists' works and discuss them with the class.

- Listen to a cassette or CD of Los Paraguayos.

HSS Pregúnteles a los estudiantes hispanohablantes qué saben acerca de Uruguay y Paraguay. ¿Dónde están localizados el uno en relación con el otro? ¿Cuál es más grande? Pregúnteles si han escuchado el harpa paraguaya alguna vez. Si alguien tiene una cinta o un CD, pídales que lo traigan para que toda la clase pueda escucharlo.

Del pasado al presente

Suggestions

- Do a **Jigsaw Reading Activity** following the steps outlined on page 33.

- Ask students to explain the titles of these sections **Uruguay: "Suiza de América" en recuperación** and **Paraguay: la nación guaraní se moderniza**.

HSS Pídales a los estudiantes que sigan la variación del **Jigsaw para hispanohablantes**.

HSS Pídales a los estudiantes hispanohablantes que comparen estos dos países sudamericanos. ¿Qué tienen en común. ¿Cómo son diferentes? Si pudieran visitar uno de estos dos países, ¿cuál visitarían? ¿Por qué?

Ventana al Mundo 21

Suggestions

- **El tamboril uruguayo:** Ask students if they know of other countries that have similar **tamboriles**. If so, which countries and how and when do they use **tamboriles**?

HSS Pregúnteles a los estudiantes hispanohablantes si les sorprende saber que existe una influencia afro-uruguaya. Pregúnteles también si existe tal influencia en los países de sus antepasados. Si dicen que sí, pídales que la describan.

- **La problemática literaria de Paraguay:** Ask students if they know of other countries that have a bilingual literature tradition. Also ask them to try to imagine what it would be like if most of the creative writers from the U.S. were exiled and writing from abroad. What do they suppose they would be writing about?

HSS Pregúnteles a los estudiantes hispanohablantes si pueden pensar en otros casos en Latinoamérica, cuando la mayoría de la gente de letras se ha visto obligada a exiliarse y abandonar su país. ¿Qué causa que los escritores de un país tengan que exiliarse para poder escribir?

Y ahora, ¡a leer!

Suggestions

- Ask students to look at the drawing and speculate about it. Who is the person in the picture? What's wrong with him? What is this reading likely to be about?

HSS En grupos de dos o tres, pídales a los estudiantes hispanohablantes que añadan unas tres o cuatro visiones propias del mundo a las que Eduardo Galeano ha escrito aquí. Luego pídale a cada grupo que le lea sus visiones a la clase.

Introducción al análisis literario

Suggestions

- In groups of three or four, have students find five to eight examples of satire and another five to eight examples of humor in Galeano's essay. Then ask one group to read their list and have the class add to it as appropriate.

HSS Pídales a los estudiantes hispanohablantes que seleccionen uno de los tres temas en **Actividad B, La sátira y el humor,** de la página 359 del texto y que escriban el ensayo. Luego pídales a voluntarios que le lean sus ensayos a la clase.

Manual de gramática

Suggestions

- As homework, have students read the grammar explanation **8.2 Sequence of Tenses: Indicative** in the grammar manual in the back of their textbooks and have them write the answers to the corresponding exercises.

- In class, answer any questions students may have over perfect tenses and briefly go over the exercises.

HSS Dígales a los estudiantes hispanohablantes que hay una tendencia entre algunos hispanohablantes a sustituir el pluscuamperfecto perfecto de subjuntivo con un segundo condicional perfecto o hacer el inverso.

Cultura en vivo

Suggestions

- Ask students why they think there are so many surviving and active indigenous cultures in Latin America in comparison with the few Native Americans still living and keeping their culture alive in the U.S.

HSS Por lo general, los estudiantes hispanohablantes no tienen dificultad con la concordancia de tiempos verbales en el indicativo. Aunque de vez en cuando tal vez se enreden con los tiempos compuestos, es más bien la excepción y no la regla.

Mejoremos la comunicación

Suggestions

- Ask students what legacy remains of the indigenous peoples of the U.S. Are there any contributions to the English language? to American cooking? to American art?

HSS Pídales a los estudiantes hispanohablantes que describan su propia herencia indígena. ¿Hay algunos de sangre pura? ¿Se consideran mestizos, mulatos, zambos,...? ¿Mantienen ciertas costumbres y tradiciones de su herencia indígena? ¿Se identifican más con su herencia española o con la indígena? Pídales que expliquen sus respuestas.

Palabras claves

Suggestions

- Allow time for pair work. Then call on individual students to define each word. Ask volunteers to answer each question.

HSS Pídales a los estudiantes hispanohablantes que pasen a la pizarra y que escriban oraciones originales con estas palabras. Luego pídale a la clase que las corrija.

Answers: **1.** con más cultura **2.** relativos a cultura **3.** comportamiento cultural apropiado **4.** adaptación a la cultura moderna **5.** dieron cultura

Escribamos ahora

Suggestions

HSS Pídales a los estudiantes hispanohablantes que sigan todos los pasos del proceso que sigue. Es un proceso que ha dado buen resultado con todos los estudiantes.

A. A generar ideas: la realidad y la imaginación

1. **El realismo mágico:** Allow time for students to share ideas. Encourage students to borrow from their classmates' ideas if they believe it will improve their original ideas.

2. **Organización antes de escribir:** Encourage students to create an outline of their stories to help them keep track of all important elements.

B. **Primer borrador:** This may be assigned as homework.

C. **Primera revisión:** Tell students to focus primarily on content at this time. They will have an opportunity to focus on language later.

D. **Segundo borrador:** Tell students to seriously consider their peers' comments and accept those that they agree with and ignore those they don't. This rewrite can be done as homework.

E. **Segunda revisión:** Tell students that in this section they will focus on sequence of tenses. Allow time to do the activities individually before going over them with the class. Then allow time for them to edit their partner's paper. Circulate among students, answering any questions and checking on their editing.

F. **Versión final:** Have students do this as homework. Insist they do it on a computer.

G. **Publicación:** On the day that the publication versions are turned in, post the artwork on the board and read several papers to the class to see if they can identify the artwork that accompanies each paper. Do this for several days until all papers have been read.

Exploremos el ciberespacio

Suggestions

- Have students who need extra grammar practice do the ACE activities.

- Require that all students do one or two of the **World Wide Web** activities for at least three of the countries studied during the semester. Allow them to select the countries they wish to cover but require that they turn in the work to prove that they did it.

- Offer extra credit to students who do additional activities for other countries on the web.

HSS Pídales a los estudiantes hispanohablantes que se aprovechen del *Chat Room* para conversar con uruguayos y paraguayos. Dígales que le entreguen un resumen de la conversación indicando lo que aprendieron al hablar con personas de Uruguay y Paraguay.

Lección 3   Chile

Gente del Mundo 21

Suggestions

- Divide the class into three large groups. Assign each group one of the biographies and have individuals read silently. If they have any questions, tell them to get help from someone in their group.

- After groups have had sufficient time, form new groups of three—one from each of the three previous groups. With books closed, have each group member tell everything they remember about the biography they read. When all have finished, give the class a six-question true/false quiz, two questions on each biography. Students take the quiz individually.

- After students answer the **Personalidades del Mundo 21** questions individually and compare answers with two or three classmates, ask individuals from each group the same questions and have the class confirm each response.

Extra

- Ask volunteers interested in extra credit to prepare a brief written or oral presentation on one of the people listed in **Otros chilenos sobresalientes**. Have others in the class add any information they can.

- Read a selection from one of Isabel Allende's works to the class.

- Bring an art book with Roberto Matta's works and have the class analyze some of them.

- Listen to one of Inti Illimani's tapes or CDs with the class.

HSS Pregúnteles a los estudiantes hispanohablantes si alguien vio la película o leyó el libro *La casa de los espíritus* de Isabel Allende. Si así es, pídales le digan a la clase cuál fue la trama. Pregúnteles también si alguien tiene una cinta o un CD de Inti Illimani. Si la tienen, pídales que la traigan a la clase para que todos puedan escucharla y comentarla.

Del pasado al presente

Suggestions

- Do a **Jigsaw Reading Activity** following the steps outlined on page 33.

- Ask students if they know what happened to Augusto Pinochet when he went to London to undergo surgery in 1998. If they don't know, give extra credit to a volunteer to research it and report to the class.

HSS Pídales a los estudiantes hispanohablantes que sigan la variación del **Jigsaw para hispanohablantes** detallada en la página 39.

HSS Después de leer **Del pasado al presente**, pregúnteles a los estudiantes hispanohablantes por qué será que Chile, uno de los países latinos más democráticos, a la vez ha aguantado en dos ocasiones gobiernos militares totalmente autoritarios. ¿Hay otros casos similares en Latinoamérica? ¿De dónde viene el gran poder que con frecuencia tienen los militares en Latinoamérica?

Ventana al Mundo 21

Suggestions

- Ask students why the Nobel Prize is so important. What makes practically every country in the world covet these awards?

- **HSS** Pídales a los estudiantes hispanohablantes que expliquen el orgullo y alegría que siente el mundo hispanohablante cada vez que un hispano gana un Premio Nobel.

Y ahora, ¡a leer!

Suggestions

- Read the first page aloud for students one paragraph at a time. Ask several yes/no, either/or questions to help students understand.

- Call on individual students to read the remainder aloud for the class. Ask additional yes/no, either/or questions at the end of each paragraph.

- Ask students to interpret the drawing that accompanies the poem. What is wrong with the map? What does it probably mean? What do they think will be the main topic of this poem?

- **HSS** Pregúnteles a los estudiantes hispanohablantes si creen que Latinoamérica habría podido desarrollar sus recursos naturales con tanta eficiencia y rápidez sin la ayuda de compañías internacionales como la *United Fruit Co.* Pídales que expliquen sus respuestas.

Introducción al análisis literario

Suggestions

- Allow time for pair work. Then do the matching activity with the class.

Answers: **1.** i **2.** e **3.** a **4.** j **5.** g **6.** c **7.** b **8.** d **9.** f

- **HSS** Pídales a los estudiantes hispanohablantes que añadan otros ejemplos de sonidos a la lista en **Actividad A, Onomatopeya**, de la página 377.

Manual de gramática

Suggestions

- As homework, have students read the grammar explanations **8.3 Sequence of Tenses: Indicative and Subjunctive** and **8.4 Imperfect Subjunctive in Main Clauses** in the grammar manual in the back of their textbooks and have them write the answers to the corresponding exercises.

- In class, answer any questions students may have over perfect tenses and briefly go over the exercises.

- **HSS** Muchos estudiantes hispanohablantes tienen problemas con este concepto. En particular, hay una tendencia a usar dos subjuntivos o dos indicativos en oraciones que usualmente usarían un verbo en indicativo y el otro en subjuntivo.

Entre algunos hispanohablantes también hay una tendencia a sustituir el pluscuamperfecto perfecto de subjuntivo con un segundo condicional perfecto o el inverso, sustituir el condicional perfecto con otro pluscuamperfecto de subjuntivo.

Habría llamado si **habría tenido** más tiempo.

Hubiera llamado si **hubiera tenido** más tiempo.

Aunque estas sustituciones son aceptadas más y más con el pasar del tiempo, en muchas partes del mundo hispanohablante todavía se consideran un error.

Cultura en vivo

Suggestions

- Ask students what they know about NAFTA. Where and how is it helping the U.S. economy? Why has it been so controversial? Is it causing the country harm?

| HSS | Pregúnteles a los estudiantes hispanohablantes si saben de casos específicos en que tratados como el de NAFTA y MERCOSUR han ayudado al pueblo ya sea en un lado de la frontera o el otro. Si dicen que sí, pídales que se los cuenten a la clase.

Mejoremos la comunicación

Suggestions

- Ask students to discuss the possibility of an international market treaty across the Americas, much like the EEC (European Economic Community) in Europe. Should there be one? Should it develop a single monetary unit for all of North America, Central America, and South America like the Euro in the EEC?

| HSS | Pregúnteles a los estudiantes hispanohablantes si creen que la participación de EE.UU en un mercado libre latinoamericano presenta el peligro de que EE.UU. totalmente domine el mercado. Pídales que expliquen sus respuestas. Pregúnteles también cuáles serían algunas maneras de evitar que esto ocura.

Palabras claves

Suggestions

- Call on individuals to tell the meaning of each word. Have the class confirm each definition.

- Ask for volunteers to read their original sentences. Have the class correct them.

| HSS | Pídales a los estudiantes hispanohablantes que pasen a la pizarra y que escriban oraciones originales con estas palabras. Luego pídale a la clase que las corrija.

Answers: 1. relativo comercio o anuncio de la radio o TV   2. negociar comprando y vendiendo   3. negociante, vendedor   4. dar carácter comercial 5. acción y efecto de comercializar   6. algo que se puede negociar o vender

¡Luz! ¡Cámara! ¡Acción!

Suggestions

Antes de empezar el video

- Allow time to answer the **Antes de empezar el video** questions in pairs. Then call on individuals to answer each question. Have the class comment on each response.

HSS Al contestar las preguntas, pídales a los estudiantes hispanohablantes que expliquen el título de esta sección: **Chile: tierra de arena, agua y vino**. ¿Por qué tierra de arena, de agua y de vino?

Al mostrar el video

- Play the video all the way through without stopping. Then rewind and play it through one section at a time, stopping to ask comprehension-check questions—yes/no, either/or, short-response—to help students understand what they heard and saw. Repeat this procedure to the end. Finally, play the video all the way through one last time before asking **¡A ver si comprendiste!** questions.

HSS En clases para hispanohablantes, primero muestre el video completo. Luego, vuelva al principio y muestre las secciones de una en una, parando el video para hacer preguntas y para asegurarse de que todos entienden el contenido.

¡A ver si comprendiste!

- Allow time to answer the content questions in pairs, then call on individuals to answer the same questions with the entire class.

- Call on individuals to answer the **A pensar e interpretar** questions. Have the class comment on each response.

- Ask students if they can tell you how often they eat or drink Chilean imports. If they don't know, tell them to look at where most of their winter vegetables and fruit come from. Also have them check for Chilean wine at a wine store.

HSS Pregúnteles a los estudiantes hispanohablantes por qué será que EE.UU. importa tanta fruta y verdura chilena en vez de simplemente importar más de México. ¿Tendrá sólo que ver con la disponibilidad o habrá otras cosas que considerar? Pregúnteles también por qué se importa tanto vino chileno cuando EE.UU. produce una gran cantidad de vino. ¿Será que el vino chileno es superior o será cuestión de costo, nada más?

Exploremos el ciberespacio

Suggestions

- Have students who need extra grammar practice do the ACE activities.

- Require all students to do one or two of the **World Wide Web** activities for at least three of the countries studied during the semester. Allow them to select the countries they wish to cover but require that they turn in the work to prove that they did it.

- Offer extra credit to students who do additional activities for other countries on the web.

HSS Pídales a los estudiantes hispanohablantes que se aprovechen del *Chat Room* para conversar con chilenos. Dígales que le entreguen un resumen de la conversación indicando lo que aprendieron al hablar con personas de Chile.

Answer Key: Manual de Gramática

Answer Key to Accompany the Manual de Gramática

UNIDAD 1
LECCIÓN 1

A. La tarea.

1. el mapa
2. el césped
3. la fama
4. la labor
5. la catedral
6. la moto

B. ¿Qué opinas? (*Las respuestas pueden variar.*)

1. Los cuentos de Sandra Cisneros son fascinantes.
2. El idioma español es fascinante.
3. La diversidad cultural de EE.UU. es fascinante.
4. La capital de mi estado no es fascinante.
5. Los programas de música latina no son fascinantes.
6. La arquitectura del suroeste es fascinante.
7. La vida de César Chávez es fascinante.
8. El mural *Im Perfection* es fascinante.

C. Una encuesta. (*Las respuestas van a variar.*)

A. Contrarios.

1. Yo conozco a muchas actrices.
2. Yo sé hablar muchas lenguas.
3. Mis lecciones de guitarra no son los lunes.
4. Yo conozco muchas películas de Olmos.
5. Tengo muchas crisis al día.
6. Yo conozco a muchas escritoras.
7. Yo reconozco la voz de todos.
8. Yo visité muchas misiones en el verano.

B. ¿Cuántos hay? (*Las respuestas pueden variar.*)

1. ¿Cuántos escritorios / diccionarios hay en tu cuarto? Hay dos escritorios / diccionarios. ¿Cuántas camas / sillas / computadoras hay en tu cuarto? Hay una cama / silla / computadora.
2. ¿Cuántos estudiantes / escritorios hay en tu sala de clase? Hay cinco estudiantes / escritorios. ¿Cuántas sillas / pizarras / tizas hay en tu sala de clase? Hay cuatro sillas / pizarras / tizas.
3. ¿Cuántos cuartos / baños / televisores hay en la casa de tus padres? Hay tres cuartos / baños / televisores. ¿Cuántas personas / bicicletas hay en la casa de tus padres? Hay dos personas / bicicletas.
4. ¿Cuántas pantallas / boleterías / películas hay en tu cine favorito? Hay tres pantallas / boleterías / películas. ¿Cuántos acomodadores / taquilleros hay

en tu cine favorito? Hay tres acomodadores / taquilleros.
5. ¿Cuántos personajes / protagonistas / narradores / novios de Francisquita hay en el cuento "Adolfo Miller"? Hay tres personajes / protagonistas / narradores / novios. ¿Cuántas ciudades hay en el cuento "Adolfo Miller"? No hay ninguna ciudad; hay un pueblo.

A. Preparativos.

1. —
2. —
3. el
4. El
5. —
6. las

B. Entrevista. (*Las respuestas van a variar.*)

1. Hablo inglés y español.
2. Leo inglés y español también.
3. Escribo inglés y español.
4. Considero que el ruso es difícil porque tiene un alfabeto diferente.
5. Considero que el español es importante porque se habla en muchos países.

C. Resumen. (*Las respuestas van a variar.*)

A. ¿Qué ves?

1. Veo un(a)
2. Veo un(a)
3. Veo un(a)
4. Veo un(a)
5. Veo un(a)
6. Veo un(a)
7. Veo un(a)
8. Veo un(a)
9. Veo un(a)
10. Veo un(a)

B. Personalidades.

1. Sandra Cisneros es chicana. Es escritora. Es una escritora chicana.
2. Gloria Estefan es cubanoamericana. Es cantante. Es una cantante cubanoamericana.
3. Rosie Pérez es puertorriqueña. Es actriz. Es una actriz puertorriqueña.
4. Jorge Luis Borges es argentino. Es escritor. Es un escritor argentino.
5. Frida Kahlo es mexicana. Es pintora. Es una pintora mexicana.
6. Pablo Neruda es chileno. Es poeta. Es un poeta chileno.

C. Fiesta.

1. —
2. —
3. El
4. una
5. una
6. unas
7. la
8. —
9. —
10. el

A. Planes.

1. El martes nadamos y descansamos en la playa.
2. El miércoles practicamos deportes submarinos.
3. El jueves visitamos el acuario en el Faro de Colón.
4. El viernes compramos regalos para la familia.
5. El sábado regresamos a casa.
6. El domingo descansamos todo el día.

B. Información personal. (*Las respuestas van a variar.*)

C. Una cita. (*Las respuestas pueden variar.*)

1. Llamo por teléfono a mi amiga Marisol. La invito a ir al cine. Ella acepta.
2. Llegamos al cine. Compramos los boletos. Comentamos la película que vamos a ver.
3. Entramos al cine. Pasamos los boletos al acomodador. Pensamos en nuestros actores favoritos.

D. Mi vida actual. (*Las respuestas van a variar.*)

A. Continuación de la historia.

1. nueva vida
2. propio rancho
3. propio destino
4. muchacho pobre
5. pobre hombre
6. gran amor
7. hombre viejo

B. Un escritor nuevomexicano.

1. profesor universitario
2. excelente escritor nuevomexicano
3. importantes ensayos críticos
4. famoso cuentista chicano
5. episodios familiares
6. larga tradición hispana

C. Este semestre. (*Las respuestas van a variar.*)

1. La clase de español es interesante.
2. Las otras clases son complicadas.
3. Los compañeros de clase son simpáticos.
4. Las conferencias de los profesores son aburridas a veces.
5. Las pruebas y exámenes no son fáciles.
6. Los trabajos escritos son interminables.

D. Impresiones.

1. Lo cierto es que los chicanos llevan mucho tiempo en EE.UU.
2. Lo positivo es que la población chicana es joven.
3. Lo sorprendente es que la edad promedio de los chicanos es diecinueve años.
4. Lo bueno es que la cultura hispana enriquece la vida norteamericana.
5. Lo importante es que la participación política de las minorías continúa.

UNIDAD 1
LECCIÓN 2

A. Un gringo listo.

1. pide
2. Consigue
3. comienza
4. Se siente
5. almuerza
6. duerme
7. Adquiere
8. atiende

B. Obra teatral.

1. Comienza a las ocho.
2. Sí, se divierte muchísimo.
3. Sí, la entienden completamente.
4. No, no se ríen porque la obra es trágica.
5. Sí, vuelven a verla varias veces.
6. Sí, la recomiendo sin reservas.

C. Hábitos diarios. (*Las respuestas van a variar.*)

1. Me despierto a las siete.
2. Duermo otro rato.
3. Me visto antes de desayunar.
4. Mi primera clase empieza a las nueve.
5. Almuerzo en la universidad.
6. Trabajo después de las clases.
7. Regreso a casa a las nueve de la noche.
8. Me acuesto a las once y me duermo sin dificultad.

A. Retrato de un puertorriqueño.

1. Soy
2. tengo
3. Vivo
4. voy
5. está
6. mantengo
7. conozco
8. salgo
9. distraigo

B. Somos individualistas.

1. Traduzco del español al francés.
2. Sé hablar portugués.
3. Construyo barcos en miniatura.
4. Doy lecciones de guitarra.
5. Consigo dinero para el Museo del Barrio.
6. Guío a los turistas a sitios de interés en el barrio.
7. Mantengo correspondencia con puertorriqueños de la isla.
8. Ofrezco mis servicios como voluntario en un hospital local.
9. Protejo animales abandonados.
10. Compongo poemas de amor.

C. ¿Preguntas razonables o locas? (*Las respuestas van a variar.*)

UNIDAD 1
LECCIÓN 3

A. Los cubanoamericanos.

1. son	**6.** son
2. está	**7.** están
3. es	**8.** son
4. es	**9.** son
5. está	

B. Celia Cruz.

1. es	**7.** está
2. es	**8.** está
3. es	**9.** está
4. está	**10.** está
5. está	**11.** es
6. es	

C. Preguntas personales. (*Las respuestas van a variar.*)

1. estás	**5.** eres
2. Estás	**6.** Eres
3. es	**7.** Estás
4. Son	**8.** Es, eres

D. Descripciones. (*Las respuestas van a variar.*)

A. Decisiones, decisiones.

1. Quiero ésas. *o* Deseo aquéllas.

2. Me voy a llevar aquéllos. *o* Me voy a llevar éstos.

3. Voy a comprar éstos. *o* Voy a comprar ésos.

4. Prefiero ésos. *o* Prefiero aquéllos.

5. Dame éstos. *o* Dame ésos.

B. Sin opinión.

1. Eso es controvertido. No sé mucho de eso.

2. Eso es discutible. No comprendo mucho de eso.

3. Eso es complejo. No estoy informado(a) de eso.

4. Eso es difícil. No entiendo nada de eso.

5. Eso es problemático. No tengo opinión acerca de eso.

A. Hispanos en EE.UU.

1. Los chicanos son / es el grupo hispano más numeroso.

2. Los cubanos son / es el grupo con la menor población.

3. Los cubanos son / es el grupo con el más alto ingreso familiar.

4. Las familias puertorriqueñas ganan casi tanto como las familias chicanas.

5. Los chicanos tienen más jóvenes y menos viejos.

6. Los cubanos tienen más personas con educación universitaria.

B. Familias hispanas en EE.UU.

1. Los chicanos son / es el grupo hispano con el menor número de familias pequeñas.

2. Los cubanos son / es el grupo que tiene más familias sin hijos.

3. No, existen casi tantas familias de dos personas como de cuatro personas.

4. Entre los cubanoamericanos hay más familias con un solo hijo que con dos hijos.

5. No, hay tantas familias cubanas de tres personas como familias puertorriqueñas con el mismo número de personas.

6. Los chicanos son / es el grupo hispano con el mayor número de familias numerosas.

7. Hay menos diferencias entre las familias chicanas y las familias puertorriqueñas que entre las familias chicanas y las cubanas. Por ejemplo, entre las familias de dos personas, es más común encontrar familias cubanas que familias chicanas o puertorriqueñas.

C. Opiniones. (*Las respuestas van a variar.*)

1. Para mí la antropología es más entretenida que las ciencias políticas.

2. Encuentro que la química es tan difícil como la física.

3. Encuentro que la historia es tan instructiva como la geografía.

4. Para mí la literatura inglesa es más fascinante que la filosofía.

5. Para mí la sicología es tan aburrida como la sociología.

6. Encuentro que el español es más fácil que el alemán.

7. Para mí la biología es más interesante que la informática.

D. Programas populares. (*Las respuestas van a variar.*)

UNIDAD 2
LECCIÓN 1

A. Lectura.

1. llegué	**3.** comencé
2. busqué	**4.** Leí

5. vivió 11. capturó
6. nació 12. Murió
7. Luchó 13. empezaron
8. Se casó 14. se escribió
9. envió 15. encontré
10. luchó

B. Hacer la tarea de nuevo.

1. pasaron 6. gobernaron
2. se instalaron 7. dieron
3. llegaron 8. construyeron
4. fundaron 9. establecieron
5. comenzó 10. contribuyeron

C. Semestre en Sevilla.

1. Llegué en septiembre.
2. Viví con una familia.
3. Comencé el lunes 15 de septiembre.
4. Estudié literatura medieval e historia de España.
5. Sí, conocí a varios.
6. Sí, me gustó muchísimo.
7. Sí, visité Granada, Córdoba y Madrid.
8. Sí, influyó bastante.

A. Ausente.

1. El profesor nos entregó el último examen.
2. Los dos estudiantes nos mostraron fotos de Córdoba.
3. El profesor nos explicó la importancia de la cultura árabe en España.
4. Rubén le contó a la clase su visita a Granada.
5. Unos estudiantes le hablaron a la clase de la arquitectura árabe.

B. Estudios. (*Las respuestas pueden variar.*)

1. Sí, me interesan esas clases. *o* No, no me interesan. Me aburren.
2. Sí, me parecen importantes. *o* No, no me parecen importantes. Me parecen innecesarias.
3. Sí, me entusiasman esas clases. *o* No, no me entusiasman. Me aburren.
4. Sí, me es difícil memorizar. *o* No, no me es difícil. Me es fácil.
5. Sí, siempre me falta tiempo. *o* No, no me falta. Me sobra.
6. Sí, me cuesta mucho. *o* No, no me cuesta mucho. Me es fácil.

C. Trabajo de jornada parcial.

1. Sí, se las pidieron.
2. Sí, le sirvieron mucho.
3. Sí, se lo dieron.
4. Se lo dieron el jueves.

5. Le van a pagar ocho dólares.
6. No, no lo conoce.
7. Porque le fascinan las leyes.

D. El edicto de 1492.

1. Fernando e Isabel, los Reyes Católicos, gobiernan el país.
2. En general, la gente admira y respeta a los Reyes.
3. Por razones de intolerancia religiosa, algunos no quieren a los judíos.
4. Los Reyes firman un edicto el 31 de marzo de 1492.
5. El edicto expulsa de España a todos los judíos.
6. Los judíos abandonan su patria y se dispersan por el Mediterráneo.

E. Regalos para todos. (*Las respuestas van a variar.*)

UNIDAD 2 LECCIÓN 2

A. Fecha clave.

1. fueron 7. perdió
2. terminó 8. salió
3. duró 9. llegó
4. fue 10. se incorporó
5. se repartió 11. aumentó
6. olvidó

B. Museo interesante.

1. dijeron 7. fue
2. propuse 8. Quise
3. pude 9. Pude
4. tuve 10. Supe
5. fui 11. traje
6. hice

C. La guerra de 1898.

1. fue 9. capturó
2. murieron 10. tomó
3. culpó 11. firmó
4. declaró 12. cedió
5. desembarcaron 13. reconoció
6. bloqueó 14. ocuparon
7. derrotó 15. fue
8. destruyó

D. Encuesta. (*Las respuestas van a variar.*)

A. Valencia.

1. A algunos les encantaron los paseos por el puerto.
2. A otros les molestó el ruido del Mercado Central.
3. A mí me sorprendió ver tanta actividad nocturna.
4. A todos nosotros nos encantaron las playas de la Malvarrosa.
5. A ti no te gustaron las corridas de toros.
6. A casi todos nosotros nos pareció fascinante la historia de la ciudad.
7. A la mayoría le interesó el Museo de Bellas Artes.
8. A todos nosotros nos faltó tiempo para conocer mejor la ciudad.

B. Francisco de Goya.

1. Sí, le dolió mucho.
2. Sí, por supuesto, le indignó enormemente.
3. Le tomó un poco más de un mes.
4. Sí, y todavía le gusta.
5. Me agradan los cuadros del período oscuro.

C. Reacciones. (*Las respuestas van a variar.*)

1. Me fascinaron porque son tan antiguas.
2. Me encantó porque es una historia entretenida.
3. Me impresionó porque es una joya de la arquitectura.
4. Me ofendió porque demuestra intolerancia.
5. Me agradaron porque Velázquez es un pintor excelente.
6. Me gustaron porque son de alta calidad.
7. Me aburrió porque es muy larga.
8. Me interesó porque es un período tan brillante.
9. Me indignó porque no se hizo nada especial en esos años.
10. Me sorprendió porque era un ejército tan poderoso.

D. Gustos personales. (*Las respuestas van a variar.*)

1. Un estilo que a mí me fascina es el impresionismo.
2. Un estilo de arte que les ofende a todos es el cubismo.
3. Un color que les agrada a mis compañeros es el azul.
4. Un artista que les sorprende a todos es Goya.
5. Unos materiales para pintar que les importan a los artistas son los pinceles.

UNIDAD 2 LECCIÓN 3

A. Periodista.

1. estaba
2. Vivía
3. marché
4. Éramos
5. apoyábamos
6. Caminábamos
7. Cantábamos
8. gritábamos
9. protestábamos
10. hacía

B. Un barrio de Madrid.

1. vivía
2. veía
3. era
4. estallaban
5. era

C. Al teléfono. (*Las respuestas pueden variar.*)

1. Mi hermanita escuchaba música en su alcoba.
2. Mi hermano hacía la tarea en su alcoba y mi perro miraba la tele.
3. Mi papá hablaba con alguien en la puerta principal de la casa.
4. Mi mamá leía una revista en la sala.
5. Yo escribía una carta en la sala.
6. Mi gato dormía debajo de la mesita en la sala.

D. Un semestre como los otros.

1. Ponía mucha atención en la clase de español.
2. Asistía a muchos partidos de básquetbol.
3. Iba a dos clases los martes y jueves.
4. Leía en la biblioteca.
5. No tenía tiempo para almorzar a veces.
6. Trabajaba los fines de semana.
7. Estaba ocupado(a) todo el tiempo.

A. Opiniones opuestas.

1. Nunca se va a encontrar solución a un conflicto.
2. Un gobernante no debe consultar con nadie.
3. La economía no ha mejorado nada.
4. El gobierno no debe conversar con ningún grupo político.
5. No ha habido ningún avance en la lucha contra el narcotráfico.

B. Quejas. (*Las respuestas van a variar.*)

UNIDAD 3 — LECCIÓN 1

A. De viaje.

1. Estaba inquieto(a).
2. Me sentía un poco nervioso(a).
3. Caminaba de un lado para otro en el aeropuerto.
4. Quería estar ya en la Ciudad de México.
5. No podía creer que salía hacia México.
6. Esperaba ver las pirámides.
7. Tenía miedo de perder mi cámara.
8. No tenía hambre.

B. Sumario.

1. Pasé por la aduana.
2. Llamé un taxi para ir al hotel.
3. Decidí no deshacer las maletas todavía.
4. Salí a dar un paseo por la Zona Rosa.
5. Me sentí muy cansado(a) después de una hora.
6. Regresé al hotel.
7. Dormí hasta el día siguiente.

C. Mito.

1. buscaban
2. pasaban
3. vieron
4. había
5. Tenía
6. movía
7. decidieron
8. era
9. fundaron

D. México colonial.

1. duró
2. comenzó
3. terminó
4. formaba
5. era
6. había
7. enviaba
8. terminaron
9. declararon

A. ¿El peor?

1. Su sillón está cubierto de manchas.
2. Mis calcetines están por todas partes.
3. Sus pantalones aparecen en la cocina.
4. Mi álbum de fotografías está sobre su cama.
5. Sus zapatos aparecen al lado de los míos.

B. Gustos diferentes.

1. La mía es Guadalajara.
2. El mío es la Colonia.
3. El mío es Carlos Fuentes.
4. La mía es Elena Poniatowska.
5. El mío es Acapulco.

C. Comparaciones.

1. Nuestra lengua es diferente a la tuya.
2. Nuestros gestos son diferentes a los tuyos.
3. Nuestro modo de caminar es diferente al tuyo.
4. Nuestra manera de escribir el número "7" es diferente a la tuya.
5. Nuestro uso del cuchillo y del tenedor es diferente al tuyo.

D. ¡Nos fascina México! (*Las respuestas van a variar.*)

UNIDAD 3 — LECCIÓN 2

A. Último día.

1. Fui al mercado de artesanías.
2. Compré regalos para mi familia y mis amigos.
3. Tomé mucho tiempo en encontrar algo apropiado.
4. Pasé tres horas en total haciendo compras.
5. Regresé al hotel.
6. Hice las maletas rápidamente.
7. Llamé un taxi.
8. Fui al aeropuerto.

B. Verano guatemalteco. (*Las respuestas que siguen a las preguntas pueden variar.*)

1. ¿Vivían Uds. con una familia guatemalteca? Sí, vivíamos con familias guatemaltecas muy simpáticas.
2. ¿Regresaban Uds. a casa a almorzar? Sí, regresábamos a almorzar con nuestras familias.
3. ¿Paseaban Uds. por la ciudad por las tardes? Sí, paseábamos por el centro.
4. ¿Iban Uds. de compras a veces? Sí, íbamos de compras a tiendas de artesanía.
5. ¿Cenaban Uds. en restaurantes típicos de vez en cuando? Sí, a veces cenábamos en restaurantes típicamente guatemaltecos.
6. ¿Salían Uds. de excursión los fines de semana? Sí, algunos fines de semana salíamos hacia pueblos vecinos.

C. Cultura maya.

1. sabía
2. aprendí
3. hice
4. dijo
5. era
6. quise

7. pude
9. contaban

8. Vi
10. Supe

D. Sábado. (*Las respuestas pueden variar.*)

1. Mientras (Cuando) miraba un partido de básquet-bol en la televisión, llamó por teléfono mi abuela.

2. Mientras (Cuando) preparaba un informe sobre el Premio Nobel, llegaron unos amigos a visitarme.

3. Mientras (Cuando) escuchaba mi grupo de rock favorito, los vecinos me pidieron que bajara el volumen.

4. Cuando (Mientras) andaba de compras en el super-mercado, me encontré con unos viejos amigos.

5. Cuando (Mientras) caminaba por la calle, vi un choque entre una motocicleta y un automóvil.

6. Cuando (Mientras) estaba en casa de unos tíos, vi unas fotografías de cuando yo era niño(a).

7. Mientras (Cuando) tomaba refrescos en un café, presencié una discusión entre dos novios.

E. Autobiografía.

1. aprendió
2. Adquirió
3. era
4. trabajó
5. describió
6. sufrían
7. murieron
8. se trasladó
9. sufrió
10. fueron

A. Valores.

1. Es esencial respetar a los amigos.
2. Es necesario seguir sus ideas.
3. Es indispensable tener una profesión.
4. Es fundamental luchar por sus ideales.
5. Es bueno saber divertirse.

B. Letreros.

1. No hacer ruido.
2. Guardar silencio.
3. No tocar los artefactos.
4. No fumar.
5. No sacar fotografías en la sala.

C. Opiniones.

1. Los pueblos necesitan entenderse mejor.
2. El fanatismo ayuda a prolongar las guerras.
3. Todo el mundo desea evitar las guerras.
4. La gente sueña con vivir en un mundo sin guerras.
5. Los diplomáticos tratan de resolver los conflictos.

6. Los fanáticos insisten en imponer un nuevo sistema político.

7. La gente aprende a convivir en situaciones difíciles durante una guerra.

D. Robo. (*Las respuestas van a variar.*)

UNIDAD 3 LECCIÓN 3

A. Admiración.

1. Lo admiran por su obra en favor de los indígenas.
2. Lo admiran por su defensa de los derechos humanos.
3. Lo admiran por su valentía.
4. Lo admiran por su activismo político.
5. Lo admiran por su espíritu de justicia social.
6. Lo admiran por su lucha contra la discriminación.

B. Planes.

1. El gobierno ha propuesto nuevos programas para mejorar la economía.

2. El gobierno ha propuesto nuevas leyes para pre-venir los abusos de los derechos humanos.

3. El gobierno ha propuesto nuevas resoluciones para combatir el tráfico de drogas.

4. El gobierno ha propuesto nuevas regulaciones para proteger el medio ambiente.

5. El gobierno ha propuesto nuevas negociaciones para reconciliar a la oposición.

C. Cerro Verde.

1. por
4. Para

2. Para, por
5. por

3. por, por
6. por

D. ¿Cuánto sabes de El Salvador? *Las respuestas pueden variar.*

1. ¿Fue habitado **por** los mayas el país? **Sí, en tiem-pos antiguos.** ¿**Por** qué otros grupos indígenas ha sido habitado? **Por los nahuas y por los pipiles.**

2. ¿En qué año fue conquistado El Salvador? **En 1524.** ¿**Por** quién? **Por Pedro de Alvarado.**

3. ¿**Por** qué fenómeno natural fue destruida gran parte de San Salvador en 1986? **Por un terremoto.**

4. ¿Llaman al volcán Izalco el "faro (*lighthouse*) del Pacífico" **por** estar junto al mar o **por** estar siem-pre en erupción? **Por estar siempre en erupción.**

5. **Para** un país tan pequeño, ¿vive poca o mucha gente en El Salvador? **Vive mucha gente allí.**

6. ¿Sabes cuántos colones te dan **por** un dólar actualmente? **Cerca de nueve colones.**

7. ¿**Para** cuándo crees que va a poder regresar la mayoría de los salvadoreños que salieron del país durante la guerra civil? **Es difícil saberlo.**

8. **Para** ti, ¿cuál es el mayor atractivo de El Salvador? **Para mí, los paisajes montañosos.**

UNIDAD 4
LECCIÓN 1

A. Breve historia de Cuba.

1. conocida
2. situada
3. descubierta
4. colonizada
5. declarada
6. pobladas
7. promulgada
8. dividida

B. Trabajo de investigación.

1. Sí, están hechas.
2. Sí, está consultada.
3. No, no está empezado.
4. No, todavía no están transcritas.
5. Sí, está decidido.
6. No, no está escrita.
7. No, no están devueltos.
8. No, todavía no están resueltas.

A. Cambios recientes.

1. No ha habido huracanes serios últimamente.
2. Ha desaparecido el analfabetismo últimamente.
3. Han celebrado elecciones para la asamblea nacional últimamente.
4. Se ha diversificado la economía últimamente.
5. Ha aumentado la producción de petróleo últimamente.
6. No ha subido la producción de azúcar últimamente.
7. Ha bajado la mortalidad infantil últimamente.
8. Ha crecido la importancia del turismo extranjero últimamente.

B. ¿Qué has hecho? (*Las respuestas a las preguntas pueden variar.*)

1. ¿**Has estudiado** la poesía cubana contemporánea? **No, no la he estudiado.**

2. ¿**Has comprendido** los *Versos sencillos* de José Martí? **Sí, los he comprendido porque son sencillos.**

3. ¿**Has leído** otros poemas de Martí? **No, pero he leído ensayos de Martí.**

4. ¿**Has escrito** poemas originales? **No, nunca he escrito poemas.**

5. ¿**Has comprado** discos compactos de salsa? **No, pero he comprado discos de mambo.**

6. ¿**Has asistido** a conciertos de Los Van Van? **No, no he asistido a conciertos de ese grupo.**

7. ¿**Has escuchado** a algún cantante de la nueva trova? **Sí, he escuchado a Silvio Rodríguez.**

8. ¿**Has visto** algunas películas cubanas? **No, no he visto películas cubanas.**

9. ¿**Has tocado** el bongó? **No, pero he tocado la guitarra.**

10. ¿**Has hecho** una fiesta para tu cumpleaños? **No, pero unos amigos me han hecho una fiesta una vez.**

C. Experiencias similares. (*Las respuestas van a variar.*)

D. Experiencias distintas. (*Las respuestas van a variar.*)

A. ¿Qué sabes de Cuba?

1. Fue poblada por taínos y ciboneyes.
2. Fue colonizada por Diego de Velázquez.
3. Fue cedida a EE.UU. por España en 1898.
4. Fue declarada república independiente en 1902.
5. Fue transformada enormemente por la Revolución de 1959.

B. Poeta nacional.

1. fueron publicados
2. fue publicada
3. Fue encarcelado
4. Fue aclamado
5. fue elegido
6. Fue admirado

C. Economía cubana.

1. En Cuba se produce mucha caña en el oeste de la isla.
2. En Cuba se explotan maderas preciosas.
3. En Cuba se extraen varios minerales.
4. En Cuba se cultivan frutas tropicales.
5. En Cuba se cosecha tabaco.
6. En Cuba la economía se basa en la agricultura.

D. Noticias. (*Las respuestas van a variar.*)

UNIDAD 4
LECCIÓN 2

A. Deseos.

1. Quiere que su familia viva en un lugar tranquilo.

2. Quiere que sus amigos conversen con él a menudo.

3. Quiere que su música refleje la realidad dominicana.

4. Quiere que sus canciones lleven un mensaje social.

5. Quiere que los artistas funcionen como embajadores de buena voluntad.

6. Quiere que la gente conozca a los poetas hispanos.

7. Quiere que los artistas comprendan y acepten sus responsabilidades sociales.

8. Quiere que los pobres reciban atención médica.

B. Opiniones contrarias.

1. Es bueno que exporten más productos. Es malo que exporten más productos.

2. Es bueno que mejoren los sistemas educativos. Es malo que mejoren los sistemas educativos.

3. Es bueno que defiendan su independencia política y económica. Es malo que defiendan su independencia política y económica.

4. Es bueno que cierren sus fronteras. Es malo que cierren sus fronteras.

5. Es bueno que tengan elecciones libres. Es malo que tengan elecciones libres.

6. Es bueno que se conviertan en democracias representativas. Es malo que se conviertan en democracias representativas.

7. Es bueno que resuelvan sus problemas internos pronto. Es malo que resuelvan sus problemas internos pronto.

C. Recomendaciones.

1. Les recomiendo que formen parte de un equipo de béisbol.

2. Les recomiendo que escuchen los consejos del (de la) entrenador(a).

3. Les recomiendo que vean partidos de las grandes ligas.

4. Les recomiendo que jueguen con entusiasmo durante los partidos.

5. Les recomiendo que hagan ejercicio todos los días.

6. Les recomiendo que pongan atención durante las prácticas.

7. Les recomiendo que tengan paciencia.

A. Preparativos apresurados.

1. Ojalá que encuentre un vuelo para el sábado próximo.

2. Ojalá que consiga visa pronto.

3. Ojalá que haya cuartos en un hotel de la zona colonial.

4. Ojalá que dejen pasar mi computadora portátil.

5. Ojalá que la computadora portátil funcione sin problemas.

6. Ojalá que pueda entrevistar a muchas figuras políticas importantes.

7. Ojalá que el reportaje resulte todo un éxito.

B. Esperanzas.

1. Ojalá que Jaime, Carlos y Paco encuentren un apartamento en la playa.

2. Ojalá que Andrea vaya a visitar a mis padres en Maine.

3. Ojalá que Marcos y su amigo puedan pasar una semana en las montañas.

4. Ojalá que Natalia y tú no tengan que estudiar.

5. Ojalá que mi novio(a) vaya a Fort Lauderdale también.

6. Ojalá que los muchachos estén participando en el campeonato de béisbol.

C. Indecisión. (*Las respuestas van a variar.*)

A. Atracciones turísticas.

1. Visite la Catedral; admire la arquitectura colonial.

2. Paséese por la zona colonial; no tenga prisa.

3. Entre en el Museo de las Casas Reales.

4. Asista a un concierto en el Teatro Nacional, haga reservaciones con tiempo.

5. Camine junto al mar por la Avenida George Washington.

6. Vaya al Parque Los Tres Ojos; admire el Acuario.

7. No deje de visitar el Faro de Colón.

B. ¡Escúchenme! (*Las respuestas van a variar.*)

C. El primer partido. (*Las respuestas van a variar.*)

A. Receta de cocina.

1. Corta las vainitas verdes a lo largo y cocínalas en un poco de agua.

2. Pela los plátanos; córtalos a lo largo; fríelos en aceite hasta que estén tiernos; sécalos en toallas de papel.

3. Mezcla la sopa con las vainitas; ten cuidado: no las rompas.

4. En una cacerola, coloca los plátanos.

5. Sobre los plátanos, pon la mezcla de sopa y vainitas; echa queso rallado encima.

6. Repite hasta que la cacerola esté llena.

7. Hornea a 350° hasta que todo esté bien cocido.

8. Corta en cuadritos para servir; pon cuidado; no te quemes.

B. Consejos contradictorios.

1. Lee acerca de la historia y las costumbres. No leas acerca de la historia y las costumbres.

2. Esfuérzate por hablar español. No te esfuerces por hablar español.

3. Pide información en la oficina de turismo. No pidas información en la oficina de turismo.

4. Ten el pasaporte siempre contigo. No tengas el pasaporte siempre contigo.

5. No cambies dinero en los hoteles. Cambia dinero en los hoteles.

6. No comas en los puestos que veas en la calle. Come en los puestos que veas en la calle.

7. No salgas solo(a) de noche. Sal solo(a) de noche.

8. Visita los museos históricos. No visites los museos históricos.

9. No regatees los precios en las tiendas. Regatea los precios en las tiendas.

C. Depresión. (*Las respuestas van a variar.*)

UNIDAD 4
LECCIÓN 3

A. Datos sorprendentes.

1. Me sorprende que la isla ofrezca tantos sitios de interés turístico.

2. Es sorprendente que tantas personas vivan en una isla relativamente pequeña.

3. Me sorprende que los puertorriqueños mantengan sus tradiciones hispanas.

4. Es sorprendente que en la montaña de El Yunque haya una selva tropical fascinante.

5. Me sorprende que muy pocos puertorriqueños quieran un estado independiente.

6. Es sorprendente que los puertorriqueños no necesiten visa para entrar en EE.UU.

7. Me sorprende que tantos puertorriqueños practiquen el béisbol.

8. Es sorprendente que los hombres puertorriqueños tengan que inscribirse en el servicio militar de EE.UU.

B. Opiniones.

1. Es evidente que Puerto Rico es un país de cultura hispana.

2. Pienso que la economía de Puerto Rico se basa más en la industria que en la agricultura.

3. No creo que Puerto Rico se vaya a separar de EE.UU. *o* No creo que Puerto Rico se separe de EE.UU.

4. No dudo que el idioma español va a seguir como lengua oficial.

5. Es cierto que los puertorriqueños no tienen que pagar impuestos federales.

6. Niego que todos los puertorriqueños deseen emigrar a EE.UU.

C. Preferencias.

1. Prefieren no perder sus costumbres hispanas.

2. Prefieren que la isla permanezca autónoma.

3. Prefieren que la isla no tenga sus propias fuerzas armadas.

4. Prefieren decidir su propio destino.

5. Prefieren que las empresas estadounidenses no paguen impuestos federales.

6. Prefieren gozar de los beneficios de un estado libre asociado.

7. Prefieren que Puerto Rico no se convierta en el estado número cincuenta y uno.

D. La situación mundial. (*Las respuestas pueden variar.*)

1. Es bueno que vivamos en armonía.

2. Es preferible que creemos un mundo de paz.

3. Es importante que sepamos leer y escribir.

4. Es bueno que pensemos en los demás.

5. Es preferible que intentemos mejorar la vida de todo el mundo.

6. Es importante que resolvamos el problema del hambre.

7. Es bueno que protejamos el medio ambiente.

8. Es preferible que les digamos a los líderes políticos lo que pensamos.

9. Es importante que ofrezcamos más oportunidades de empleo.

E. Consejos para los teleadictos. (*Las respuestas van a variar.*)

A. Estilo más complejo.

1. José Solano, quien (que) es el primer personaje latino del programa *Baywatch,* es un actor nicaragüense.

2. José Solano, quien (que) hace el papel de un salvavidas en *Baywatch,* ha sido atleta desde niño.

3. Ernesto Cardenal, quien (que) es un poeta y sacerdote nicaragüense, pasó dos años en un monasterio de Kentucky.

4. Cardenal, quien (que) es un humanista comprometido con la justicia social, fue ministro de cultura durante el gobierno sandinista.

5. Rubén Darío, quien (que) comenzó a componer versos cuando tenía once años de edad, es considerado el máximo exponente del modernismo.

B. Conozcamos Nicaragua.

1. Managua es la ciudad que es la capital de Nicaragua.

2. Managua también es el nombre de un lago que está junto a la capital.

3. El córdoba oro es la unidad monetaria que se usa en Nicaragua.

4. El lago de Nicaragua es el lago de agua dulce que tiene peces de agua salada.

5. Nuestra Señora de Solentiname es la comunidad religiosa fundada por Ernesto Cardenal que se encuentra en las islas de Solentiname del lago de Nicaragua.

6. Zelaya es la zona en la costa del mar Caribe que no posee caminos ni carreteras.

C. Identificaciones. (*Las respuestas van a variar.*)

1. Es un dictador nicaragüense que asumió el poder en 1937.

2. Es el líder de un grupo guerrillero que luchó contra Somoza.

3. Es un político que fue presidente de Nicaragua entre 1984 y 1990.

4. Es un periodista a quien asesinaron en 1978.

5. Son dictadores que sucedieron en el poder a su padre, Anastasio Somoza García.

A. Necesito explicaciones.

1. ¿La bibliografía en la que (la cual) me basé no es apropiada?

2. ¿El esquema por el que (el cual) me guié no es apropiado?

3. ¿La tesis central para la cual (la que) presenté argumentación no es apropiada?

4. ¿Las ideas acerca de las cuales escribí no son apropiadas?

5. ¿Las opiniones contra las cuales (las que) protesté no son apropiadas?

6. ¿Los temas por los cuales (los que) me interesé no son apropiados?

B. La historia de la princesita.

1. Una tarde la princesita, la cual era una niña traviesa, quiso coger una estrella que apareció en el cielo.

2. La estrella, la cual brillaba mucho, iba a ser colocada en un prendedor.

3. La princesita, la cual no tenía el permiso de su papá, viajó al cielo.

4. La princesita cogió la estrella, la cual colocó en su prendedor.

5. El rey, el cual creía que no se debía tocar el cielo, se enfadó con la princesita.

6. Jesús, el cual apareció ante el rey y la princesita, explicó que la estrella era un regalo suyo para la princesita.

7. Cuatrocientos elefantes, los cuales simbolizaban la riqueza del rey, desfilaron junto al mar.

C. Definiciones. (*Las respuestas van a variar.*)

1. Un símbolo es un objeto que representa otro concepto.

2. Un pasajero es una persona que viaja de un lugar a otro.

3. Un país en vías de desarrollo es un país con medios de producción más bien tradicionales.

4. La carretera panamericana es un camino que va del norte al sur del continente americano.

5. Un tren es un medio de transporte con muchos vagones.

6. Un salvavidas es un aparato que se usa para no ahogarse en un naufragio; es también la persona que cuida las playas y balnearios.

7. Un transbordador es un barco que transporta personas y vehículos de una orilla a otra.

A. ¡Impresionante!

1. Me impresionó lo que descubrí en mis paseos.

2. Me impresionó lo que leí en los periódicos.

3. Me impresionó lo que escuché en la radio.

4. Me impresionó lo que aprendí en la televisión.

5. Me impresionó lo que vi en el Museo Nacional.

6. Me impresionó lo que me contaron algunos amigos nicaragüenses.

B. Reacciones.

1. Leí que Nicaragua es el país más grande de Centroamérica, lo cual (lo que) me asombró mucho.

2. Leí que exceptuando a Belice, Nicaragua es el país menos poblado de Centroamérica, lo cual (lo que) me impresionó mucho.

3. Leí que el béisbol es más popular que el fútbol en Nicaragua, lo cual (lo que) me extrañó mucho.

4. Leí que la dictadura de la familia Somoza duró más de cuarenta años, lo cual (lo que) me chocó mucho.

5. Leí que William Walker, un aventurero estadounidense, llegó a ser presidente de Nicaragua, lo cual (lo que) me desconcertó mucho.

6. Leí que más del treinta por ciento de la población no sabe leer ni escribir, lo cual (lo que) me deprimió mucho.

7. Leí que en algunas zonas del país la canoa es el único medio de transporte, lo cual (lo que) me sorprendió mucho.

C. ¿Cuánto recuerdas?

1. ¿Cuál es el presidente cuyo período comenzó en 1997? Arnoldo Alemán Lacayo.

2. ¿Cual es la planta cuya semilla se usa para elaborar chocolate? El cacao.

3. ¿Cuál es el título de la obra de Ernesto Cardenal cuyo tema cuenta la creación del universo? *Canto cósmico.*

4. ¿Cuál es el grupo político cuya inspiración viene de César Augusto Sandino? Los sandinistas.

5. ¿Cuál es la dirigente política cuyo esposo fue asesinado en 1978 durante la dictadura de Anastasio Somoza? Violeta Barrios de Chamorro.

6. ¿Cuál es la zona cuyos pueblos no tienen ni caminos ni carreteras? Zelaya.

A. Información, por favor.

1. ¿Hay agencias turísticas que ofrezcan excursiones a las plantaciones de café?

2. ¿Hay tiendas de artesanía que vendan artículos típicos?

3. ¿Hay una escuela de idiomas que enseñe español?

4. ¿Hay una Oficina de Turismo que dé mapas de la ciudad?

5. ¿Hay un libro que describa la flora de la región?

6. ¿Hay bancos que cambien dólares los sábados?

7. ¿Hay lugares que alquilen lanchas de motor cerca del lago de Managua?

8. ¿Hay autobuses modernos que viajen de la capital al Atlántico?

B. Pueblo ideal.

1. Deseo visitar un pueblo que quede cerca de un parque nacional.

2. Deseo visitar un pueblo que tenga playas tranquilas.

3. Deseo visitar un pueblo que sea pintoresco.

4. Deseo visitar un pueblo que no esté en las montañas.

5. Deseo visitar un pueblo que no se encuentre muy lejos de la capital.

C. Comentarios.

1. e	**6.** a
2. g	**7.** i
3. f	**8.** d
4. h	**9.** c
5. j	**10.** b

UNIDAD 5
LECCIÓN 2

A. Opiniones.

1. a menos (de) que

2. porque

3. con tal (de) que

4. Como

5. a fin (de) que

B. Propósitos.

1. He formado una empresa para que los accionistas ganen dinero. *o* He formado una empresa a fin (de) que los accionistas ganen dinero.

2. He formado una empresa para que los consumidores gocen de buenos productos. *o* He formado una empresa a fin (de) que los consumidores gocen de buenos productos.

3. He formado una empresa para que nuestra gente consiga mejores empleos. *o* He formado una empresa a fin (de) que nuestra gente consiga mejores empleos.

4. He formado una empresa para que nuestro país compita con las empresas extranjeras. *o* He formado una empresa a fin (de) que nuestro país compita con las empresas extranjeras.

5. He formado una empresa para que el desempleo disminuya. *o* He formado una empresa a fin (de) que el desempleo disminuya.

6. He formado una empresa para que mis empleados puedan tener una vida mejor. *o* He formado una empresa a fin (de) que mis empleados puedan tener una vida mejor.

C. Excursión dudosa.

1. Voy a ir con tal de que termine el mal tiempo.

2. Voy a ir con tal de que no tenga demasiado que hacer.

3. Voy a ir con tal de que consiga un vuelo temprano por la mañana.

4. Voy a ir con tal de que planee otra excursión interesante.

5. Voy a ir con tal de que pueda adelantar mi salida del país.

6. Voy a ir con tal de que el hotel de Copán confirme mis reservaciones.

D. Razones.

1. Muchos atacan (están en contra de) las compañías multinacionales ya que no respetan la cultura del país.

2. Muchos defienden (están por) las compañías multinacionales porque mejoran los servicios públicos.

3. Muchos atacan (están en contra de) las compañías multinacionales ya que monopolizan la producción.

4. Muchos atacan (están en contra de) las compañías multinacionales ya que controlan la red de transporte.

5. Muchos atacan (están en contra de) las compañías multinacionales ya que influyen en el gobierno local.

6. Muchos defienden (están por) las compañías multinacionales porque reducen el desempleo.

7. Muchos atacan (están en contra de) las compañías multinacionales ya que se interesan solamente en sus ganancias.

UNIDAD 5
LECCIÓN 3

A. Flexibilidad.

1. Pues, donde te convenga.

2. Pues, como (tú) desees.

3. Pues, donde (tú) digas.

4. Pues, según te convenga.

5. Pues, como te sea más cómodo(a).

6. Pues, cuando (tú) puedas.

B. Intenciones.

1. Aunque quede lejos de mi hotel, voy a visitar el Museo de Entomología.

2. Aunque tenga poco tiempo, voy a admirar las antigüedades precolombinas del Museo Nacional.

3. Aunque esté cansado(a), voy a dar un paseo por el Parque Central.

4. Aunque no me interese la política, voy a escuchar los debates legislativos en el Palacio Nacional.

5. Aunque no tenga hambre, voy a comprar frutas tropicales en el Mercado Borbón.

6. Aunque no entienda mucho de fútbol, voy a asistir a un partido en el Estadio Nacional.

C. Parques ecológicos.

1. quieras
2. gasta
3. constituyen
4. viajes
5. sean
6. visitaron
7. aprecies
8. es

D. Mundo ideal.

1. Van a estar más contentos cuando haya menos contaminación del aire.

2. Se van a sentir más satisfechos en cuanto (tan pronto como) se elimine la destrucción de bosques tropicales.

3. No van a quedar contentos hasta que se establezcan más reservas biológicas protegidas.

4. Van a estar más contentos cuando no siga disminuyendo la capa de ozono.

5. Se van a sentir más satisfechos en cuanto (tan pronto como) los vehículos utilicen menos gasolina.

6. No van a quedar contentos hasta que los medios de transporte no contaminen la atmósfera.

7. Van a estar más contentos cuando haya menos lluvia ácida.

8. Se van a sentir más satisfechos en cuanto (tan pronto como) todo el mundo recicle más.

9. No van a quedar contentos hasta que los gobiernos protejan las especies animales en vías de extinción.

10. Van a estar más contentos cuando se controle el tráfico de contaminantes.

UNIDAD 6
LECCIÓN 1

A. La rutina del dentista.

1. Sacará una dentadura postiza de la vidriera.

2. Pondrá los instrumentos sobre la mesa.

3. Los ordenará de mayor a menor.

4. Rodará la fresa hacia el sillón.

5. Se sentará.

6. Pulirá la dentadura.

7. Trabajará con determinación.

8. Pedaleará en la fresa.

9. Trabajará por unas horas.

10. Hará una pausa.

B. ¿Qué harán? (*Las respuestas pueden variar.*)

1. Comprarás una camisa.

2. Iré de viaje.

3. Pasearán en bicicleta.

4. Asistiremos a un concierto de rock.

5. Jugarán al básquetbol.

6. Comerán pizza.

7. Estudiarás.

C. Promesas de una amiga.

1. diré

2. Tendré

3. podré

4. saldré

5. Podremos

D. Planes para el verano. (*Las respuestas van a variar.*)

UNIDAD 6 LECCIÓN 2

A. Entrevista.

1. ¿Qué haría para una difusión más amplia de la literatura?

2. ¿Cuánto apoyo debería dar el gobierno a las artes?

3. ¿Qué cambios sugeriría para mejorar la educación?

4. ¿Cómo les daría más estímulos a los artistas jóvenes?

5. ¿Cuántos nuevos concursos infantiles organizaría?

B. Consejos.

1. podrías

2. Deberían

3. querrían

4. gustaría

5. podrían

6. Preferiríamos

C. El futuro del Canal.

1. se llamaría

2. pasaría

3. estarían

4. administraría

5. tendría

D. ¿Qué pasaría? (*Las respuestas van a variar.*)

UNIDAD 6 LECCIÓN 3

A. Deseos.

1. Dicen que les gustaría más si controlaran mejor el crecimiento de la ciudad.

2. Dicen que les gustaría más si solucionaran los embotellamientos del tráfico.

3. Dicen que les gustaría más si estuvieran más cerca las playas.

4. Dicen que les gustaría más si mantuvieran mejor las autopistas.

5. Dicen que les gustaría más si permitieran menos vehículos en las autopistas.

6. Dicen que les gustaría más si crearan más áreas verdes en la ciudad.

B. Recomendaciones. (*Las respuestas pueden variar.*)

1. Les recomendaría que no fumaran.

2. Les recomendaría que hicieran más ejercicio.

3. Les recomendaría que vieran menos televisión.

4. Les recomendaría que fueran al cine más a menudo.

5. Les recomendaría que escribieran más cartas.

6. Les recomendaría que jugaran más al tenis.

7. Les recomendaría que se pasearan más.

8. Les recomendaría que no tiraran basura.

C. Planes remotos.

1. Si viajara a Venezuela, sobrevolaría el Salto de Ángel, las cataratas más altas del mundo.

2. Si visitara Maracaibo, vería los pozos de petróleo.

3. Si hiciera buen tiempo, tomaría sol en las playas del Litoral.

4. Si tuviera tiempo, admiraría los llanos venezolanos.

5. Si estuviera en Mérida, me subiría en el teleférico más alto y más largo del mundo.

6. Si pudiera, me pasearía por la ciudad colonial de Coro.

7. Si estuviera en Caracas, entraría al Museo Bolivariano y a la Casa Natal del Libertador.

8. Si quisiera comprar algo en Caracas, iría a las tiendas de Sabana Grande.

D. Poniendo condiciones. (*Las respuestas van a variar.*)

A. Obligaciones de un chasqui. (*Las respuestas pueden variar.*)

1. Se esperaba que el chasqui llevara harina de maíz tostado como alimento.

2. Se deseaba que el chasqui pusiera la harina de maíz tostado en una bolsa.

3. Se pedía que el chasqui transportara el quipu en la mano.

4. Se esperaba que el chasqui no perdiera el quipu.

5. Se deseaba que el chasqui retuviera el mensaje oral que tenía que transmitir.

6. Se pedía que el chasqui hiciera sonar un cuerno al llegar a su destino.

7. Se esperaba que el chasqui transmitiera con fidelidad el mensaje.

B. El pasado siempre fue mejor.

1. Los peruanos se lamentaban de que la gente no usara mucho el poncho.

2. Los peruanos se lamentaban de que las capas no estuvieran de moda.

3. Los peruanos se lamentaban de que la alfalfa no se transportara en carretas.

4. Los peruanos se lamentaban de que las campanas no sonaran con mucha frecuencia.

5. Los peruanos se lamentaban de que los vendedores no se escucharan en las plazas.

6. Los peruanos se lamentaban de que los vendedores de frutas no anduvieran montados en burro.

7. Los peruanos se lamentaban de que los niños comieran menos dulces como turrones y melcochas.

C. Deseos y realidad.

1. La gente pedía un gobernante que redujera la inflación.

   La gente eligió un gobernante que (no) redujo la inflación.

2. La gente pedía un gobernante que eliminara la violencia.

   La gente eligió un gobernante que (no) eliminó la violencia.

3. La gente pedía un gobernante que continuara el desarrollo de la agricultura.

   La gente eligió un gobernante que (no) continuó el desarrollo de la agricultura.

4. La gente pedía un gobernante que atendiera a la clase trabajadora.

   La gente eligió un gobernante que (no) atendió a la clase trabajadora.

5. La gente pedía un gobernante que obedeciera la constitución.

   La gente eligió un gobernante que (no) obedeció la constitución.

6. La gente pedía un gobernante que diera más recursos para la educación.

   La gente eligió un gobernante que (no) dio más recursos para la educación.

7. La gente pedía un gobernante que hiciera reformas económicas.

   La gente eligió un gobernante que (no) hizo reformas económicas.

8. La gente pedía un gobernante que construyera más carreteras.

   La gente eligió un gobernante que (no) construyó más carreteras.

D. Pasatiempos en la secundaria. (*Las respuestas van a variar.*)

A. El petróleo ecuatoriano.

1. se descubriera
2. alcanzó
3. tenía
4. bajaran
5. sabían
6. bajaran
7. produjera

B. Los planes de tu amigo.

1. Me dijo que pasaría el próximo semestre en Quito con tal que encontrara una buena escuela donde estudiar.

2. Me dijo que pasaría el próximo semestre en Quito siempre que aprobara todos los cursos que tiene este semestre.

3. Me dijo que pasaría el próximo semestre en Quito a menos que tuviera problemas económicos.

4. Me dijo que pasaría el próximo semestre en Quito a fin de que su español mejorara.

5. Me dijo que pasaría el próximo semestre en Quito en caso de que pudiera vivir con una familia.

C. Primer día.

1. Tan pronto como (En cuanto) yo entrara en mi cuarto de hotel me pondría ropas y zapatos cómodos.

2. Tan pronto como (En cuanto) yo estuviera listo, iría a la Plaza de la Independencia y entraría en la Catedral.

3. Tan pronto como (En cuanto) yo saliera de la Catedral, miraría las tiendas de los alrededores.

4. Tan pronto como (En cuanto) yo me cansara de mirar tiendas, caminaría hacia la Plaza San Francisco.

5. Tan pronto como (En cuanto) yo alcanzara la Plaza San Francisco, buscaría la iglesia del mismo nombre.

6. Tan pronto como (En cuanto) yo terminara de admirar el arte de la iglesia, volvería al hotel, seguramente cansadísimo.

D. ¡Qué fastidioso! (*Las respuestas van a variar.*)

UNIDAD 7 LECCIÓN 3

A. Cambios recientes.

1. Es probable que se hayan nacionalizado algunas empresas.

2. Es probable que se hayan repartido tierras a los campesinos.

3. Es probable que se haya promovido el desarrollo de la zona oriental.

4. Es probable que se haya tratado de estabilizar la economía.

5. Es probable que se haya mejorado el nivel de vida de los indígenas.

6. Es probable que se haya controlado la producción de coca.

B. La Puerta del Sol.

1. Es posible que la Puerta del Sol haya sido la puerta de entrada de un palacio.

2. Es posible que la Puerta del Sol haya constituido el centro religioso de un imperio.

3. Es posible que la Puerta del Sol haya sido construida hace más de veinticinco siglos.

4. Es posible que la Puerta del Sol haya tenido un significado político y religioso.

5. Es posible que la Puerta del Sol haya señalado las tumbas de los reyes.

C. Quejas. (*Las respuestas pueden variar.*)

1. Sentimos que no hayan visitado el Museo de Instrumentos Nativos.

2. Lamentamos que no hayan podido ver el Festival del Gran Poder.

3. Es triste que no hayan comido empanadas en el Mercado Camacho.

4. Es una lástima que no hayan asistido a un festival de música andina.

5. Sentimos que no hayan subido al Parque Mirador Laykacota.

6. Es triste que no hayan visto la colección de objetos de oro en el Museo de Metales Preciosos.

7. Lamentamos que no hayan hecho una excursión al lago Titicaca.

D. ¿Buen o mal gusto? (*Las respuestas pueden variar.*)

1. Es una lástima que haya llevado shorts y zapatos sin calcetines.

2. Es maravilloso que haya llevado un vestido largo de seda negra y un collar de perlas.

3. Es horroroso que haya llevado overoles, una camisa roja y botas negras.

4. Es una lástima que haya llevado un traje azul marino, camisa blanca, corbata roja y un par de tenis blancos.

5. Es interesante que haya llevado una falda negra con volantes blancos y una blusa blanca con rayas negras.

6. Es bueno que haya llevado pantalones negros, camisa blanca, corbata negra y zapatos blancos.

UNIDAD 8 LECCIÓN 1

A. Investigación.

1. Me preguntaron si había estado en casa todo el día.

2. Me preguntaron si había visto a alguien en la casa.

3. Me preguntaron si había oído ladrar los perros.

4. Me preguntaron si había escuchado ruidos extraños.

5. Me preguntaron si había llamado a la policía de inmediato.

6. Me preguntaron si había hablado recientemente con la esposa del hombre muerto.

B. Quejas.

1. La gente lamentaba que en los años anteriores la productividad del país hubiera disminuido.

2. La gente lamentaba que en los años anteriores los precios de la ropa y de los comestibles hubieran subido mucho.

3. La gente lamentaba que en los años anteriores la inflación no se hubiera controlado.

4. La gente lamentaba que en los años anteriores el estándar de vida hubiera declinado.

5. La gente lamentaba que en los años anteriores la guerra de las Malvinas se hubiera perdido.

6. La gente lamentaba que en los años anteriores miles de personas hubieran desaparecido.

C. Predicciones.

1. Al entrar el siglo XXI, el desempleo ya habrá bajado.

2. Al entrar el siglo XXI, la economía ya se habrá estabilizado.

3. Al entrar el siglo XXI, la deuda externa ya se habrá pagado.

4. Al entrar el siglo XXI, el país ya se habrá convertido en una potencia ganadera.

5. Al entrar el siglo XXI, la energía hidroeléctrica ya se habrá desarrollado.

6. Al entrar el siglo XXI, la red de caminos ya habrá aumentado.

7. Al entrar el siglo XXI, el país ya habrá llegado a ser una nación tecnológicamente avanzada.

D. Vacaciones muy cortas.

1. Me habría paseado por la avenida 9 de Julio.

2. Habría visitado las tiendas de la calle Florida.

3. Habría admirado los artistas del barrio de La Boca.

4. Habría obtenido boletos para ver una ópera en el Teatro Colón.

5. Habría visto un partido de fútbol entre Boca Juniors y River Plate.

6. Habría vuelto muchas veces más a la Plaza de Mayo.

7. Habría escuchado tangos en una tanguería del barrio San Telmo.

8. Habría tomado café en una confitería.

UNIDAD 8
LECCIÓN 2

A. Lecturas.

1. Leí que los ríos Paraná y Uruguay fueron explorados por Sebastián Caboto en 1526.

2. Leí que los charrúas impidieron la penetración europea en Uruguay.

3. Leí que Juan Salazar de Espinosa fundó Asunción en 1537.

4. Leí que los jesuitas organizaron misiones en Paraguay en el siglo XVII.

5. Leí que Uruguay fue anexado por Brasil en 1821.

6. Leí que José Gaspar Rodríguez de Francia gobernó Paraguay desde 1814 hasta 1840.

7. Leí que el tamboril llegó a Uruguay con los esclavos africanos.

8. Leí que los guaraníes se convirtieron en maestros del arpa, la guitarra y el violín.

9. Leí que una junta militar gobernó Uruguay entre 1976 y 1984.

10. Leí que el general Stroessner de Paraguay fue derrocado en 1989.

B. Recuerdos.

1. Cuando comenzó la guerra, yo vivía en Misiones con mi familia.

2. Cuando comenzó la guerra, yo no estaba casado.

3. Cuando comenzó la guerra, yo no trabajaba.

4. Cuando comenzó la guerra, yo estaba todavía en la escuela.

5. Cuando comenzó la guerra, yo no estaba inscrito en el servicio militar.

6. Cuando comenzó la guerra, yo creía que no sería un conflicto muy serio.

C. Futuro inmediato.

1. Opino (Pienso, Imagino) que (no) existirá un sistema político democrático.

2. Opino (Pienso, Imagino) que (no) aumentará la población de modo significativo.

3. Opino (Pienso, Imagino) que (no) se desarrollarán proyectos económicos con países vecinos.

4. Opino (Pienso, Imagino) que (no) disminuirá la importancia de la ganadería.

5. Opino (Pienso, Imagino) que (no) se desarrollará aún más la industria del turismo.

6. Opino (Pienso, Imagino) que (no) se exportará carne y lana.

7. Opino (Pienso, Imagino) que (no) se construirán telecomunicaciones modernas.

D. ¿Qué pasará?

1. Me imagino (Supongo / Sin duda) que antes del año 2005 la población (no) habrá alcanzado diez millones.

2. Me imagino (Supongo / Sin duda) que antes del año 2005 el país (no) habrá participado en una guerra con sus vecinos.

3. Me imagino (Supongo / Sin duda) que antes del año 2005 los paraguayos (no) habrán poblado el norte del país.

4. Me imagino (Supongo / Sin duda) que antes del año 2005 la gente (no) habrá destruido la jungla.

5. Me imagino (Supongo / Sin duda) que antes del año 2005 la lengua guaraní (no) habrá desaparecido.

6. Me imagino (Supongo / Sin duda) que antes del año 2005 el aislamiento del país (no) habrá sido superado.

7. Me imagino (Supongo / Sin duda) que antes del año 2005 las exportaciones hacia Brasil (no) habrán aumentado significativamente.

8. Me imagino (Supongo / Sin duda) que antes del año 2005 el analfabetismo (no) se habrá eliminado totalmente.

9. Me imagino (Supongo / Sin duda) que antes del año 2005 el gobierno paraguayo (no) habrá completado el proyecto hidroeléctrico de Yacyretá.

E. ¡Ahora sé más! (*Las respuestas pueden variar.*)

1. Pensaba que Uruguay tenía en gobierno militar, pero ahora sé que tiene un gobierno democrático.

2. Pensaba que Paraguay estaba al norte de Bolivia, pero ahora sé que está más bien al sur de Bolivia.

3. Pensaba que Uruguay no tenía influencia africana, pero ahora sé que sí la tiene.

4. Pensaba que Paraguay tenía salida al mar, pero ahora sé que no la tiene.

5. Pensaba que Uruguay tenía varios grupos indígenas, pero ahora sé que no tiene población indígena.

6. Pensaba que Paraguay no producía energía hidroeléctrica, pero ahora sé que sí la produce.

7. Pensaba que Uruguay no tenía escritores famosos, pero ahora sé que tiene muchos.

8. Pensaba que Paraguay estaba al lado de Uruguay, pero ahora sé que está al lado de Bolivia, Brasil y Argentina.

UNIDAD 8
LECCIÓN 3

A. Cosas sorprendentes.

1. Me ha sorprendido que Chile posea una parte de la Antártica.

2. Me ha sorprendido que Chile tenga posesiones en el océano Pacífico, como la Isla de Pascua.

3. Me ha sorprendido que Chile concentre la población en la parte central de su territorio.

4. Me ha sorprendido que Chile goce, en la zona central, de un clima y paisaje semejantes a los de California.

5. Me ha sorprendido que Chile disponga de canchas de esquí de renombre mundial.

6. Me ha sorprendido que Chile produzca vinos famosos en el mundo entero.

B. Posible visita.

1. Visitaré Chile tan pronto como reúna dinero.

2. Visitaré Chile con tal (de) que pueda quedarme allí tres meses por lo menos.

3. Visitaré Chile después (de) que me gradúe.

4. Visitaré Chile cuando esté en mi tercer año de la universidad.

5. Visitaré Chile en cuanto apruebe mi curso superior de español.

C. Cosas buenas. (*Las respuestas pueden variar.*)

1. Preferiría que el país tuviera otros centros económicos importantes, además de Santiago.

2. Me gustaría que el gobierno protegiera la industria nacional.

3. Sería bueno que la carretera panamericana estuviera mejor mantenida.

4. Preferiría que el gobierno se preocupara más de la preservación de las riquezas naturales.

5. Me gustaría que nosotros explotáramos más los recursos minerales del desierto de Atacama.

6. Sería bueno que el presidente (no) pudiera ser reelegido.

D. Recuerdos de años difíciles.

1. A la gente le gustaba que la exportación de fruta hubiera aumentado.

2. A la gente le gustaba que el orden público se hubiera reestablecido.

3. A la gente le gustaba que la economía hubiera mejorado un poco.

4. A la gente no le gustaba que los latifundios no se hubieran eliminado.

5. A la gente no le gustaba que el costo de la educación hubiera subido mucho.

6. A la gente no le gustaba que muchos profesionales hubieran abandonado el país.

A. En el sur.

1. Si pudiera ir al sur de Chile, navegaría en el río Bío-Bío.

2. Si pudiera ir al sur de Chile, recorrería algunos pueblos mapuches cerca de Temuco.

3. Si pudiera ir al sur de Chile, vería los fuertes españoles del siglo XVII cerca de Valdivia.

4. Si pudiera ir al sur de Chile, me pasearía por los densos bosques del Parque Nacional Puyehue cerca de Osorno.

5. Si pudiera ir al sur de Chile, alquilaría un bote en el lago Llanquihue.

B. Planes.

1. Si alguien me acompaña, subiré el cerro San Cristóbal.

2. Si está abierta, entraré en La Chascona, una de las casas de Pablo Neruda en Santiago.

3. Si no hace demasiado frío, esquiaré en Farellones.

4. Si me despierto temprano, saldré para el pueblo de Pomaire para ver trabajar a los artesanos.

5. Si no hay neblina, veré el glaciar del Parque Nacional El Morado.

6. Si todavía tengo dinero, iré a los nuevos centros comerciales.

7. Si me da hambre, compraré fruta en el mercado central.

C. ¡Qué lástima!

1. Si hubiera tenido tiempo, habría pasado unos días en Arica, cerca de la frontera con Perú.

2. Si hubiera tenido tiempo, habría visto los edificios coloniales de La Serena.

3. Si hubiera tenido tiempo, habría entrado en iglesias del siglo XVIII en la isla de Chiloé.

4. Si hubiera tenido tiempo, habría volado a Punta Arenas, la ciudad más austral del mundo.

5. Si hubiera tenido tiempo, habría hecho una visita a la isla de Pascua.

A. Recomendaciones.

1. Pudieras (Podrías) viajar durante los meses calurosos de verano.

2. Pudieras (Podrías) llevar dólares en vez de pesos chilenos.

3. Pudieras (Podrías) leer una guía turística.

4. Pudieras (Podrías) comprar tu billete de avión con anticipación.

5. Pudieras (Podrías) pasar más de cinco días en Santiago.

6. Pudieras (Podrías) ver la región de los Lagos.

B. Soñando.

1. Ojalá estuviera tomando el sol en una playa en estos momentos.

2. Ojalá anduviera de viaje por el cono Sur.

3. Ojalá ganara un viaje a Chile.

4. Ojalá aprobara todos mis cursos sin asistir a clases.

5. Ojalá tuviera un empleo interesante.

6. Ojalá pudiera jugar al tenis más a menudo.

Video Script

1.1. La joven poesía

[Cristina]

Cristina: ¿Qué es poesía? dices mientras clavas
en mi pupila tu pupila azul;
¿qué es poesía? ¿Y tú me lo preguntas?
Poesía... eres tú. [por Gustavo Adolfo Bécquer]

Y poesía es de lo que vamos a hablar hoy aquí. Tenemos poetas jóvenes o, mejor dicho, la joven poesía. ¿Pertenece este género al pasado? ¿Son los poetas de hoy tan románticos como los de antes? ¿Es difícil para nuestros jóvenes hacer poesía en español, en los Estados Unidos? Hoy en *El show de Cristina*, conoceremos a varios de estos poetas, sus musas y sus poemas.

Manuel Colón: es mexicano, tiene veintiún años. Cuando Manuel entró al *high school* o bachillerato, tenía un gran conflicto de identidad. Él se preguntaba: ¿Qué era realmente? ¿mexicano? ¿mexicano-americano? ¿chicano? Su poesía ofrece, tal vez, una respuesta.

Por fin, ¿qué decidiste?

Manuel Colón: Pues, chicano. Pero, la...

Cristina: ¿Y por qué? Porque... a ver... Explícanos la diferencia.

Manuel: Para mí la diferencia... yo pienso que cada persona tiene su propia terminología para qué es "chicano". Para mí, verdad, ahm... en el tiempo de que estaba en la *high school*...

[Manuel Colón
TENÍA UN GRAN CONFLICTO DE IDENTIDAD]

...que estaba creciendo, porque me crié aquí en Estados Unidos en Los Ángeles, ahm, tuve esa... ese conflicto, verdad, de que... estaba aprendiendo español en la casa e iba a la escuela y aprend... y hablábamos inglés, y el conflicto de los dos lenguajes que estábamos aprendiéndolos iguales, al mismo tiempo, bilingüe, ¿verdad?

Entonces, aquí en Estados Unidos, teníamos el conflicto de que lle... éramos los mexicanos, éramos... no éramos norteamericanos, entonces éramos empujados a un lado, ¿verdad?

Entonces, yo recuerdo ir a... en viajes a México con mis padres y allá era lo mismo, éramos "pochos", nos hacían a un lado.

No fue hasta la universidad, eh, cuando empecé a reconocer. Empecé a... a reconocer y a educarme, verdad, sobre... sobre, ahm, la cultura mexicana así como la cultura norteamericana.

Cristina: Tú tienes una para leernos hoy que se llama...

Manuel: Sí.

Cristina: ...*Autobiografía*, ¿no?

Manuel: Sí.

Cristina: *Go ahead!*

Manuel: Se titula *Autobiografía* y la escribí hace un tiempo.

Autobiografía

me reconozco perdido
no sé quién soy
I speak English
pero, al mismo tiempo
también español

mis amigos me dicen
"wetback"
y mis padres, "pocho"
a veces quiero llorar
pero no sé por qué

sin rumbo ando
en un mundo extraño
donde la *t.v.* me grita:
"white is right!
white is beautiful!"

y yo me siento como
una mancha oscura
en una sábana blanca
que por más que lavo
no deja de ser café

me encuentro ajeno
hasta en mi propia tierra
sometido a la noche
hasta en el mediodía.
but I don't know why.

amordazaron mi voz
en el salón de clases
me vendaron los ojos
para que no viera
la belleza de mi gente

arrancaron de mis manos
las perfumadas flores
de mis antepasados
Me hicieron sombra
basura, piedra, grito.

ahora mi llanto
es lluvia
mis manos se desatan
para darse un abrazo
mi memoria explota
en mi pecho volcán:

¿quién fui?
¿quién soy?
¿quién seré?

1.3. *Hoy es posible*: Jon Secada

[Hoy es posible]

¡Hoy es posible!

Nieves Herrero: Yo quisiera, eh... poner un broche de oro a este programa, y ese broche de oro me lo va a poner una persona a la que yo conocí hace mucho, que tengo una profunda admiración... por su voz, por como es, por... en cuanto les diga el nombre estoy segura que ustedes van a sentir lo mismo que yo por él.

Han sido tantos éxitos que hemos cantado, han sido, eh, tantas canciones que... que nos han entusiasmado, que nos han enamorado, que han hecho que tengamos un minuto de pasión, pues que para mí es un lujazo poder estrecharle. Así que no lo puedo resistir más y antes de dar paso a su voz y a sus canciones, voy a saludar a Jon Secada.

Jon. ¡Hola!

Jon Secada: Gracias. ¿Cómo estás?

Nieves Herrero: ¡Qué alegría!

Jon Secada: Gracias.

Nieves Herrero: Bueno. ¡Qué lujazo! Bueno, la de veces que he soñado con poder estar aquí al lado de Jon, de, eh, tocarle, de poder...

Voz: ¡Guapo!

Nieves Herrero: Sí señor...

Jon Secada: Gracias.

Nieves Herrero: ...¡"Guapo" por ahí dicen!

Jon Secada: Gracias.

Nieves Herrero: Bueno, Jon Secada, ehm, sabe... porque le tengo una... eh, esto ya es peloteo total pero, bueno. Él... vamos a hablar de éxitos, eh: dos premios "Grammy"...

Jon Secada: Aja.

Nieves Herrero: ...ha cantado con las mejores voces del mundo, ehm... no sé qué le queda ya al nivel profesional. ¿Qué te queda, Jon?

Jon Secada: No. No puedo quejarme. He tenido una carrera lindísima y en tantos países, tanto... tantos lugares que jamás no me imaginé, ¿no? que iba a tener tanto éxito como... como España, y... y, sinceramente una carrera internacional a todo nivel. No puedo quejarme en absoluto.

Nieves Herrero: Jon, ehm... es muy difícil verte en España. Para nosotros, bueno, esto es, eh... esto es mucho y quisiéramos que hicieras todavía algo especial. Éste es un programa que se llama *Hoy es posible*, y quisiéramos que hicieras algo, mmm, que no sueles hacer normalmente.

Jon Secada: Bueno...

Nieves Herrero: Podemos dar...

Jon Secada: Bueno... Claro...

Nieves Herrero: ...un repaso por los éxitos más...

Jon Secada: Hago un par de cositas para que... a ver si se recuerdan... un par de cosas que... que gracias a ustedes han sido exitosos.

Nieves Herrero: Bien, pues, eh, vamos a es... escuchar este par de cositas, pero quiero que ustedes, eh, sepan algo muy claro: y es que va, eh, a cantar acompañado de su pianista que ha venido desde Estados Unidos...

Jon Secada: Albert Menéndez.

Nieves Herrero: Albert. Un aplauso muy fuerte. Gracias.

Jon Secada: *Yo-o-o-o*

Yo veo el futuro
Pero quiero tenerte aquí
Conmigo.

[Sonido
Directo
JON SECADA
Potpurrí]

Lo necesito así.
Mi vida, yo-o-o
trataré de olvidarte
pero la luz de tus ojos
Brilla. Eres un ángel
que alumbra mi corazón.

¿Qué-é-é?
¿Qué tengo que decirte?
Oh...
No, no, no,
no sé por qué.
Dime por qué.
Ya... ya no puedo más.
Ya me es imposible soportar
otro día más sin verte.
Ni ver... Dame una razón
que es algo que no tiene solución.
Es otro día más sin verte.
Es otro día más...

2.1. El *Cantar de Mío Cid*: realidad y fantasía

Fernando Nogueras (Presentador):   Hace casi un milenio de todo lo que vamos a contarles. En esa época, en las tierras cristianas de España, se edificaban arquitecturas como ésta. Los maestros del románico llevaban a la piedra la realidad de su mundo espiritual y de su mundo político.

Es la media España del siglo XI. Media España de la Edad Media —tiempo de guerrear.

Juglar: El invierno ya es corrido.
que marzo quiere entrar.
Deciros quiero nuevas
del otro lado del mar.
De aquel rey Yúsuf
que en Marruecos está.

Fernando Nogueras: A los berberes africanos de Yúsuf se unen los moros de Albarracín y árabes andaluces, formando así un formidable ejército de 50.000 combatientes.

Juglar: Con cincuenta mil almas
el número bien cumplido,
vinieron junto al mar.
En barcas se han metido.
Van a buscar en Valencia
al mío Cid don Rodrigo.
Ya han arribado las naves
ellos fuera han salido.
Hincan las tiendas y acampan
esas gentes descreídas.

Fernando Nogueras: Y aquí nuevamente la literatura del poema coincide con la historia. El rey de Marruecos, el invencido Yúsuf, quiere reconquistar Valencia. Y envía un poderosísimo ejército al mando de Mohamed Ben [Deq Sufil]. Era el año 1094.

El Cid: Mujer, en este palacio
en el Alcázar quedad.
No tengáis pavor alguno
por que me veáis lidiar.
Dios mediante esta batalla
yo la tengo que ganar.

Fernando Nogueras: El ejército almorávide rodea la ciudad. El Cid sabe que su situación es dramática y que no puede, con sus escasas tropas, afrontar a la batalla campal contra las masas cerradas de los africanos.

Los almorávides se disponen al asalto. El batir de los tambores pone espanto en los castellanos.

Pero he aquí que en la amanecida del 25 de octubre, inesperadamente, El Cid sale con sus hombres de Valencia. Así lo describe el poeta de [Villanceli] con palabra sencilla, expresiva y gráfica:

Juglar: Salieron armados todos
por las torres [de mudasco]
mío Cid tras sus mesnadas.
Buenos consejos ha dado:
hombres de gran discreción
quedan las puertas guardando.

Valencia dejan atrás.
Cuatro mil van menos treinta,
El mío Cid bajo el mando.
A los cincuenta mil moros van
con denuedo a atacarlos.

Fernando Nogueras: Al amanecer, en orden de batalla, se presentaba El Cid con su
pequeño ejército ante el campamento enemigo. Los almorávides quedan sorpren-
didos ante aquella audacia. Las mejores tropas africanas abandonan el campamento y se lanzan rápidamente sobre el pequeño ejército castellano. Las fuerzas
de don Rodrigo pierden terreno perseguidas por los almorávides de Yúsuf.

De pronto El Cid se revuelve con su gente y les presenta a la batalla.

El Cid: ¡Adelante, mis mesnadas!

Juglar: Mío Cid cogió la lanza
a la espada metió mano
A tantos hiere de moros
que nunca fueron contados.

Se enfrenta al rey Yúsuf
y tres golpes le ha dado
[y tórcese] de la espada
que anduvo bien su caballo
y se refugió en Cullera
Un castillo bien tapado.

De los cincuenta mil moros
que por cuenta fueron notados
no llegaron a escapar
más allá de ciento y cuatro.

2.3. Juan Carlos I: un rey para el siglo XX

Multitud: ¡Hola! ¡Hola! ¡Hola!

Presentador: España es, en los primeros años de la década de los 90, un país con protagonismo internacional. En abril de 1992, los reyes inauguran en Sevilla la exposición universal, visitada por millones de personas y por jefes de estado y de gobierno de todo el mundo.

Altavoz: Señoras y señores, hacen su entrada Sus Majestades los reyes.

Presentador: Dos meses más tarde, otra ciudad española captó la atención de todos: Barcelona, sede de los Juegos Olímpicos. En ellos participó el príncipe de Asturias.

Altavoz: España. *La Spagna. Espagne. Spain.*

Presentador: Su paso como abanderado bajo el palco de los reyes provoca gestos de emoción en su familia.

Los Juegos son un éxito para los deportistas españoles que ven en la familia real una especie de talismán.

Altavoz: ¡Gol de España! ¡Puede ser el oro! ¡Puede venir a ser el oro!

Presentador: El mundo reconoce a España como un país moderno y capaz, alejado de viejos tópicos.

Altavoz: ¡Gol España! Ha marcado Tito el tres-dos a los cuarenta y cinco minutos de juego del segundo tiempo... se va a adjudicar la medalla de oro en fútbol.

Presentador: Y regido por un rey que vive de acuerdo con su tiempo.

• • •

En la primavera de 1994, Elena, hija mayor de los reyes de España, se casa en Sevilla. Millones de españoles se felicitan sinceramente de la felicidad de la Infanta y de la evidente alegría de sus padres.

Tres años más tarde, será la Infanta Cristina quien se casa, esta vez en Barcelona. Haciendo honor a lo que siempre habían afirmado los reyes, ambas Infantas deciden contraer el matrimonio atendiendo exclusivamente a sus sentimientos, y eligen como marido, en los dos casos, a personas ajenas a la realeza.

El rey cumple sesenta años con su biografía repleta de sinsabores y también con la satisfacción de que ha cumplido los objetivos que se marcó cuando fue proclamado rey: convertir España en un país democrático.

En sesenta años ha vivido el exilio, una educación muy estricta y la incomprensión de algunos sectores. Hoy le cabe la tranquilidad de que la monarquía está consolidada y con la sucesión garantizada. El príncipe Felipe, su hijo, es el principal compañero del rey a la hora de compartir tareas institucionales.

España ha pasado de la dictadura a la democracia. Don Juan Carlos de Borbón ha pasado del exilio a la jefatura del estado, a ser proclamado rey de un país que pisó por primera vez con diez años. Don Juan Carlos celebra sesenta años plenamente vividos, intensamente vividos.

3.1. Carlos Fuentes y la vitalidad cultural

Carlos Fuentes: Junto con sus motivos precolombinos y sus audacias Art Deco, Bellas Artes contribuye a la extraordinaria mezcolanza arquitectónica de México, como Roma, una ciudad de infinitos niveles culturales.

Cada vez más encontramos esta continuidad en el arte, la literatura, la música y la representación teatral. Una continuidad que podemos descubrir acaso detrás de este magnífico telón de cristal, este espejo creado por Tiffany en el Palacio de Bellas Artes.

Como el escritor argentino Jorge Luis Borges en su cuento "El Aleph", buscando ese gigantesco instante único, donde todos los espacios del mundo se encuentran sin confusión, vistos desde todos los ángulos pero con perfecta existencia simultánca. Levantemos el telón y veamos de vuelta lo que hemos sido.

Podemos ser a partir de todo lo que hemos sido, la piedra memorable del pasado indígena, la herencia española que es cristiana... pero también judía... y también islámica... y que incluye la vitalidad de nuestra cultura de origen africana, la mezcla de la fe y la memoria populares. Una cultura tradicional y modernizante. La cultura como respuesta a los desafíos de la vida. La cultura como nuestra manera de amar y de hablar. Cultura es lo que comemos... como nos vestimos, nuestras memorias y deseos. La cultura como una manera de ver.

El mexicano Rufino Tamayo mira al mundo con los ojos modernos del pasado indígena. Él mismo fue un gran coleccionista de arte precolombino.

Pero sobre todo, nuestra cultura es nuestro cuerpo, cuerpos a veces sacrificados, negados, el cuerpo de esta mujer mexicana Frida Kahlo.

3.3. En el Valle de las Hamacas: San Salvador

Presentador: Nos encontramos ahora en la capital: San Salvador, recostada sobre un hermoso valle en el centro del país a setecientos metros del nivel del mar. Originalmente este lugar se llamó en náhuatl Zalcuatitán, o Valle de las Hamacas.

Desde aquí, los turistas pueden en un mismo día, ir a la playa y regresar en la mañana; esquiar en uno de los lagos por la tarde y, si se desea y quedan ánimos, ir en la noche a cenar en uno de los hoteles de montaña. Éste es un país pequeño pero que ofrece variadas opciones para la diversión, y todo está muy cerca.

Debido a que la furia de los elementos ha desfigurado varias veces su rostro, o quizás debido a esta misma circunstancia, San Salvador es una de las capitales más modernas de Centroamérica. Gran parte de la ciudad vieja, fundada por Diego de Alvarado en 1524, sucumbió a los terremotos que la asolaron. De ella casi no hay resto.

Ésta es la estatua del general Gerardo Barrios, héroe y mártir de la patria; la catedral; y el imponente palacio nacional a cuyos lados están las estatuas de Cristobal Colón e Isabel la Católica. También se destaca en el centro de la ciudad el Teatro Nacional.

El perímetro de la ciudad se expande día a día. En ella habita la mitad de la población del país: cerca de medio millón de habitantes. Se trata también de una de las pocas ciudades del mundo que no tiene contaminación. Sus calles muestran una febril actividad. En ellas discurre la vida de la población, bien sea para distraerse con improvisados espectáculos funambulescos como los que hemos visto, comer en uno de los chiringuitos de esquina, comprar artesanías o hacer un mercado de sabrosas frutas tropicales.

Éste es el monumento al Salvador del mundo ubicado en la alameda Roosevelt, erigido en honor del divino salvador. Este otro es el monumento a José Simeón Cañas, el libertador de los esclavos. Y éste, que rinde homenaje a la constitución del costarricense Francisco Zúñiga, está realizado en piedra procedente de una cantera volcánica. Pero el más espectacular es el monumento a la paz, del escultor salvadoreño Rubén Martínez [Edmúndes]. Sobre su inmenso pedestal vanguardista de ochenta metros de alto está colocada la hermosa estatua del Cristo de la Paz.

El moderno paisaje urbano de la ciudad ofrece al visitante una arquitectura dentro de la cual se empinan los primeros rascacielos y centros comerciales, como éste que preside a la animada Zona Rosa, la zona comercial más elegante de la ciudad, sede de las boutiques de moda, de los restaurantes más concurridos, así como de los locales de la animada vida nocturna, vida que en San Salvador discurre, como todas las noches desde el comienzo de la historia, bajo la mirada insomne del Quezaltepeque.

4.1. Cuba: cuatro puntos de vista

Canción: *Maletero,*
suba las maletas,
suba las maletas,
que nos vamos ya,
que nos vamos ya,
Maletero...

Presentadora: Cuba está hoy en el punto de mira de todo el mundo. Su aislamiento, el bloqueo —todo lo que tiene relación con el régimen de Castro— provoca pasión y, por supuesto, las opiniones más encontradas, como pudimos comprobar con nuestras propias cámaras.

Ileana Ross (Congresista por Florida): Yo creo que Fidel Castro va a tener un problema muy grande internamente. Yo creo que sus propias mili... sus propios militares pueden ser los... los propios enemigos, los peores enemigos de Fidel. Yo creo que el pueblo va a ver los ejemplos de los otros países y van a tener un cambio dramático. Y yo veo a que los... los días de Fidel Castro ya se están terminando. Él ya no tiene el apoyo que antes tenía. Ya no hay todos estos dictadores por el mundo.

Ricardo Alarcón (Embajador de Cuba ante la ONU): La pregunta realmente habría... que habría que hacer es ésa: ¿por qué en Cuba no pasa lo que están pronosticando desde hace un par de años alguna gente en Estados Unidos? La explicación está en la fortaleza interna de nuestra sociedad, en los logros que ya ha alcanzado y en las posibilidades que tiene de... de encarar a esta nueva situación.

Andrés Gómez (Director revista "AREITO"): La opinión sumamente mayoritaria es de cambio: de cambio de economía, de cambio de las estructuras del estado, dentro del mismo partido, y Fidel es un hombre... inteligente, y un dirigente extremadamente hábil.

Nicolás Ríos (Ingeniero-Periodista): Ha llegado el momento culminante. Ya Cuba es totalmente independiente —inclusive de la Unión Soviética— y ahora ha entrado en su mejor etapa: la más difícil, pero la mejor.

4.1. *Azúcar amarga*: la realidad de la Revolución Cubana

Jose Toledo: *Azúcar amarga* es un melodrama social que trata de reflejar la realidad cubana desde el punto de vista de los desencantados —de aquéllos que han perdido la fe en la revolución de Castro. El director, León Ichaso, que actualmente vive exiliado en Estados Unidos, pasó por Madrid y nos habló de la película.

Voz en off: Un estudiante confiado en el sistema y una joven bailarina realista y desencantada se enamoran en un clima lleno de conflictos políticos y sociales que afectarán a su relación.

Gustavo (René Lavan): Yo nada más me tomo un refresco... un minuto. Que yo estoy con mi novia, no hay... ¡ningún problema!

Señor con gafas: Sí, sí, yo sé, pero es que es la ley.

Gustavo: ¿La ley?

Señor con gafas: La ley.

Gustavo: ¿Dónde está escrita esa ley? ¿Desde cuándo tomarse un refresco es un crimen?

Voz en off: Los sueños en una tierra carente de oportunidades chocan con las expectativas de aquéllos que todavía creen en una revolución.

Gustavo: Por eso las cosas están como están en este país. Porque todo el mundo se va. Nadie hace nada.

Voz en off: La única alternativa que se plantea es escapar de tan difícil situación haciendo que su amor se torna imposible a medida que la relación se complica irremediablemente.

Yolanda (Mayte Vilán): Tú y yo deberíamos habernos conocido en otro tiempo, en otro lugar.

Gustavo: ¿Y ahora quién soy? ¿Ahora quién coño soy?

Voz en off: Mayte Vilán y René Laván protagonizan una historia cargada de sentimientos imposibles de ser satisfechos bajo un clima hostil.

4.3. Puerto Rico: un encuentro con la historia

Presentador: Puerto Rico fue la última posesión española en la América total. Pero a pesar de que los españoles abandonaron su territorio después de cuatro siglos, en 1896, cediéndola a Estados Unidos como botín de guerra, su legado aún permanece vivo a través de la lengua, la arquitectura y las costumbres de la isla.

Reitera su origen hispano la presencia aquí en el Morro, de la antigua bandera de la monarquía peninsular que ondea al lado de la puertorriqueña y la norteamericana. Después de permanecer casi medio siglo con el estatus de colonia norteamericana, en 1948, el pueblo puertorriqueño obtuvo el derecho de nombrar a su propio gobernador. Eligió a Luis Muñoz Marín, quien ejerció ese cargo hasta 1964.

A instancias suyas el congreso de Estados Unidos aceptó que la isla promulgara su propia constitución y en 1952 recibió el estatus de Estado Libre Asociado a Estados Unidos, el cual excusa a sus ciudadanos —que son ciudadanos norteamericanos— de pagar impuestos federales, pero les impide votar en las elecciones presidenciales: un estatus corroborado por referendum en 1967 que es reconocido como la fórmula que propició el impresionante despegue económico de Puerto Rico.

En 1521, se fundó San Juan, al norte de la isla, la ciudad de la América total que más vestigios guarda de su pasado colonial.

Aquí, en el corazón del viejo San Juan, el barrio emblemático de la capital puertorriqueña, declarado por la UNESCO patrimonio cultural de la humanidad, iniciamos nuestro recorrido por la ciudad.

Si San Juan es la capital de Puerto Rico, el viejo San Juan es el corazón de todo el país. ¡Ah, mi viejo San Juan! inmortalizado en la célebre y hermosa canción que le escribiera Noel Estrada:

Conjunto: *En mi viejo San Juan,*
cuántos sueños forjé.
En mis años de infancia,
mi primera ilusión
y mis cuitas de amor
son recuerdos del alma.
Una tarde partí
hacia extraña nación
pues lo quiso el destino
pero mi corazón
se quedó frente al mar
en mi viejo San Juan...

Presentador: Cuando amanece en el viejo San Juan, los primeros rayos del sol entibian un cielo casi siempre despejado. Los balcones empiezan a abrirse, los pájaros se irrumpen en una algarabía de píos y los viandantes van poco a poco llenando las calles. Éste fue el primer barrio que se desarolló en la isla, que evoca y refleja todo el país. Se nos llenan los sentidos de olores a gardenia y a salitre del Atlántico, cuyas olas refulgen desde cualquier esquina. Recorrer estas calles sinuosas y adoquinadas es un encuentro con la historia.

5.1. Nicaragua: bajo las cenizas del volcán

Presentador: Managua, la capital nicaragüense, es una urbe casi lacustre, rodeada de lagos y lagunas. Pero ha sido también, por contraste, una de las ciudades más castigadas por el fuego. Es por ello tal vez, la única ciudad del mundo donde hay un monumento a las víctimas de estos desastres.

La nueva Managua comienza a florecer en otra zona con grandes y modernos edificios. Sin embargo, del antiguo centro sobrevive el suntuoso palacio nacional, de estilo neoclásico, que fue calificado por el novelista Gabriel García Márquez como el Partenón bananero.

El centro cultural Managua, en la avenida Roosevelt, guarda aún importantes colecciones de piezas arqueológicas y artesanales. Y aquí tenemos otro edificio emblemático de la capital nicaragüense. El teatro nacional Rubén Darío, con capacidad para 1.300 personas, es donde se celebran los eventos artísticos, en cuyo escenario aún han quedado grabadas las huellas de grandes figuras del mismo modo que hace 3.000 años quedaron grabadas en barro estas huellas de hombres, mujeres, niños y animales que huyeron despavoridos ante el estallido de un volcán. Corrieron sobre el lodazal y las cenizas del volcán petrificaron sus pasos para siempre, pasos que pueden verse en el museo de las huellas de Acahualinca.

Y éste es el León de hoy, una hermosa ciudad donde vivió y murió el más universal de los nicaragüenses: Rubén Darío.

Ésta es la casa donde vivió y murió Rubén Darío. Hoy es un museo en memoria del poeta, padre del modernismo, donde se conservan, entre otras, reliquias ejemplares de las primeras ediciones de sus libros, entre ellos *Azul*, publicado en 1888, en el cual sobresale la fantasía poética y la pureza clásica de la forma, y que es considerado como la obra más influyente en la poesía castellana del siglo XX.

"*Azul*", escribió Darío, "es para mí el color del ensueño, el color del arte, un color helénico y homérico, color oceánico y firmamental. Concentré en ese color célico la floración espiritual de mi primavera artística."

Recorrer el museo es empaparse de la vida íntima de Rubén Darío, buena parte de la cual transcurrió en esta casa, especialmente después de haber vivido como diplomático algunas veces en Madrid, París y Buenos Aires. La casa es, como puede suponerse, objeto de constante romería por parte de los propios nicaragüenses y de los turistas.

5.3. La exuberancia ecológica de Costa Rica

Presentador: Muy cerca de San José está el parque nacional Braulio Carrillo, nombrado así en homenaje al tercer presidente de Costa Rica, quien intentó infructuosamente abrir un camino que comunicara el valle central con el Carrillo. Se trata de un territorio de 450 hectáreas de abruptas montañas tapizadas de exuberante vegetación, profundos cañones, ríos impetuosos y densos bosques nublados.

Éste es un lugar ideal para practicar el turismo ecológico de aventura. A bordo del teleférico del bosque lluvioso se recorre un buen tramo del parque a través del cual se puede ver la más compleja comunidad de vida biológica sobre la tierra.

Cuando Colón, en su cuarto viaje, descubrió estas costas fue recibido por un grupo de indios que lucían adornos de oro. "Costa Rica" llamó el almirante esta región, quizás porque creyó que por fin había encontrado aquí El Dorado que buscaba infructuosamente por las islas del Caribe.

Pero también en esto se equivocó Colón, pues oro, lo que se dice oro, aquí había muy poco. En cambio, la región poseía una riqueza mucho más importante que él pasó por alto, porque en sus tiempos, no se valoraba tanto como hoy: la naturaleza. Y es que en pocos países del mundo puede hallarse una riqueza natural tan grande en una área tan pequeña.

5.3. A correr los rápidos en Costa Rica

[DE PASEO]

Rosita Zúñiga: Hoy queremos compartir con usted esta belleza natural de Costa Rica y, además, una de las experiencias más excitantes que hemos vivido.

El río Pacuare está considerado como uno de los cinco ríos más bellos del mundo del flujo natural, es decir, sin represas.

Estamos con el señor Rafael Gallo, quien es el presidente de Ríos Tropicales, y queremos saber, don Rafael, antes de iniciar esta aventura, ¿qué es el *rafting*?

Rafael Gallo: El *rafting* es un deporte sumamente emocionante, que es el deporte de correr los rápidos en estas balsas de... de hule inflables con un guía experto que sabe manejar y maniobrar la balsa y con la participación de varias personas que van haciendo... eh... caso de las indicaciones del guía para manejar y manipular la balsa por donde quiera ir.

Rosita: Bueno, eh... nosotros vemos allá que está... es una joven sobre la balsa. ¿Qué es lo que e... qué es lo que va a hacer ahora ella?

Rafael: Pues lo más importante del deporte de *rafting* es poner atención al... al capitán o al... al... al guía. Eh, primero se comienza con una charla de seguridad en la que le dan las instrucciones de cómo utilizar todo lo necesario para el *rafting*, que es el chaleco salvavidas, el casco y el remo. Luego las instrucciones de cómo remar para poder manejar la balsa bien y qué hacer en caso de algún percance, que se... que se caiga al agua o algo, especialmente en clase tres y cuatro.

Rosita: Yo veo que me hacen señas, seguro es para que me ponga el chaleco.

Rafael: Yo creo que ya va a tener que ir a aprender, a ver cómo...

Rosita: Bueno.

Rafael: ...cómo... aprender a remar y tener un... un bonito día.

Rosita: Sí, para allá voy.

Rafael: Bueno.

Canción: *Vamos, caimán*
al cha cha chá.
Vamos, caimán
vámonos al Pacuare
Negra mía...

6.1. Medellín: el paraíso colombiano recuperado

Presentador: Medellín: ciudad tricentenaria, está considerada no sólo el eje de la actividad cafetalera de Colombia, sino también la capital industrial del país. Tomó su nombre del pueblo extremeño donde nació el conquistador Hernán Cortés. Cortés, como se sabe, nunca estuvo aquí. Sin embargo, Colombia, al bautizar con ese nombre a su segunda ciudad, quiso rendir homenaje a los primeros hombres que trajeron la cultura europea a su tierra.

Localizada, como hemos dicho, en el estrecho valle de Aburrá, Medellín sólo ocupa una parte de ese valle. Pero la zona metropolitana de la que hacen parte ocho municipios, unidos a través de su moderno metro construido por un consorcio hispano-alemán, forma prácticamente una unidad urbana de más de tres millones y medio de habitantes.

Se trata de una de las urbes más bellas y pujantes de esta nación que en los últimos tiempos tuvo la mala suerte de que se le identificara con el cartel del narcotráfico que tomó su nombre y que la mantuvo por varios años en pie de lucha contra ese poderoso grupo criminal que hizo estallar centenares de bombas en sus calles y asesinó a numerosos ciudadanos, políticos, periodistas y policías.

Recobrada la calma con la desactivación de esa banda delictiva, Medellín vuelve a ser la apacible villa de siempre y en sus calles de nuevo se puede caminar sin sobresaltos.

Es ésta la cuna de "los paisas", como se llama esta raza, con una idiosincrasia que en nada se parece al resto de Colombia y que se distingue por su espíritu emprendedor, andariego, ahorrativo, innovador y algo disidente.

Medellín se destaca en el panorama de Colombia por varias particularidades. Es aquí, gracias a su privilegiado clima templado, donde se producen las más bellas orquídeas del mundo. Hay una febril actividad comercial, deportiva y cultural.

Una de las personalidades colombianas de más prestigio internacional es precisamente el artista plástico Fernando Botero, nacido y criado en Medellín, ciudad que, según sus propias palabras, ha sido fuente permanente de inspiración. La mayoría de los personajes de sus oleos y bronces constituyen una recreación de figuras que pueblan la memoria del artista. Personajes de su mundo infantil y adolescente.

El Museo de Antioquia, donde ahora nos encontramos, ofrece una muestra muy completa de la obra de Botero: una obra que ofrece una gran variedad de temas que van desde los autorretratos hasta escenas de tauromaquia, pasando por retratos desnudos, parejas y bodegones. Una obra, además, llena de humor y que, a pesar de tener raíces del más puro clasicismo renacentista, puede compararse según el crítico [Werner Spiers] con las tablas votivas barrocas de su país.

6.3. La abundante naturaleza venezolana

Guía (Parque nacional de Canaima):   Ahora nos encontramos en las Cataratas del Sapo. Es uno de los lugares más pintorescos de Canaima. Canaima se encuentra en un parque nacional que tiene tres millones de hectáreas y se encuentra en el estado Bolívar en el sur de Venezuela.

Este parque nacional fue decretado en 1962 y es uno de los atractivos principales que tiene Venezuela, puesto que dentro de él se encuentra el Auyantepuy, que es la montaña o la formación rocosa más antigua que tiene el planeta.

Presentador: Un paisaje que tiene en los milenarios tepuyes su fondo tutelar y en cuyo entorno, en medio de la frondosidad selvática, vive una fauna muy variada, integrada, entre otros, por monos y tapires, por diversas especies de pájaros —tucanes, guacamayos y cardenales— con sus desbordantes colores escarlata, índigos, dorados fulminantes. Pero al lado de estas especies, que pudiéramos llamar decorativas, están también las gigantescas anacondas y varias especies de serpientes venenosas como la coral, la mapanare y la guaymapiña, considerada la serpiente venenosa más grande de la América total.

Guía: Este lorito se llama siete-colores. Es una especie de loro casi en extinción. Sólo crece hasta este tamaño y no varía nunca su color desde que es pichón y desde que tiene el plumón. Y el plumón ya viene amarillo, verde y su cabecita negra.

• • •

Presentador: Esta zona constituye uno de los más grandes emporios de riqueza no sólo de Venezuela sino de la América total —petróleo, hierro, aluminio, energía eléctrica, madera— de todo hay aquí en abundancia. Y además de toda esa riqueza: oro. Sí, Guayana es también un emporio del precioso metal. Se trata ante todo de un oro de aluvión con filones riquísimos que dieron origen en época de la conquista española a la leyenda de El Dorado.

El oro de Guayana ha dado lugar a una rica y fina orfebrería.

En las riberas de este río, lo que se llama su faja bituminosa, Venezuela, que es de por sí gran productor petrolero, tiene las más grandes reservas mundiales de petroleo pesado aún no explotadas.

Pero la auténtica riqueza minera no es el oro, sino el hierro. Vemos una panorámica de las plantas de Sidor, y de la ferrominera del Orinoco, las cuales comenzaron a funcionar en los años 50 a raíz de que comenzara la explotación en gran escala del mineral de hierro del cerro El Pau y el cerro Bolívar donde se acumula el más grande yacimiento de ese mineral en todo el mundo.

7.1. Cuzco y Pisac: formidables legados incas

Presentador: Cuzco es hoy, igual que ayer, una ciudad de atractiva belleza, de un gran magnetismo, muy rica en palacios e iglesias barrocas, edificadas sobre los cimientos de la antigua ciudad cuyos vestigios afloran por doquier. La ciudad se encarama sobre las colinas circundantes con sus calles empedradas, sus aceras con peldaños y sus casas bajas.

Si estas paredes hablaran, nos relatarían los fastos y las gestas de los imperios que han visto desaparecer. Muchos de los muros de estas calles corresponden a los antiguos muros incas del siglo XV. En ellas, el caminante puede apreciar los basamentos incas bajo los portales del barroco colonial.

La gente más humilde de la ciudad se viste al igual que sus antepasados de hace cinco siglos. En las calles se alternan el poncho y la americana, el pañolón y la corbata.

En el extremo norte de Cuzco, casi en las afueras, se halla lo que en tiempo de los incas fue la fortaleza Saqsahuamán, cuyos poderosos cimientos en zig-zag aún permiten comprobar que tenía la planta en forma de cabeza de puma. Saqsahuamán fue una montaña fortificada que descendía a Cuzco y, a su vez, uno de los centros religiosos más importantes del vasto imperio incaico. Desde 1440 a 1500 30.000 indios, con las herramientas más primitivas, levantaron moles que alcanzan hasta nueve metros de altura y 125 toneladas de peso. Hay que imaginarlo, lo que supone, con los medios de la época, mobilizar una mole de 125 toneladas de peso. La pared norte de este muro tiene 500 metros de longitud.

Continuamos nuestro recorrido y en el camino nos topamos con Pisac. Dejamos atrás su parque arqueológico y descubrimos un pintoresco pueblo mestizo, ubicado en el valle sagrado a treinta y dos kilómetros de Cuzco. Fundado durante el virreinato de Francisco de Toledo, presenta una combinación de elementos auctóctonos y coloniales que lo convierten en un original y típico poblado. En su plaza principal, todos los jueves y domingos, se montan las ferias artesanales de Pisac, así como su mercado indígena, al mismo tiempo que acuden los pobladores de las vecinas comunidades para abastecerse o comerciar sus productos.

Aquí se ofrecen variadas muestras de la artesanía inca actual, siendo la más importante la línea de [Testillés]. También abundan las piezas de metal, cerámica —principalmente de vasos ceremoniales, platos, ceniceros, collares y la réplica de piezas prehispánicas. En estos productos está presente el espíritu y el ingenio indígenas.

Hace siglos, ya se elogiaba el buenhacer de estos artesanos, como lo atestiguan las crónicas de la época. Artículos de imaginería religiosa, sombreros, máscaras y hasta instrumentos típicos como la quena y la ocarina, son preciosos souvenirs que se llevan los turistas.

7.3. La maravillosa geografía musical boliviana

Presentador: Estas espectaculares imágenes corresponden a La Paz, la capital más alta del planeta, pues empina casi 4.000 metros sobre el nivel del mar, en un altiplano de la cordillera andina, columna vertebral de Sudamérica.

El altiplano es una meseta árida, constantemente barrida por fuertes vientos, una zona de altas cumbres en medio de la cual se encuentra la capital de Bolivia, país que ostenta con orgullo su nombre, en homenaje a su libertador, Simón Bolívar, quien siempre dijo que de las cinco repúblicas que fundó, ésta era su preferida.

Empezamos con la música. Estamos en el Valle de las Ánimas, cerca de la capital de donde surgen los compases de una canción interpretada en aymará, el más antiguo idioma indígena de Sudamérica, y el castellano, acompañada por instrumentos autóctonos que harmonizan muy bien con la guitarra española.

Canción: *[En aymara]*

Presentador: Ahora nos encontramos en el taller de Micasio Quispe, uno de los luthiers indígenas, fabricante de algunos de los instrumentos más tradicionales de la cultura aymará.

Micasio Quispe: Mi nombre es Micasio Quispe y mi trabajo, por tradición, de niño, que conservo como un alto patrimonio cultural, conservando y siguiendo las huellas de nuestros ancestros, como en los viejos conocimientos de nuestros antepasados, que los conservo: los sagrados instrumentos nativos de la cultura aymara.

Estas tarkas son de la madera de... de [mara], y también su época es época de—de interpretaciones desde la Navidad hasta Carnaval, porque los instrumentos alegres contactan también con la naturaleza, porque no hay que interpretar en esa época cuando... época de la naturaleza cuando está verde. La papa cuando está floreciendo, no se interpreta instrumentos de fúnebres, instrumentos de tristes e de penas, si no es que interpreta instrumentos alegres.

Presentador: El charango es una pequeña guitarra típicamente andina de cinco cuerdas dobles parecida a la bandurria, que se fabrica con un caparazón de quirquincho. Y aquí, en el museo de instrumentos musicales de La Paz, el internacionalmente conocido charanguista Ernesto Cavour nos brinda un tema suyo: Tocuma.

8.1. Buenos Aires: la tumultuosa capital de Argentina

Presentador: Fue en el año 1536 cuando Pedro de Mendoza fundó a Buenos Aires, o, para ser más exactos, a nuestra Señora de Santa María de los Buenos Aires, a orillas del río de la Plata, el río más ancho del mundo —tanto, que de él dicen algunos porteños que sólo tiene una sola orilla, pues la otra no se ve.

La ciudad ha empezado a desparramarse a espaldas de su río tutelar, y a crecer también hacia arriba. Pero no fue sino hasta mediados del siglo pasado que comenzó a poblarse masivamente. Fue cuando Argentina abrió sus puertas a una tumultuosa inmigración europea en virtud de lo cual pasó de 200.000 a 12 millones de habitantes.

La gente de Buenos Aires: descendientes de españoles, italianos, franceses, ingleses, húngaros, polacos, alemanes, hijos del desarraigo que llegaron un día a su puerto con la ilusión de inventarse una nueva vida y que aquí se arraigaron para siempre y aquí vieron crecer a sus hijos.

Uno de los grandes placeres que brinda Buenos Aires es recorrer sus vías peatonales, comenzando por Florida y La Valle, las calles mundanas de la ciudad, paseo obligado de porteños y turistas, corazón de la banca y los negocios, donde una abigarrada multitud —como si participara en una interminable procesión— camina a veces de prisa o pasea sin rumbo fijo, deteniéndose en las vidrieras, en sus cafetines, en sus restaurantes multinacionales de *fast-food* —que no hay calle del mundo donde no estén presentes— o en sus elegantes confiterías, donde cada tarde, también a las cinco, se celebra el ancestral rito londinense del té, lo cual denuncia el acendrado apego a los hábitos británicos por parte de ciertos círculos de la sociedad bonaerense.

Una escena que contrasta con la que se repite en la avenida de Mayo donde acabamos de estar y donde, al mediodía, se cumple cotidianamente otro ritual típicamente castizo, como es el del aperitivo con sus chatos y sus tapas, en medio de un ruidoso ambiente que lo hace sentir a uno en el lejano Madrid.

Canción: *Por una cabeza*
de un noble potrillo
que justo en la raya
afloja al llegar
y que al regresar
parece decir
no olvides hermano
vos sabés
no hay que [tugar]

Presentador: Es el hipódromo de Palermo. Las carreras de caballos y el fútbol son las dos grandes pasiones de los argentinos. Estas escenas corresponden a un partido entre el River Plate y el Independiente.

Espectadores: ¡Gol!

Presentador: Cae la tarde sobre la capital del Plata. Desde la Plaza del Retiro el reloj de la torre de los Ingleses sacude el aire crepuscular con sus ocho campanadas. La melodía del tango recorre sin estridencias los cien barrios de la ciudad para que nadie se sienta solo en su nostalgia, esa nostalgia que domina la manera de ser de los porteños noctámbulos. La nostalgia es el legado de los antepasados inmigrantes: la morriña de los gallegos, la *malinconía* de los italianos. Será que todo es mentira, será que nada es verdad.

8.3. Chile: tierra de arena, agua y vino

Presentador: Hermoso el paisaje que nos ofrece el gran desierto de Atacama que se ufana de ser el más árido del mundo, o sea: el más desierto. La palabra **desierto** significa "abandono, soledad, falta de vida, de color, de agua". Pero el diccionario no habla de la magia que envuelve al desierto ni de la magnificencia del encuentro con la soledad absoluta.

Esta impresionante vista es del salar de Atacama, enmarcado por la cordillera de los Andes, y su hilera de volcanes nevados. Este salar ofrece una impresionante formación geológica e inigualable paisaje. Junto con la Antártida y la remota isla de Pascua, constituye uno de los tres sitios de Chile valorados internacionalmente como de interés turístico e internacional.

Al pie del majestuoso volcán [Lincabur] de 6.000 metros de altura y sin actividad desde hace siglos, nos encontramos con un precioso e impresionante oasis: San Pedro de Atacama, un pueblo donde habitan menos de 2.000 personas en sus casitas de adobe, y donde no hay tiendas, ni bares, ni avenidas, ni tráfico. Sus habitantes sobreviven de sus propios cultivos, y gracias también a la distribución, entre diferentes poblados del desierto, del agua canalizada del río Loa.

La imagen más emblemática de Antofagasta y quizás de toda la costa del Pacífico es este enorme ancla en la cumbre del cerro que domina el océano y sirve desde 1860 de guía para navegantes. Esta ciudad, que ha dependido siempre del mar, ocupa una larga y angosta paja de la plataforma litoral hasta el pie de los cerros de la cordillera de la costa. Sus casi 200.000 habitantes viven de la minería, del comercio y de la pesca. Su bahía recibe diariamente decenas de barcos de diferentes banderas. Los muros del viejo barrio, el antiguo edificio de aduanas de 1886, el más interesante ejemplo de la arquitectura de los tiempos de la conquista del desierto.

Esas tierras resultan fértiles para el cultivo de la uva: uno de los principales renglones de la riqueza agrícola chilena, origen de los estupendos vinos que este país produce y exporta a todo el mundo. Chile es hoy el primer exportador de vino de la América total y sus marcas gozan de merecida fama.

Como las que se producen y tuvimos la oportunidad de catar en las bodegas de Santa Carolina, fundadas en 1875 por don Luis Pereida y su esposa Carolina Iñigo. Esta bodega, como muchas otras, contó para sus inicios con el asesoramiento de técnicos franceses, tanto para la elaboración de los vinos como para la construcción de sus bodegas.

¡Salud!

NOTE: *All efforts have been made to adequately transcribe the video. However, due to the richness and variety of spoken Spanish and to the natural discourse found throughout this video, some words are difficult to understand. Where there is doubt in meaning, the words in the text appear in brackets.*

Audio Script to Accompany the *Cuaderno de actividades*

¡A escuchar!

Gente del Mundo 21

A **César Chávez.** Ahora vas a tener la oportunidad de escuchar a una de las personas que hablaron durante una celebración pública en homenaje a César Chávez. Escucha con atención lo que dice y luego marca si cada oración que sigue es **cierta (C)**, **falsa (F)** o si no tiene relación con lo que escuchaste **(N/R)**.

Aquí estamos en Sacramento, California para celebrar la fecha de nacimiento de César Chávez, quien nació el 31 de marzo de 1927 cerca de Yuma, Arizona. El último lunes del mes de marzo de cada año ha sido proclamado día festivo oficial en honor a César Chávez, por el Concejo Municipal y el alcalde de nuestra ciudad, Sacramento. *(Applause)* César Chávez es un ejemplo para todos nosotros porque luchó para mejorar las condiciones de trabajo de los campesinos. Fue un líder sindical que demostró que es posible lograr cambios por medios pacíficos. Su vida ha sido comparada con la de Gandhi y la de Martin Luther King. Ahora que comienza la primavera y florecen las plantas y los árboles, recordemos la obra de este gran hombre que trató de mejorar la vida de los campesinos que hacen posible que podamos comer ensaladas frescas todos los días.

Gramática en contexto: *descripción*

B **Mirando edificios.** Escucha las siguientes oraciones y coloca una marca **(X)** debajo del dibujo correspondiente a cada una.

1. Como sabes, estoy en la capital del país.
2. Ese día no tenía conmigo mi pequeña guía de bolsillo.
3. Por lo tanto no podía encontrar la corte de justicia.
4. Este edificio es un modelo de arquitectura colonial.
5. Afortunadamente, vi a una agente policía y ella me indicó dónde estaba el edificio que yo buscaba.

Escucha una vez más para verificar tus repuestas.

(Repeat passage.)

C **Mis amigos.** Escucha la descripción de Óscar, Josefina, Lorenzo y Ana, y escribe el nombre correspondiente debajo del dibujo que representa a cada uno.

Mi amigo Óscar es delgado, cómico y divertido.

Mi amiga Josefina es inteligente y le encanta leer.

Mi amigo Lorenzo es flaco y muy serio. Mi amiga Ana es fuerte y bonita.

D **Mi clase de español.** En cada una de las descripciones siguientes, haz una marca **(X)** sobre la palabra que no aparece en la descripción que vas a escuchar.

1. Mi sala de clases de español es grande, espaciosa y clara.
2. Mi profesora de español es inteligente, simpática y muy divertida.
3. Algunos de mis compañeros son estudiosos, serios y trabajadores.
4. Otros compañeros son descuidados, perezosos y antipáticos.

Escucha una vez más para verificar tus respuestas.

(Repeat passage.)

Separación en sílabas

E **Sílabas.** Todas las palabras se dividen en sílabas. Una sílaba es la letra o letras que forman un sonido independiente dentro de una palabra. Para pronunciar y deletrear correctamente, es importante saber separar las palabras en sílabas.

Hay varias reglas que determinan cómo se forman las sílabas en español. Estas reglas hacen referencia tanto a las **vocales (a, e, i o, u)** como a las **consonantes** (cualquier letra del alfabeto que no sea vocal).

Regla Nº 1: Todas las sílabas tienen por lo menos una vocal.

Estudia la división en sílabas de las siguientes palabras mientras la narradora las lee.

Tina: Ti-na	gitano: gi-ta-no
cinco: cin-co	alfabeto: al-fa-be-to

Regla Nº 2: La mayoría de las sílabas en español comienza con una consonante.

moro: mo-ro	romano: ro-ma-no
lucha: lu-cha	mexicano: me-xi-ca-no

Una excepción a esta regla son las palabras que comienzan con una vocal. Obviamente la primera sílaba de estas palabras tiene que comenzar con una vocal y no con una consonante.

Ahora estudia la división en sílabas de las siguientes palabras mientras el narrador las lee.

Ana: A-na	elegir: e-le-gir
elefante: e-le-fan-te	ayuda: a-yu-da

Regla Nº 3: Cuando la **l** o la **r** sigue una **b, c, d, f, g, p** o **t** forman agrupaciones que nunca se separan.

Estudia cómo estas agrupaciones no se dividen en las siguientes palabras mientras la narradora las lee.

po**bl**ado: po-bla-do	**dr**ogas: dro-gas
bracero: bra-ce-ro	an**gl**o: an-glo
es**cr**itor: es-cri-tor	ac**tr**iz: ac-triz
flojo: flo-jo	ex**pl**orar: ex-plo-rar

Regla Nº 4: Cualquier otra agrupación de consonantes siempre se separa en dos sílabas.

Estudia cómo estas agrupaciones se dividen en las siguientes palabras mientras la narradora las lee.

azteca: az-te-ca   **exce**pto: ex-cep-to

mestizo: mes-ti-zo   **al**calde: al-cal-de

diversidad: di-ver-si-dad   **ur**bano: ur-ba-no

Regla Nº 5: las agrupaciones de tres consonantes siempre se dividen en dos sílabas, manteniendo las agrupaciones indicadas en la regla N°3 y evitando la agrupación de la letra **s** antes de otra consonante.

Estudia la división en sílabas de las siguientes palabras mientras la narradora las lee.

instante: ins-tan-te   **cons**trucción: cons-truc-ción

empleo: em-ple-o   **extra**ño: ex-tra-ño

estrenar: es-tre-nar   **hom**bre: hom-bre

F Separación. Divide en sílabas las palabras que escucharás a continuación.

1. a b u r r i d o
2. c o n m o v e d o r
3. d o c u m e n t a l
4. a v e n t u r a s
5. a n i m a d o
6. m a r a v i l l o s a
7. s o r p r e n d e n t e
8. m u s i c a l e s
9. d i b u j o s
10. m i s t e r i o
11. b o l e t o
12. a c o m o d a d o r
13. c e n t r o
14. p a n t a l l a
15. e n t r a d a
16. e n t e r a d o

Acentuación y ortografía

G El "golpe". En español, todas las palabras de más de una sílaba tienen una de ellas que se pronuncia con más fuerza o énfasis que las demás. Esta fuerza de pronunciación se llama acento prosódico o "golpe". Hay dos reglas o principios generales que indican dónde lleva el "golpe" la mayoría de las palabras de dos o más sílabas.

Regla Nº 1: Las palabras que terminan en vocal, **n** o **s**, llevan el "golpe" en la penúltima sílaba. Escucha al narrador pronunciar las siguientes palabras con el "golpe" en la penúltima sílaba.

ma - no   pro - fe - **so** - res   ca - **mi** - nan

Regla Nº 2: Las palabras que terminan en consonante, excepto **n** o **s**, llevan el "golpe" en la última sílaba.

Escucha al narrador pronunciar las siguientes palabras con el "golpe" en la última sílaba.

na - **riz**   u - ni - ver - si - **dad**   ob - ser - **var**

Ahora escucha al narrador pronunciar las palabras que siguen y subraya la sílaba que lleva el golpe. Ten presente las dos reglas que acabas de aprender.

estudiantil	originario
Valdez	gabinete
iniciador	premios
casi	camarada
realidad	glorificar
alcalde	sindical
reloj	origen
recreaciones	ferrocarril

H Acento escrito. Todas las palabras que no siguen las dos reglas anteriores llevan acento **ortográfico** o **escrito**. El acento escrito se coloca sobre la vocal de la sílaba que se pronuncia con más fuerza o énfasis. Escucha al narrador pronunciar las siguientes palabras que lleven acento escrito. La sílaba subrayada indica dónde iría el "golpe" según las dos reglas anteriores.

ma - **má**   in - for - **ma** - ción   Ro - **drí** - guez

Ahora escucha al narrador pronunciar las siguientes palabras que requieren acento escrito. Subraya la sílaba que llevaría el golpe según las dos reglas anteriores y luego pon el acento escrito en la sílaba que realmente lo lleva. Fíjate que la sílaba con el acento escrito nunca es la sílaba subrayada.

contestó	doméstico
príncipe	celebración
líder	políticos
anglosajón	étnico
rápida	indígenas
tradición	dramáticas
económica	agrícola
décadas	propósito

I Dictado. Escucha el siguiente dictado e intenta escribir lo más que puedas. El dictado se repetirá una vez más para que revises tu párrafo.

Los chicanos

Desde la década de los 70 existe un verdadero desarrollo de la cultura chicana. Se establecen centros culturales en muchas comunidades chicanas y centros de estudios chicanos en las más importantes universidades del suroeste de EE.UU. En las paredes de viviendas, escuelas y edificios públicos se pintan murales que proclaman un renovado orgullo étnico. Igualmente en la actualidad existe un florecimiento de la literatura chicana.

Ahora escucha una vez más para verificar lo que escribiste.

(Repeat passage.)

196   Audio Script ¡A escuchar!

¡A escuchar!

Gente del Mundo 21

A **Esperando a Rosie Pérez.** Ahora vas a tener la oportunidad de escuchar a dos comentaristas de la radio en español que asisten a la ceremonia de la entrega de los premios "Óscar". Escucha con atención lo que dicen y luego marca si cada oración que sigue es **cierta (C), falsa (F)** o si no tiene relación con lo que escuchaste **(N/R).**

HOMBRE: Estimados radioescuchas, en estos instantes estamos fuera del Centro Musical localizado en el centro de Los Ángeles, California, donde va a tener lugar esta noche la ceremonia de entrega de los premios "Óscar".

MUJER: Estamos esperando la llegada de Rosie Pérez, la actiz puertorriqueña que ha sido nominada para un premio "Óscar" por su actuación en la película titulada *Fearless.*

HOMBRE: Rosie Pérez es una joven que nació en un barrio puertorriqueño de Brooklyn, en Nueva York. Proviene de una numerosa familia de once hermanos de limitados recursos. Se mudó a Los Ángeles para estudiar biología marina en la Universidad Estatal de California de Los Ángeles.

MUJER: ¡Quién iba a creer que esta actriz que se inició en el cine haciendo el papel de novia del director afroamericano Spike Lee en la película titulada *Do the Right Thing,* unos pocos años después iba a ser nominada a un premio "Óscar!"

HOMBRE: En estos momentos Rosie Pérez se baja de una lujosa limusina negra. Lo que más me sorprende es la gran sonrisa que ilumina la cara de la actriz. Sin duda esta sonrisa refleja lo contenta que debe estar Rosie Pérez.

Gramática en contexto: *hacer una invitación, pedir en un restaurante y descripción*

B **Planes.** Escucha la conversación entre Sofía y Pedro y luego indica si las oraciones que siguen son **ciertas (C)** o **falsas (F).**

SOFÍA: Hace mucho calor. ¿Qué te parece si vamos a la playa?

PEDRO: Teresa quiere tenernos en su casa. Tiene una piscina magnífica. ¿Recuerdas?

SOFÍA: Sí, ahora recuerdo. Pues, nos olvidamos de la playa y vamos a casa de Teresa. Además, Teresa vive cerca y la playa está lejos.

PEDRO: Sí, podemos ir a la playa otro día.

Escucha una vez más para verificar tus respuestas.

(Repeat passage.)

C **Almuerzo.** Un grupo de amigos almuerzan en un restaurante puertorriqueño y le indican al camarero lo que desean comer. Para cada plato, indica si alguien lo ha pedido **(Sí)** o no **(No).**

Yo quiero un sándwich de jamón y queso.

A mí me da pollo al horno con arroz.

Voy a pedir una ensalada y una sopa de verduras.

Una hamburguesa con papas fritas para mí, por favor.

Yo voy a probar la sopa de frijoles negros.

Escucha los pedidos una vez más para verificar tus respuestas.

(Repeat passage.)

D **Una profesional.** Escucha la siguiente descripción y luego haz una marca **(X)** sobre las palabras que completan correctamente la información.

Soy psicóloga. Tengo 27 años y vivo en Nueva York. Soy puertorriqueña, pero Nueva York es mi lugar de nacimiento. Todas las mañanas salgo para mi trabajo, en una clínica donde ejerzo mi profesión. Me especializo en el tratamiento de adolescentes y les doy consejos para que lleven una vida sana y provechosa. Me gusta mucho mi trabajo. Los fines de semana me distraigo: veo películas en el cine de mi barrio, corro por el parque o juego al tenis.

Escucha una vez más para verificar tus respuestas.

(Repeat passage.)

Acentuación y ortografía

E **Diptongos.** Un diptongo es la combinación de una vocal débil (**i, u**) con cualquier vocal fuerte (**a, e, o**) o de dos vocales débiles en una sílaba. Los diptongos se pronuncian como un solo sonido en las sílabas donde ocurren. Escucha al narrador pronunciar estas palabras con diptongos.

grac**ia**s   ac**ei**te   c**ui**dado

Ahora, el escuchar al narrador pronunciar las siguientes palabras, pon un círculo alrededor de cada diptongo.

b a i l a r i n a	p u e r t o r r i q u e ñ o
J u l i a	p r e m i o
b a r r i o	v e i n t e
m o v i m i e n t o	f u e r z a s
r e g i m i e n t o	b o r i c u a s

inaugurar   científicos

ciudadano   elocuente

profesional

F **Separación en dos sílabas.** Un diptongo con un acento escrito sobre la vocal débil (**i, u**) forma dos sílabas distintas. Escucha al narrador pronunciar estas palabras con diptongos separados en dos sílabas por un acento escrito.

me - lo - **dí** - a   ma - **íz**   ba - **úl**

Ahora, al escuchar al narrador pronunciar las siguientes palabras, pon un acento escrito en aquéllas donde se divide el diptongo en dos sílabas.

escenario	categoría
todavía	diferencia
ciudadanía	judío
harmonía	cuatro
literaria	país
desafío	miembros
taínos	Raúl
refugiado	

G **¡A deletrear!** Ahora escribe cada palabra que el narrador pronuncie. Va a decir cada palabra dos veces. Luego va a repetir la lista completa una vez más.

migratorio	garantías	conciencia
caótico	iniciado	economía

(Repeat passage.)

H **Dictado.** Escucha el siguiente dictado e intenta escribir lo más que puedas. El dictado se repetirá una vez más para que revises tu párrafo.

Los puertorriqueños en EE.UU.

A diferencia de otros grupos hispanos, los puertorriqueños son ciudadanos estadounidenses y pueden entrar y salir de EE.UU. sin pasaporte o visa. En 1898, como resultado de la guerra entre EE.UU. y España, la isla de Puerto Rico pasó a ser territorio estadounidense. En 1917 los puertorriqueños recibieron la ciudadanía estadounidense. Desde entonces gozan de todos los derechos que tienen los ciudadanos de EE.UU., excepto que no pagan impuestos federales.

(Repeat passage.)

UNIDAD 1
LECCIÓN 3

¡A escuchar!

Gente del Mundo 21

A **Actor cubanoamericano.** Ahora vas a tener la oportunidad de escuchar la conversación que tienen dos amigas cubanoamericanas después de ver una película de Andy García en un teatro de Miami. Escucha con atención lo que dicen y luego marca si cada oración que sigue es **cierta (C), falsa (F)** o si no tiene relación con lo que escuchaste **(N/R)**.

MUJER 1: Oye chica, acabo de ver la película *El Padrino, Parte III.* ¿Tú ya la viste, verdad? ¿Qué te pareció la actuación de Andy García?

MUJER 2: La actuación fue excelente, pero a mí me parece que Andy García es demasiado guapo para hacer el papel de un mafioso.

MUJER 1: Estoy de acuerdo, la mirada penetrante que tiene este actor deshace a cualquier chica. ¿No te parece?

MUJER 2: Es interesante que a él no le guste que lo cataloguen simplemente como otro actor hispano ni que le den sólo papeles de hispanos.

MUJER 1: Claro, chica, si Andy ha hecho el papel de personajes de muchos grupos étnicos no sólo el de *Latin Lover.* En cierta forma ha roto los estereotipos que muchas personas tienen en Hollywood de los actores latinos.

MUJER 2: Aunque te voy a decir que yo sí estoy convencida de que dice la verdad cuando afirma que él es más cubano que cualquiera y que su cultura es la base de su éxito.

Gramática en contexto: *descripción y comparación*

B **Niños.** Vas a escuchar descripciones de varios niños. Basándote en la descripción que escuchas, haz una marca (**X**) antes de la oración correspondiente.

Nora es una estudiante muy buena; en casa siempre obedece a sus padres. Pepe escucha con mucha atención una historia de monstruos que le lee su mamá. Sarita siempre resuelve con mucha facilidad todo tipo de problemas; es de una inteligencia muy viva. Carlitos acaba de tomar un baño; se ha vestido y se ve impecable. Tere mira por la ventana, no hace nada y no sabe qué hacer.

Escucha una vez más para verificar tus respuestas.

(Repeat passage.)

C **¿Qué fruta va a llevar?** A Nicolás le han pedido que lleve la fruta para una pequeña fiesta en casa de unos amigos. Escucha mientras decide qué llevar y haz un círculo alrededor del dibujo que corresponda a la fruta que selecciona.

1. Voy a llevar estas bananas, no ésas.

2. Esta piña está verde. Prefiero esa piña que está allí.

3. Me gustan esos mangos. Éstos están verdes.

4. Esas papayas están demasiado maduras. Aquéllas están apetitosas.

5. No voy a comprar aquellas peras. Éstas son mejores.

Escucha una vez más para verificar tus respuestas.

(Repeat passage.)

D **Mi familia.** Al escuchar a Beatriz describir a su familia, haz un círculo alrededor del dibujo que corresponda a cada descripción.

1. Mi papá es menos alto que mi mamá.

2. Yo soy más optimista que mi mamá.

3. Mi hermanita es más romántica que yo.

4. Mi hermano menor es menos atlético que yo.

5. Mi hermanita es más alegre que mi hermano menor.

Escucha una vez más para verificar tus respuestas.

(Repeat passage.)

E **Islas caribeñas.** Vas a escuchar información en la que se compara Cuba con Puerto Rico. Para cada una de las comparaciones que aparecen a continuación, haz un círculo alrededor de **Sí,** si los datos que escuchas coinciden con la comparación escrita; haz un círculo alrededor de **No,** si no escuchas nada acerca de ese tema.

La isla de Cuba es diez veces más grande que la isla de Puerto Rico. Tiene también más habitantes que Puerto Rico. Mientras que Puerto Rico tiene tres millones y medio de habitantes, Cuba tiene casi once millones. Puerto Rico, sin embargo, tiene proporcionalmente muchas más carreteras pavimentadas que Cuba. También, los ingresos generados por el turismo son mucho mayores en Puerto Rico que en Cuba. En ambas islas, el porcentaje de personas que viven en zonas urbanas es prácticamente idéntico: alrededor de un setenta por ciento.

Escucha una vez más para verificar tus respuestas.

(Repeat passage.)

Acentuación y ortografía

F **Triptongos.** Un triptongo es la combinación de tres vocales: una vocal fuerte (**a, e, o**) en medio de dos vocales débiles (**i, u**). Los triptongos pueden ocurrir en varias combinaciones: **iau, uai, uau, uei, iai, iei,** etc. Los triptongos se pronuncian como una sola sílaba en las palabras donde ocurren. Escucha al narrador pronunciar las siguientes palabras con triptongos.

financi**iái**s   g**uau**   desaf**iái**s   m**iau**

La **y** tiene valor de vocal y cuando aparece después de una vocal fuerte precedida por una débil forma un triptongo. Escucha a la narradora pronunciar las siguientes palabras con una **y** final.

b**uey**   Urug**uay**   Parag**uay**

Ahora escucha a los narradores leer algunos verbos, en la segunda persona del plural (**vosotros**), junto con algunos sustantivos. En ambos casos, las palabras presentan triptongo. Luego, escribe las letras que faltan en cada palabra.

1. desafiéis	5. anunciéis
2. Paraguay	6. buey
3. denunciáis	7. iniciáis
4. renunciéis	8. averigüéis

G **Separación en sílabas.** El triptongo siempre se pronuncia en una sola sílaba. Ahora al escuchar a los narradores pronunciar las siguientes palabras con triptongo, escribe al número de sílabas de cada palabra.

1. denunciáis	5. Uruguay
2. miau	6. averigüéis
3. buey	7. renunciáis
4. financiéis	8. iniciáis

H **Repaso.** Escucha al narrador pronunciar las siguientes palabras y ponles un acento escrito si lo necesitan.

1. filósofo	6. cárcel
2. diccionario	7. fáciles
3. diptongo	8. huésped
4. número	9. ortográfico
5. examen	10. periódico

I **Dictado.** Escucha el siguiente dictado e intenta escribir lo más que puedas. El dictado se repetirá una vez más para que revises tu párrafo.

Miami: Una ciudad hispanohablante

De todos los hispanos que viven en EE.UU., los cubanoamericanos son los que han logrado mayor prosperidad económica. El centro de la comunidad cubana en EE.UU. es Miami, Florida. En treinta años los cubanoamericanos transformaron completamente esta ciudad. La Calle Ocho ahora forma la arteria principal de la Pequeña Habana donde se puede beber el típico café cubano en los restaurantes familiares que abundan en esa calle. El español se habla en toda la ciudad. En gran parte, se puede decir que Miami es la ciudad más rica y moderna del mundo hispanohablante.

Ahora escucha una vez más para verificar lo que escribiste.

(Repeat passage.)

¡A escuchar!

Gente del Mundo 21

A Los Reyes Católicos. En uno de los salones de la Alhambra, el palacio musulmán en Granada, España, una guía explica a un grupo de estudiantes el importante papel que tuvieron los Reyes Católicos en la historia de España. Escucha con atención lo que dice y luego marca si cada oración que sigue es **cierta (C), falsa (F)** o si no tiene relación con lo que escuchaste **(N/R)**.

Por medio de su matrimonio, que tuvo lugar en 1469, Isabel de Castilla y Fernando de Aragón, conocidos después como los Reyes Católicos, pudieron unir los reinos de Castilla y Aragón en una sola monarquía. 1492 fue un año muy importante en la historia de España porque ocurrieron varios eventos históricos que determinaron notablemente el futuro de ese país. En 1492 los Reyes Católicos terminaron la Reconquista de España al tomar Granada, el último reino musulmán en la Península Ibérica, completando así la unión política y territorial. Aquí, en este bello Palacio de la Alhambra de Granada, los Reyes Católicos recibieron a Cristóbal Colón, quien les explicó su plan de viajar hacia el Occidente. La reina Isabel apoyó la expedición de Colón, que el 12 de octubre de 1492 llegó a América iniciando la exploración y la colonización española del continente americano. Además en 1492 los Reyes Católicos expulsaron a los judíos que no querían convertirse al cristianismo. Este hecho tuvo malas consecuencias para España pues con esto se excluyó a personas con grandes capacidades para el desarrollo de la nación española.

Gramática en contexto: *explicar lo que pasó*

B Narración confusa. Un policía escucha a Teresa, testigo de un accidente. Teresa está tan nerviosa que al hablar del accidente que tuvo su amigo Julián, también habla de sí misma. Indica con un círculo en la palabra apropiada, si las oraciones que escuchas se refieren a Julián o a Teresa.

1. Mi amigo cruzó la calle.
2. No prestó atención.
3. Siempre presto atención a los vehículos.
4. No miró atentamente hacia ambos lados.
5. Miro primero hacia la izquierda y luego hacia la derecha.

6. Un vehículo casi lo atropelló.
7. Quedó muy asustado.
8. Quedo asustada en situaciones de peligro.

Escucha una vez más para verificar tus respuestas.

(Repeat passage.)

C El Cid. Indica si los datos que aparecen a continuación se mencionan **(Sí)** o no **(No)** en el siguiente texto acerca del Cid, héroe nacional español.

El Cid vivió en el siglo XI. El rey Alfonso VI lo desterró de Castilla a causa de la envidia de algunos nobles. Sin embargo, él permaneció siempre fiel a su rey. En el año 1094 conquistó la ciudad de Valencia, hasta entonces en poder de los musulmanes. Gobernó la ciudad hasta el día de su muerte, el 10 de julio de 1099.

Escucha una vez más para verificar tus respuestas.

(Repeat passage.)

D Ayer. Escucha mientras Marisa le pregunta a su mamá sobre lo que ves en los dibujos. Coloca una **X** debajo del dibujo que coincida con la respuesta que escuchas.

1. TERESA: ¿Quién los compro?
   MAMÁ: Yo los compré.
2. TERESA: ¿Quién la cuidó?
   MAMÁ: Ellos la cuidaron.
3. TERESA: ¿Quién la hizo?
   MAMÁ   Yo la hice.
4. TERESA: ¿Quién las olvidó?
   MAMÁ: Yo las olvidé.
5. TERESA: Quién las recibió?
   MAMÁ: Tú las recibiste.
6. TERESA: ¿Quién lo ayudo?
   MAMÁ: Tu padre lo ayudó.
7. TERESA: ¿Quién los escuchó?
   MAMÁ: Nosotros los escuchamos.

Escucha una vez más para verificar tus respuestas.

(Repeat passage.)

Acentuación y ortografía

E Repaso de acentuación. Al escuchar a la narradora pronunciar las siguientes palabras: 1) divídelas en sílabas, 2) subraya la sílaba que debiera llevar el golpe según las dos reglas de acentuación y 3) coloca el acento ortográfico donde se necesite.

1. h <u>é</u> r o e
2. i n v a <u>s i ó n</u>
3. R e c o n <u>q u i s t a</u>
4. <u>á</u> r a b e
5. j u <u>d í o</u> s
6. p r o t e s t a n <u>t i s</u> m o
11. s e f a r <u>d i t a s</u>
12. <u>é</u> p i c o
13. u n i <u>d a'</u> d
14. p e n <u>í n</u> s u l a
15. <u>p r ó s</u> p e r o
16. i m <u>p e</u> r i o

7. ef i c_az

8. inf l a c_ión

9. ab d i c_ar

10. c_risis

17. i s l_ámico

18. he r_e_n_c_i_a

19. e x p u l s_ión

20. to l_e_r_a_n_c_i_a

F Acento escrito. Ahora escucha a los narradores leer las siguientes oraciones y coloca el acento ortográfico sobre las palabras que lo requieran.

1. El sábado tendremos que ir al médico en la Clínica Luján.

2. Mis exámenes fueron fáciles pero el examen de química de Mónica fue muy difícil.

3. El joven de ojos azules es francés pero los otros jóvenes son puertorriqueños.

4. Los López, los García y los Valdez están contentísimos porque se sacaron la lotería.

5. Su tía se sentó en el jardín a descansar mientras él comía.

G Dictado. Escucha el siguiente dictado e intenta escribir lo más que puedas. El dictado se repetirá una vez más para que revises tu párrafo.

La España musulmana

En el año 711, los musulmanes procedentes del norte de África invadieron Hispania y cinco años más tarde, con la ayuda de un gran número de árabes, lograron conquistar la mayor parte de la península. Establecieron su capital en Córdoba, la cual se convirtió en uno de los grandes centros intelectuales de la cultura islámica. Fue en Córdoba, durante esta época, que se hicieron grandes avances en las ciencias, las letras, la artesanía, la agricultura, la arquitectura y el urbanismo.

Ahora, escucha una vez más para verificar lo que escribiste.

(Repeat passage.)

¡A escuchar!

Gente del Mundo 21

A Diego de Velázquez. Ahora vas a tener la oportunidad de escuchar a los comentaristas del programa de radio "España en la cultura". Escucha con atención lo que dicen y luego marca si cada oración que sigue es **cierta (C)**, **falsa (F)** o si no tiene relación con lo que escuchaste **(N/R)**.

(Male voice) Bienvenidos a otra edición de "España en la cultura", el programa cultural de la radio española. Hoy nos lleva al Museo del Prado de Madrid donde vamos a comentar la obra y vida de unos de los pintores más grandes de España y del mundo entero, Diego de Velázquez. Afuera de la entrada principal del Museo del Prado observamos una escultura en homenaje a Diego de Velázquez que, con un pincel en la mano y sentado en una silla, parece pintar.

(Female voice) Diego de Velázquez nació en Sevilla en 1599 donde comenzó su carrera de pintor. Debido a su gran talento, en poco tiempo fue nombrado pintor de cámara de Felipe IV. Desde 1623 hasta su muerte en 1660, Diego de Velázquez permaneció al servicio de la corona española. Junto con numerosos retratos de los miembros de la familia real, pintó cuadros aparentemente mitológicos pero que reflejan la vida cotidiana, tal como el titulado "El triunfo de Baco." En este cuadro el dios romano del vino aparece representado como un español que celebra con sus amigos.

En una de las salas más impresionantes del Museo del Prado se puede admirar lo que muchos consideran su obra maestra. "Las meninas", cuadro que completó en 1656. En éste vemos al mismo Diego de Velázquez que parece pintar un cuadro de la pareja real que se ve reflejada en el espejo de una pared. En la parte central del cuadro está una princesa rodeada de sus acompañantes y hasta un perro está acostado en el suelo. Éste es uno de los cuadros sobre los cuales más comentarios, críticas e interpretaciones se han escrito en la historia del arte universal. Parece que Diego de Velázquez dirige la vista desde el cuadro a todos los que lo ven, preguntándoles: "Y vosotros, ¿qué pensáis?"

Gramática en contexto: *hablar de gustos y del pasado*

B Robo en el banco. Escucha la siguiente información que dan en el noticiero de la televisión e indica si las oraciones son **ciertas (C)** o **falsas (F)**.

Ayer a las diez y media de la mañana, la policía recibió una llamada del Banco Interamericano. Un hombre de aproximadamente veinticinco años se acercó a una de las ventanillas, amenazó a la cajera y salió con más de siete mil dólares en efectivo. La policía entrevistó a uno de los testigos. Según éste, el ladrón salió del banco y entró en un sedán verde de cuatro puertas que partió a toda velocidad por la Avenida del Mar.

Escucha una vez más para verificar tus respuestas.

(Repeat passage.)

C Gustos en televisión. Escucha lo que dice Ángela acerca de los programas de la televisión e indica si los programas que figuran a continuación le agradan **(A)** o le desagradan **(D)**.

Tengo gustos variados. Me gustan los programas de ciencia y los programas de videos musicales. También me agradan los programas de noticias. No me interesan en lo más mínimo los programas de deportes ni las telenovelas; tampoco me agradan los programas cómicos. ¡Ah!, también me encantan los programas de detectives.

Escucha una vez más para verificar tus respuestas.

(Repeat passage.)

D Pérez Galdós. Escucha los siguientes datos acerca de la vida del novelista Benito Pérez Galdós. Luego indica qué opción mejor completa cada oración.

Benito Pérez Galdós es considerado el mayor escritor español del siglo XIX y el novelista español más importante desde Cervantes. Nació en Las Palmas de la Gran Canaria en 1843. En 1869 se graduó en derecho de la Universidad de Madrid, ciudad donde residió la mayor parte de su vida. Es un escritor con una obra muy extensa y el máximo exponente del realismo en España. Escribió cuarenta y seis volúmenes de *Episodios nacionales* que constituyen una historia novelada de España a través del siglo XIX. También es autor de otras treinta y cuatro novelas, veinticuatro obras teatrales y quince volúmenes de artículos periodísticos y otros trabajos en prosa. Entre sus novelas más conocidas están *Doña Perfecta*, publicada en 1876, y *Fortunata y Jacinta*, una novela en cuatro volúmenes publicados de 1886 a 1887.

Escucha una vez más para verificar tus respuestas.

(Repeat passage.)

Acentuación y ortografía

E Palabras que cambian de significado. Hay palabras parecidas que tienen distintos significados según: 1) dónde vaya el golpe y 2) si requieren acento ortográfico. Ahora presta atención a la ortografía y al cambio de golpe en estas palabras mientras la narradora las pronuncia.

ánimo	animo	animó
célebre	celebre	celebré
depósito	deposito	depositó
estímulo	estimulo	estimuló
hábito	habito	habitó
práctico	practico	practicó
título	titulo	tituló

Ahora escucha mientras el narrador lee estas palabras parecidas y escribe el acento donde sea necesario.

1.	crítico	critico	criticó
2.	dialogo	dialogó	diálogo
3.	domesticó	doméstico	domestico
4.	equivoco	equívoco	equivocó
5.	filósofo	filosofó	filosofo
6.	líquido	liquido	liquidó

7.	numero	número	numeró
8.	pacifico	pacificó	pacífico
9.	publico	público	publicó
10.	transitó	tránsito	transito

F Acento escrito. Ahora escucha a la narradora leer estas oraciones y coloca el acento ortográfico sobre las palabras que lo requieran.

1. Hoy publico mi libro para que lo pueda leer el público.
2. No es necesario que yo participe esta vez, participé el sábado pasado.
3. Cuando lo magnifico con el microscopio, pueden ver lo magnífico que es.
4. No entiendo cómo el cálculo debe ayudarme cuando calculo.
5. Pues ahora yo critico todo lo que el crítico criticó.

G Dictado. Escucha el siguiente dictado e intenta escribir lo más que puedas. El dictado se repetirá una vez más para que revises tu párrafo.

Felipe II

Felipe II, hijo de Carlos V, nació en Valladolid en 1527. Cuando Carlos V abdicó en 1556, Felipe II ascendió al trono determinado a seguir los ideales de su padre. Así fue que España asumió el papel de defensora del catolicismo frente a los países protestantes. Fue ese fanatismo religioso del rey de España que contribuyó más que nada a arruinar económicamente al país debido a las interminables guerras europeas. No se puede negar que durante el reinado de Felipe II España alcanzó su máximo poderío y extensión geográfica. Pero tampoco se puede ignorar que Felipe II abandonó el trono en bancarrota y con la decadencia del imperio español ya bien encaminada.

Escucha una vez más para verificar lo que escribiste.

(Repeat passage.)

UNIDAD 2
LECCIÓN 3

¡A escuchar!

Gente del Mundo 21

A Antes de entrar al cine. Escucha con atención lo que discute una pareja de jóvenes novios antes de entrar a un cine de Sevilla para ver *Tacones Lejanos,* una película de Pedro Almodóvar. Luego marca si cada oración que sigue es **cierta (C), falsa (F)** o si no tiene relación con lo que escuchaste **(N/R).**

NOVIO: ¿Por qué quieres venir a ver esta película de Pedro Almodóvar justamente hoy, cuando sabes que hay muchísima gente esperando en la fila para ver su estreno?

NOVIA: Las películas de Almodóvar me gustan muchísimo.

NOVIO: Pedro Almodóvar es el director de cine español más conocido en el mundo. ¿Cuál de sus películas te gustó más?

NOVIA: Todas sus películas me parecieron fabulosas, aunque mi favorita es *Mujeres al borde de un ataque de nervios,* que fue nominada en 1988 para un premio "Óscar" como la mejor película en lengua extranjera. Yo creo que ese año realmente merecía el premio.

NOVIO: A mí también me gustan las películas de Almodóvar, pero prefiero verlas en casa cuando salen en las tiendas de videos y no en el cine.

Gramática en contexto: *hablar de lo que pasó y expresar opiniones impersonales*

B **Domingos del pasado.** Escucha lo que dice Nora acerca de cómo pasaba los domingos cuando era pequeña y luego indica si las oraciones que siguen son **ciertas (C)** o **falsas (F).**

Los domingos eran, para nosotros los niños, días especiales. Por la mañana íbamos a escuchar la misa que daba el padre Álvaro. Antes de volver a casa dábamos un paseo por la plaza principal de la ciudad. Almorzábamos después de la una de la tarde y casi siempre uno de los tíos o tías venía a almorzar con la familia. Eran unos almuerzos tan largos que a nosotros los niños nos parecían interminables. Algunas tardes íbamos al cine o salíamos a pasear con los amigos. Los domingos eran días lentos, pero nunca aburridos.

Escucha una vez más para verificar tus respuestas.

(Repeat passage.)

C **Robo.** Escucha el siguiente diálogo y luego completa las oraciones que siguen.

ELENA: ¿Fuiste a pasear ayer por la tarde? ¡El tiempo estaba magnífico!

RAMIRO: Tuve la mala idea de ir a pasear al parque.

ELENA: ¿Por qué mala idea? Era una hermosa tarde para gozar de la naturaleza.

RAMIRO: Pues, no. Un muchacho joven pasó corriendo a mi lado. Vi que más adelante chocó contra una señora que caminaba junto a su marido.

ELENA: Sí, accidentes de ese tipo son muy comunes.

RAMIRO: Pues, no. La señora comenzó a gritar y nadie podía entender lo que decía. Finalmente, cuando se calmó, nos dimos cuenta de que hablaba de su cartera.

ELENA: ¿De su cartera? ¿Qué le pasó a la cartera?

RAMIRO: Pues, que ese muchacho era un ladrón y al echar a la señora al suelo le había robado la cartera.

ELENA: ¿Llamaron a la policía? ¿Apresaron al muchacho? ¿Recuperaron la cartera?

RAMIRO: La policía vino, pero ya era muy tarde. El muchacho no estaba en ninguna parte. Nadie vio por dónde se escapó.

ELENA: Tienes razón, esos incidentes desagradables te echan a perder el día.

Escucha una vez más para verificar tus respuestas.

(Repeat passage.)

D **¿Sueño o realidad?** Escucha la siguiente narración y luego indica si las oraciones que aparecen a continuación son **ciertas (C)** o **falsas(F).**

Estaba yo en un hotel aparentemente muy tranquilo. Una mañana mientras dormía profundamente, escuché unos ruidos en la puerta que me despertaron. Fui a abrir la puerta medio dormido, pero no vi a nadie. Volví a acostarme y ya me dormía de nuevo cuando escuché en el cuarto de al lado ruidos parecidos a disparos de revólver. No escuché nada más; salí al corredor y nuevamente no vi a nadie. Más tarde le pregunté a la recepcionista acerca de los ruidos. Me miró muy sorprendida y me dijo que no sabía de qué estaba hablando. Todavía no sé qué pasó esa mañana; si fue que yo tuve un mal sueño o si realmente ocurrió algo que los empleados del hotel les ocultaron a todos los huéspedes.

Escucha una vez más para verificar tus respuestas.

(Repeat passage.)

Acentuación y ortografía

E **Palabras parecidas.** Hay palabras que se pronuncian igual y, con la excepción del acento ortográfico, se escriben igual pero tienen diferente significado y función en la oración. Estudia esta lista de palabras parecidas mientras la narradora las pronuncia.

aun, *even*	aún, *still, yet*
de, *of*	dé, *give*
el, *the*	él, *he*
mas, *but*	más, *more*
mi, *my*	mí, *me*
se, *himself, herself, etc.*	sé, *I know; be*
si, *if*	sí, *yes*
solo, *alone*	sólo, *only*
te, *you*	té, *tea*
tu, *your*	tú, *you*

Ahora, mientras el narrador pronuncia cada palabra, escríbela de dos maneras distintas, al lado de la función gramatical apropiada.

MODELO: *tu*

1. el
2. mi
3. de
4. se
5. mas
6. te
7. si
8. aun
9. solo

F **¿Cuál corresponde?** Escucha a la narradora leer las siguientes oraciones y complétalas con las palabras apropiadas.

1. Éste es el material que traje para él.
2. ¿Tú compraste un regalo para tu prima?
3. Mi amigo trajo este libro para mí.
4. Quiere que le dé café de México.
5. No sé si él se puede quedar a comer.
6. Si llama, dile que sí lo acompañamos.

G **Dictado.** Escucha el siguiente dictado e intenta escribir lo más que puedas. El dictado se repetirá una vez más para que revises tu párrafo.

Federico García Lorca

Federico García Lorca es posiblemente el poeta español de mayor fama del siglo XX. Nació en 1898 cerca de Granada, ciudad donde cursó estudios y cuya influencia árabe y gitana llega a ser uno de los principales temas de su obra. En 1919 se trasladó a Madrid y se hizo amigo del pintor Salvador Dalí, el cineasta Luis Buñuel y el poeta Rafael Alberti. En 1928 su libro *Romancero gitano* lo consagró como poeta. En 1929 fue a Nueva York donde escribió *Poeta en Nueva York,* publicado póstumamente en 1940. Además de poeta, García Lorca se destacó como dramaturgo. Su obra teatral *Bodas de Sangre,* escrita en 1933, es de fama internacional. García Lorca fue fusilado el 19 de agosto de 1936 a las afueras de Granada, al inicio de la Guerra Civil Española.

Escucha una vez más para verificar lo que escribiste.

(Repeat passage.)

¡A escuchar!

Gente del Mundo 21

A **Elena Poniatowska.** Una pareja de jóvenes estudiantes mexicanos de la Universidad Nacional Autónoma de México (U.N.A.M.) asiste a un acto en conmemoración de la masacre de Tlatelolco. Escucha con atención lo que dicen y luego marca si cada oración que sigue es **cierta (C), falsa (F)** o si no tiene relación con lo que escuchaste **(N/R).**

MANUEL: Lo que más me impresionó del acto fue el momento en que Elena Poniatowska le leyó al público fragmentos de su libro *La noche de Tlatelolco.*

ANGÉLICA: Estoy de acuerdo contigo, Manuel. Cuando Elena Poniatowska leía los testimonios de las diferentes personas que incluyó en su libro, parecía que estuviera viviendo otra vez ese momento.

MANUEL: Angélica, te voy a confesar. Al principio, cuando la presentaron, yo pensé que era una escritora extranjera, por su apellido.

ANGÉLICA: Elena Poniatowska nació en Francia en 1933, su padre era francés de origen polaco y su madre era mexicana. Durante la Segunda Guerra Mundial llegó a la Ciudad de México. Se inició en el periodismo en 1954 y desde entonces ha publicado muchos libros de testimonios, novelas y colecciones de cuentos.

MANUEL: ¿Cuándo sucedió lo que narra en *La noche de Tlateloco*?

ANGÉLICA: El 2 de octubre de 1968, unos días antes de iniciarse los Juegos Olímpicos en México.

MANUEL: ¿Cuántas personas murieron?

ANGÉLICA: No se sabe realmente cuántas personas murieron en la Plaza de las Tres Culturas de Tlatelolco. Muchos testigos calculan que fueron más de trescientas, la mayoría estudiantes.

Gramática en contexto: *narración*

B **Hernán Cortés.** Escucha la siguiente narración acerca de Hernán Cortés y luego contesta las preguntas que figuran a continuación.

Hernán Cortés desembarcó cerca de la actual ciudad de Veracruz, en el Golfo de México, el 21 de abril de 1519. Tenía entonces treinta y cuatro años de edad. Llevaba consigo unos quinientos hombres, algunos caballos y cañones. Cortés y sus hombres llegaron a Tenochtitlán en noviembre de ese año y permanecieron allí hasta junio del año siguiente. Tiempo después regresaron y el 30 de agosto de 1521 se apoderaron de la capital del Imperio Azteca.

Escucha un vez más para verificar tus respsuestas.

(Repeat passage.)

C **Frida Kahlo.** En el Museo de Frida Kahlo, en Coyoacán, un área de la Ciudad de México, una guía le explica a un grupo de turistas la vida de la pintora Frida Kahlo. Escucha con cuidado lo que dice y luego marca si la oración es **cierta (C)** o **falsa (F).**

Frida Kahlo nació en Coyoacán, zona residencial del Distrito Federal, en 1910. Cuando tenía dieciocho años, sufrió un accidente que casi le costó la vida. A partir de entonces su vida cambió, pues sentía dolores constantemente. El sufrimiento que padecía aparece reflejado en muchos de los cuadros que pintó. En 1929 se casó con el famoso muralista Diego Rivera, con quien tuvo una relación con muchos altibajos emocionales. Murió en 1954 y más tarde la casa donde vivieron en Coyoacán, fue transformada en un museo.

D Inés y su hermana. Escucha las comparaciones que hace Inés entre los gustos de su hermana y sus propios gustos. Indica con una **X** quién hace las actividades que aparecen a continuación.

Mi hermana y yo somos muy diferentes. Mientras que mi pasatiempo preferido es caminar, el suyo es montar a caballo. Yo me paso horas escuchando mis discos compactos favoritos; ella se encierra a leer sus libros sobre equitación. Sus películas preferidas son las de amor, mientras que las mías son las de ciencia ficción. Pero aunque somos diferentes, nos entendemos muy bien.

Escucha una vez más para verificar tus respuestas.

(Repeat passage.)

Acentuación y ortografía

E Adjetivos y pronombres demostrativos. Los adjetivos demostrativos nunca llevan acento escrito. En cambio, los pronombres demostrativos siempre lo llevan, excepto **eso** y **esto** por ser neutros (no requieren sustantivo). Escucha y estudia estos ejemplos mientras el narrador los lee.

Estos libros son míos	**Éstos** son los tuyos.
Esa falda es hermosa	¿**Ésa**? ¡No me gusta!
Ese puesto es el mejor.	Sí, pero **éste** paga más.
Aquellos muchachos hablan inglés.	Sí, pues **aquéllos** de allá, no.
	¡**Eso** es imposible!
	Esto es muy importante.

Ahora, escucha al narrador leer las siguientes oraciones y escribe los **adjetivos** o **pronombres demostrativos** que escuchas. Recuerda que sólo los pronombres llevan acento.

1. Este disco de Luis Miguel es mío y aquél es tuyo.
2. Aquella pintura de Frida refleja más dolor y sufrimiento que ésa.
3. Ese periódico se edita en México; éste se edita en Nueva York.
4. Compramos estos libros en el Museo del Templo Mayor y ésos en el Museo Nacional de Antropología.
5. No conozco esos murales de Diego Rivera; yo sé que éste está en el Palacio Nacional.

F Palabras interrogativas, exclamativas y relativas. Todas las palabras interrogativas y exclamativas llevan acento escrito para distinguirlas de palabras parecidas que se pronuncian igual pero que no tienen significado ni interrogativo ni exclamativo.

Escucha y estudia cómo se escriben las palabras interrogativas, exclamativas y relativas mientras los narradores leen las siguientes oraciones. Observa que las oraciones interrogativas empiezan con signos de interrogación inversos y las oraciones exclamativas con signos de exclamación inversos.

1. ¿**Qué** libro?
   El libro **que** te presté.
   ¡Ah! ¡**Qué** libro!
2. ¿Contra **quién** lucha Marcos hoy?
   Contra el luchador a **quien** te presenté.
   ¡Increíble, contra **quién** lucha!
3. ¿**Cuánto** dinero ahorraste?
   Ahorré **cuanto** pude.
   ¡**Cuánto** has de sufrir, hombre!
4. ¿**Cómo** lo hiciste?
   Lo hice **como** quise
   ¡**Cómo** me voy a acordar de eso!
5. ¿**Cuándo** vino?
   Vino **cuando** terminó de trabajar.
   Sí, ¡y mira **cuándo** llegó!

Ahora escucha a los narradores leer las oraciones que siguen y decide si son **interrogativas, exclamativas** o si simplemente usan una palabra **relativa**. Pon los acentos escritos y la puntuación apropiada (signos de interrogación, signos de exclamación y puntos) donde sea necesario.

1. ¿Quién llamo?
   ¿Quién? El muchacho a quien conocí en la fiesta.
2. ¿Adónde vas?
   Voy adonde fui ayer.
3. ¡Cuánto peso! Ya no voy a comer nada.
   ¡Qué exagerada eres, hija! Come cuanto quieras.
4. ¿Quién sabe dónde viven?
   Viven donde vive Raúl.
5. ¡Qué partido más interesante!
   ¿Cuándo vienes conmigo otra vez?
6. Lo pinté como me dijiste.
   ¡Cómo es posible!
7. ¿Trajiste el libro que te pedí?
   ¿Qué libro? ¿El que estaba en la mesa?
8. Cuando era niño, nunca hacía eso.
   Lo que yo quiero saber es, ¿cuándo aprendió?

G Dictado. Escucha el siguiente dictado e intenta escribir lo más que puedas. El dictado se repetirá una vez más para que revises tu párrafo.

México: Tierra de contrastes

Para cualquier visitante, México es una tierra de contrastes: puede apreciar montañas altas y valles fértiles, así como extensos desiertos y selvas tropicales. En México, lo más moderno convive con lo más antiguo. Existen más de cincuenta grupos indígenas, cada uno con su propia lengua y sus propias tradiciones culturales. Pero en la actualidad la mayoría de los mexicanos son mestizos, o sea, el resultado de la mezcla de indígenas y españoles. De la misma manera que su gente, la historia y la cultura de México son muy variadas.

Ahora, escucha una vez más para verificar lo que escribiste.

(Repeat passage.)

UNIDAD 3
LECCIÓN 2

¡A escuchar!

Gente del Mundo 21

A Miguel Ángel Asturias. Un estudiante habla con una profesora de literatura latinoamericana para que le recomiende a un escritor guatemalteco del siglo XX. Escucha con atención lo que dicen y luego indica si cada oración que sigue es **cierta (C), falsa (F)** o si no tiene relación con lo que escuchaste **(N/R).**

ESTUDIANTE: A mí me interesa mucho la literatura latinoamericana. ¿Qué escritor guatemalteco del siglo XX me podría recomendar?

PROFESORA: Hay muchos escritores que te pueden interesar. Te recomiendo que leas una novela titulada *El señor presidente,* de Miguel Ángel Asturias.

ESTUDIANTE: ¿De qué se trata esta novela?

PROFESORA: Es una novela que tiene un tema social y se desarrolla alrededor de la figura de un gobernante autoritario, como ha habido muchos en Guatemala.

ESTUDIANTE: Me parece que este escritor ganó el Premio Nobel de Literatura en los años 60, ¿no es así?

PROFESORA: Sí, Miguel Ángel Asturias ganó el Premio Nobel de Literatura en 1967. Este escritor guatemalteco se inspiró en los ritos y creencias de los indígenas de su país. Tiene otra novela que se llama

Hombres de maíz, que trata precisamente sobre la realidad que enfrentan los indígenas guatemaltecos. Se llama así, *Hombres de maíz,* porque hay un mito mesoamericano que dice que los hombres son hechos de maíz y por la importancia que tiene esta planta en la cultura guatemalteca.

ESTUDIANTE: En alguna parte leí que había vivido en Francia.

PROFESORA: Como muchos otros escritores latinoamericanos de su generación, Miguel Ángel Asturias vivió muchos años en París. Además, entre 1966 y 1970 fue embajador de su país en Francia.

Gramática en contexto: *narración descriptiva y expresar opiniones impersonales*

B Los mayas. Escucha el siguiente texto acerca de la civilización maya y luego indica si la información que figura a continuación aparece en el texto **(Sí)** o no **(No).**

Hasta hace poco tiempo se pensaba que los mayas constituían un pueblo pacífico, dedicado enteramente a las ciencias y al arte. Investigaciones recientes han modificado esta opinión. Las ciudades mayas vivían en constantes guerras, tratando de capturar prisioneros que luego eran ofrecidos en sacrificios a sus dioses. Esta nueva visión de la civilización maya es el resultado de nuevos descubrimientos de ciudades y de los avances en la interpretación del sistema de escritura jeroglífica.

Escucha una vez más para verificar tus respuestas.

(Repeat passage.)

C Opiniones impersonales. Escucha lo que dice un hombre de noventa años cuando le preguntan qué debe hacer uno para vivir mucho tiempo. Indica si las frases impersonales que aparecen a continuación fueron mencionadas **(Sí)** o no **(No)** por el anciano.

Es importante comer con moderación. No es bueno consumir demasiada carne ni alimentos con mucha grasa. Es esencial hacer ejercicios regularmente; es mejor hacer ejercicios suaves y moderados que enérgicos y violentos. Es conveniente ir al médico de vez en cuando para hacerse exámenes generales. Y es absolutamente indispensable elegir padres y abuelos que hayan tenido una larga vida.

Escucha una vez más para verificar tus respuestas.

(Repeat passage.)

Pronunciación y ortografía

D **Los sonidos /k/ y /s/.** El deletreo de estos sonidos con frecuencia resulta problemático al escribir. Esto se debe a que varias consonantes pueden representar cada sonido según la vocal que las sigue. El primer paso para aprender a evitar problemas de ortografía es reconocer los sonidos. En las siguientes palabras, indica si el sonido que escuchas en cada una es /k/ o /s/. Cada palabra se repetirá dos veces.

1. cama
2. adquirir
3. sopa
4. ciudadano
5. organizador
6. banquero
7. enriquecer
8. secretario
9. cómico
10. empobrecer

E **Deletreo del sonido /k/.** Al escuchar las siguientes palabras con el sonido **/k/,** observa cómo se escribe este sonido.

ca	caña	fracasar
que	queso	enriquecer
qui	Quito	monarquía
co	colonización	soviético
cu	cultivo	ocupación

F **Deletreo del sonido /s/.** Al escuchar las siguientes palabras con el sonido **/s/,** observa cómo se escribe este sonido.

sa o za	sagrado	zambullir	pobreza
se o ce	segundo	cero	enriquecer
si o ci	situado	civilización	palacio
so o zo	soviético	zorra	colapso
su o zu	suicidio	zurdo	insurrección

Ahora, escucha a los narradores leer las siguientes palabras y escribe las letras que faltan en cada una.

1. capitanía
2. opresión
3. bloquear
4. fuerza
5. resolver
6. oligarquía
7. surgir
8. comunista
9. urbanizado
10. coronel

G **Dictado.** Escucha el siguiente dictado e intenta escribir lo más que puedas. El dictado se repetirá una vez más para que revises tu párrafo.

La civilización maya

Hace más de dos mil años los mayas construyeron pirámides y palacios majestuosos, desarrollaron el sistema de escritura más completo del continente y sobresalieron por sus avances en las matemáticas y la astronomía. Así, por ejemplo, emplearon el concepto de cero en su sistema de numeración, y crearon un calendario más exacto que el que se usaba en la Europa de aquel tiempo. La civilización maya prosperó primero en las montañas de Guatemala y después se extendió hacia la península de Yucatán, en el sureste de México y Belice.

Ahora, escucha una vez más para verificar lo que escribiste.

(Repeat passage.)

UNIDAD 3
LECCIÓN 3

¡A escuchar!

Gente del Mundo 21

A **Arzobispo asesinado.** Escucha lo que dice la madre de un estudiante "desaparecido", en un acto en homenaje al arzobispo asesinado de San Salvador. Luego marca si cada oración que sigue es **cierta (C), falsa (F)** o si no tiene relación con lo que escuchaste **(N/R).**

Hoy estamos aquí reunidos para conmemorar otro aniversario de la muerte de monseñor Óscar Arnulfo Romero, quien fue arzobispo de San Salvador. Durante los tres años que fue arzobispo, monseñor Romero pasó de ser un religioso apolítico a convertirse en un portavoz de las aspiraciones de su pueblo. Su vida como líder de la iglesia católica fue relativamente breve como también lo fue la vida pública de Jesucristo, que predicó por sólo tres años. Durante ese tiempo, monseñor Romero se volvió defensor de los pobres y denunció la violencia contra el pueblo ejercida por el gobierno y las fuerzas paramilitares. Estuvo influido por la teología de la liberación que se desarrolló en Latinoamérica. El asesinato de un amigo católico también sacerdote lo conmovió y lo transformó en un eficaz orador que defendía los derechos humanos en su país. Fue asesinado dando misa en una iglesia de San Salvador, el 24 de marzo de 1980, siendo una más de las 22.000 víctimas de la violencia política aquel año. Yo soy una madre que desde entonces no ha visto a su hijo que desapareció después de salir una tarde de la universidad. Para nosotros, monseñor Romero no ha muerto porque lo recordamos cada vez más. Les pido que nos pongamos de pie y guardemos un minuto de silencio en memoria de este gran hombre salvadoreño.

Gramática en contexto: *narración*

B **Tarea incompleta.** Escucha la siguiente narración de una estudiante que no pudo completar la tarea de matemáticas. Usando la lista que aparece a continuación, indica cuáles de estas expresiones escuchaste **(Sí)** y cuáles no **(No).**

Ayer por la noche pasé por lo menos tres horas tratando de hacer la tarea de matemáticas. Como tenía que resolver muchos problemas difíciles, por supuesto que no pude terminar. Por lo tanto pienso que no voy a obtener una buena nota. Por otra parte, creo que no voy a ser la única con la tarea incompleta.

Escucha una vez más para verificar tus respuestas.

(Repeat passage.)

C **¿Nicaragüense o salvadoreña?** Escucha la siguiente narración acerca de Claribel Alegría y luego contesta las preguntas que aparecen a continuación.

Claribel Alegría es una de las más famosas escritoras salvadoreñas contemporáneas. Nació en 1924 en el pueblito nicaragüense de Estelí, pero desde muy niña vivió en Santa Ana, la segunda ciudad más grande de El Salvador. Por eso, ella se considera salvadoreña. Viajó a Estados Unidos para estudiar filosofía y letras en la Universidad George Washington. Allí conoció a Darwin J. Flakoll, escritor estadounidense con el que ha colaborado en varios libros y se casó con él. Claribel Alegría ha publicado más de cuarenta obras, entre las que se incluyen quince libros de poesía, varias novelas y un libro de historias para niños. Seis de sus libros han sido traducidos al inglés, entre ellos *Luisa en el país de la realidad,* un libro de poemas y narraciones. La Casa de las Américas le confirió un premio literario importante por su poemario *Sobrevivo.*

Escucha una vez más para verificar tus respuestas.

(Repeat passage.)

Pronunciación y ortografía

D **Los sonidos /g/ y /x/.** El deletreo de estos dos sonidos con frecuencia resulta problemático al escribir. Practica ahora cómo reconocer los sonidos. Al escuchar las siguientes palabras, indica si el sonido inicial de cada una es **/g/** como en **gordo, ganga,** o **/x/** como en **japonés, jurado.** Cada palabra se va a repetir dos veces.

1. jitomate
2. gato
3. jamás
4. gusto
5. golpe
6. Jalisco
7. jardín
8. gobernante
9. jerga
10. guerra

E **Deletreo del sonido /g/.** Al escuchar las siguientes palabras con el sonido /g/, observa cómo se escribe este sonido.

ga	**ga**lán	nave**ga**ción
gue	**gue**rrillero	jugue**t**ón
gui	**gui**a	conse**gui**r
go	**go**bierno	visi**go**do
gu	**gu**sto	or**gu**llo

F **Deletreo del sonido /x/.** Al escuchar las siguientes palabras con el sonido /x/, observa cómo se escribe este sonido.

ja	**ja**rdín	feste**ja**r	emba**ja**dor
je o **ge**	**je**fe	**ge**nte	extran**je**ro
ji o **gi**	**ji**tomate	**gi**gante	comple**ji**dad
jo	**jo**ya	espe**jo**	anglosa**jó**n
ju	**ju**dío	**ju**gador	con**ju**nto

Ahora, escucha a los narradores leer las siguientes palabras y escribe las letras que faltan en cada una.

1. **go**bernante
2. emba**ja**da
3. **go**lpe
4. sur**gi**r
5. **ju**ego
6. tra**ge**dia
7. **gu**erra
8. presi**gi**oso
9. **fri**jol
10. a**ge**ncia

G **Dictado.** Escucha el siguiente dictado e intenta escribir lo más que puedas. El dictado se repetirá una segunda vez para que revises tu párrafo.

El proceso de la paz

En 1984 el presidente de El Salvador, José Napoleón Duarte, inició negociaciones por la paz con el FMLN. En 1986, San Salvador sufrió un fuerte terremoto que ocasionó más de mil víctimas. Pero más muertos causó, sin embargo, la continuación de la guerra civil. Alfredo Cristiani, elegido presidente en 1989, firmó en 1992 un acuerdo de paz con el FMLN después de negociaciones supervisadas por las Naciones Unidas. Así, después de una guerra que causó más de 80.000 muertos y paralizó el desarrollo económico, el país se propone garantizar la paz que tanto le ha costado.

Ahora, escucha una vez más para verificar lo que escribiste.

(Repeat passage.)

UNIDAD 4
LECCIÓN 1

¡A escuchar!

Gente del Mundo 21

A **Reconocido artista cubano.** Escucha lo que dicen dos estudiantes cubanos al visitar un museo de arte de La Habana y luego marca si cada oración que sigue es **cierta (C), falsa (F)** o si no tiene relación con lo que escuchaste **(N/R).**

ANTONIO: Mi artista favorito es Wifredo Lam. No sólo porque es un artista cubano que viene de Las Villas, provincia de donde es mi familia, sino porque fue un gran innovador del arte contemporáneo.

LUCÍA: Es interesante saber que este artista que comenzó pintando cuadros dentro de la tradición europea luego se interesó mucho en la tradición artística africana.

ANTONIO: Pues él pasó trece años en España familiarizándose con la tradición artística europea y al empezar la Guerra Civil Española en 1936 se fue a vivir a París, donde conoció a Pablo Picasso y otros artistas surrealistas, quienes proponían entonces nuevas formas de hacer arte.

LUCÍA: Parece que cuando Wifredo regresó a Cuba en la década de los 40, redescubrió sus propias raíces y pintó cuadros de inspiración africana, como *La selva*, realizado en 1943. En este cuadro se mezclan de una manera fantástica formas humanas, animales y vegetales.

ANTONIO: Wifredo tenía una conexión personal con la cultura de origen africano. Su padre era chino y su madre afrocubana.

LUCÍA: Aquí tengo un folleto que dice que desde la década de los 50, Wifredo Lam alternó estancias en Cuba y París, donde murió en 1982.

Gramática en contexto: descripción de lo que no se ha hecho

B Encargos. Ahora vas a escuchar a Elvira mencionar las cosas que sus padres le han pedido que haga y que todavía no ha hecho. Mientras escuchas, ordena numéricamente los dibujos. Ten en cuenta que algunos dibujos quedarán sin numerar.

1. Todavía no he llevado el perro al veterinario.
2. Todavía no he ido al correo.
3. Todavía no he devuelto unos libros a la biblioteca.
4. Todavía no le he escrito una carta de agradecimiento a la tía Lola.
5. Todavía no he recogido unos remedios de la farmacia Inti.

Escucha una vez más para verificar tus respuestas.

(Repeat passage.)

C La constitución de Cuba. Escucha el siguiente texto acerca de la constitución cubana y luego selecciona la opción que complete correctamente cada frase.

La constitución actual de Cuba comenzó a aplicarse en el año 1976. Ese año, un proyecto constitucional fue sometido al voto popular y fue aceptado por el 97,7% de los votantes. Con la constitución se crearon las asambleas provinciales y municipales, así como la Asamblea Nacional, cuyos candidatos son nombrados por las asambleas municipales. Antes del año 1993 había en la Asamblea 510 delegados: ese año el número fue aumentado a 590. La Asamblea Nacional eligió a Fidel Castro como Presidente del Consejo de Estado, cargo que ocupa desde 1976. Pero en una verdadera democracia los votantes tienen opciones, y en Cuba no hay libertad para los partidos políticos de oposición.

Escucha una vez más para verificar tus respuestas.

(Repeat passage.)

Pronunciación y ortografía

D Pronunciación de letras problemáticas: *b* y *v.* La **b** y la **v** se pronuncian de la misma manera. Sin embargo, el sonido de ambas varía en relación al lugar de la palabra en donde ocurra. Por ejemplo, la **b** o la **v** inicial de una palabra tiene un sonido fuerte, como el sonido de la **b** en inglés, si la palabra ocurre después de una pausa. También tienen un sonido fuerte cuando ocurren después de la **m** o la **n.**

Escucha a la narradora leer estas palabras, prestando atención a la pronunciación de la **b** o **v** fuerte. Observa que para producir este sonido los labios se cierran para crear una pequeña presión de aire al soltar el sonido.

brillante   virreinato   em**b**ajador   convocar

bloquear   victoria   am**b**icioso   sinvergüenza

En los demás casos, la **b** y la **v** tienen un sonido suave. Escucha a la narradora leer estas palabras, prestando atención a la pronunciación de la **b** o **v** suave. Observa que al producir este sonido, los labios se juntan, pero no se cierran completamente; por lo tanto, ne existe la presión de aire y lo que resulta es una **b** o **v** suave.

rebelión   resolver   afrocubano   cultivo

pobreza   provincia   exuberante   controvertido

Ahora escucha al narrador leer las siguientes palabras e indica si el sonido de la **b** o **v** que oyes es un sonido **fuerte (F)** o **suave (S).**

1. provocar
2. obstáculo
3. convertirse
4. visigodos
5. Cuba
6. buque
7. salvar
8. nombramiento

E Deletreo con la *b* **y la** *v*. Las siguientes reglas te ayudarán a saber cuándo una palabra se escribe con **b (larga)** o con **v (corta).** Memorízalas.

Regla Nº 1: Siempre se escribe la **b** antes de la **l** y la **r**. Las siguientes raíces también contienen la **b**: **bene-, bien-, biblio-, bio-**. Estudia estos ejemplos mientras la narradora los pronuncia.

bloquear   ham**bre**   **bene**ficio   **biblio**grafía

o**bl**igación   **bra**vo   **bien**estar   **bio**logía

Ahora escucha a los narradores leer las siguientes palabras y escribe las letras que faltan en cada una.

1. brisa
2. alambre
3. blanco
4. bloque
5. blusa
6. cable
7. cobre
8. bruja

Regla Nº 2: Después de la **m** siempre se escribe la **b**. Después de la **n** siempre se escribe la **v**. Estudia estos ejemplos mientras la narradora los pronuncia.

e**mb**arcarse   e**mb**ajador   co**nv**ención   e**nv**uelto

ta**mb**ién   ca**mb**iar   e**nv**ejecer   co**nv**ertir

Ahora escucha a los narradores leer las siguientes palabras y escribe las letras que faltan en cada una.

1. sombra
2. enviar
3. tambor
4. invencible
5. inventar
6. emblema
7. envenenar
8. rumbo

Regla Nº 3: Los siguientes prefijos siempre contienen la **b**: **ab-, abs-, bi-, bis-, biz-, ob-, obs-** y **sub-**, y después del prefijo **ad-** siempre se escribe la **v**. Estudia estos ejemplos mientras la narradora los pronuncia.

abstracto   **ad**versidad

abstener   **ob**ligado

biblioteca   **obs**táculo

bisonte   **sub**rayar

adversario   **sub**stituir

Ahora escucha a los narradores leer las siguientes palabras y escribe las letras que faltan en cada una.

1. obtener
2. submarino
3. absoluto
4. bisnieto
5. abstracto
6. advertir
7. observatorio
8. adverbio

F **Dictado.** Escucha el siguiente dictado e intenta escribir lo más que puedas. El dictado se repetirá una vez más para que revises tu párrafo.

El proceso de independencia de Cuba

Mientras que la mayoría de los territorios españoles de América lograron su independencia en la segunda década del siglo XIX, Cuba, junto con Puerto Rico, siguió siendo colonia española. El 10 de octubre de 1868 comenzó la primera guerra de la independencia cubana, que duraría diez años y en la cual 250.000 cubanos iban a perder la vida. En 1878 España consolidó nuevamente su control sobre la isla y

prometió hacer reformas. Sin embargo, miles de cubanos que lucharon por la independencia salieron en exilio.

Ahora, escucha una vez más para verificar lo que escribiste.

(Repeat passage.)

UNIDAD 4 LECCIÓN 2

¡A escuchar!

Gente del Mundo 21

A **Elecciones dominicanas.** Escucha lo que dice un profesor de la Universidad de Santo Domingo a un grupo de estudiantes extranjeros que están estudiando en la República Dominicana y luego marca si cada oración que sigue es **cierta (C)**, **falsa (F)** o si no tiene relación con lo que escuchaste **(N/R)**.

PROFESOR: Como la mayoría de los países latinoamericanos, la República Dominicana es una república donde se celebran regularmente elecciones, aunque en el pasado hemos sufrido dictaduras como la de Rafael Leónidas Trujillo que duró más de treinta años, de 1930 a 1961. A la cabeza del gobierno hay un presidente que es elegido cada cuatro años.

MUJER: ¿Y se puede reelegir al presidente?

PROFESOR: Sí, en la República Dominicana existe la reelección. Por ejemplo, Joaquín Balaguer ha sido elegido a la presidencia en varias ocasiones.

HOMBRE: ¿Cuándo fue la primera vez que Joaquín Balaguer llegó a la presidencia?

PROFESOR: Joaquín Balaguer fue nombrado presidente en 1960 y tras el asesinato de Trujillo en 1961, intentó reformas que provocaron un golpe militar en 1962. Pero luego, en 1966, fue elegido presidente de nuevo y fue reelegido en 1970 y en 1974.

MUJER: ¿Ha sido presidente desde entonces?

PROFESOR: No, en 1978 dejó la presidencia al perder las elecciones. Pero en 1986 volvió a ocupar este cargo tras su victoria en las elecciones presidenciales y en 1990 fue reelegido nuevamente.

HOMBRE: Pero las elecciones de 1994 no fueron muy claras y hemos observado muchas protestas de la oposición.

PROFESOR: Sí, las elecciones de 1994 causaron mucha controversia y la oposición no está de acuerdo con los resultados.

Gramática en contexto: *narración y comprensión de mandatos*

B Ordenes. ¡Pobre Carlitos! ¡Tiene tanto que hacer! Escucha lo que su mamá le dice que haga. Indica el orden en que Carlitos debe hacer las cosas ordenando numéricamente los dibujos que aparecen a continuación.

Carlitos, antes de salir para la escuela, haz la cama. Cuando regreses de la escuela, prepárate un sándwich y ocúpate de tus tareas. Pon la mesa antes de cenar. Mira la televisión después de cenar, pero no por mucho tiempo. Vete a la cama temprano.

Escucha una vez más para verificar tus respuestas.

(Repeat passage.)

C Discurso político. Usando la lista que aparece a continuación, indica si el candidato que vas a escuchar menciona (**Sí**) o no (**No**) el programa indicado.

¡Conciudadanos! Es importante que construyamos un país con mejores oportunidades para todos. Es necesario que terminemos con la pobreza. Es fundamental que eduquemos mejor a nuestros niños porque son el futuro de la nación. Es necesario que acabemos con el alto desempleo que tenemos. Es esencial que creemos más fuentes de trabajo y que todos tengan acceso a un trabajo digno. Por eso, es importante que en las próximas elecciones voten por mí.

Escucha una vez más para verificar tus respuestas.

(Repeat passage.)

Pronunciación y ortografía

D Pronunciación y ortografía de las letras *q, k* y *c*. La **q** y la **k**, y la **c** antes de las vocales **a, o** y **u**, se pronuncian de la misma manera. Con la excepción de algunas palabras incorporadas al español como préstamos de otros idiomas (*quáter, quásar, quórum*), este sonido sólo ocurre con la **q** en las combinaciones **que** o **qui**. Con la **k,** el sonido sólo ocurre en palabras prestadas o derivadas de otros idiomas, como *kabuki, karate, kibutz, koala, kilo*. Con la **c**, este sonido sólo ocurre en las combinaciones **ca, co** y **cu**. Estudia la ortografía de estas palabras mientras la narradora las lee.

complejo	**que**mar	**k**amikaze
ex**ca**vaciones	oligar**quía**	**k**ayak
cultivar	ata**que**	**k**ilómetro

Ahora escucha a los narradores leer las siguientes palabras y escribe las letras que faltan en cada una.

1. **c**onexión	5. **qu**iché
2. ar**que**ológico	6. blo**que**ar
3. **c**omerciante	7. derro**ca**do
4. magní**fic**o	8. **Que**tzalcóatl

E Dictado. Escucha el siguiente dictado e intenta escribir lo más que puedas. El dictado se repetirá una vez más para que revises tu párrafo.

La cuna de América

El 6 de diciembre de 1492, Cristóbal Colón descubrió una isla que sus habitantes originales, los taínos, llamaban Quisqueya. Con su nuevo nombre de La Española, dado por Colón, la isla se convirtió en la primera colonia española y cuna del imperio español en América. Se calcula que antes de la llegada de los españoles, había aproximadamente un millón de taínos en la isla; cincuenta años más tarde esta población había sido reducida a menos de quinientos.

Ahora, escucha una vez más para verificar lo que escribiste.

(Repeat passage.)

¡A escuchar!

Gente del Mundo 21

A Luis Muñoz Marín. En una escuela secundaria de San Juan de Puerto Rico, una maestra de historia les hace preguntas a sus alumnos. Escucha con atención lo que dicen y luego marca si cada oración que sigue es **cierta (C), falsa (F)** o si no tiene relación con lo que escuchaste **(N/R)**.

MAESTRA: Para repasar lo que leyeron como tarea les voy a hacer preguntas. ¿En qué año los puertorriqueños eligieron directamente al primer gobernador de puerto Rico?

ALUMNA: En 1948.

MAESTRA: Así es. Desde 1898 —cuando Puerto Rico fue cedido por España a EE.UU.— hasta 1948 los gobernadores de Puerto Rico eran nombrados por el presidente de EE.UU. Ahora, ¿quién fue el primer gobernador de Puerto Rico elegido por los puertorriqueños?

ALUMNO: Luis Muñoz Marín.

MAESTRA: ¿Y cuál era el nombre de su partido político?

ALUMNO: ¿Era el Partido Demócrata?

MAESTRA: Ése es el nombre de un partido político de EE.UU. El partido de Luis Muñoz Marín tiene un nombre diferente. ¿Alguien se acuerda?

ALUMNA: El PPD, Partido Popular Democrático.

MAESTRA: Así es. ¿Y cuántas veces Luis Muñoz Marín fue elegido gobernador?

ALUMNO: Creo que cuatro veces.

MAESTRA: Muy bien. Durante su primer gobierno se aprobó una constitución que entró en vigencia el 25 de julio de 1952. ¿Cómo transformó esta constitución la relación entre Puerto Rico y EE.UU.?

ALUMNA: Bueno, Puerto Rico se convirtió en Estado Libre Asociado de EE.UU.

MAESTRA: Muy bien. Hoy vamos a estudiar lo que esto significa.

Gramática en contexto: *entender opiniones expresadas*

B **El futuro de Puerto Rico.** Escucha lo que dice una señora puertorriqueña y luego indica si las afirmaciones que siguen reflejan (**Sí**) o no (**No**) la opinión de esta persona.

Yo quiero que Puerto Rico siga siendo un Estado Libre Asociado. Es bueno que recibamos ayuda federal de EE.UU y es importante que vengan compañías norteamericanas a Puerto Rico para que mejoren la economía de la isla. Es fundamental que no tengamos que pagar impuestos federales. No es importante que no podamos votar en las elecciones presidenciales de EE.UU y es esencial que no perdamos el idioma español ni nuestra cultura hispana. En resumen, quiero que continuemos como un Estado Libre Asociado por las ventajas que representa para nuestra isla.

Escucha una vez más para verificar tus respuestas.

(Repeat passage.)

C **¿Estado número 51?** Escucha la opinión de la persona que habla y luego indica si mencionó (**Sí**) o no (**No**) las afirmaciones que siguen.

Yo no creo que Puerto Rico deba seguir siendo un Estado Libre Asociado. Pienso que debe ser un estado de la unión americana, pues sería bueno que todos los puertorriqueños tengamos los mismos derechos que el resto de los norteamericanos. Es urgente que, como estado, elijamos dos senadores y siete representantes que hagan oír nuestra voz en Washington y es ventajoso que nos convirtamos en el grupo hispano más poderoso del país. Es posible que muchas empresas norteamericanas se vayan del país y que aumente el desempleo; pero yo dudo que eso suceda. Tampoco creo que perdamos totalmente nuestro idioma español. En resumen, pienso que es mejor que

Puerto Rico sea un estado verdadero y que deje de ser un estado libre asociado.

Escucha una vez más para verificar tus respuestas.

(Repeat passage.)

Pronunciación y ortografía

D **Guía para el uso de la letra *c*.** En la unidad anterior aprendiste que la **c** en combinación con la **e** y la **i** tiene el sonido /s/ y que frente a las vocales **a, o** y **u** tiene el sonido /k/. Observa esta relación entre los sonidos de la letra **c** y el deletreo al escuchar a la narradora leer estas palabras.

catastrófi**ca**	**ce**der
constitución	**ci**vilización
cuentos	**ci**vil
electróni**co**	enrique**ce**rse
vo**ca**lista	exporta**ci**ón
gigantes**co**	recono**ci**do

Ahora, escucha a los narradores leer las siguientes palabras. Marca con un círculo el sonido que oyes en cada una.

1. proceso
2. permanecer
3. estratégico
4. fortificado
5. convertir
6. sociedad
7. vocal
8. ocupado
9. oposición
10. bucanero

E **Deletreo con la letra *c*.** Ahora, escucha a los narradores leer las siguientes palabras y escribe las letras que faltan en cada una.

1. escenario
2. asociado
3. colono
4. denominación
5. gigantesco
6. caña
7. presencia
8. acelerado
9. petroquímico
10. farmacéutico

F **Dictado.** Escucha el siguiente dictado e intenta escribir lo más que puedas. El dictado se repetirá una vez más para que revises tu párrafo.

Estado Libre Asociado de EE.UU.

En 1952 la mayoría de los puertorriqueños aprobó una nueva constitución que garantizaba un gobierno autonómo, el cual se llamó Estado Libre Asociado (ELA) de Puerto Rico. El principal promotor de esta nueva relación fue el primer gobernador elegido por los puertorriqueños, Luis Muñoz Marín.

Bajo el ELA, los residentes de la isla votan por su gobernador y sus legisladores estatales y a su vez mandan un comisionado a Washington D.C. para que los represente. Pero a diferencia de un estado de EE.UU., los residentes de Puerto Rico no tienen congresistas en el congreso federal ni pueden votar por el presidente, pero tampoco tienen que pagar impuestos federales.

Ahora, escucha una vez más para verificar lo que escribiste.

(Repeat passage.)

¡A escuchar!

Gente del Mundo 21

A **La ex-presidenta de Nicaragua.** Escucha lo que dice un comentarista de una estación de televisión centroamericana al presentar a la ex-presidenta de Nicaragua. Luego marca si cada oración que sigue es **cierta (C)**, **falsa (F)** o si no tiene relación con lo que escuchaste **(N/R)**.

Es un verdadero honor para esta estación de televisión centroamericana tener aquí con nosotros a doña Violeta Barrios de Chamorro, ex-presidenta de Nicaragua. Esta distinguida señora ha desempeñado todos los papeles que le han tocado con gran éxito. La historia de su vida no es desconocida para ustedes los radioescuchas. En 1950 se casó con Pedro Joaquín Chamorro, editor del periódico *La Prensa* y destacado opositor al dictador Anastasio Somoza. Después del asesinato de su esposo, Violeta Chamorro pasó a dirigir el periódico. De julio de 1979 a abril de 1980 formó parte de la junta revolucionaria sandinista que tomó el poder después de la caída de Somoza. Desilusionada por las tendencias comunistas del Sandinismo, cada vez más marcadas, pasó a la oposición y llegó a la presidencia de Nicaragua en 1990 cuando derrotó en elecciones libres a Daniel Ortega, el candidato del régimen sandinista. Su gobierno logró la reconciliación de las fuerzas contrarrevolucionarias y reanudó los lazos de amistad con EE.UU. En 1997 regresó a ser directora del periódico *La Prensa*. Por eso hemos invitado a doña Violeta Barrios de Chamorro a nuestro programa. Le vamos a pedir que nos hable un poco sobre el futuro de nuestro país tal como ella lo ve, de los motivos de esperanza y de los problemas más importantes que enfrenta Nicaragua. Démosle a la señora Ex-presidenta una calurosa bienvenida.

Gramática en contexto: *narración descriptiva*

B **León.** Escucha el siguiente texto acerca de la ciudad de León y luego selecciona la opción correcta para completar las oraciones que aparecen a continuación.

Quiero visitar León porque me interesan las ciudades con un rico pasado. A menos de que uno prefiera las ciudades capitales, a veces las visitas a ciudades más pequeñas son más agradables. Dicen que no hay ninguna ciudad en Nicaragua que tenga el encanto colonial que se puede apreciar en León: calles estrechas, casas con techos de tejas rojas, bellos edificios antiguos. En caso de que seas amante de la poesía, te va a importar saber que el gran poeta Rubén Darío murió en esa ciudad en el año 1916. En la calle que lleva su nombre, se puede visitar el Museo-Archivo Rubén Darío, donde se exponen artículos personales del poeta así como libros que pertenecieron a su biblioteca personal.

Escucha una vez más para verificar tus respuestas.

(Repeat passage.)

C **Pequeña empresa.** Escucha lo que dice el gerente acerca de su empresa y luego determina si las afirmaciones que siguen coinciden **(Sí)** o no **(No)** con la información del texto.

Tenemos una pequeña empresa que cuenta con cincuenta empleados. Tenemos secretarias que hablan inglés pero no tenemos ninguna secretaria que hable español, o sea que tampoco tenemos secretarias que sean bilingües. En este momento buscamos secretarias que puedan hablar y escribir los dos idiomas. En nuestra empresa hay un jefe de ventas que es muy dinámico y estamos muy contentos con la recepcionista que tenemos; es una persona que se lleva bien con la gente.

Escucha una vez más para verificar tus respuestas.

(Repeat passage.)

Pronunciación y ortografía

D **Guía para el uso de la letra z.** La **z** tiene sólo un sonido /s/, que es idéntico al sonido de la **s** y al de la **c** en las combinaciones **ce** y **ci**. Observa el deletreo de este sonido al escuchar a la narradora leer las siguientes palabras.

za**pote**	**centro**	saltar
za**cate**	**cerámica**	asesinado
zona	**ciclo**	sociedad
arzobispo	proceso	subdesarollo
izquierdista	violencia	trasladarse
diez	apreciado	disuelto

Ahora, escucha a los narradores leer las siguientes palabras y escribe las letras que faltan en cada una.

1. **zorro**
2. venga**nza**
3. fortale**za**
4. a**zú**car
5. fuer**za**
6. garanti**zar**
7. lan**za**dor
8. for**za**do
9. me**zclar**
10. naciona**liz**ar

E **Deletreo con la letra z.** La **z** siempre se escribe en ciertos sufijos, patronímicos y terminaciones.

- Con el sufijo **-azo** (indicando una acción realizada con un objeto determinado)

latig**azo**   puñet**azo**   botell**azo**   manot**azo**

- Con los patronímicos (apellidos derivados de nombres propios españoles) **-az, -ez, iz, -oz, uz**

Alcar**az**   Domíngu**ez**   Ru**iz**   Muñ**oz**

- Con las terminaciones **-ez, eza** de sustantivos abstractos

timid**ez**   honrad**ez**   noble**za**   triste**za**

Ahora, escucha a los narradores leer las siguientes palabras y escribe las letras que faltan en cada una.

1. golp**azo**
2. escas**ez**
3. Álvar**ez**
4. Gonzál**ez**
5. gol**azo**
6. pere**za**
7. garrot**azo**
8. Lóp**ez**
9. espad**azo**
10. rigid**ez**

F **Dictado.** Escucha el siguiente dictado e intenta escribir lo más que puedas. El dictado se repetirá una segunda vez para que revises tu párrafo.

El proceso de la paz

En noviembre de 1984 Daniel Ortega, líder del Frente Sandinista, fue elegido presidente de Nicaragua. Seis años más tarde fue derrotado en elecciones libres por la candidata de la Unión Nacional Opositora, Violeta Barrios de Chamorro. El gobierno de Chamorro logró la pacificación de los "contras', reincorporó la economía nicaragüense al mercado internacional y reanudó lazos de amistad con EE.UU. En 1997, Chamorro entregó la presidencia a Arnoldo Alemán Lecayo quien había vencido a Daniel Ortega, el candidato sandinista, en elecciones democráticas. Desde entonces se vio un mejoramiento en la economía del país debido a la exportación de azúcar y la liberalización del intercambio internacional. Desafortunadamente, la devastación del huracán Mitch en 1998 forzó al gobierno a concentrarse en la reconstrucción del país al pasar al siglo XXI.

Ahora, escucha una vez más para verificar lo que escribiste.

(Repeat passage.)

UNIDAD 5
LECCIÓN 2

¡A escuchar!

Gente del Mundo 21

A **Lempira.** Escucha con atención lo que dicen dos estudiantes y luego marca si cada oración que sigue es **cierta (C), falsa (F)** o si no tiene relación con lo que escuchaste **(N/R).**

ROBERTA: Miguel, ¿por qué la moneda nacional de Honduras se llama "lempira"?

MIGUEL: Se llama así en homenaje a un jefe indígena que luchó contra los españoles.

ROBERTA: ¿Pero qué significa la palabra lempira?

MIGUEL: Ése era su nombre y significa "señor de las sierras".

ROBERTA: ¿En qué época sucedió esto?

MIGUEL: Fue en la década de 1530, cuando Lempira organizó la lucha contra los españoles y resistió con mucho éxito a las fuerzas comandadas por Alfonso de Cáceres. Según cuenta la leyenda, los españoles convencieron a Lempira a recibir a dos comisionados de Alfonso de Cáceres para negociar la paz. En el encuentro, uno de los soldados le disparó, matando al cacique y acabando así con uno de los líderes indígenas más importantes. Actualmente, en Honduras, lo consideran un héroe nacional.

Gramática en contexto: *narración descriptiva*

B **La Ceiba.** Escucha lo que te dice un amigo hondureño acerca de una ciudad caribeña de Honduras que vas a visitar en estas vacaciones. Luego indica si la información que sigue es mencionada **(Sí)** o no **(No)** por tu amigo.

Como te gusta tenderte en la playa, tomar sol y nadar, debes visitar la costa caribeña de Honduras. Antes de que llegues a las islas de la Bahía, en pleno mar Caribe, pasa unos momentos en La Ceiba, capital del Departamento de Atlántida. En caso de que te detengas en la plaza principal, vas a poder ver dos lagunitas con tortugas y cocodrilos que toman sol. Con tal de que estés allí en la segunda mitad del mes de mayo, vas a poder ver el Festival de San Isidro, que es el santo patrón de la ciudad. Tienes que aprender a bailar para que te diviertas con toda la gente durante ese festival.

Escucha una vez más para verificar tus respuestas.

(Repeat passage.)

C Las ruinas de Copán. Escucha el siguiente texto acerca de las ruinas de Copán y luego selecciona la opción correcta para completar las oraciones que aparecen a continuación.

Las ruinas arqueológicas de Copán son una excelente muestra del progreso y desarrollo de la civilización maya en Mesoamérica. Están localizadas a unos diez kilómetros de la frontera con Guatemala. En el Período Clásico Tardío, entre los años 600 a 900 antes de Cristo, este importante centro llegó a tener una población de unos 20.000 habitantes. En 1980 la UNESCO declaró a las ruinas de Copán como Patrimonio Cultural de la Humanidad, reconociendo así su importancia mundial.

Dos atractivos importantes de este centro turístico son el Parque Arqueológico y el Museo de la Escultura Maya. En el Parque Arqueológico se puede visitar el Grupo Principal que incluye la Gran Plaza y la Acrópolis. En la Gran Plaza se puede observar la Escalera de los Jeroglíficos, donde se encuentran representaciones de los gobernantes de la ciudad. En un altar de la Acrópolis también se encuentran representados lo dieciséis gobernantes de la ciudad. Es uno de los monumentos históricos más famosos de Copán.

Escucha una vez más para verificar tus respuestas.

(Repeat passage.)

Pronunciación y ortografía

D Guía para el uso de la letra *s*. En lecciones previas aprendiste que la s tiene sólo un sonido /s/, que es idéntico al sonido de la z y al de la letra c en las combinaciones ce y ci. Observa el deletreo de este sonido cuando la narradora lea las siguientes palabras.

desafío	zambo	**ce**nso
sentimiento	zacate	descendiente
sindicato	zona	**ci**lantro
colapso	mestizo	**ci**neasta
superar	raza	vecino
musulmán	actriz	conciencia

Ahora escribe las letras que faltan mientras escuchas a los narradores leer las siguientes palabras.

1. a**s**umir
2. acu**s**ar
3. victorio**so**
6. abu**s**o
7. **s**erie
8. a**s**alto

4. **s**iglo
5. **s**andinista
9. depre**sión**
10. **s**ociedad

E Deletreo con la letra *s*. Las siguientes terminaciones se escriben siempre con la **s**.

- Las terminaciones **-sivo** y **-siva**

deci**sivo** pa**sivo** expre**siva** defen**siva**

- La terminación **-sión** añadida a sustantivos que se derivan de adjetivos que terminan en **-so, -sor, -sible, -sivo**

confe**sión** transmi**sión** compren**sión** vi**sión**

- Las terminaciones **-es** y **-ense** para indicar nacionalidad o localidad

holand**és** leon**és** costarric**ense** chihuah**uense**

- Las terminaciones **-oso** y **-osa**

contagi**oso** graci**osa**
estudi**oso** bondad**osa**

- La terminación **-ismo**

capital**ismo** comun**ismo** islam**ismo** barbar**ismo**

- La terminación **-ista**

guitarr**ista** art**ista** dent**ista** futbol**ista**

Ahora, escucha a los narradores leer las siguientes palabras y escribe las letras que faltan en cada una.

1. pian**ista**
2. cordob**és**
3. explo**sión**
4. pare**zoso**
5. paris**iense**
6. gase**osa**
7. femin**ismo**
8. confu**sión**
9. pose**sivo**
10. period**ista**

F Dictado. Escucha el siguiente dictado e intenta escribir lo más que puedas. El dictado se repetirá una vez más para que revises tu párrafo.

La independencia de Honduras

Como provincia perteneciente a la Capitanía General de Guatemala, Honduras se independizó de España en 1821. Como el resto de los países centroamericanos, se incorporó al efímero imperio mexicano de Agustín de Iturbide y formó parte de la federación de las Provincias Unidas de Centroamérica. En la vida política de la federación sobresalió el hondureño Francisco Morazán, que fue elegido presidente en 1830 y 1834. El 5 de noviembre de 1838 Honduras se separó de la federación y proclamó su independencia.

Ahora, escucha una vez más para verificar lo que escribiste.

(Repeat passage.)

¡A escuchar!

Gente del Mundo 21

A Político costarricense. Escucha con atención lo que les pregunta un maestro de historia a sus estudiantes de una escuela secundaria de San José de Costa Rica. Luego marca si cada oración que sigue es **cierta (C), falsa (F)** o si no tiene relación con lo que escuchaste **(N/R)**.

MAESTRO: Bueno para repasar lo que leyeron como tarea les voy a hacer preguntas. ¿Cómo se llama el político costarricense que fue galardonado con el Premio Nobel de la Paz?

ALUMNA: Óscar Arias Sánchez.

MAESTRO: ¿En qué año le otorgaron este premio?

ALUMNO: ¿En 1990?

MAESTRO: No, fue en 1987. ¿Por qué creen que se mereció este premio?

ALUMNA: Por su activa participación en las negociaciones por la paz en Centroamérica. Si no me equivoco, las negociaciones llevaron a un acuerdo de paz entre los diferentes países de la región. Este acuerdo se firmó en la Ciudad de Guatemala el 7 de agosto de 1987.

MAESTRO: Muy bien. Óscar Arias Sánchez es un político muy respetado en Costa Rica. Fue presidente de nuestro país de 1986 a 1990.

Gramática en contexto: *narración descriptiva*

B Costa Rica. Escucha el siguiente texto acerca de Costa Rica y luego selecciona la opción correcta para completar las oraciones que aparecen a continuación.

Costa Rica, a pesar de lo que dice su nombre, no es una nación rica aunque es el país con el mayor ingreso nacional *per cápita* de la región centroamericana. El país tenía ejército hasta que, en 1949, decidieron suprimirlo y dedicar esa parte del presupuesto a la educación. Pero a pesar de ello, mantiene una guardia civil muy eficaz. Mientras que el resto de los países vecinos han sufrido una larga historia de dictaduras, Costa Rica aparece como uno de los países con la democracia más duradera. Cuando llegó el año 1989, los costarricenses celebraron cien años de gobiernos democráticos.

Escucha una vez más para verificar tus respuestas.

(Repeat passage.)

C Tareas domésticas. A continuación, escucharás a Alfredo decir cuándo va a hacer las tareas domésticas que le han pedido que haga. Escribe la letra del dibujo que corresponde a cada oración que escuchas.

1. Voy a hacer la cama **en cuanto desayune.**

2. Voy a arreglar mi cuarto **tan pronto como termine de ducharme.**

3. Voy a pasar la aspiradora a las diez **cuando apague la televisión.**

4. Voy a cortar el césped **cuando no haga tanto calor.**

5. Voy a poner los platos en la lavadora **después de que terminemos de cenar.**

Escucha una vez más para verificar tus respuestas.

(Repeat passage.)

Pronunciación y ortografía

D Guía para el uso de la letra *x*. La **x** representa varios sonidos según en qué lugar de la palabra ocurra. Normalmente representa el sonido **/ks/** como en **exigir.** Frente a ciertas consonantes se pierde la **/k/** y se pronunica simplemente **/s/** (aspirada) como en **explorar.** En otras palabras se pronuncia como la **j.** Es el sonido fricativo **/x/** como en **México** o **Oaxaca.** Observa el deletreo de este sonido al escuchar a la narradora leer las siguientes palabras.

exilio	explosión	Texas
existencia	experiencia	mexicana
éxodo	exterminar	oaxaqueño
máximo	exclusivo	Mexicali
anexión	pretexto	texano
saxofón	excavación	Xavier

Ahora indica si las palabras que dicen los narradores tienen el sonido **/ks/** o **/s/.**

1. expansión	6. expedición
2. textual	7. hexágono
3. existencia	8. exterminio
4. extranjero	9. conexión
5. exuberante	10. textura

E Deletreo con la letra *x*. La **x** siempre se escribe en ciertos prefijos y terminaciones.

• Con el prefijo **ex-**

exponer   **ex**presiva   **ex**ceso   **ex**presión

• Con el prefijo **extra-**

extraordinario   **extra**terrestre

extralegal   **extra**sensible

• Con la terminación **-xión** en palabras derivadas de sustantivos o adjetivos terminados en **-je, -jo** o **-xo.**

refe**xión** (de refle**jo**)   cone**xión** (de cone**xo**)

comple**xión** (de comple**jo**)   ane**xión** (de anexo)

Ahora, escucha a los narradores leer las siguientes palabras y escribe las letras que faltan en cada una.

1. expulsar
2. exagerar
3. explosión
4. crucifixión
5. extraño
6. reflexión
7. examinar
8. extranjero
9. exterior
10. exiliado

F **Dictado.** Escucha el siguiente dictado e intenta escribir lo más que puedas. El dictado se repetirá una vez más para que revises tu párrafo.

Costa Rica: país ecológico

Debido a la acelerada deforestación de las selvas que cubrían la mayor parte del territorio de Costa Rica, se ha establecido un sistema de zonas protegidas y parques nacionales. En proporción a su área, es ahora uno de los países que tiene más zonas protegidas (el veintiséis por ciento del territorio tiene algún tipo de protección, el ocho por ciento está dedicado a parques nacionales.) Estados Unidos, por ejemplo, ha dedicado a parques nacionales solamente el 3,2 por ciento de su superficie.

Ahora, escucha una vez más para verificar lo que escribiste.

(Repeat passage.)

UNIDAD 6
LECCIÓN 1

¡A escuchar!

Gente del Mundo 21

A **Premio Nobel de Literatura.** Escucha lo que un profesor de literatura latinoamericana les pregunta a sus alumnos sobre uno de los escritores latinoamericanos más importantes del siglo XX. Luego marca si cada oración que sigue es **cierta (C)**, **falsa (F)** o si no tiene relación con lo que escuchaste **(N/R)**.

PROFESOR: Voy a hacerles algunas preguntas sobre la lectura que tuvieron como tarea para hoy. ¿En qué año Gabriel García Márquez fue galardonado con el Premio Nobel de Literatura?

ALUMNA: En 1982.

PROFESOR: ¿Cuándo y dónde nació este escritor?

ALUMNO: Nació en 1928 en Aracataca, un pueblo de Colombia cerca de la costa del mar Caribe.

PROFESOR: ¿Qué estudió en las universidades de Bogotá y Cartagena de Indias?

ALUMNA: Estudió derecho y periodismo.

PROFESOR: ¿Dónde aparece por primera vez Macondo, el pueblo imaginario inventado por García Márquez?

ALUMNA: Aparece en su primera novela, *La hojarasca,* que publicó en 1955.

PROFESOR: ¿Cuál es el título del libro que lo consagró como novelista?

ALUMNO: *El laberinto de la soledad.*

PROFESOR: No, ése es un libro de ensayos escrito por Octavio Paz. ¿Alguien se acuerda?

ALUMNA: *Cien años de soledad.* Es una novela que se publicó en 1967 y es la historia del pueblo de Macondo y de sus fundadores, la familia Buendía.

Gramática en contexto: *hablar del futuro*

B **La Catedral de Sal.** Escucha el siguiente texto acerca de la Catedral de Sal de Zipaquirá y luego selecciona la opción que complete correctamente las oraciones que siguen.

El próximo domingo iré a Zipaquirá. ¡Por fin veré la Catedral de Sal, de la cual todo el mundo me habla! Tomaré el tren turístico en Bogatá por la mañana y regresaré por la tarde. Dicen que en Zipaquirá hay tanta sal que habría que explotar esas minas durante cien años de modo continuo para que se agotaran. La Catedral de Sal fue inaugurada en 1954 y está dedicada a Nuestra Señora del Rosario, que es la santa patrona de los mineros. Se llega allí después de caminar aproximadamente cinco minutos desde la entrada a las minas. El techo está a una altura de veintitrés metros del piso y el altar es un inmenso bloque de sal que pesa dieciocho toneladas. Tiene capacidad para diez mil personas. Su construcción tardó diez años. Además, me dijeron que ofrece una vista impresionante.

Escucha una vez más para verificar tus respuestas.

(Repeat passage.)

C **Actividades del sábado.** Rodrigo habla de lo que él y sus amigos harán el sábado que viene. Mientras escuchas lo que dice, ordena numéricamente los dibujos. Ten en cuenta que algunos dibujos quedarán sin numerar.

1. Temprano por la mañana saldremos a correr por el parque.
2. Más tarde conduciremos a un centro comercial porque queremos comprar unos regalos.
3. Almorzaremos en un restaurante cerca del centro comercial.
4. A las tres de la tarde asistiremos a la boda de nuestra amiga Alicia.
5. Después de la ceremonia religiosa iremos a la recepción.

Escucha una vez más para verificar tus respuestas.

(Repeat passage.)

Pronunciación y ortografía

D **Guía para el uso de la letra *g*.** El sonido de la **g** varía según dónde ocurra en la palabra, la frase o la oración. Al principio de una frase u oración y después de la **n** tiene el sonido /g/, excepto en las combinaciones **ge** y **gi**, como en **grabadora** o **tengo**. Este sonido es muy parecido al sonido de la **g** en inglés. En cualquier otro caso, tiene un sonido más suave /g̶/ como en **la grabadora, segunda** o **llegada,** excepto en las combinaciones **ge** y **gi**.

Observa la diferencia entre los dos sonidos cuando la narradora lea las siguientes palabras.

po**ng**o	al**g**unos
te**ng**o	lo**g**rar
gótico	pro**g**rama
grande	la **g**rande
ganadero	el **g**anadero

E **Pronunciación de *ge* y *gi*.** El sonido de la **g** antes de las vocales **e** o **i** es idéntico al sonido /x/ de la **j** como en **José** o **justo**. Escucha la pronunciación de **ge** y **gi** en las siguientes palabras.

gente	fu**gi**tivo
inteli**ge**nte	**gi**gante
sumer**gi**rse	

Ahora, escucha a los narradores leer las siguientes palabras con los tres sonidos de la letra **g** y escribe las letras que faltan en cada una.

1. obli**g**ar
2. **g**obierno
3. **g**uerra
4. prote**g**er
5. sa**g**rado
6. ne**g**ociar
7. **g**i**g**antesco
8. presti**gi**oso
9. **g**ravemente
10. exa**g**erar

F **Deletreo con la letra *g*.** La **g** siempre se escribe en ciertas raíces y terminaciones y antes de la **u** con díeresis (**ü**).

- En las raíces **geo-, legi-** y **ges-**

geográfico	**legi**slatura	**ges**tación
apo**geo**	**legi**ble	con**ges**tión

- En la raíz **-gen**

generación	**gen**erar	**gen**te

- En los verbos terminados en **-ger, -gir, -gerar** y **-gerir**

reco**ger**	diri**gir**	exa**gerar**	su**gerir**
prote**ger**	corre**gir**	ali**gerar**	in**gerir**

- En palabras que se escriben con **güe** o **güi**

bilin**güe**	ver**güe**nza	ar**güi**r
averi**güe**	**güe**ro	pin**güi**no

Ahora, escucha a los narradores leer las siguientes palabras y escribe las letras que faltan en cada una.

1. **geo**logía
2. enco**ger**
3. sur**gir**
4. **gen**ética
5. ele**gir**
6. le**gí**timo
7. **güe**ra
8. exi**gir**
9. **geo**grafía
10. **legi**slador

G **Dictado.** Escucha el siguiente dictado e intenta escribir lo más que puedas. El dictado se repetirá una vez más para que revises tu párrafo.

Guerra de los Mil Días y sus efectos

Entre 1899 y 1903 tuvo lugar la más sangrienta de las guerras civiles colombianas, la Guerra de los Mil Días, que dejó al país exhausto. En noviembre de ese último año, Panamá declaró su independencia de Colombia. El gobierno estadounidense apoyó esta acción pues facilitaba considerablemente su plan de abrir un canal a través del istmo centroamericano. En 1914 Colombia reconoció la independencia de Panamá y recibió una compensación de 25 millones de dólares por parte de Estados Unidos.

Ahora, escucha una vez más para verificar lo que escribiste.

(Repeat passage.)

UNIDAD 6
LECCIÓN 2

¡A escuchar!

Gente del Mundo 21

A **Un cantante y político.** Escucha la conversación entre dos panameños, el señor Ordóñez y su hijo Patricio, sobre un cantante que fue candidato a la presidencia de su país. Luego marca si cada oración que sigue es **cierta (C), falsa (F)** o si no tiene relación con lo que escuchaste (**N/R**).

SR. ORDÓÑEZ: ¿No ves, Patricio? Te dije que Rubén Blades no podía ser elegido. Salvador Rodríguez, el candidato del Partido Revolucionario Demócrata, ha ganado las elecciones presidenciales. Blades debe conformarse con ser músico y no meterse en política.

PATRICIO: No digas eso papá. Blades hizo una campaña muy buena y creo que es un modelo para los panameños de todas las edades.

SR. ORDÓÑEZ: Pero lo que hace falta en el país no es un buen modelo, sino un buen presidente. Y el pueblo panameño decidió que Rodríguez, y no Blades,

tenía la capacidad necesaria para
gobernar el país.

PATRICIO: Pero no te olvides que Blades no es
solamente un músico. Se recibió de
abogado en Panamá antes de ir a Nueva
York en 1974 y sacó una maestría en
derecho internacional en la Universidad
de Harvard.

SR. ORDÓÑEZ: No niego que tiene una buena
formación y que es un hombre de
mucho talento. Me encantan sus
películas como *Crossover Dreams* y
Milagro Beanfield War. Pero eso no
basta para que lo elijamos presidente.
Hace falta tener experiencia política.

PATRICIO: Pero, papá, Blades fundó *Papá Egoró,*
un nuevo partido político.

SR. ORDÓÑEZ: Nunca han faltado los partidos políticos
en Hispanoamérica, Patricio.

PATRICIO: Recuerda que *Papá Egoró* significa
"Nuestra Madre Tierra". El nombre lo
dice todo.

SR. ORDÓÑEZ: Blades puede ponerle el nombre que
quiera a su partido, pero parece que la
mayoría de los panameños se dieron
cuenta de que un hombre como Blades,
que ha vivido veinte años en el
extranjero, no conoce bien los
problemas de Panamá.

Gramática en contexto: *descripción*

B Los cunas. Escucha el siguiente texto acerca de los
cunas y luego selecciona la respuesta que complete
correctamente las oraciones que siguen.

Al este de la ciudad de Colón, en el mar Caribe, se
encuentran las islas San Blas, habitadas por los cunas.
Hay una isla por cada día del año, pero sólo unas
cincuenta están habitadas. En éstas se concentra la
población cuna, el grupo indígena de Panamá con
mejor organización política. Los cunas administran
el territorio de San Blas prácticamente por sí mismos
y envían representantes a la Asamblea Nacional.
Aunque muchos hombres trabajan temporalmente
en el continente, la mayoría de las mujeres viven
permanentemente en las islas. Usan anillos de
oro en las orejas y en la nariz y llevan vestidos
multicolores con interesantes diseños de formas
geométricas, de animales y flores estilizados o de
temas contemporáneos. A los turistas les encantan
especialmente los diseños de las blusas o *molas,* como
se las denomina en la lengua cuna.

Escucha una vez más para verificar tus respuestas.

(Repeat passage.)

C Sueños. Ahora escucharás a unos estudiantes decir
lo que harían con un millón de dólares. Mientras
los escuchas, ordena numéricamente los dibujos.
Ten en cuenta que algunos dibujos quedarán sin
numerar.

1. Me compraría un coche de lujo.
2. Iría en un crucero por el Caribe.
3. Construiría la casa de mis sueños.
4. Les daría mucho dinero a las instituciones de
   caridad.
5. Le regalaría un collar de diamantes a mi hermana.

Escucha una vez más para verificar tus respuestas.

(Repeat passage.)

Pronunciación y ortografía

D Guía para el uso de la letra *j*. En lecciones previas
aprendiste que la **j** tiene sólo un sonido /**x**/, que es
idéntico al sonido de la **g** en las combinaciones **ge** y
gi. Observa el deletreo de este sonido al escuchar a la
narradora leer las siguientes palabras.

jardines

mestizaje

dijiste

ojo

judíos

Ahora, escucha a los narradores leer las siguientes
palabras y escribe las letras que faltan en cada una.

1. **j**unta   6. homena**j**e
2. fran**j**a   7. porcenta**j**e
3. extran**j**ero   8. **j**abón
4. lengua**j**e   9. tra**j**e
5. via**j**ero   10. **J**alisco

E Deletreo con la letra *j*. La **j** siempre se escribe en
ciertas terminaciones y formas del verbo.

*   En las terminaciones **-aje, -jero** y **-jería**

mestiz**aje**   extran**jero**   relo**jería**

aprendiz**aje**   ca**jero**   bru**jería**

*   En el pretérito de los verbos irregulares terminados
    en **-cir** y de verbos regulares cuyo radical termina
    en **j.**

redu**je** (de reducir)   tra**je** (de traer)

produ**je** (de producir)   fi**jé** (de fijar)

di**je** (de decir)   traba**jé** (de trabajar)

Ahora, escucha a los narradores leer las siguientes
palabras y escribe las letras que faltan en cada una.

1. conse**j**ero   6. condu**j**imos
2. redu**j**eron   7. paisa**j**e
3. di**j**o   8. relo**j**ero
4. relo**j**ería   9. tra**j**iste
5. mensa**j**e   10. mane**j**aron

F **Deletreo del sonido /x/.** Este sonido presenta dificultad al escribirlo cuando precede a las vocales **e** o **i.** Al escuchar a los narradores leer las siguientes palabras, complétalas con **g** o **j, según** corresponda.

1. ori_en
2. _u_ador
3. tradu_eron
4. reco_imos
5. le_ítimo
6. traba_adora
7. e_ército
8. exi_en
9. con_estión
10. encruci_ada

G **Dictado.** Escucha el siguiente dictado e intenta escribir lo más que puedas. El dictado se repetirá una vez más para que revises tu párrafo.

La independencia de Panamá y la vinculación con Colombia

Panamá permaneció aislada de los movimientos independentistas ya que su único medio de comunicación por barco estaba controlado por las autoridades españolas. La independencia se produjo sin violencia cuando una junta de notables la declaró en la ciudad de Panamá el 28 de noviembre de 1821, que se conmemora como la fecha oficial de la independencia de Panamá. Pocos meses más tarde, Panamá se integró a la República de la Gran Colombia junto con Venezuela, Colombia y Ecuador.

Ahora, escucha una vez más para verificar lo que escribiste.

(Repeat passage.)

UNIDAD 6
LECCIÓN 3

¡A escuchar!

Gente del Mundo 21

A **Carolina Herrera.** Escucha el siguiente texto acerca de la modista venezolana Carolina Herrera. Luego marca si cada oración que sigue es **cierta (C), falsa (F)** o si no tiene relación con lo que escuchaste **(N/R).**

El éxito de la modista venezolana Carolina Herrera se debe en gran parte al hecho de que nació y se crió en una familia privilegiada de la clase alta. En su casa se acostumbraba a hacer fiestas elegantes e invitar a gente de alta sociedad que aprovechaba de la ocasión para lucir ropa de última moda. De niña le gustaba diseñar ropa para sus muñecas y de joven diseñaba su propia ropa y hasta la ropa de varias amigas.

Cuando se casó en 1969 con Reinaldo Herrera, su vida social le dio la oportunidad de lucir su exquisito buen gusto en vestir, lo cual le ganó un puesto a perpetuidad en la Lista de las Mejor Vestidas. En 1981 fue nombrada al *Fashion Hall of Fame.* Para fines de 1982 su reputación mundial como modista ya estaba bien establecida. Grandes personalidades como la princesa Elizabeth de Yugoslavia y Nancy Reagan, la primera dama de EE.UU., siempre llevaban sus diseños. Su trabajo es conocido por el mundo entero y es tan apreciado que unas pijamas de seda diseñadas por ella se han vendido en $1.200 dólares, un traje de mujer en $3.800 dólares y unos vestidos largos de etiqueta en $4.000 dólares.

Herrera se mantiene tan ocupada ahora como siempre. "Yo nunca estoy conforme con mi trabajo. Soy una perfeccionista." Y sí que lo es. Tan pronto como saca una nueva colección de vestidos, confiesa que podría sacar otra superior a la presente. ¡Eso es la perfección!

Gramática en contexto: *descripción e instrucciones*

B **Colonia Tovar.** Escucha el siguiente texto acerca de un pueblo cercano a Caracas y luego indica si la información que sigue es mencionada **(Sí)** o no **(No)** por la persona que habla.

Cuando vayas a Caracas deberías subir a la Colonia Tovar. Éste es un pueblito situado a casi dos mil metros sobre el nivel del mar y queda a unos cincuenta kilómetros de Caracas. Fue fundado en 1843 por inmigrantes de la Selva Negra, Alemania, a quienes el gobierno les prometió tierras y autonomía política. Las promesas del gobierno no se cumplieron pero el dueño de las tierras, don Felipe Tovar, se las cedió. A la muerte de don Felipe, los colonos le dieron su nombre al pueblo. Puedes aprender acerca de esta historia en el museo del pueblo. Cuando vayas, no dejes de probar las deliciosas especialidades germanas del pueblo: pan fresco, mermelada de moras y salchichas.

Escucha una vez más para verificar tus respuestas.

(Repeat passage.)

C **Boleto del metro.** Vas a escuchar instrucciones para comprar un boleto del metro caraqueño usando una máquina expendedora. Mientras escuchas las intrucciones ordena numéricamente los dibujos correspondientes.

1. Asegúrese de que tenga monedas.
2. Si no tiene monedas, obténgalas de las máquinas que proporcionan cambio.
3. Consulte las tarifas para determinar el valor de su pasaje.
4. El precio de su boleto aparece sobre el nombre de la estación adonde usted va.

5. Oprima el botón de la máquina que indique el precio de su pasaje.

6. Si comete un error, oprima el botón que dice anulación y comience de nuevo.

7. Introduzca por la ranura las monedas con el precio exacto del pasaje.

8. Cuando complete la cantidad, la máquina le dará su boleto por la ventanilla iluminada.

Escucha una vez más para verificar tus respuestas.

(Repeat passage.)

Pronunciación y ortografía

D **Guía para el uso de la letra *h*.** La **h** es muda, no tiene sonido. Sólo tiene valor ortográfico. Observa el deletreo de las siguientes palabras con la **h** mientras la narradora las lee.

hospital

humano

a**h**ora

habitar

ex**h**austo

Ahora escucha a los narradores leer las siguientes palabras y escribe las letras que faltan en cada una.

1. he**r**edar
2. pro**h**ibir
3. re**h**usar
4. **h**ierro
5. **h**uelga
6. **h**ostilidad
7. ve**h**emente
8. **h**éroe
9. ex**h**alar
10. **h**ormiga

E **Deletreo con la letra *h*.** La **h** siempre se escribe en una variedad de prefijos griegos.

- Con los prefijos **hema-** y **hemo-**, que significan **sangre**

hematología	**hema**tólogo	**hemo**globina
hematosis	**hemo**filia	**hemo**rragia

- Con el prefijo **hecto-**, que significa **cien**, y **hexa-**, que significa **seis**

hectómetro	**hect**área	**hexa**cordo
hectolitro	**hexá**gono	**hexa**sílabo

- Con el prefijo **hosp-**, que significa **huésped**, y **host-**, que significa **extranjero**

hospital	**hosp**icio	**host**ilizar
hospedar	**host**il	**host**ilidad

- Con el prefijo **hiper-**, que significa **exceso**, e **hidro-**, que significa **agua**

hipercrítico	**hiper**termia	**hidro**metría
hipersensible	**hidro**plano	**hidro**terapia

- Con el prefijo **helio-**, que significa **sol**, e **hipo-**, que significa **inferioridad**

heliofísica	**helio**scopio	**hipó**crita
heliografía	**hipo**condrio	**hipo**pótamo

Ahora, escucha a los narradores leer las siguientes palabras y escribe las letras que faltan en cada una.

1. **hecto**gramo
2. **helio**terapia
3. **hidro**soluble
4. **hosp**edar
5. **hidro**stática
6. **hipo**tensión
7. **hectó**grafo
8. **hosp**italizar
9. **hexa**gonal
10. **hipo**teca

F **Dictado.** Escucha el siguiente dictado e intenta escribir lo más que puedas. El dictado se repetirá una vez más para que revises tu párrafo.

El desarrollo industrial

En la década de los 60, Venezuela alcanzó un gran desarrollo económico que atrajo a muchos inmigrantes de Europa y de otros países sudamericanos. En 1973 los precios del petróleo se cuadruplicaron como resultado de la guerra árabe-israelí y de la política de la Organización de Países Exportadores de Petróleo (OPEP), de la cual Venezuela era socio desde su fundación en 1960. En 1976 el presidente Carlos Andrés Pérez nacionalizó la industria petrolera, lo que proveyó al país mayores ingresos que permitieron impulsar el desarrollo industrial.

Ahora, escucha una vez más para verificar lo que escribiste.

(Repeat passage.)

UNIDAD 7
LECCIÓN 1

¡A escuchar!

Gente del Mundo 21

A **Político peruano.** Escucha lo que discute una pareja de peruanos sobre la labor realizada en Perú por el ex-presidente Alberto Fujimori. Luego marca si cada oración que sigue es **cierta (C)**, **falsa (F)** o si no tiene relación con lo que escuchaste **(N/R)**.

ANTONIO: María, lo que necesitaba Perú era una persona como el ingeniero Alberto Fujimori. Por eso yo voté por la agrupación independiente "Cambio 90" que lo postuló para las elecciones presidenciales de 1990.

MARÍA: Antonio, tú sabes que yo también voté por Fujimori, pero no estoy tan segura que lo que necesitaba Perú era un gobierno que un año después, en 1991, desolvería el congreso y se convertiría cada día en un gobierno más autoritario.

ANTONIO: ¿Pero qué podía hacer Fujimori con un congreso lleno de políticos curruptos? Necesitábamos un gobierno más eficaz para controlar la ola de violencia promovida por los guerrilleros izquierdistas de "Sendero Luminoso".

MARÍA: Pero, ¿de qué sirve tener paz si no tenemos libertad?

ANTONIO: ¿Qué me dices de la gran victoria del gobierno de Fujimori cuando en 1992 se capturó al líder del grupo guerrillero "Sendero Luminoso"? No todos los problemas se pueden resolver en un momento, pero yo creo que el gobierno de Fujimori hizo un buen papel.

Gramática en contexto: *narración y permisos*

B Perú precolombino. Escucha el siguiente texto acerca de la dificultad de conocer las culturas precolombinas de Perú. Luego indica si la información que aparece a continuación se menciona (**Sí**) o no (**No**) en el texto.

La historia precolombina de Perú es una de las más ricas del continente. A todo el mundo le fascina, por ejemplo, la historia del imperio de los incas. Sin embargo, es difícil tener un mayor conocimiento de esa historia precolombina por tres razones principales. Primeramente, el territorio de esta nación es y ha sido inestable, sujeto a calamidades naturales como terremotos e inundaciones que han destruido seguramente pueblos y ciudades antiguos. En segundo lugar, sería importante que existieran documentos escritos para conocer de un modo más directo esas culturas antiguas. Gran parte de nuestro conocimiento proviene de lo que los incas les contaron a los historiadores españoles y no sabemos si esa información oral era verdadera o no. Y en tercer lugar, parte de ese pasado se ha perdido a causa de los huaqueros o ladrones de tumbas y excavaciones arqueológicas. Como es difícil vigilar estos tesoros, los huaqueros los saquean, vendiendo en el mercado negro antiguos y valiosos objetos.

Escucha una vez más para verificar tus respuestas.

(Repeat passage.)

C Abuelos tolerantes. Escucha lo que dice Claudio acerca de lo que sus abuelos les permitían hacer a él y a sus hermanos cuando, de niños, iban a visitarlos. Mientras escuchas, ordena numéricamente los dibujos. Ten en cuenta que algunos dibujos quedarán sin numerar.

1. Nos permitían que nos levantáramos tarde.
2. Nos permitían que comiéramos postres a toda hora.
3. Nos permitían que durmiéramos en la sala de estar algunas veces.

4. Nos permitían que no hiciéramos las camas.
5. Nos permitían que jugáramos al béisbol hasta muy tarde.

Escucha un vez más para verificar tus respuestas.

(Repeat passage.)

Pronunciación y ortografía

D Guía para el uso de la letra y. La **y** tiene dos sonidos. Cuando ocurre sola o al final de una palabra tiene el sonido /i/, como en **fray** y **estoy**. Este sonido es idéntico al sonido de la vocal **i**. En todos los otros casos tiene el sonido /y/, como en **ayudante** y **yo**. (Este sonido puede variar, acercándose en algunas regiones al sonido *sh* del inglés.) Observa el deletreo de estos sonidos al escuchar a la narradora leer las siguientes palabras.

y	ensayo
soy	apoyar
virrey	yerno
Uruguay	ayuda
muy	leyes

Ahora escucha a los narradores leer palabras con los dos sonidos de la letra **y** e indica si el sonido que escuchas en cada una es /i/ o /y/.

1. reyes	**6.** apoyo
2. voy	**7.** ley
3. mayoría	**8.** buey
4. trayectoria	**9.** yegua
5. estoy	**10.** inyecciones

E Deletreo con la letra y. La **y** siempre se escribe en ciertas palabras y formas verbales y en ciertas combinaciones.

• En ciertas palabras que empiezan con **a**

ayer	**ay**uda	**ay**uno
ayunar	**ay**untar	**ay**udante

• En formas verbales cuando la letra **i** ocurriría entre dos vocales y no se acentuaría

le**ye**ndo (de leer)	o**ye**n (de oír)
ha**ya** (de haber)	ca**yó** (de caer)

• Cuando el sonido /i/ ocurre al final de una palabra y no se acentúa. El plural de sustantivos en esta categoría también se escribe con **y**.

esto**y**	re**y**	le**y**	virre**y**
vo**y**	re**ye**s	le**ye**s	virre**ye**s

Ahora, escucha a los narradores leer las siguientes palabras y escribe las letras que faltan en cada una.

1. ayunas	**6.** Paragu**ay**
2. ha**y**	**7.** re**ye**s
3. ca**ye**ndo	**8. ay**acuchano
4. bue**ye**s	**9.** va**ya**n
5. hu**ya**n	**10. ay**udante

F Dictado. Escucha el siguiente dictado e intenta escribir lo más que puedas. El dictado se repetirá una vez más para que revises tu párrafo.

Las grandes civilizaciones antiguas de Perú

Miles de años antes de la conquista española, las tierras que hoy forman Perú estaban habitadas por sociedades complejas y refinadas. La primera gran civilización de la región andina se conoce con el nombre de Chavín y floreció entre los años 900 y 200 a.C. en el altiplano y la zona costera del norte de Perú. Después siguió la cultura mochica, que se desarrolló en una zona mas reducida de la costa norte de Perú. Los mochicas construyeron las dos grandes pirámides de adobe que se conocen como Huaca del Sol y Huaca de la Luna. Una extraordinaria habilidad artística caracteriza las finas cerámicas de los mochicas

Ahora, escucha una vez más para verificar lo que escribiste.

(Repeat passage.)

¡A escuchar!

Gente del Mundo 21

A Político ecuatoriano. Escucha lo que una profesora de ciencias políticas de la Universidad de Guayaquil les dice a sus alumnos sobre un político ecuatoriano. Luego marca si cada oración que sigue es **cierta (C), falsa (F)** o si no tiene relación con lo que escuchaste **(N/R).**

Es interesante que Sixto Durán Ballén, ex-presidente de Ecuador, haya nacido en Boston, EE.UU., cuando su padre era cónsul de Ecuador en esa ciudad. Desde chico se sintió inclinado a la arquitectura y realizó sus estudios universitarios en la Universidad de Columbia en Nueva York. Después de graduado regresó a Ecuador, donde ejerció su carrera de arquitecto urbano. A los 35 años fue nombrado Ministro de Obras Públicas y años más tarde fue elegido alcalde de Quito. En las elecciones de 1992 resultó triunfador con el 58 por ciento de los votos, siendo candidato de la coalición de los Partidos Unión Republicana y Conservador.

Gramática en contexto: *descripción*

B Otavalo. Escucha el texto sobre Otavalo y luego indica si las oraciones que siguen son **ciertas (C)** o **falsas (F).**

Aunque yo había visitado Ecuador antes, nunca había ido al pueblito de Otavalo, situado al norte de Quito y famoso por los indígenas del mismo nombre. Es un pueblo de unos 40.000 habitantes, que está situado a 2.5000 metros sobre el nivel del mar. Cuando paseaba por la Plaza Bolívar vi la estatua del líder indígena Rumiñahui, famoso por haber resistido a los incas y del cual los otavalos se sienten muy orgullosos. Me impresionó la apariencia de los hombres otavalos: pantalones blancos que les llegan hasta más arriba de los zapatos, ponchos azules y cabello muy largo con trenzas. Como el día siguiente era sábado, aproveché para ir al mercado de tejidos y artesanías en la Plaza de Ponchos. Quería probarme un poncho de lana de vistosos colores y me compré uno. No soy muy bueno para regatear, así que pagué el precio que me pidieron. Pero quedé contento porque era un poncho muy bonito.

Escucha una vez más para verificar tus respuestas.

(Repeat passage.)

C Excursión. Tus amigos te dejaron mensajes telefónicos diciéndote cuándo saldrían de casa para una excursión que preparan. Mientras escuchas sus mensajes ordena numéricamente los dibujos. Ten en cuenta que algunos dibujos quedarán sin numerar.

1. Alberto dijo que saldría cuando el reloj indicara las dos.

2. Mónica dijo que saldría en cuanto pusiera sus cosas en la mochila.

3. Amalia dijo que saldría tan pronto como terminara de almorzar.

4. Esteban dijo que no saldría mientras su hermana no regresara con el coche.

5. Leonor dijo que no saldría hasta que viera su programa de televisión favorito.

Escucha una vez más para verificar tus respuestas.

(Repeat passage.)

Pronunciación y ortografía

D Guía para el uso de la agrupación *ll*. La **ll** tiene el mismo sonido que la **y** en palabras como **yo** y **ayuda.** Observa el uso de la **ll** al escuchar a la narradora leer las siguientes palabras.

ll**aneros**

ll**aves**

ll**egada**

bata**lla**

caudi**llo**

E Deletreo con la agrupación *ll*. La **ll** siempre se escribe con ciertos sufijos y terminaciones.

• Con las terminaciones **-ella** y **-ello**

be**lla**	estre**lla**	cue**llo**
donce**lla**	cabe**llo**	se**llo**

- Con los diminutivos **-illo**, **-illa** **-cillo** y **-cilla**

Juan**illo**   chiqu**illa**   raton**cillo**

pica**dillo**   calzon**cillo**   rincon**cillo**

Ahora, escucha a los narradores leer las siguientes palabras y escribe las letras que faltan en cada una.

1. rab**illo**
2. torre**cilla**
3. pilon**cillo**
4. tort**illa**
5. rastr**illo**

6. conej**illo**
7. mart**illo**
8. ladr**illo**
9. pajar**illo**
10. piec**illo**

F **Deletreo con las letras *y* y la agrupación *ll*.** Debido a que tienen el mismo sonido, la **y** y la **ll** con frecuencia presentan dificultades ortográficas. Escucha a los narradores leer las siguientes palabras con el sonido /**y**/ y complétalas con **y** o con la agrupación **ll**, según corresponda.

1. ori**lla**
2. **y**erno
3. ma**y**oría
4. bata**lla**
5. le**y**es

6. caudi**llo**
7. semi**lla**
8. ensa**y**o
9. pesadi**lla**
10. gua**y**abera

G **Dictado.** Escucha el siguiente dictado e intenta escribir lo más que puedas. El dictado se repetirá una vez más para que revises tu párrafo.

Época más reciente

A partir de 1972, cuando se inició la explotación de sus reservas petroleras, Ecuador ha tenido un acelerado desarrollo industrial. Esto ha modificado substancialmente las estructuras económicas tradicionales basadas en la agricultura. Aunque la exportación de plátanos sigue siendo importante, la actividad económica principal está relacionada ahora con el petróleo. Se han construido refinerías, la más importante de las cuales es la de Esmeraldas. El desarrollo económico ha traído al país una mayor estabilidad política y desde 1979 se ha renovado el gobierno a través de elecciones democráticas.

Ahora, escucha una vez más para verificar lo que escribiste.

(Repeat passage.)

¡A escuchar!

Gente del Mundo 21

A **Líder boliviano.** Escucha lo que una profesora de historia latinoamericana les dice a sus alumnos sobre un importante líder político boliviano. Luego marca si cada oración que sigue es **cierta (C)**, **falsa (F)** o si no tiene relación con lo que escuchaste (**N/R**).

Victor Paz Estenssoro ha sido una de las figuras políticas más importantes de Bolivia por más de cuatro décadas. Ha sido elegido presidente de ese país en tres ocasiones. Nació en 1907 en Tarija, Bolivia, cursó la carrera de derecho y fue profesor de la Universidad de San Andrés, en La Paz. En 1941 fundó el Movimiento Nacionalista Revolucionario, MNR, partido con el que ganó las elecciones presidenciales de 1951 aunque no asumió el poder hasta 1952, después de una revolución contra una junta militar que había tomado el poder. Este primer gobierno de Paz Estenssoro realizó una serie de reformas que constituyeron lo que se ha llamado la Revolución Nacional Boliviana de 1952. Volvió a ser elegido presidente en 1960 y en 1985. Su sobrino Jaime Paz Zamora fue elegido presidente en 1989.

Gramática en contexto: *narración descriptiva*

B **El lago Titicaca.** Escucha el siguiente texto acerca del lago Titicaca y luego selecciona la opción que complete correctamente la información

El lago Titicaca está situado en la altiplanicie andina, en la frontera entre Perú y Bolivia, y pertenece a ambos países. Es el lago navegable más alto del mundo: está a 3.800 metros de altura y es tan profundo que buques de vapor lo pueden navegar. Debido a tanta profundidad su temperatura no varía mucho durante el año. Tiene 171 kilómetros de largo y 64 de ancho. En la cuenca del lago hay una población de indígenas que cultivan los campos y crían ovejas y llamas. Hay también muchas islas con valiosos tesoros arqueológicos.

Escucha una vez más para verificar tus respuestas.

(Repeat passage.)

Pronunciación y ortografía

C **Guía para el uso de la *r* y la agrupación *rr*.** La **r** tiene dos sonidos, uno simple /ř/, como en **cero**, **altura** y **prevalecer**, y otro múltiple /r̃/, como en **cerro**, **guerra** y **renovado**. Ahora, al escuchar a la narradora leer las siguientes palabras, observa que el deletreo del sonido /ř/ siempre se representa por la **r** mientras que el sonido /r̃/ se representa tanto por la agrupación **rr** como por la **r**.

corazón	reunión
abstracto	revuelta
heredero	reclamo
empresa	barrio
florecer	desarrollo

Ahora escucha a los narradores leer las siguientes palabras con los dos sonidos de la **r** e indica si el sonido que escuchas es /ř/ o /r̃/.

1. corridos
2. multiracial
3. muralla
4. desierto
5. guerrilla

6. riqueza
7. desarrollo
8. brillante
9. resentir
10. orgullo

D **Deletreo con los sonidos /ř/ y /r̄/.** Las siguientes reglas de ortografía determinan cuándo se debe usar una **r** o la agrupación **rr.**

- La letra **r** tiene el sonido /ř/ cuando ocurre entre vocales, antes de una vocal o después de una consonante excepto **l, n,** o **s.**

anter**i**or   auto**r**idad   ni**tr**ato

per**i**odismo   o**r**iente   c**r**uzar

- La letra **r** tiene el sonido /r̄/ cuando ocurre al principio de una palabra.

residir   ratifica   reloj   rostro

- La letra **r** también tiene el sonido /r̄/ cuando ocurre después de la **l, n** o **s.**

al**r**ededor   en**r**iquecer   hon**r**ar   des**r**atizar

- La agrupación **rr** siempre tiene el sonido /r̄/.

de**rr**ota   ente**rr**ado   hie**rr**o   te**rr**emoto

- Cuando una palabra que empieza con **r** se combina con otra para formar una palabra compuesta, la **r** inicial se duplica para conservar el sonido /r̄/ original.

costa**rr**icense   multi**rr**acial   infra**rr**ojo   vi**rr**ey

Ahora, escucha a los narradores leer las siguientes palabras y escribe las letras que faltan en cada una.

1. te**rr**itorio
2. E**nr**iqueta
3. i**rr**everente
4. p**r**osperar
5. fe**rr**ocarril

6. **r**evolución
7. inte**rr**umpir
8. fue**r**za
9. se**r**piente
10. en**r**iquecerse

E **Deletreo de palabras parónimas.** Dado que tanto la **r** como la **rr** ocurren entre vocales, existen varios pares de palabras parónimas, o sea idénticas excepto por una letra, por ejemplo **coro** y **corro.** Mientras los narradores leen las siguientes palabras parónimas, escribe las letras que faltan en cada una.

1. pero / perro
2. corral / coral
3. ahorra / ahora
4. para / parra

5. cerro / cero
6. hiero / hierro
7. caro / carro
8. forro / foro

F **Dictado.** Escucha el siguiente dictado e intenta escribir lo más que puedas. El dictado se repetirá una vez más para que revises tu párrafo.

Las consecuencias de la independencia en Bolivia

La independencia trajo pocos beneficios para la mayoría de los habitantes de Bolivia. El control del país pasó de una minoría española a una minoría criolla muchas veces en conflicto entre sí por intereses personales. A finales del siglo XIX, las ciudades de Sucre y La Paz se disputaron la sede de la capital de la nación. Ante la amenaza de una guerra civil, se optó por la siguiente solución: la sede del gobierno y el poder legislativo se trasladaron a La Paz, mientras que la capitalidad oficial y el Tribunal Supremo permanecieron en Sucre.

Ahora, escucha una vez más para verificar lo que escribiste.

(Repeat passage.)

UNIDAD 8
LECCIÓN 1

¡A escuchar!

Gente del Mundo 21

A **Escritor argentino.** Dos amigas están hablando en un café al aire libre en Buenos Aires. Escucha lo que dicen sobre la vida y la obra de uno de los escritores más importantes del siglo XX. Luego marca si cada oración que sigue es **cierta (C), falsa (F)** o si no tiene relación con lo que escuchaste **(N/R).**

AMIGA 1: Cada vez que leo un cuento de Jorge Luis Borges por segunda o tercera vez, descubro algo nuevo. En sus cuentos noto las referencias a la literatura de muchos pueblos.

AMIGA 2: Sí, Borges era muy culto y además un estudioso de las distintas literaturas del mundo. Nació en Buenos Aires en 1899 y en 1914 se trasladó a Ginebra, Suiza, donde estudió el bachillerato y aprendió francés y alemán; el inglés ya lo dominaba porque lo había aprendido de niño con su abuela, que era inglesa. En Europa se asoció con escritores que proponían una forma experimental de escribir.

AMIGA 1: Me he dado cuenta de que Borges, en muchos de sus cuentos, utiliza la biblioteca como un símbolo.

AMIGA 2: No sé si sabías que Borges trabajó como bibliotecario cuando regresó a Argentina en 1921. Aunque a partir de 1923 comenzó a publicar libros de poemas y de ensayos literarios, su fama mundial se debe a las colecciones de cuentos como *Ficciones,* escrito en 1944, *El Aleph,* de 1949 y *El hacedor* en 1960.

AMIGA 1: Me parece increíble que cuando se quedó ciego, en 1955, comenzara a dictar sus textos.

AMIGA 2: Borges murió en Ginebra, donde reposan sus restos; en esa ciudad pasó los mejores años de su juventud.

Gramática en contexto: *narración informativa y explicación de lo que habría hecho*

B El tango. Escucha el texto que sigue acerca del tango y luego selecciona la opción que complete correctamente las oraciones que siguen.

Se cree que el tango nació como baile en los bares populares de la zona del puerto de Buenos Aires, a comienzos de este siglo. Mucha gente se escandalizó de que el hombre y la mujer bailaran tan juntos y abrazados, pero todos admiraron la elegancia de los movimientos de los bailarines. Con el nacimiento de la industria del disco, poco a poco la música y la letra del tango fueron haciéndose populares. Originalmente se tocaba con violines y flautas, pero después estos instrumentos fueron sustituidos por el bandoneón, una especie de acordeón que tiene botones en lugar de teclas, que es ahora la marca característica del tango. En 1911 el nuevo baile conquistó París y eso fue sello de aprobación para la sociedad argentina. De regreso a Buenos Aires, el tango adquirió fama y respeto social. Después de la Primera Guerra Mundial, todas las capas de la sociedad bailaban al son del tango. La inmensa popularidad de Carlos Gardel, el cantante de tangos más famoso que haya existido, llevó ese estilo musical más allá de las fronteras de Argentina. Fue una tragedia nacional cuando Gardel murió en un accidente aéreo en Medellín, en 1936. Se considera que la época de oro del tango se extiende entre 1920 y 1950 y que en las últimas décadas ha perdido popularidad frente a la música rock.

Escucha una vez más para verificar tus respuestas.

(Repeat passage.)

C Planes malogrados. El fin de semana pasado llovió y Patricia no pudo salir de excursión. De todos modos, dice lo que habría hecho si hubiera ido. Mientras escuchas, ordena numéricamente los dibujos. Ten en cuenta que algunos dibujos quedarán sin numerar.

1. Habría pescado en el lago.
2. Habría dado caminatas.
3. Habría nadado en el río.
4. Habría cocinado unas salchichas deliciosas.
5. Habría hecho una buena fogata por la noche.

Escucha una vez más para verificar tus respuestas.

(Repeat passage.)

Pronunciación y ortografía

D Palabras parónimas: *ay* y *hay.* Estas palabras son parecidas y se pronuncian de la misma manera, pero tienen distintos significados.

- La palabra **ay** es una exclamación que puede indicar sorpresa o dolor.

¡Ay! ¡Qué sorpresa!

¡Ay, ay, ay! Me duele mucho, mamá.

¡Ay! Acaban de avisarme que Inés tuvo un accidente.

- La palabra **hay** es una forma impersonal del verbo **haber** que significa *there is* o *there are*. La expresión **hay que** significa **es preciso, es necesario.**

Hay mucha gente aquí, ¿qué pasa?

Dice que **hay** leche pero que no **hay** tortillas.

¡**Hay que** llamar este número en seguida!

Ahora, al escuchar a los narradores, indica con una **X** si lo que oyes es la exclamación **ay,** el verbo **hay** o la expresión **hay que.**

1. Hay tiempo. Tenemos hasta el martes por la tarde.
2. ¡Ay! ¡No me digas! ¿Cuándo supiste eso?
3. ¿Tú no lo sabías? ¡Ay! ¿Cómo es posible?
4. ¡Hoy es 31! Hombre, hay que pagar esto en seguida.
5. ¡Está nevando! ¡Hoy no hay clases!

E Deletreo. Al escuchar a los narradores leer las siguientes oraciones, escribe **ay** o **hay,** según corresponda.

1. ¡**Hay** que hacerlo, y se acabó! ¡Ya no quiero oír más protestas!
2. ¡**Ay!** Ya no aguanto este dolor de muela.
3. No sé cuántas personas **hay.** ¡El teatro está lleno!
4. ¡**Ay!** Estoy tan nerviosa. ¿Qué hora es?
5. No **hay** más remedio. Tenemos que hacerlo.

F Dictado. Escucha el siguiente dictado e intenta escribir lo más que puedas. El dictado se repetirá una vez más para que revises tu párrafo.

La era de Perón

Como ministro de trabajo, el coronel Juan Domingo Perón se hizo muy popular y cuando fue encarcelado en 1945, las masas obreras consiguieron que fuera liberado. En 1946, tras una campaña en la que participó muy activamente su segunda esposa, María Eva Duarte de Perón, más conocida como Evita, Perón fue elegido presidente con el 55 por ciento de los votos. Durante los nueve años que estuvo en el poder, desarrolló un programa político denominado justicialismo, que incluía medidas en las que se mezclaba el populismo (política que busca apoyo en las masas con acciones muchas veces demagógicas) y el autoritarismo (imposición de decisiones antidemocráticas).

Ahora, escucha una vez más para verificar lo que escribiste.

(Repeat passage.)

¡A escuchar!

Gente del Mundo 21

A **Dictador paraguayo.** Escucha lo que un estudiante paraguayo le explica a una estudiante estadounidense que se encuentra en Paraguay como parte de un programa del Cuerpo de Paz o *Peace Corps*. Luego marca si cada oaración que sigue es **cierta (C)**, **falsa (F)** o si no tiene relación con lo que escuchaste **(N/R)**.

BÁRBARA: Todavía no entiendo muy bien la historia contemporánea de Paraguay. Por ejemplo, ¿quién es Alfredo Stroessner cuyo nombre veo por todas partes?

JAVIER: Pues, Alfredo Stroessner es un militar que ocupó la presidencia de Paraguay durante 35 años, lo que constituyó uno de los gobiernos más largos de la historia latinoamericana.

BÁRBARA: Su apellido me parece interesante. ¿Qué tipo de apellido es ése?

JAVIER: Alemán, su padre fue un inmigrante alemán, aunque Alfredo Stroessner nació en Encarnación en 1912. En 1929 ingresó en la Escuela Militar de Asunción e hizo una carrera militar que lo llevó a ocupar, en 1951, el cargo de comandante en jefe del ejército paraguayo.

BÁRBARA: ¿Pero cómo llegó a ocupar la presidencia de Paraguay?

JAVIER: En 1954 participó en un golpe de estado contra el presidente Federico Chávez. Poco después resultó vencedor en las elecciones presidenciales en las que él era el único candidato. De la misma manera fue reelegido siete veces hasta 1989.

BÁRBARA: Entonces sólo mantenía las apariencias democráticas pero en realidad era un dictador.

JAVIER: Sí, hasta que en 1989 fue derrocado por un golpe de estado y marchó al exilio.

Gramática en contexto: *narración informativa y descripción del pasado*

B **Música paraguaya.** Escucha el siguiente texto acerca de la música de Paraguay y luego indica si las oraciones que siguen son **ciertas (C)** o **falsas (F)**.

Desde el punto de vista musical, Paraguay constituye una paradoja. Mientras que éste es un país en el que la mayoría de la población habla una lengua indígena, el guaraní, no hay influjo indígena en su música, la cual es en su totalidad de origen europeo. Los jesuitas que llegaron a Paraguay en los siglos XVII y XVIII notaron una gran predisposición de los guaraníes para la música. Cuando establecieron sus misiones, les dieron instrucción en la música europea y les enseñaron a tocar el arpa, instrumento característico de la música popular paraguaya. Aunque en Paraguay hubo esclavos negros, éstos se asimilaron rápidamente a la población y no tuvieron mayor influencia en la música, a diferencia de lo que ocurrió en otros países. La música paraguaya tampoco muestra influencia de las naciones vecinas de Argentina y Brasil. La mayoría de las melodías populares hablan de temas de amor o imitan el canto de los pájaros, la caída de la lluvia y otros sonidos de la naturaleza. Dos canciones muy conocidas son "Recuerdos de Ypacaraí" y "Pájaro Campana"; esta última no tiene letra e imita el canto del quetzal, un hermoso pájaro de la selva paraguaya.

Escucha una vez más para verificar tus respuestas.

(Repeat passage.)

C **Recuerdos del abuelo.** Tu abuelo habla de lo que hacía cuando era joven. Mientras escuchas, ordena numéricamente los dibujos. Ten en cuenta que algunos dibujos quedarán sin numerar.

1. Cuando era joven, vivía en un pueblo pequeño.

2. Trabajaba en la granja de mi padre.

3. Escuchaba la radio todas las noches.

4. Como trabajaba mucho, me acostaba muy temprano.

5. De vez en cuando iba a una ciudad grande cercana.

Escucha una vez más para verificar tus respuestas.

(Repeat passage.)

Pronunciación y ortografía

D **Palabras parónimas:** *a, ah* y *ha*. Estas palabras son parecidas y se pronuncian de la misma manera, pero tienen distintos significados.

• La preposición **a** tiene muchos significados. Algunos de los más comunes son:

Dirección: Vamos **a** Nuevo México este verano.

Movimiento: Camino **a** la escuela todos los días.

Hora: Van a llamar **a** las doce.

Situación: Dobla **a** la izquierda.

Espacio de tiempo: Abrimos de ocho **a** seis.

• La palabra **ah** es una exclamación de admiración, sorpresa o pena.

¡**Ah,** me encanta! ¿Dónde lo conseguiste?

¡**Ah,** eres tú! No te conocí la voz.

¡**Ah,** qué aburrimiento! No hay nada que hacer.

- La palabra **ha** es una forma del verbo auxiliar **haber.** Seguido de la preposición **de,** significa **deber de, ser necesario.**

¿No te **ha** contestado todavía?

Ha estado llamando cada quince minutos.

Ella **ha de** escribirle la próxima semana.

Ahora, al escuchar a los narradores, indica si lo que oyes es la preposición **a,** la exclamación **ah** o el verbo **ha.**

1. Estoy muy preocupado. Miguel Ángel no **ha** llamado todavía.
2. Llegan **a** Nueva York esta noche, ¿no?
3. **¡Ah,** no es para mí! ¡Qué pena!
4. Vuelven **a** México en una semana.
5. Usted no **ha** conocido mi casa, ¿verdad?
6. **¡Ah,** es hermoso! ¿Cuándo te lo regalaron?

E Deletreo. Al escuchar a los narradores leer las siguientes oraciones, escribe **ha, ah** o **a,** según corresponda.

1. ¿Nadie **ha** hablado con papá todavía?
2. Vienen **a** averiguar lo del accidente.
3. Creo que salen **a** Mazatlán la próxima semana.
4. ¿Es para Ernesto? **¡Ah,** yo pensé que era para ti!
5. No **ha** habido mucho tráfico, gracias a Dios.

F Dictado. Escucha el siguiente dictado e intenta escribir lo más que puedas. El dictado se repetirá una vez más para que revises tu párrafo.

Paraguay: la nación guaraní

Paraguay se distingue de otras naciones latinoamericanas por la persistencia de la cultura guaraní mezclada con la hispánica. La mayoría de la población paraguaya habla ambas lenguas: el español y el guaraní. El guaraní se emplea como lenguaje familiar, mientras que el español se habla en la vida comercial. El nombre de Paraguay proviene de un término guaraní que quiere decir "aguas que corren hacia el mar" y que hace referencia al río Paraguay que, junto con el río Uruguay, desemboca en el Río de la Plata.

Ahora, escucha una vez más para verificar lo que escribiste.

(Repeat passage.)

¡A escuchar!

Gente del Mundo 21

A Escritora chilena. Escucha lo que dicen dos amigas después de asistir a una presentación de una de las escritoras chilenas más conocidas del momento. Luego marca si cada oración que sigue es **cierta (C), falsa (F)** o si no tiene relación con lo que escuchaste **(N/R).**

AMIGA 1: Gracias por invitarme a escuchar a esta genial escritora. Su energía, su honestidad y su sentido del humor me han impresionado mucho ¡Y vaya si tiene energía Isabel Allende! ¡Qué espíritu tan joven!

AMIGA 2: Sí, tienes razón. Isabel Allende nació en 1942 pero todavía es una persona con un espíritu muy joven.

AMIGA 1: ¿Hay alguna relación entre Isabel Allende, la escritora, y Salvador Allende, el expresidente de Chile?

AMIGA 2: Sí, ella es sobrina de Salvador Allende. Es interesante saber que comenzó a escribir en 1981, cuando se encontraba en Venezuela como resultado del golpe militar que había derrocado a su tío. Como sabes, él murió asesinado durante el golpe militar. Su primera novela, *La casa de los espíritus,* publicada en 1982, constituye un resumen de la vida chilena del siglo XX.

AMIGA 1: Yo quiero leer esa novela antes de ver la película que se hizo en 1994 basada en el libro.

AMIGA 2: También te va a gustar leer su novela que se titula *El plan infinito* y tiene lugar en EE.UU., país donde ha residido desde 1988. El protagonista de esta novela es un angloamericano que se cría en el barrio chicano del este de Los Ángeles. ¡Es una novela muy original y multicultural!

Gramática en contexto: *narración informativa y emociones*

B Isla de Pascua. Escucha el texto sobre la isla de Pascua y luego selecciona la opción que complete correctamente las oraciones que siguen.

La isla de Pascua, posesión de Chile en el Pacífico, se encuentra a casi cuatro mil kilómetros al oeste del continente. El explorador holandés Jacob Roggeveen le dio ese nombre a la isla porque fue un domingo de Pascua en 1722 cuando ancló sus barcos allí. Chile tomó posesión de la isla mucho más tarde, en 1888. Su ancho máximo es de veinticuatro kilómetros, tiene la forma de un triángulo y en cada vértice hay un volcán apagado. Aproximadamente 2.500 personas habitan la isla, de entre las cuales las dos terceras partes son habitantes originarios de esa región; el resto vive allí temporalmente y es originario del continente. Los isleños son de origen polinésico y han preservado sus danzas y canciones ancestrales. La isla es conocida en el mundo entero por sus *moais,* inmensos monolitos de piedra de diferentes tamaños. Aunque hay un *moai* gigante de veintiún metros de altura y algunos de apenas dos metros, la mayoría mide entre cinco y siete metros. Hay más de seiscientos *moais* diseminados por toda la isla.

Escucha una vez más para verificar tus respuestas.

(Repeat passage.)

C Alegría. Romina habla de algunas cosas que le han causado alegría recientemente. Mientras escuchas ordena numéricamente los dibujos. Ten en cuenta que algunos dibujos quedarán sin numerar.

1. Me alegra que mis padres hayan comenzado a practicar natación.

2. También me alegra que mi amiga Marta haya ganado una buena cantidad de dinero en la lotería.

3. Estoy muy contenta porque mi profesor de español ha viajado a Chile.

4. Me parece fantástico que mi amigo Arturo se haya comprado un coche nuevo.

5. Me gusta que mi hermanito se haya interesado por las artes marciales.

Escucha una vez más para verificar tus respuestas.

(Repeat passage.)

Pronunciación y ortografía

D Palabras parónimas: *esta, ésta y está.* Estas palabras son parecidas, pero tienen distintos significados.

- La palabra **esta** es un adjetivo demostrativo que se usa para designar a una persona o cosa cercana.

¡No me digas que **esta** niña es tu hija!

Prefiero **esta** blusa. La otra es más cara y de calidad inferior.

- La palabra **ésta** es pronombre demostrativo. Reemplaza al adjetivo demostrativo y desaparece el sustantivo que se refiere a una persona o cosa cercana.

Voy a comprar la otra falda, **ésta** no me gusta.

La de Miguel es bonita, pero **ésta** es hermosísima.

- La palabra **está** es una forma del verbo **estar.**

¿Dónde **está** todo el mundo?

Por fin, la comida **está** lista.

Ahora, al escuchar a los narradores, indica si lo que oyes es el adjetivo demostrativo **esta,** el pronombre demostrativo **ésta** o el verbo **está.**

1. **Ésta** es tuya; dejé la mía en casa.

2. Dice que ese regalo **está** bien si todos nos ponemos de acuerdo.

3. Un día de estos voy a comprarme **esta** pulsera.

4. Te digo que **esta** mujer nunca me hace caso.

5. Tú ya tienes **ésta,** ¿verdad?

6. El cielo **está** nublado.

E Deletreo. Al escuchar a los narradores leer las siguientes oraciones, escribe el adjetivo demostrativo **esta,** el pronombre demostrativo **ésta** o el verbo **está** según corresponda.

1. Sabemos que **esta** persona vive en San Antonio pero no sabemos en qué calle.

2. El disco compacto **está** en el estante junto con las revistas.

3. Ven, mira. Quiero presentarte a **esta** amiga mía.

4. ¡Dios mío! ¡Vengan pronto! El avión **está** por salir.

5. Decidieron que **ésta** es mejor porque pesa más.

6. No creo que les interese **ésta** porque no estará lista hasta al año próximo.

F Dictado. Escucha el siguiente dictado e intenta escribir lo más que puedas. El dictado se repetirá una vez más para que revises tu párrafo.

El regreso a la democracia

A finales de la década de los 80 Chile gozó de una intensa recuperación económica. En 1988 el gobierno perdió un referéndum que habría mantenido a Pinochet en el poder hasta 1996. De 1990 a 1994, el presidente Patricio Aylwin, quien fue elegido democráticamente, mantuvo la exitosa estrategia económica del régimen anterior, pero buscó liberalizar la vida política. En diciembre de 1993 fue elegido el presidente Eduardo Frei Ruiz-Tagle, hijo del presidente Eduardo Frei Montalva, quién gobernó Chile de 1964 a 1970. Chile se ha constituido en un ejemplo latinoamericano donde florecen el progreso económico y la democratización del país.

Ahora, escucha una vez más para verificar lo que escribiste.

(Repeat passage.)

Audio Script to Accompany the *Cuaderno de actividades para hispanohablantes*

¡A escuchar!

Gente del Mundo 21

A **César Chávez.** Ahora vas a tener la oportunidad de escuchar a una de las personas que hablaron durante una celebración pública en homenaje a César Chávez. Escucha con atención lo que dice y luego marca si cada oración que sigue es **cierta (C), falsa (F)** o si no tiene relación con lo que escuchaste **(N/R)**. Si la oración es falsa, corrígela.

Aquí estamos en Sacramento, California, para celebrar la fecha de nacimiento de César Chávez, quien nació el 31 de marzo de 1927 cerca de Yuma, Arizona. El último lunes del mes de marzo de cada año ha sido proclamado día festivo oficial en honor a César Chávez, por el Concejo Municipal y el alcalde de nuestra ciudad, Sacramento. César Chávez es un ejemplo para todos nosotros porque luchó para mejorar las condiciones de trabajo de los campesinos. Fue un líder sindical que demostró que es posible lograr cambios por medios pacíficos. Su vida ha sido comparada con la de Gandhi y la de Martin Luther King. Ahora que comienza la primavera y florecen las plantas y los árboles, recordemos la obra de este gran hombre que trató de mejorar la vida de los campesinos que hacen posible que podamos comer ensaladas frescas todos los días.

B **Los hispanos de Chicago.** Escucha el siguiente texto acerca de la población hispana de Chicago y luego selecciona la opción correcta para completar las siguientes oraciones.

Muchas personas saben que existe una gran concentración de población de origen hispano en las ciudades de Nueva York y Los Ángeles. Pero no saben que en Chicago, la tercera ciudad estadounidense más poblada, el veinte por ciento de los habitantes es de origen hispano. Según el censo de 1990, un poco más de trescientos cincuenta mil hispanos son de origen mexicano, seguidos por unos ciento veinte mil de origen puertorriqueño. Los méxicoamericanos, el grupo hispano mayoritario, se concentran en las comunidades de Pilsen y La Villita, las cuales han crecido de modo acelerado desde la década de los 50. Como ejemplos de la vitalidad de la comunidad mexicana de Pilsen, se pueden mencionar la "Fiesta del Sol", celebración que tiene lugar durante la primera semana de agosto, y el museo de bellas artes mexicano, fundado en 1982 y lugar donde se exhibe el arte de la comunidad mexicana de Chicago.

Escucha una vez más para verificar tus respuestas.

(Repeat passage.)

El abecedario

Los nombres de las letras del alfabeto en español son los siguientes. Repítelos al escuchar a la narradora leerlos.

a	a	**j**	jota	**s**	ese
b	be (**be** grande, **be** larga, **be** de burro)	**k**	ka	**t**	te
		l	ele	**u**	u
c	ce	**m**	eme	**v**	ve, uve (**ve** chica, **ve** corta, **ve** de vaca)
d	de	**n**	ene		
e	e	**ñ**	eñe		
f	efe	**o**	o	**w**	doble ve, doble uve
g	ge	**p**	pe		
h	hache	**q**	cu	**x**	equis
		r	ere	**y**	i griega, ye
i	i			**z**	zeta

Observa que en español hay una letra más que en inglés: la **ñ.** Hasta hace poco **ch** (che) y **ll** (elle) también se consideraban letras del alfabeto español, pero fueron eliminadas en 1994 por la Real Academia Española. Nota que **rr** (doble r) es un sonido común, pero no es una letra.

C **¡A deletrear!** Deletrea en voz alta las palabras que va a pronunciar el narrador.

1. diversidad
2. empobrecer
3. traicionar
4. español
5. azteca
6. multirracial
7. incluir
8. lucha
9. judío
10. castillo

Sonidos y deletreo problemático

Muchos sonidos tienen una sola representación al escribirlos. Otros, como los que siguen, tienen varias representaciones y, por lo tanto, palabras con estos sonidos presentan problemas al deletrearlas.

El sonido /b/. La letra **b** y la **v** representan el mismo sonido. Por eso, es necesario memorizar el deletreo de palabras con estas letras. Repite los siguientes sonidos y palabras que va a leer la narradora.

/b/		**/b/**	
ba	**Ba**ca	va	**va**ca
bo	**bo**tar	vo	**vo**tar
bu	**bu**rro	vu	**vu**lgar
be	**be**so	ve	**ve**rano
bi	**bi**llar	vi	**ví**bora

Los sonidos /k/ y /s/. La **c** delante de las letras **e** o **i** tiene el sonido **/s/,** que es idéntico al de la letra **s** y al de la **z,** excepto en España donde se pronuncia como *th* en inglés. Delante de las letras **a, o, u** tiene el sonido /k/. Para conseguir el sonido /k/ delante de las letras **e** o **i**, es necesario deletrearlo **que, qui.** Repite los siguientes sonidos y palabras que va a leer el narrador.

/k/

ca	**ca**sa	que	**que**so
co	**co**bre	qui	**qui**nto
cu	**cu**chara		

	/s/		**/s/**		**/s/**
ce	**ce**ntro	se	**se**ñal	ze	**ze**ta
ci	**ci**dra	si	**si**lencio	zi	**zi**gzag

Separación en sílabas

Sílabas. Todas las palabras se dividen en sílabas. Una sílaba es la letra o letras que forman un sonido independiente dentro de una palabra. Para pronunciar y deletrear correctamente, es importante saber separar las palabras en sílabas. Hay varias reglas que determinan cómo se forman las sílabas en español. Estas reglas hacen referencia tanto a las **vocales (a, e, i, o, u)** como a las **consonantes** (cualquier letra del alfabeto que no sea vocal).

Regla Nº 1: Todas las sílabas tienen por lo menos una vocal.

Estudia la división en sílabas de las siguientes palabras mientras la narradora las lee.

Tina: Ti-na	gitano: gi-ta-no
cinco: cin-co	alfabeto: al-fa-be-to

Regla Nº 2: La mayoría de las sílabas en español comienza con una consonante.

moro: mo-ro	romano: ro-ma-no
lucha: lu-cha	mexicano: me-xi-ca-no

Una excepción a esta regla son las palabras que comienzan con una vocal. Obviamente la primera sílaba de estas palabras tiene que comenzar con una vocal y no con una consonante.

Ahora estudia la división en sílabas de las siguientes palabras mientras el narrador las lee.

Ana: A-na	elegir: e-le-gir
elefante: e-le-fan-te	ayuda: a-yu-da

Regla Nº 3: Cuando la **l** o la **r** sigue una **b, c, d, f, g, p** o **t** forman agrupaciones que nunca se separan.

Estudia cómo estas agrupaciones no se dividen en las siguientes palabras mientras la narradora las lee.

poblado: po-**bla**-do	drogas: **dr**o-gas
bracero: **br**a-ce-ro	anglo: an-**glo**
escritor: es-**cri**-tor	actriz: ac-**tr**iz
flojo: **fl**o-jo	explorar: ex-**plo**-rar

Regla Nº 4: Cualquier otra agrupación de consonantes siempre se separa en dos sílabas.

Estudia cómo estas agrupaciones se dividen en las

siguientes palabras mientras la narradora las lee.

azteca: az-te-ca	excepto: **ex-cep-t**o
mestizo: mes-**t**i-zo	alcalde: **al-cal-de**
diversidad: di-**ver-s**i-dad	urbano: **ur-b**a-no

Regla Nº 5: Las agrupaciones de tres consonantes siempre se dividen en dos sílabas, manteniendo las agrupaciones indicadas en la regla Nº 3 y evitando la agrupación de la letra **s** antes de otra conosonante.

Estudia la división en sílabas de las siguientes palabras mientras la narradora las lee.

instante: in**s-t**an-te	construcción: con**s-truc**-ción
empleo: em-**ple**-o	extraño: e**x-tr**a-ño
estrenar: e**s-tr**e-nar	hombre: ho**m-br**e

Acentuación y ortografía

El "golpe". En español, todas las palabras de más de una sílaba tienen una sílaba que se pronuncia con más fuerza o énfasis que las demás. Esta fuerza de pronunciación se llama acento prosódico o "golpe". Hay dos reglas o principios generales que indican dónde llevan el "golpe" la mayoría de las palabras de dos o más sílabas.

Regla Nº 1: Las palabras que terminan en **vocal, n** o **s,** llevan el "golpe" en la penúltima sílaba. Escucha al narrador pronunciar las siguientes palabras con el "golpe" en la penúltima sílaba.

ma-no   pro-fe-**so**-res   ca-**mi**-nan

Regla Nº 2: Las palabras que terminan en **consonante,** excepto **n** o **s,** llevan el "golpe" en la última sílaba. Escucha al narrador pronunciar las siguientes palabras con el "golpe" en la última sílaba.

na-**riz**   u-ni-ver-si-**dad**   ob-ser-**var**

D   Para reconocer el "golpe". Ahora escucha al narrador pronunciar las palabras que siguen y subraya la sílaba que lleva el golpe. Ten presente las dos reglas que acabas de aprender.

estudian<u>til</u>	origi<u>na</u>rio
Val<u>dez</u>	gabi<u>ne</u>te
inicia<u>dor</u>	<u>pre</u>mios
<u>ca</u>si	cama<u>ra</u>da
reali<u>dad</u>	glorifi<u>car</u>
al<u>cal</u>de	sindi<u>cal</u>
re<u>loj</u>	<u>o</u>rigen
recrea<u>cio</u>nes	ferroca<u>rril</u>

Acento escrito. Todas las palabras que no siguen las dos reglas anteriores llevan acento **ortográfico** o **escrito.** El acento escrito se coloca sobre la vocal de la sílaba que se pronuncia con más fuerza o énfasis. Escucha al narrador pronunciar las siguientes palabras que llevan acento escrito. La sílaba subrayada indica dónde iría el "golpe" según las dos reglas anteriores.

ma-**má**   in-for-**ma**-<u>ción</u>   Ro-**drí**-<u>guez</u>

E Práctica con acentos escritos. Ahora escucha al narrador pronunciar las siguientes palabras que requieren acento escrito. Subraya la sílaba que llevaría el golpe según las dos reglas anteriores y luego pon el acento escrito en la sílaba que realmente lo lleva. Fíjate que la sílaba con el acento escrito nunca es la sílaba subrayada.

con<u>tes</u>tó	do<u>més</u>tico
prín<u>ci</u>pe	cele<u>bra</u>ción
lí<u>der</u>	po<u>lí</u>ticos
anglo<u>sa</u>jón	ét<u>ni</u>co
rá<u>pi</u>da	in<u>dí</u>genas
tra<u>di</u>ción	dra<u>má</u>ticas
eco<u>nó</u>mica	a<u>grí</u>cola
dé<u>ca</u>das	pro<u>pó</u>sito

F Separación. Divide en sílabas las palabras que escucharás a continuación.

1. aburrido
2. conmovedor
3. documental
4. aventuras
5. animado
6. maravillosa
7. sorprendente
8. musicales
9. dibujos
10. misterio
11. boleto
12. acomodador
13. centro
14. pantalla
15. entrada
16. enterado

Dictado. Escucha el siguiente dictado e intenta escribir lo más que puedas. El dictado se repetirá una vez más para que revises tu párrafo.

Los chicanos

Desde la década de los 70 existe un verdadero desarrollo de la cultura chicana. Se establecen centros culturales en muchas comunidades chicanas y centros de estudios chicanos en las más importantes universidades del suroeste de EE.UU. En las paredes de viviendas, escuelas y edificios públicos se pintan murales que proclaman un renovado orgullo étnico. Igualmente en la actualidad existe un florecimiento de la literatura chicana.

Ahora escucha una vez más para verificar lo que escribiste.

(Repeat passage.)

¡A escuchar!

Gente del Mundo 21

A Esperando a Rosie Pérez. Ahora vas a tener la oportunidad de escuchar a dos comentaristas de la radio en español que asisten a la ceremonia de la entrega de los premios "Óscar". Escucha con atención lo que dicen y luego marca si cada oración que sigue es **cierta (C), falsa (F)** o si no tiene relación con lo que escuchaste **(N/R)**. Si la oración es falsa, corrígela.

HOMBRE: Estimados radioescuchas, en estos instantes estamos fuera del Centro Musical localizado en el centro de Los Ángeles, California, donde va a tener lugar esta noche la ceremonia de entrega de los premios "Óscar".

MUJER: Estamos esperando la llegada de Rosie Pérez, la actriz puertorriqueña que ha sido nominada para un premio "Óscar" por su actuación en la película titulada *Fearless*.

HOMBRE: Rosie Pérez es una joven que nació en un barrio puertorriqueño de Brooklyn, en Nueva York. Proviene de una numerosa familia de once hermanos de limitados recursos. Se mudó a Los Ángeles para estudiar biología marina en la Universidad Estatal de California de Los Ángeles.

MUJER: ¡Quién iba a creer que esta actriz, que se inició en el cine haciendo el papel de novia del director afroamericano Spike Lee en la película titulada *Do the Right Thing*, unos pocos años después iba a ser nominada a un premio "Óscar"!

HOMBRE: En estos momentos Rosie Pérez se baja de una lujosa limosina negra. Lo que más me sorprende es la gran sonrisa que ilumina la cara de la actriz. Sin duda esta sonrisa refleja lo contenta que debe estar Rosie Pérez.

B Una profesional. Escucha la siguiente descripción y luego haz una marca **(X)** sobre las palabras que completan correctamente la información.

Soy psicóloga. Tengo 27 años y vivo en Nueva York. Soy puertorriqueña, pero Nueva York es mi lugar de nacimiento. Todas las mañanas salgo para mi trabajo en una clínica donde ejerzo mi profesión. Me especializo en el tratamiento de adolescentes y les doy consejos para que lleven una vida sana y provechosa. Me gusta mucho mi trabajo. Los fines de semana me distraigo: veo películas en el cine de mi barrio, corro por el parque o juego al tenis.

Escucha una vez más para verificar tus respuestas.

(Repeat passage.)

Acentuación y ortografía

Diptongos. Un diptongo es la combinación de una vocal débil (**i, u**) con cualquier vocal fuerte (**a, e, o**) o de dos vocales débiles en una sílaba. Un diptongo forma una sílaba y emite un solo sonido. Escucha al narrador pronunciar los siguientes ejemplos de diptongos.

ia: d**ia**rio	ei: af**ei**tarse	eu: **eu**calipto
ui: r**ui**do	ua: g**ua**nte	ue: b**ue**no

C **Identificar diptongos.** Ahora, cuando el narrador pronuncie las siguientes palabras, pon un círculo alrededor de cada diptongo.

bailarina	in**au**gurar	v**ei**nte
Jul**ia**	c**iu**dadano	f**ue**rzas
barr**io**	profes**io**nal	boric**uas**
movim**ie**nto	p**ue**rtorriqueño	c**ie**ntos
regim**ie**nto	prem**io**	eloc**ue**nte

Dos sílabas. Un acento escrito sobre la vocal débil de un diptongo rompe el diptongo en dos sílabas y causa que la sílaba con el acento escrito se pronuncie con más énfasis.

ma-íz   me-lo-dí-a   ba-úl

D **Separación de diptongos.** Ahora, cuando el narrador pronuncie las siguientes palabras, pon un acento escrito en aquéllas donde se rompe el diptongo en dos sílabas.

desaf**ío**	escenario	jud**íos**
cuatro	ciudadan**ía**	premio
categor**ía**	pa**ís**	miembros
fr**ío**	causa	Ra**úl**
diferencia	act**úa**	sand**ía**

Una sílaba acentuada. Un acento escrito sobre la vocal fuerte de un diptongo hace que *toda* la sílaba del diptongo se pronuncie con más énfasis.

ad-mi-nis-tra-**ción**   tam-**bién**   a-**cuér**-da-te

E **Práctica de acentuación.** Ahora, cuando el narrador pronuncie las siguientes palabras, pon un acento escrito sobre aquellas palabras que lo necesitan.

organiza**ción**	despu**és**	composiciones
recuerdos	b**éi**sbol	peri**ó**dicos
televis**ión**	diecis**éis**	conversa**ción**
territorio	actua**ción**	iniciador
secretario	tranquilo	tamb**ién**

Dos vocales fuertes. Las vocales fuertes (**a, e, o**) nunca forman un diptongo al estar juntas en una palabra. Dos vocales fuertes siempre se separan y forman dos sílabas. La sílaba subrayada lleva el "golpe" según las reglas de acentuación.

<u>ca</u>-os   le-al-<u>tad</u>   po-<u>e</u>-ta

F **Vocales fuertes.** Mientras el narrador pronuncia las siguientes palabras, sepáralas en sílabas. Pon un acento escrito sobre las palabras que lo necesitan.

1. te/a/tro
2. ba/te/a/dor
3. con/tem/po/**rá**/ne/o
4. eu/ro/pe/o
5. ca/**ó**/ti/co
6. re/al/men/te
7. ca/ma/le/**ón**

G **Silabificación y acentuación.** Mientras la narradora pronuncia las siguientes palabras, divídelas en sílabas y subraya la sílaba que debiera llevar el "golpe" según las dos reglas de acentuación. Luego, coloca el acento escrito donde sea necesario.

1. ac/ti/<u>tud</u>	7. Juá/<u>rez</u>
2. cuén/<u>ta</u>/lo	8. lí/<u>de</u>/res
3. dé/<u>ca</u>/das	9. na/<u>cio</u>/nes
4. a/le/<u>grí</u>/a	10. jó/<u>ve</u>/nes
5. <u>huel</u>/ga	11. au/tén/<u>ti</u>/co
6. ac/<u>tual</u>	12. to/da/<u>ví</u>/a

Dictado. Escucha el siguiente dictado e intenta escribir lo más que puedas. El dictado se repetirá una vez más para que revises tu párrafo.

Los puertorriqueños en EE.UU.

A diferencia de otros grupos hispanos, los puertorriqueños son ciudadanos estadounidenses y pueden entrar y salir de EE.UU. sin pasaporte o visa. En 1898, como resultado de la guerra entre EE.UU. y España, la isla de Puerto Rico pasó a ser territorio estadounidense. En 1917 los puertorriqueños recibieron la ciudadanía estadounidense. Desde entonces gozan de todos los derechos que tienen los ciudadanos de EE.UU., excepto que no pagan impuestos federales.

Ahora escucha una vez más para verificar lo que escribiste.

(Repeat passage.)

¡A escuchar!

Gente del Mundo 21

A **Actor cubanoamericano.** Ahora vas a tener la oportunidad de escuchar la conversación que tienen dos amigas cubanoamericanas después de ver una película de Andy García en un teatro de Miami. Escucha con atención lo que dicen y luego marca si cada oración que sigue es **cierta (C), falsa (F)** o si no tiene relación con lo que escuchaste **(N/R).** Si la oración es falsa, corrígela.

MUJER 1: Oye chica, acabo de ver la película *El Padrino, Parte III.* ¿Tú ya la viste, verdad? ¿Qué te pareció la actuación de Andy García?

MUJER 2: La actuación fue excelente, pero a mí me parece que Andy García es demasiado guapo para hacer el papel de un mafioso.

MUJER 1: Estoy de acuerdo. La mirada penetrante que tiene este actor deshace a cualquier chica, ¿no te parece?

MUJER 2: Es interesante que a él no le gusta que lo cataloguen simplemente como otro actor hispano ni que le den sólo papeles de hispanos.

MUJER 1: Claro chica, si Andy ha hecho el papel de personajes de muchos grupos étnicos no sólo el de "Latin Lover". En cierta forma ha roto los estereotipos que muchas personas tienen en Hollywood de los actores latinos.

MUJER 2: Aunque te voy a decir que yo sí estoy convencida de que dice la verdad cuando afirma que él es más cubano que cualquiera y que su cultura es la base de su éxito.

B **Islas caribeñas.** Vas a escuchar información en la que se compara Cuba con Puerto Rico. Para cada una de las comparaciones que aparecen a continuación, haz un círculo alrededor de **Sí,** si los datos que escuchas coinciden con la comparación escrita; haz un círculo alrededor de **No,** si no escuchas nada acerca de ese tema.

La isla de Cuba es diez veces más grande que la isla de Puerto Rico. Tiene también más habitantes que Puerto Rico. Mientras que Puerto Rico tiene tres millones y medio de habitantes, Cuba tiene casi once millones. Puerto Rico, sin embargo, tiene proporcionalmente muchas más carreteras pavimentadas que Cuba. También, los ingresos generados por el turismo son mucho mayores en Puerto Rico que en Cuba. En ambas islas, el porcentaje de personas que viven en zonas urbanas es prácticamente idéntico: alrededor de un setenta por ciento.

Escucha una vez más para verificar tus repuestas.

(Repeat passage.)

Acentuación y ortografía

Triptongos. Un triptongo es la combinación de tres vocales: una vocal fuerte **(a, e, o)** en medio de dos vocales débiles **(i, u).** Los triptongos pueden ocurrir en varias combinaciones: **iau, uai, uau, uei, iai, iei,** etc. Los triptongos se pronuncian como una sola sílaba en las palabras donde ocurren. Escucha al narrador pronunciar las siguientes palabras con triptongos.

financi**áis**　　gu**au**　　desafi**áis**　　mi**au**

La **y** tiene valor de vocal y cuando aparece después de una vocal fuerte precedida por una débil forma un triptongo. Escucha a la narradora pronunciar las siguientes palabras con una **y** final.

b**uey**　　　　Uru**guay**　　　　Para**guay**

C **Triptongos y acentos escritos.** Ahora escucha a los narradores leer algunos verbos, en la segunda persona del plural **(vosotros),** junto con algunos sustantivos. En ambos casos, las palabras presentan triptongo. Luego, escribe las letras que faltan en cada palabra.

1. desafi**é**is　　　　5. anunci**é**is
2. Para**guay**　　　　6. b**uey**
3. denunci**á**is　　　　7. inici**á**is
4. renunci**é**is　　　　8. averigü**é**is

D **Separación en sílabas.** El triptongo siempre se pronuncia en una sola sílaba. Ahora al escuchar a los narradores pronunciar las siguientes palabras con triptongo, escribe el número de sílabas de cada palabra.

1. denunciáis　　　　5. Uruguay
2. miau　　　　　　 6. averigüéis
3. buey　　　　　　 7. renunciáis
4. financiéis　　　　 8. iniciáis

E **Repaso.** Escucha al narrador pronunciar las siguientes palabras y ponles un acento escrito si lo necesitan.

1. filósofo　　　　　 6. cárcel
2. diccionario　　　　7. fáciles
3. diptongo　　　　　8. huésped
4. número　　　　　 9. ortográfico
5. examen　　　　　10. periódico

Dictado. Escucha el siguiente dictado e intenta escribir lo más que puedas. El dictado se repetirá una vez más para que revises tu párrafo.

Miami: una ciudad hispanohablante

De todos los hispanos que viven en EE.UU., los cubanoamericanos son los que han logrado mayor prosperidad económica. El centro de la comunidad cubana en EE.UU. es Miami, Florida. En treinta años los cubanoamericanos transformaron completamente esta ciudad. La Calle Ocho ahora forma la arteria principal de la Pequeña Habana donde se puede beber el típico café cubano en los restaurantes familiares que abundan en esa calle. El español se habla en toda la ciudad. En gran parte, se puede decir que Miami es la ciudad más rica y moderna del mundo hispanohablante.

Ahora escucha una vez más para verificar lo que escribiste.

(Repeat passage.)

UNIDAD 2
LECCIÓN 1

¡A escuchar!

Gente del Mundo 21

A Los Reyes Católicos. En uno de los salones de la Alhambra, el palacio musulmán en Granada, España, una guía explica a un grupo de estudiantes el importante papel que tuvieron los Reyes Católicos en la historia de España. Escucha con atención lo que dice y luego marca si cada oración que sigue es **cierta (C), falsa (F)** o si no tiene relación con lo que escuchaste **(N/R).** Si la oración es falsa, corrígela.

Por medio de su matrimonio, que tuvo lugar en 1469, Isabel de Castilla y Fernando de Aragón, conocidos después como los Reyes Católicos, pudieron unir los reinos de Castilla y Aragón en una sola monarquía. 1492 fue un año muy importante en la historia de España porque ocurrieron varios eventos históricos que determinaron notablemente el futuro de ese país. En 1492 los Reyes Católicos terminaron la Reconquista de España al tomar Granada, el último reino musulmán en la Península Ibérica, completando así la unión política y territorial. Aquí, en este bello Palacio de la Alhambra de Granada, los Reyes Católicos recibieron a Cristóbal Colón, quien les explicó su plan de viajar hacia el Occidente. La reina Isabel apoyó la expedición de Colón, que el 12 de

octubre de 1492 llegó a América iniciando la exploración y la colonización española del continente americano. Además, en 1492 los Reyes Católicos expulsaron a los judíos que no querían convertirse al cristianismo. Este hecho tuvo malas consecuencias para España pues con esto se excluyó a personas con grandes capacidades para el desarrollo de la nación española.

B Narración confusa. Un policía escucha a Teresa, testigo de un accidente. Teresa está tan nerviosa que al hablar del accidente que tuvo su amigo Julián, también habla de sí misma. Indica con un círculo en la palabra apropiada, si las oraciones que escuchas se refieren a Julián o a Teresa.

1. Mi amigo cruzó la calle.

2. No prestó atención.

3. Siempre presto atención a los vehículos.

4. No miró atentamente hacia ambos lados.

5. Miro primero hacia la izquierda y luego hacia la derecha.

6. Un vehículo casi lo atropelló.

7. Quedó muy asustado.

8. Quedo asustada en situaciones de peligro.

Escucha una vez más para verificar tus repuestas.

(Repeat passage.)

C El Cid. Indica si los datos que aparecen a continuación se mencionan **(Sí)** o no **(No)** en el siguiente texto acerca del Cid, héroe nacional español.

El Cid vivió en el siglo XI. El rey Alfonso VI lo desterró de Castilla a causa de la envidia de algunos nobles. Sin embargo, él permaneció siempre fiel a su rey. En el año 1094 conquistó la ciudad de Valencia, hasta entonces en poder de los musulmanes. Gobernó la ciudad hasta el día de su muerte, el 10 de julio de 1099.

Escucha una vez más para verificar tus respuestas.

(Repeat passage.)

D Ayer. Escucha mientras Marisa le pregunta a su mamá sobre lo que ves en los dibujos. Coloca una **X** debajo del dibujo que coincida con la respuesta que escuchas.

1. TERESA: ¿Quién los compró?

MAMÁ: Yo los compré.

2. TERESA: ¿Quién la cuidó?

MAMÁ: Ellos la cuidaron.

3. TERESA: ¿Quién la hizo?

MAMÁ: Yo la hice.

4. TERESA: ¿Quién las olvidó?

MAMÁ: Yo las olvidé.

5. TERESA: ¿Quién las recibió?

MAMÁ: Tú las recibiste.

6. TERESA: ¿Quién lo ayudó?

MAMÁ: Tu padre lo ayudó.

7. TERESA: ¿Quién los escuchó?

MAMÁ: Nosotros los escuchamos.

Escucha una vez más para verificar tus respuestas.

(Repeat passage.)

Acentuación y ortografía

E Repaso de acentuación. Al escuchar a la narradora pronunciar las siguientes palabras: 1) divídelas en sílabas, 2) subraya la sílaba que debiera llevar el golpe según las dos reglas de acentuación y 3) coloca el acento ortográfico donde se necesite.

MODELO: po/<u>lí</u>/ti/ca

1. hé/<u>ro</u>/e
2. in/<u>va</u>/sión
3. Re/con/<u>quis</u>/ta
4. á/<u>ra</u>/be
5. ju/<u>dí</u>/os
6. pro/tes/tan/<u>tis</u>/mo
7. e/fi/<u>caz</u>
8. in/<u>fla</u>/ción
9. ab/di/<u>car</u>
10. <u>cri</u>/sis

11. se/far/<u>di</u>/tas
12. é/<u>pi</u>/co
13. u/ni/<u>dad</u>
14. pe/nín/<u>su</u>/la
15. prós/<u>pe</u>/ro
16. im/<u>pe</u>/rio
17. is/lá/<u>mi</u>/co
18. he/<u>ren</u>/cia
19. ex/<u>pul</u>/sión
20. to/le/<u>ran</u>/cia

F Acento escrito. Ahora escucha a los narradores leer las siguientes oraciones y coloca el acento ortográfico sobre las palabras que lo requieran.

1. El sábado tendremos que ir al médico en la Clínica Luján.
2. Mis exámenes fueron fáciles, pero el examen de química de Mónica fue muy difícil.
3. El joven de ojos azules es francés, pero los otros jóvenes son puertorriqueños.
4. Los López, los García y los Valdez están contentísimos porque se sacaron la lotería.
5. Su tía se sentó en el jardín a descansar mientras él comía.

Dictado. Escucha el siguiente dictado e intenta escribir lo más que puedas. El dictado se repetirá una vez más para que revises tu párrafo.

La España musulmana

En el año 711, los musulmanes procedentes del norte de África invadieron Hispania y cinco años más tarde, con la ayuda de un gran número de árabes, lograron conquistar la mayor parte de la península. Establecieron su capital en Córdoba, la cual se convirtió en uno de los grandes centros intelectuales de la cultura islámica. Fue en Córdoba, durante esta época, que se hicieron grandes avances en las ciencias, las letras, la artesanía, la agricultura, la arquitectura y el urbanismo.

Ahora, escucha una vez más para verificar lo que escribiste.

(Repeat passage.)

UNIDAD 2 LECCIÓN 2

A Diego de Velázquez. Ahora vas a tener la oportunidad de escuchar a los comentaristas del programa de radio, "España en la cultura." Escucha con atención lo que dicen y luego marca si cada oración que sigue es **cierta (C), falsa (F)** o si no tiene relación con lo que escuchaste **(N/R).** Si la oración es falsa, corrígela.

(Male voice) Bienvenidos a otra edición de "España en la cultura", el programa cultural de la radio española. Hoy nos lleva al Museo del Prado de Madrid donde vamos a comentar la obra y vida de uno de los pintores más grandes de España y del mundo entero, Diego de Velázquez. Afuera de la entrada principal del Museo del Prado observamos una escultura en homenaje a Diego de Velázquez que, con un pincel en la mano y sentado en una silla, parece pintar.

(Female voice) Diego de Velázquez nació en 1599 en Sevilla donde comenzó su carrera de pintor. Debido a su gran talento, en poco tiempo fue nombrado pintor de cámara de Felipe IV. Desde 1623 hasta su muerte en 1660, Diego de Velázquez permaneció al servicio de la corona española. Junto con numerosos retratos de los miembros de la familia real, pintó cuadros aparentemente mitológicos pero que reflejan la vida cotidiana, tal como el titulado "El triunfo de Baco". En este cuadro el dios romano del vino aparece representado como un español que celebra con sus amigos.

En una de las salas más impresionantes del Museo del Prado se puede admirar lo que muchos consideran su obra maestra, "Las meninas", cuadro que completó en 1656. En éste vemos al mismo Diego de Velázquez que parece pintar un cuadro de la pareja real que se ve reflejada en el espejo de una pared. En la parte central del cuadro está una princesa rodeada de sus acompañantes y hasta un perro está acostado en el suelo. Éste es uno de los cuadros sobre los cuales más comentarios, críticas e interpretaciones se han escrito en la historia del arte universal. Parece que Diego de Velázquez, desde el cuadro, dirige la vista a todos los que lo ven preguntándoles: "Y vosotros, ¿qué pensáis?"

B Pérez Galdós. Escucha los siguientes datos acerca de la vida del novelista Benito Pérez Galdós. Luego indica qué opción completa mejor cada oración.

Benito Pérez Galdós es considerado el mayor escritor español del siglo XIX y el novelista español más importante desde Cervantes. Nació en Las Palmas de la Gran Canaria en 1843. En 1869 se graduó en derecho de la Universidad de Madrid, ciudad donde residió la mayor parte de su vida. Es un escritor con una obra muy extensa y es el máximo exponente del realismo en España. Escribió cuarenta y seis volúmenes de *Episodios nacionales* que constituyen una historia novelada de España a través del siglo XIX. También es autor de otras treinta y cuatro novelas, veinticuatro obras teatrales y quince volúmenes de artículos periodísticos y otros trabajos en prosa. Entre sus novelas más conocidas están *Doña Perfecta,* publicada en 1876, y *Fortunata y Jacinta,* una novela en cuatro volúmenes publicados de 1886 a 1887.

Escucha una vez más para verificar tus respuestas.

(Repeat passage.)

Acentuación y ortografía

Palabras que cambian de significado. Hay palabras parecidas que tienen distintos significados según: (1) donde vaya el golpe y (2) si requieren acento ortográfico. Ahora presta atención a la ortografía y al cambio de golpe en estas palabras mientras la narradora las pronuncia.

ánimo	animo	animó
célebre	celebre	celebré
depósito	deposito	depositó
estímulo	estimulo	estimuló
hábito	habito	habitó
práctico	practico	practicó
título	titulo	tituló

C Palabras parecidas. Ahora escucha mientras el narrador lee estas palabras parecidas y escribe el acento donde sea necesario.

1. crítico   critico   criticó
2. dialogo   dialogó   diálogo
3. domesticó   doméstico   domestico
4. equivoco   equívoco   equivocó
5. filósofo   filosofó   filosofo
6. líquido   liquido   liquidó
7. numero   número   numeró
8. pacifico   pacificó   pacífico
9. publico   público   publicó
10. transitó   tránsito   transito

D Acento escrito. Ahora escucha a la narradora leer estas oraciones y coloca el acento ortográfico sobre las palabras que lo requieran.

1. Hoy publico mi libro para que lo pueda leer el público.
2. No es necesario que yo participe esta vez; participé el sábado pasado.

3. Cuando lo magnifico con el microscopio, pueden ver lo magnífico que es.

4. No entiendo cómo el cálculo debe ayudarme cuando calculo.

5. Pues ahora yo critico todo lo que el crítico criticó.

Dictado. Escucha el siguiente dictado e intenta escribir lo más que puedas. El dictado se repetirá una vez más para que revises tu párrafo.

Felipe II

Felipe II, hijo de Carlos V, nació en Valladolid en 1527. Cuando en 1556 Carlos V abdicó, Felipe II subió al trono determinado a seguir los ideales de su padre. Así fue que España asumió el papel de defensora del catolicismo frente a los países protestantes. Fue ese fanatismo religioso del rey de España que contribuyó más que nada a arruinar económicamente al país debido a las interminables guerras europeas. No se puede negar que durante el reinado de Felipe II España alcanzó su máximo poderío y extensión geográfica. Pero tampoco se puede ignorar que Felipe II abandonó el trono en bancarrota y con la decadencia del Imperio Español ya bien encaminada.

Escucha una vez más para verificar lo que escribiste.

(Repeat passage.)

UNIDAD 2
LECCIÓN 3

¡A escuchar!

Gente del Mundo 21

A Antes de entrar al cine. Escucha con atención lo que discute una pareja de jóvenes novios antes de entrar a un cine de Sevilla para ver *Tacones lejanos,* una película de Pedro Almodóvar. Luego marca si cada oración que sigue es **cierta (C), falsa (F)** o si no tiene relación con lo que escuchaste **(N/R).** Si la oración es falsa, corrígela.

NOVIO: ¿Por qué quieres venir a ver esta película de Pedro Almodóvar justamente hoy, cuando sabes que hay muchísima gente esperando en la fila para ver su estreno?

NOVIA: Las películas de Almodóvar me gustan muchísimo.

NOVIO: Pedro Almodóvar es el director de cine español más conocido en el mundo. ¿Cuál de sus películas te gustó más?

NOVIA: Todas sus películas me parecieron fabulosas, aunque mi favorita es *Mujeres al borde de un ataque de nervios,* que fue nominada en 1988 para un premio "Óscar" como la mejor película en lengua extranjera. Yo creo que ese año realmente merecía el premio.

NOVIO: A mí también me gustan las películas de Almodóvar, pero prefiero verlas en casa cuando salen en las tiendas de videos y no en el cine.

B Don Brígido. Escucha con atención lo que dice Conchita acerca de cómo pasaba las tardes don Brígido, un personaje pintoresco de su infancia, en un pequeño pueblo de España. Luego marca si cada oración que sigue es **cierta (C)** o **falsa (F)** o si no tiene relación con lo que escuchaste **(N/R).** Si la oración es falsa, corrígela.

Don Brígido

Don Brígido era un personaje muy especial y conocido en un pueblecito de Andalucía llamado Porcuna. Todos los días, don Brígido tenía la costumbre de comer un gran almuerzo que incluía paella entre otras cosas. Después de hacer esto, don Brígido subía lentamente al segundo piso de su casa donde abría los ventanales de par en par. Se sentaba en su silla favorita, una silla de madera y paja hecha por su sobrino. Ahí se quedaba por horas enteras y saludaba de vez en cuando a todas las vecinas que pasaban por su portal. Pero lo que más me impresionaba de don Brígido era que eructaba con tanta fuerza que todo el pueblito lo escuchaba entre carcajadas y maldiciones.

Escucha una vez más para verificar tus respuestas.

(Repeat passage.)

Acentuación y ortografía

Palabras parecidas. Hay palabras que se pronuncian igual y, con la excepción del acento ortográfico, se escriben igual pero tienen diferente significado y función en la oración. Estudia esta lista de palabras parecidas mientras la narradora las pronuncia.

aun, *even*	aún, *still, yet*
de, *of*	dé, *give*
el, *the*	él, *he*
mas, *but*	más, *more*
mi, *my*	mí, *me*
se, *himself, herself, etc.*	sé, *I know; be*
si, *if*	sí, *yes*
solo, *alone*	sólo, *only*
te, *you*	té, *tea*
tu, *your*	tú, *you*

C Dos maneras distintas. Ahora mientras el narrador pronuncia cada palabra, escríbela de dos maneras distintas, al lado de la función gramatical apropiada.

MODELO: Escuchas: *tú*

Escribes: *tú* pronombre sujeto y *tu* adjetivo posesivo

1. el
2. mi
3. de
4. se
5. mas

6. te
7. si
8. aun
9. solo

D ¿Cuál corresponde? Escucha a la narradora leer las siguientes oraciones y complétalas con las palabras apropiadas.

1. ¿Éste es el material que traje para él.
2. ¿Tú compraste un regalo para tu prima?
3. Mi amigo trajo este libro para mí.
4. Quiere que le dé café de México.
5. No sé si él se puede quedar a comer.
6. Si llama, dile que sí lo acompañamos.

Dictado. Escucha el siguiente dictado e intenta escribir lo más que puedas. El dictado se repetirá una vez más para que revises tu párrafo.

Federico García Lorca

Frederico García Lorca es posiblemente el poeta español de mayor fama del siglo XX. Nació en 1898 cerca de Granada, ciudad donde cursó estudios y cuya influencia árabe y gitana llega a ser uno de los principales temas de su obra. En 1919 se trasladó a Madrid y se hizo amigo del pintor Salvador Dalí, el cineasta Luis Buñuel y el poeta Rafael Alberti. En 1928 su libro *Romancero gitano* lo consagró como poeta. En 1929 fue a Nueva York donde escribió *Poeta en Nueva York,* publicado póstumamente en 1940. Además de poeta, García Lorca se destacó como dramaturgo. Su obra teatral *Bodas de Sangre,* escrita en 1933, es de fama internacional. García Lorca fue fusilado el 19 de agosto de 1936 a las afueras de Granada, al inicio de la Guerra Civil Española.

Escucha una vez más para verificar lo que escribiste.

(Repeat passage.)

UNIDAD 3

LECCIÓN 1

¡A escuchar!

Gente del Mundo 21

A Elena Poniatowska. Una pareja de jóvenes estudiantes mexicanos de la Universidad Nacional Autónoma de México (U.N.A.M.) asiste a un acto en conmemoración de la masacre de Tlatelolco. Escucha con atención lo que dicen y luego marca si cada oración que sigue es **cierta (C), falsa (F)** o si no tiene relación con lo que escuchaste (**N/R**). Si la oración es falsa, corrígela.

MANUEL: Lo que más me impresionó del acto fue el momento en que Elena Poniatowska le leyó al público fragmentos de su libro *La noche de Tlatelolco*.

ANGÉLICA: Estoy de acuerdo contigo, Manuel. Cuando Elena Poniatowska leía los testimonios de las diferentes personas que incluyó en su libro, parecía que estuviera viviendo otra vez ese momento.

MANUEL: Angélica, te voy a confesar. Al principio, cuando la presentaron, yo pensé que era una escritora extranjera, por su apellido.

ANGÉLICA: Elena Poniatowska nació en Francia en 1933. Su padre era francés de origen polaco y su madre era mexicana. Durante la Segunda Guerra Mundial llegó a la Ciudad de México. Se inició en el periodismo en 1954 y desde entonces ha publicado muchos libros de testimonios, novelas y colecciones de cuentos.

MANUEL: ¿Cuándo sucedió lo que narra en *La noche de Tlatelolco?*

ANGÉLICA: El 2 de octubre de 1968, unos días antes de iniciarse los Juegos Olímpicos en México.

MANUEL: ¿Cuántas personas murieron?

ANGÉLICA: No se sabe realmente cuántas personas murieron en la Plaza de las Tres Culturas de Tlatelolco. Muchos testigos calculan que fueron más de trescientas, la mayoría estudiantes.

B Hernán Cortés. Escucha la siguiente narración acerca de Hernán Cortés y luego contesta las preguntas que figuran a continuación.

Hernán Cortés desembarcó cerca de la actual ciudad de Veracruz, en el Golfo de México, el 21 de abril de 1519. Tenía entonces treinta y cuatro años de edad. Llevaba consigo unos quinientos hombres, algunos caballos y cañones. Cortés y sus hombres llegaron a Tenochtitlán en noviembre de ese año y permanecieron allí hasta junio del año siguiente. Tiempo después regresaron y el 30 de agosto de 1521 se apoderaron de la capital del Imperio Azteca.

Escucha una vez más para verificar tus respuestas.

(Repeat passage.)

C Frida Kahlo. En el Museo de Frida Kahlo, en Coyoacán, un área de la Ciudad de México, una guía le explica a un grupo de turistas la vida de la pintora Frida Kahlo. Escucha con atención lo que dice y luego marca si cada oración que sigue es **cierta (C)** o **falsa(F).** Si la oración es falsa, corrígela.

Frida Kahlo nació en Coyoacán, zona residencial del Distrito Federal, en 1910. Cuando tenía dieciocho años, sufrió un accidente que casi le costó la vida. A partir de entonces su vida cambió, pues sentía dolores constantemente. El sufrimiento que padecía aparece reflejado en muchos de los cuadros que pintó. En 1929 se casó con el famoso muralista Diego Rivera, con quien tuvo una relación con muchos altibajos emocionales. Murió en 1954 y más tarde la casa donde vivieron en Coyoacán fue transformada en un museo.

Escucha una vez más para verificar tus respuestas.

(Repeat passage.)

Acentuación y ortografía

Adjetivos y pronombres demostrativos. Los adjetivos demostrativos nunca llevan acento escrito. En cambio los pronombres demostrativos siempre lo llevan, excepto **eso** y **esto** por ser neutros (no requieren sustantivo). Escucha y estudia estos ejemplos mientras el narrador los lee.

Estos libros son míos.	**Éstos** son los tuyos.
Esa falda es hermosa.	**¿Ésa?** ¡No me gusta!
Ese puesto es el mejor.	Sí, pero **éste** paga más.
Aquellos muchachos hablan inglés	Sí, pues **aquéllos** de allá, no.
	Esto es muy importante.
	¡**Eso** es imposible!

D Demostrativos. Ahora, escucha al narrador leer las siguientes oraciones y escribe los **adjetivos** o **pronombres demostrativos** que escuchas. Recuerda que sólo los pronombres llevan acento escrito.

1. Este disco de Luis Miguel es mío y aquél es tuyo.

2. Aquella pintura de Frida refleja más dolor y sufrimiento que ésa.

3. Ese periódico se edita en México; éste se edita en Nueva York.

4. Compramos estos libros en el Museo del Templo Mayor y ésos en el Museo Nacional de Antropología.

5. No conozco esos murales de Diego Rivera; yo sé que éste está en el Palacio Nacional.

Palabras interrogativas, exclamativas y relativas. Todas las palabras interrogativas y exclamativas llevan acento escrito para distinguirlas de palabras parecidas que se pronuncian igual pero que no tienen significado ni interrogativo ni exclamativo. Escucha y estudia cómo se escriben las palabras interrogativas, exclamativas y relativas mientras los narradores leen las siguientes oraciones. Observa que las oraciones interrogativas empiezan con signos de interrogación inversos y las oraciones exclamativas con signos de exclamación inversos.

1. **¿Qué** libro?

   El libro **que** te presté.

   ¡Ah! ¡**Qué** libro!

2. ¿Contra **quién** lucha Marcos hoy?

   Contra el luchador a **quien** te presenté.

   ¡Increíble contra **quién** lucha!

3. ¿**Cuánto** dinero ahorraste?

   Ahorré **cuanto** pude.

   ¡**Cuánto** has de sufrir, hombre!

4. ¿**Cómo** lo hiciste?

   Lo hice **como** quise.

   ¡**Cómo** me voy a acordar de eso!

5. ¿**Cuándo** vino?

   Vino **cuando** terminó de trabajar.

   Sí, ¡y mira **cuándo** llegó!

E **Interrogativas, exclamativas y relativas.** Ahora escucha a los narradores leer las oraciones que siguen y decide si son **interrogativas, exclamativas** o si simplemente usan una palabra **relativa.** Pon los acentos escritos y la puntuación apropiada (signos de interrogación, signos de exclamación y puntos) donde sea necesario.

1. ¿Quién llamó?

   ¿Quién? El muchacho a quien conocí en la fiesta.

2. ¿Adónde vas?

   Voy adonde fui ayer.

3. ¡Cuánto peso! Ya no voy a comer nada.

   ¡Qué exagerada eres, hija! Come cuanto quieras.

4. ¿Quién sabe dónde viven?

   Viven donde vive Raúl.

5. ¡Qué partido más interesante!

   ¿Cuándo vienes conmigo otra vez?

6. Lo pinté como me dijiste.

   ¡Cómo es posible!

7. ¿Trajiste el libro que te pedí?

   ¿Qué libro? ¿El que estaba en la mesa?

8. Cuando era niño, nunca hacía eso.

   Lo que yo quiero saber es, ¿cuándo aprendió?

Dictado. Escucha el siguiente dictado e intenta escribir lo más que puedas. El dictado se repetirá una vez más para que revises tu párrafo.

México: tierra de contrastes

Para cualquier visitante, México es una tierra de contrastes: puede apreciar montañas altas y valles fértiles, así como extensos desiertos y selvas tropicales. En México, lo más moderno convive con lo más antiguo. Existen más de cincuenta grupos indígenas, cada uno con su propia lengua y sus propias tradiciones culturales. Pero en la actualidad la mayoría de los mexicanos son mestizos, o sea, el resultado de la mezcla de indígenas y españoles. De la misma manera que su gente, la historia y la cultura de

México son muy variadas.

Ahora, escucha una vez más para verificar lo que escribiste.

(Repeat passage.)

UNIDAD 3 LECCIÓN 2

¡A escuchar!

Gente del Mundo 21

A **Miguel Ángel Asturias.** Un estudiante habla con una profesora de literatura latinoamericana para que le recomiende a un escritor guatemalteco del siglo XX. Escucha con atención lo que dicen y luego marca si cada oración que sigue es **cierta (C), falsa (F)** o si no tiene relación con lo que escuchaste **(N/R)**. Si la oración es falsa, corrígela.

ESTUDIANTE: A mí me interesa mucho la literatura latinoamericana. ¿Qué escritor guatemalteco del siglo XX me podría recomendar?

PROFESORA: Hay muchos escritores que te pueden interesar. Te recomiendo que leas una novela titulada *El señor Presidente,* de Miguel Ángel Asturias.

ESTUDIANTE: ¿De qué se trata esta novela?

PROFESORA: Es una novela que tiene un tema social y se desarrolla alrededor de la figura de un gobernante autoritario, como ha habido muchos en Guatemala.

ESTUDIANTE: Me parece que este escritor ganó el Premio Nobel de Literatura en los años 60, ¿no es así?

PROFESORA: Sí, Miguel Ángel Asturias ganó el Premio Nobel de Literatura en 1967. Este escritor guatemalteco se inspiró en los ritos y creencias de los indígenas de su país. Tiene otra novela que se llama *Hombres de maíz,* que trata precisamente sobre la realidad que enfrentan los indígenas guatemaltecos. Se llama así, *Hombres de maíz,* porque hay un mito mesoamericano que dice que los hombres son hechos de maíz y por la importancia que tiene esta planta en la cultura guatemalteca.

ESTUDIANTE: En alguna parte leí que había vivido en Francia.

PROFESORA: Como muchos otros escritores latinoamericanos de su generación, Miguel Ángel Asturias vivió muchos años en París. Además, entre 1966 y 1970 fue embajador de su país en Francia.

B Los mayas. Escucha el siguiente texto acerca de la civilización maya y luego indica si la información que figura a continuación aparece en el texto (**Sí**) o no (**No**).

Hasta hace poco tiempo se pensaba que los mayas constituían un pueblo pacífico, dedicado enteramente a las ciencias y al arte. Investigaciones recientes han modificado esta opinión. Las ciudades mayas vivían en constantes guerras, tratando de capturar prisioneros que luego eran ofrecidos en sacrificios a sus dioses. Esta nueva visión de la civilización maya es el resultado de nuevos descubrimientos de ciudades y de los avances en la interpretación del sistema de escritura jeroglífica.

Escucha una vez más para verificar tus respuestas.

(Repeat passage.)

C Opiniones impersonales. Escucha lo que dice un hombre de noventa años cuando le preguntan qué debe hacer uno para vivir mucho tiempo. Indica si las frases impersonales que aparecen a continuación fueron mencionadas (**Sí**) o no (**No**) por el anciano.

Es importante comer con moderación. No es bueno consumir demasiada carne ni alimentos con mucha grasa. Es esencial hacer ejercicios regularmente; es mejor hacer ejercicios suaves y moderados que enérgicos y violentos. Es conveniente ir al médico de vez en cuando para hacerse exámenes generales. Y es absolutamente indispensable elegir a padres y abuelos que hayan tenido una larga vida.

Escucha una vez más para verificar tus respuestas.

(Repeat passage.)

Pronunciación y ortografía

Los sonidos /k/ y /s/. El deletreo de estos sonidos con frecuencia resulta problemático al escribir. Esto se debe a que varias consonantes pueden representar cada sonido según la vocal que las sigue. El primer paso para aprender a evitar problemas de ortografía es reconocer los sonidos.

D Práctica con los sonidos /k/ y /s/. En las siguientes palabras, indica si el sonido que escuchas en cada una es /k/ o /s/. Cada palabra se repetirá dos veces.

1. cama
2. adquirir
3. sopa
4. ciudadano
5. organizador
6. banquero
7. enriquecer
8. secretario
9. cómico
10. empobrecer

Deletreo del sonido /k/. Al escuchar las siguientes palabras con el sonido /k/, observa cómo se escribe este sonido.

ca	caña	fracasar
que	queso	enriquecer
qui	Quito	monarquía
co	colonización	soviético
cu	cultivo	ocupación

E Práctica con la escritura del sonido /k/. Ahora, escucha a los narradores leer las siguientes palabras y escribe las letras que faltan en cada una.

1. campesino
2. quince
3. Quetzalcóatl
4. campeón
5. conquistar
6. comunidad
7. místicos
8. cultivar
9. corrido
10. acueducto

Deletreo del sonido /s/. Al escuchar las siguientes palabras con el sonido /s/, observa cómo se escribe este sonido.

sa o za	sagrado	zambullir	pobreza
se o ce	segundo	cero	enriquecer
si o ci	situado	civilización	palacio
so o zo	soviético	zorra	colapso
su o zu	suicidio	zurdo	insurrección

F Práctica con la escritura del sonido /s/. Ahora, escucha a los narradores leer las siguientes palabras y escribe las letras que faltan en cada una.

1. rocío
2. opresión
3. broncearse
4. fuerza
5. resolver
6. organización
7. surgir
8. resistencia
9. urbanizado
10. zumbar

Dictado. Escucha el siguiente dictado e intenta escribir lo más que puedas. El dictado se repetirá una vez más para que revises tu párrafo.

La civilización maya

Hace más de dos mil años los mayas construyeron pirámides y palacios majestuosos, desarrollaron el sistema de escritura más completo del continente y sobresalieron por sus avances en las matemáticas y la astronomía. Así, por ejemplo, emplearon el concepto de cero en su sistema de numeración, y crearon un calendario más exacto que el que se usaba en la Europa de aquel tiempo. La civilización maya prosperó primero en las montañas de Guatemala y después se extendió hacia la península de Yucatán, en el sureste de México y Belice.

Ahora, escucha una vez más para verificar lo que escribiste.

(Repeat passage.)

UNIDAD 3
LECCIÓN 3

¡A escuchar!

Gente del Mundo 21

A **Arzobispo asesinado.** Escucha con atención lo que dice la madre de un estudiante "desaparecido", en un acto en homenaje al arzobispo asesinado de San Salvador. Luego marca si cada oración que sigue es **cierta (C), falsa (F)** o si no tiene relación con lo que escuchaste **(N/R).** Si la oración es falsa, corrígela.

Hoy estamos aquí reunidos para conmemorar otro aniversario de la muerte de monseñor Óscar Arnulfo Romero, quien fue arzobispo de San Salvador. Durante los tres años que fue arzobispo, monseñor Romero pasó de ser un religioso apolítico a convertirse en un portavoz de las aspiraciones de su pueblo. Su vida como líder de la iglesia católica fue relativamente breve como también lo fue la vida pública de Jesucriso, que predicó por sólo tres años. Durante ese tiempo, monseñor Romero se volvió defensor de los pobres y denunció la violencia contra el pueblo ejercida por el gobierno y las fuerzas paramilitares. Estuvo influido por la teología de la liberación que se desarrolló en Latinoamérica. El asesinato de un amigo católico, también sacerdote, lo conmovió y lo transformó en un eficaz orador que defendía los derechos humanos en su país. Fue asesinado dando misa en una iglesia de San Salvador, el 24 de marzo de 1980, siendo una más de las 22.000 víctimas de la violencia política aquel año. Yo soy una madre que desde entonces no ha visto a su hijo que desapareció después de salir una tarde de la universidad. Para nosotros, monseñor Romero no ha muerto porque lo recordamos cada vez más. Les pido que nos pongamos de pie y guardemos un minuto de silencio en memoria de este gran hombre salvadoreño.

B **Farabundo Martí.** Escucha el siguiente texto acerca de Farabundo Martí y el movimiento revolucionario que lleva su nombre. Luego selecciona la opción correcta para completar las oraciones que aparecen a continuación.

El FMLN, que es la abreviación de Frente Farabundo Martí para la Liberación Nacional, es una de las organizaciones guerrilleras más influyentes de El Salvador. Fueron miembros de este grupo los que, junto con el presidente Alfredo Cristiani, firmaron en 1992 el tratado de paz que puso fin a la guerra civil en la cual cerca de ochenta mil personas perdieron la vida. Farabundo Martí era un político salvadoreño que participó en organizaciones revolucionarias dentro y fuera de El Salvador. Fue él quien, en 1930, fundó el Partido Comunista salvadoreño. Detenido por fuerzas gubernamentales, fue ejecutado en 1932.

Escucha una vez más para verificar tus respuestas.

(Repeat passage.)

C **¿Nicaragüense o salvadoreña?** Escucha la siguiente narración acerca de Claribel Alegría y luego contesta las preguntas que aparecen a continuación.

Claribel Alegría es una de las más famosas escritoras salvadoreñas contemporáneas. Nació en 1924 en el pueblito nicaragüense de Estelí, pero desde muy niña vivió en Santa Ana, la segunda ciudad más grande de El Salvador. Por eso, ella se considera salvadoreña. Viajó a Estados Unidos para estudiar filosofía y letras en la Universidad George Washington. Allí conoció a y se casó con Darwin J. Flakoll, escritor estadounidense con el que ha colaborado en varios libros. Claribel Alegría ha publicado más de cuarenta obras, entre las que se incluyen quince libros de poesía, varias novelas y un libro de historias para niños. Seis de sus libros han sido traducidos al inglés, entre ellos *Luisa en el país de la realidad,* un libro de poemas y narraciones. La Casa de las Américas le confirió un premio literario importante por su poemario *Sobrevivo.*

Escucha una vez más para verificar tus respuestas.

(Repeat passage.)

Pronunciación y ortografía

Los sonidos /g/ y /x/. El deletreo de estos dos sonidos con frecuencia resulta problemático al escribir. Practica ahora cómo reconocer los sonidos.

D **Práctica con los sonidos /g/ y /x/.** Al escuchar las siguientes palabras, indica si el sonido inicial de cada una es **/g/** como en **gordo, ganga** o **/x/** como en **japonés, jurado.** Cada palabra se va a repetir dos veces.

1. **j**itomate   6. **J**alisco
2. **g**ato   7. **j**ardín
3. **j**amás   8. **g**obernante
4. **g**usto   9. **j**erga
5. **g**olpe   10. **g**uerra

Deletreo del sonido /g/. Al escuchar las siguientes palabras con el sonido **/g/,** observa cómo se escribe este sonido.

ga	ga**l**án	nave**ga**ción
gue	**gue**rrillero	ju**gue**tón
gui	**gui**a	conse**gui**r
go	**go**bierno	visi**go**do
gu	**gu**sto	or**gu**llo

Deletreo del sonido /x/. Al escuchar las siguientes palabras con el sonido /x/, observa cómo se escribe este sonido.

ja	jardín	festejar	embajador
je o **ge**	jefe	gente	estranjero
ji o **gi**	jitomate	gigante	complejidad
jo	joya	espejo	anglosajón
ju	judío	jugador	conjunto

Práctica con la escritura de los sonidos /g/ y /x/. Ahora, escucha a los narradores leer las siguientes palabras y escribe las letras que faltan en cada una.

1. go**bern**ante
2. emba**ja**da
3. golpe
4. sur**gir**
5. ju**ego**

6. tra**ge**dia
7. **gue**rra
8. presti**gio**so
9. fri**jol**
10. a**gen**cia

Dictado. Escucha el siguiente dictado e intenta escribir lo más que puedas. El dictado se repetirá una segunda vez para que revises tu párrafo.

El proceso de la paz

En 1984 el presidente de El Salvador, José Napoleón Duarte, inició negociaciones por la paz con el FMLN. En 1986, San Salvador sufrió un fuerte terremoto que ocasionó más de mil víctimas. Pero más muertos causó, sin embargo, la continuación de la guerra civil. Alfredo Cristiani, elegido presidente en 1989, firmó en 1992 un acuerdo de paz con el FMLN después de negociaciones supervisadas por las Naciones Unidas. Así, después de una guerra que causó más de 80.000 muertos y paralizó el desarrollo económico, el país se propone garantizar la paz que tanto le ha costado.

Ahora, escucha una vez más para verificar lo que escribiste.

(Repeat passage.)

UNIDAD 4
LECCIÓN 1

¡A escuchar!

Gente del Mundo 21

A Reconocido artista cubano. Escucha con atención lo que dicen dos estudiantes cubanos al visitar un museo de arte de la Habana y luego marca si cada oración que sigue es **cierta (C), falsa (F)** o si no tiene relación con lo que escuchaste **(N/R).** Si la oración es falsa, corrígela.

ANTONIO: Mi artista favorito es Wifredo Lam. No sólo porque es un artista cubano que viene de Las Villas, provincia de donde es mi familia, sino porque fue un gran innovador del arte contemporáneo.

LUCÍA: Es interesante saber que este artista que comenzó pintando cuadros dentro de la tradición europea luego se interesó mucho en la tradición artística africana.

ANTONIO: Pues él pasó trece años en España familiarizándose con la tradición artística europea y al empezar la Guerra Civil Española en 1936 se fue a vivir a París, donde conoció a Pablo Picasso y otros artistas surrealistas, quienes proponían entonces nuevas formas de hacer arte.

LUCÍA: Parece que cuando Wifredo regresó a Cuba en la década de los 40, redescubrió sus propias raíces y pintó cuadros de inspiración africana, como *La selva*, realizado en 1943. En este cuadro se mezclan de una manera fantástica formas humanas, animales y vegetales.

ANTONIO: Wifredo tenía una conexión personal con la cultura de origen africano. Su padre era chino y su madre afrocubana.

LUCÍA: Aquí tengo un folleto que dice que desde la década de los 50, Wifredo Lam alternó estancias en Cuba y París, donde murió en 1982.

B La constitución de Cuba. Escucha el siguiente texto acerca de la constitución cubana y luego selecciona la opción que complete correctamente cada frase.

La constitución actual de Cuba comenzó a aplicarse en el año 1976. Ese año, un proyecto constitucional fue sometido al voto popular y fue aceptado por el 97,7% de los votantes. Con la constitución se crearon las asambleas provinciales y municipales, así como la Asamblea Nacional, cuyos candidatos son nombrados por las asambleas municipales. Antes del año 1993 había en la Asamblea 510 delegados; ese año el número fue aumentado a 590. La Asamblea Nacional eligió a Fidel Castro como Presidente del Consejo de Estado, cargo que ocupa desde 1976. Pero en una verdadera democracia los votantes tienen opciones, y en Cuba no hay libertad para los partidos políticos de oposición.

Escucha una vez más para verificar tus respuestas.

(Repeat passage.)

Pronunciación y ortografía

Pronunciación de letras problemáticas: *b* y *v*. La **b** y la **v** se pronuncian de la misma manera. Sin embargo, el sonido de ambas varía en relación al lugar de la palabra en donde ocurra. Por ejemplo, la **b** o la **v** inicial de una palabra tiene un sonido fuerte, como el sonido de la *b* en inglés, si la palabra occurre después de una pausa. También tienen un sonido fuerte cuando occurren después de la **m** o la **n**.

Escucha a la narradora leer estas palabras prestando atención a la pronunciación de la **b** o **v** fuerte. Observa que para producir este sonido las labios se cierran para crear una pequeña presión de aire al soltar el sonido.

brillante   vi**rr**einato   em**b**ajador   con**v**ocar

bloquear   **v**ictoria   am**b**icioso   sin**v**ergüenza

En los demás casos, la **b** y la **v** tienen un sonido suave. Escucha a la narradora leer estas palabras, prestando atención a la pronunciación de la **b** o **v** suave. Observa que al producir este sonido, los labios se juntan, pero no se cierran completamente, por lo tanto, no existe la presión de aire y lo que resulta es una **b** o **v** suave.

re**b**elión   resol**v**er   afrocu**b**ano   culti**v**o

po**b**reza   pro**v**incia   exu**b**erante   contro**v**ertido

Deletreo con la *b* y la *v*. Las siguientes reglas te ayudarán a saber cuándo una palabra se escribe con **b** (larga) o con **v** (corta). Memorízalas.

Regla Nº 1: Siempre se escribe la **b** antes de la **l** y la **r**. Las siguientes raíces también contienen la **b: bene-, bien-, biblio-, bio-**. Estudia estos ejemplos mientras la narradora los pronuncia.

bloquear   ham**b**re   **bene**ficio   **biblio**grafía

obligación   **b**ravo   **bien**estar   **bio**logía

C **Práctica con la letra *b*.** Ahora escucha a los narradores leer las siguientes palabras y escribe las letras que faltan en cada una.

1. **b**risa
2. alam**b**re
3. **b**lanco
4. **b**loque
5. **b**lusa
6. ca**b**le
7. co**b**re
8. **b**ruja

Regla Nº 2: Después de la **m** siempre se escribe la **b**. Después de la **n** siempre se escribe la **v**. Estudia estos ejemplos mientras la narradora los pronuncia.

em**b**arcarse   em**b**ajador   con**v**ención   en**v**uelto

tam**b**ién   cam**b**iar   en**v**ejecer   con**v**ertir

D **La letra *b* o *v* después de *m* y *n*.** Ahora escucha a los narradores leer las siguientes palabras y escribe las letras que faltan en cada una.

1. som**b**ra
2. en**v**iar
3. tam**b**or
4. in**v**encible
5. in**v**entar
6. em**b**lema
7. en**v**enenar
8. rum**b**o

Regla Nº 3: Los siguientes prefijos siempre contienen la **b: ab-, abs-, bi-, bis-, biz-, ob-, obs-** y **sub-**, y después del prefijo **ad-**, siempre se escribe la **v**. Estudia estos ejemplos mientras la narradora los pronuncia.

abstracto   **ad**versidad

abstener   **ob**ligado

biblioteca   **obs**táculo

bisonte   **sub**rayar

adversario   **sub**stituir

E **Prefijos.** Ahora escucha a los narradores leer las siguientes palabras y escribe las letras que faltan en cada una.

1. **ob**tener
2. **sub**marino
3. **ab**soluto
4. **bi**snieto
5. **abs**tracto
6. **ad**vertir
7. **obs**ervatorio
8. **ad**verbio

Dictado. Escucha el siguiente dictado e intenta escribir lo más que puedas. El dictado se repetirá una vez más para que revises tu párrafo.

El proceso de independencia de Cuba

Mientras que la mayoría de los territorios españoles de América lograron su independencia en la segunda década del siglo XIX, Cuba, junto con Puerto Rico, siguió siendo colonia española. El 10 de octubre de 1868 comenzó la primera guerra de la independencia cubana, que duraría diez años y en la cual 250.000 cubanos iban a perder la vida. En 1878 España consolidó nuevamente su control sobre la isla y prometió hacer reformas. Sin embargo, miles de cubanos que lucharon por la independencia salieron en exilio.

Ahora escucha una vez más para verificar lo que escribiste.

(Repeat passage.)

¡A escuchar!

Gente del Mundo 21

A **Elecciones dominicanas.** Escucha con atención lo que dice un profesor de la Universidad de Santo Domingo a un grupo de estudiantes extranjeros que están estudiando en la República Dominicana y luego marca si cada oración que sigue es **cierta (C), falsa (F)** o si no tiene relación con lo que escuchaste **(N/R)**. Si la oración es falsa, corrígela.

PROFESOR: Como la mayoría de los países latinoamericanos, la República Dominicana es una república donde se celebran regularmente elecciones, aunque en el pasado hemos sufrido dictaduras como la de Rafael Leónidas Trujillo que duró más de treinta años, de 1930 a 1961. A la cabeza del gobierno hay un presidente que es elegido cada cuatro años.

MUJER: ¿Y se puede reelegir al presidente?

PROFESOR: Sí, en la República Dominicana existe la reelección. Por ejemplo, Joaquín Balaguer ha sido elegido a la presidencia en varias ocasiones.

HOMBRE: ¿Cuándo fue la primera vez que Joaquín Balaguer llegó a la presidencia?

PROFESOR: Joaquín Balaguer fue nombrado presidente en 1960 y tras el asesinato de Trujillo en 1961, intentó reformas que provocaron un golpe militar en 1962. Pero luego, en 1966, fue elegido presidente de nuevo y fue reelegido en 1970 y en 1974.

MUJER: ¿Ha sido presidente desde entonces?

PROFESOR: No, en 1978 dejó la presidencia al perder las elecciones. Pero en 1986 volvió a ocupar este cargo tras su victoria en las elecciones presidenciales y en 1990 fue reelegido nuevamente.

HOMBRE: Pero las elecciones de 1994 no fueron muy claras y hemos observado muchas protestas de la oposición.

PROFESOR: Sí, las elecciones de 1994 causaron mucha controversia y la oposición no está de acuerdo con los resultados.

B Xibá. Escucha lo que dice esta joven dominicana del té de krechí y luego marca si cada oración que sigue es **cierta (C)**, **falsa (F)** o si no tiene relación con lo que escuchaste (**N/R**). Si la oración es falsa, corrígela.

Me llamo Xibá. Soy dominicana, descendiente de africanos que fueron traídos a este país como esclavos. Desde antes de nacer, mi mamá, abuela y bisabuela me hablaban de la primera Xibá, mi tatarabuela. De ella, que una vez fue esclava de españoles me llegó la historia del té de krechí.

—Soy Xibá. Xibá soy. —Las historias de Xibá siempre comenzaban de esa manera. —Yo, Xibá, todavía siento esa espuma del mar en mi cara. Todavía siento ese largo atravesar, siento la sal en mis ojos testigos de la muerte y tortura de los míos. Todavía siento el suelo duro de esta tierra que no es la mía. Me veo niña en tu corazón.

Xibá y su mamá están sentadas al lado de la fogata, cuidando la olla donde se calienta el té de krechí. Al ratito, se asoma Xibá a la olla. El vapor acaricia su cara mientras ls hojitas largas, de tierno amarillo, flotan enredadas en el agua.

—Las hojitas de krechí son mágicas, —le dice su mamá mientras añade otro palo a la fogata. —Te doy el té para que duermas bien porque esas hojitas de krechí cuelan los malos espíritus, y así, las pesadillas nunca se acercan a tu cama. El krechí te protege en tus sueños.

De repente su mamá sonríe y a la vez, cierra sus ojos. —Bueno, —me dice, —la magia también viene de la luna. ¿Me entiendes? Es la luna la que suelta sus rayos plateados en el amarillo fosforecente, amarillo inocente en el que los malos espíritus se enredan y quedan atrapados. no pueden salir de las hojas, no pueden llegar a tu cama. Sí, mi niña, —me asegura, mientras me besa dulcemente en la frente, —el té de krechí es para que duermas bien.

Escucha una vez más para verificar tus repuestas.

(Repeat passage.)

C Discurso político. Usando la lista que aparece a continuación, indica si el candidato que vas a escuchar menciona (**Sí**) o no (**No**) el programa indicado.

¡Conciudadanos! Es importante que construyamos un país con mejores oportunidades para todos. Es necesario que terminemos con la pobreza. Es fundamental que eduquemos mejor a nuestros niños porque son el futuro de la nación. Es necesario que acabemos con el alto desempleo que tenemos. Es esencial que creemos más fuentes de trabajo y que todos tengan acceso a un trabajo digno. Por eso, es importante que en las próximas elecciones voten por mí.

Escucha una vez más para verificar tus respuestas.

(Repeat passage.)

Pronunciación y ortografía

Pronunciación y ortografía de las letras *q, k,* y *c*.
La **q** y la **k,** y la **c** antes de las vocales **a, o** y **u,** se pronuncian de la misma manera. Con la exepción de algunas palabras incorporadas al español como préstamos de otros idiomas (*quáter, quásar, quórum),* este sonido sólo ocurre con la **q** en las combinaciones **que** o **qui**. Con la **k,** el sonido sólo ocurre en palabras prestadas o derivadas de otros idiomas, como *kabuki, karate, kibutz, koala, kilo*. Con la **c,** este sonido sólo ocurre en las combinaciones **ca, co** y **cu**. Estudia la ortografía de estas palabras mientras la narradora las lee.

complejo	**que**mar	**k**ami**k**aze
ex**ca**vaciones	oligar**quí**a	**ka**yak
cultivar	ata**que**	**ki**lómetro

D Deletreo con las letras *q, k* y *c*. Ahora escucha a los narradores leer las siguientes palabras y escribe las letras que faltan en cada una.

1. cone**x**ión
2. ar**que**ológico
3. comerciante
4. magní**f**ico
5. **qui**ché
6. blo**que**ar
7. derro**ca**do
8. **Quetzal**cóatl

Dictado. Escucha el siguiente dictado e intenta escribir lo más que puedas. El dictado se repetirá una vez más para que revises tu párrafo.

La cuna de América

El 6 diciembre de 1492, Cristóbal Colón descubrió una isla que sus habitantes originales, los taínos, llamaban Quisqueya. Con su nuevo nombre de La Española, dado por Colón, la isla se convirtió en la primera colonia española y cuna del Imperio Español en América. Se calcula que antes de la llegada de los españoles, había aproximadamente un millón de taínos en la isla; cincuenta años más tarde esta población había sido reducida a menos de quinientos.

Ahora, escucha una vez más para verificar lo que escribiste.

(Repeat passage.)

Lengua en uso

L **"Los mangos bajitos".** Ahora escucha el siguiente merengue y escribe las palabras que faltan. La canción se va a repetir dos veces.

"Los mangos bajitos"
de Juan Luis Guerra

Dice don Martín Garata,
persona de alto rango,
que le gusta mucho el mango
porque es una fruta grata,
pero treparse en la mata,
ay, eso no,
y verse en los cogollitos,
ay, eso no,
y en aprietos infinitos,
ay, eso no,
como eso es tan peligroso,
uh, uh,
él encuentra más sabroso
coger los mangos bajitos,
ay ñeñe,
coger los mangos bajitos,
tú dile,
coger los mangos bajitos.
Dice don Martín también
que le gusta la castaña
pero cuando mano extraña
la saca de la sartén
y que se la pelen bien,
ay, eso sí,
con todos los requisitos,
ay, eso sí,
pero arderse los deditos,
ay, eso no,
metiéndolos en la flama, uh,
eso sí que no se llama
coger los mangos bajitos. (Se repite.)
Por eso la suerte ingrata
de mi vida no mejora
porque muchos son ahora

como don Martín Garata,
que quieren meterse en plata,
ay, eso sí,
ganando cuartos mansitos,
ay, eso sí,
con monopolios bonitos,
ay, eso no,
con chivos y contrabando,
sin dar un golpe y soñando,
coger los mangos bajitos,
ay ñeñe,
coger los mangos bajitos,
tú dile,
coger los mangos bajitos. (Improvisación)

Escucha una vez más para verificar tus repuestas.

(Repeat song.)

UNIDAD 4
LECCIÓN 3

¡A escuchar!

Gente del Mundo 21

A **Luis Muñoz Marín.** En una escuela secundaria de San Juan de Puerto Rico, una maestra de historia les hace preguntas a sus alumnos. Escucha con atención lo que dicen y luego marca si cada oración que sigue es **cierta (C)**, **falsa (F)** o si no tiene relación con lo que escuchaste **(N/R)**. Si la oración es falsa, corrígela.

MAESTRA: Para repasar lo que leyeron como tarea les voy a hacer preguntas. ¿En qué año los puertorriqueños eligieron directamente al primer gobernador de puerto Rico?

ALUMNA: En 1948.

MAESTRA: Así es. Desde 1898 —cuando Puerto Rico fue cedido por España a EE.UU.— hasta 1948 los gobernadores de Puerto Rico eran nombrados por el presidente de EE.UU. Ahora, ¿quién fue el primer gobernador de Puerto Rico elegido por los puertorriqueños?

ALUMNO: Luis Muñoz Marín.

MAESTRA: ¿Y cuál era el nombre de su partido político?

ALUMNO: ¿Era el Partido Demócrata?

MAESTRA: Ése es el nombre de un partido político de EE.UU. El partido de Luis Muñoz Marín tiene un nombre diferente. ¿Alguien se acuerda?

ALUMNA: El PPD, Partido Popular Democrático.

MAESTRA: Así es. ¿Y cuántas veces Luis Muñoz Marín fue elegido gobernador?

ALUMNO: Creo que cuatro veces.

MAESTRA: Muy bien. Durante su primer gobierno se aprobó una constitución que entró en vigencia el 25 de julio de 1952. ¿Cómo transformó esta constitución la relación entre Puerto Rico y EE.UU.?

ALUMNO: Bueno, Puerto Rico se convirtió en Estado Libre Asociado de EE.UU.

MAESTRA: Muy bien. Hoy vamos a estudiar lo que esto significa.

B El futuro de Puerto Rico. Escucha lo que dice una señora puertorriqueña y luego indica si las afirmaciones que siguen reflejan (**Sí**) o no (**No**) la opinión de esta persona.

Yo quiero que Puerto Rico siga siendo un Estado Libre Asociado. Es bueno que recibamos ayuda federal de EE.UU. y es importante que vengan compañías norteamericanas a Puerto Rico para que mejoren la economía de la isla. Es fundamental que no tengamos que pagar impuestos federales. No es importante que no podamos votar en las elecciones presidenciales de EE.UU. y es esencial que no perdamos el idioma español ni nuestra cultura hispana. En resumen, quiero que continuemos como un Estado Libre Asociado por las ventajas que representa para nuestra isla.

Escucha una vez más para verificar tus respuestas.

(Repeat passage.)

C ¿Estado número 51? Escucha la opinión de la persona que habla y luego indica si mencionó (**Sí**) o no (**No**) las afirmaciones que siguen.

Yo no creo que Puerto Rico deba seguir siendo un Estado Libre Asociado. Pienso que debe ser un estado de la unión americana, pues sería bueno que todos los puertorriqueños tengamos los mismos derechos que el resto de los norteamericanos. Es urgente que, como estado, elijamos dos senadores y siete representantes que hagan oír nuestra voz en Washington y es ventajoso que nos convirtamos en el grupo hispano más poderoso del país. Es posible que muchas empresas norteamericanas se vayan del país y que aumente el desempleo; pero yo dudo que eso suceda. Tampoco creo que perdamos totalmente nuestro idioma español. En resumen, pienso que es mejor que Puerto Rico sea un estado verdadero y que deje de ser un Estado Libre Asociado.

Escucha una vez más para verificar tus respuestas.

(Repeat passage.)

Pronunciación y ortografía

Guía para el uso de la letra *c*. En la unidad anterior aprendiste que la **c** en combinación con la **e** y la **i** tiene el sonido /s/ y que frente a las vocales **a**, **o** y **u** tiene el sonido /k/. Observa esta relación entre los sonidos de la letra **c** y el deletreo al escuchar a la narradora leer estas palabras.

catastrófica	ceder
constitución	civilización
cuentos	civil
electrónico	enriquecerse
vocalista	exportación
gigantesco	reconocido

D Los sonidos /k/ y /s/. Ahora, escucha a los narradores leer las siguientes palabras. Marca con un círculo el sonido que oyes en cada una.

1. proceso
2. permanecer
3. estratégico
4. fortificado
5. convertir
6. sociedad
7. vocal
8. ocupado
9. oposición
10. bucanero

E Deletreo con la letra *c*. Ahora, escucha a los narradores leer las siguientes palabras y escribe las letras que faltan en cada una.

1. escenario
2. asociado
3. colono
4. demominación
5. gigantesco
6. caña
7. presencia
8. acelerado
9. petroquímico
10. farmacéutico

Dictado. Escucha el siguiente dictado e intenta escribir lo más que puedas. El dictado se repetirá una vez más para que revises tu párrafo.

Estado Libre Asociado de EE.UU.

En 1952 la mayoría de los puertorriqueños aprobó una nueva constitución que garantizaba un gobierno autonómo, el cual se llamó Estado Libre Asociado (ELA) de Puerto Rico. El principal promotor de esta nueva relación fue el primer gobernador elegido por los puertorriqueños, Luis Muñoz Marín.

Bajo el ELA, los residentes de la isla votan por su gobernador y sus legisladores estatales y a su vez mandan un comisionado a Washington D.C. para que los represente. Pero a diferencia de un estado de EE.UU., los residentes de Puerto Rico no tienen congresistas en el congreso federal ni pueden votar por el presidente, pero tampoco tienen que pagar impuestos federales.

Ahora, escucha una vez más para verificar lo que escribiste.

(Repeat passage.)

UNIDAD 5
LECCIÓN 1

¡A escuchar!

Gente del Mundo 21

A **La ex-presidenta de Nicaragua.** Escucha lo que dice un comentarista de una estación de televisión centroamericana al presentar a la ex-presidenta de Nicaragua. Luego marca si cada oración que sigue es **cierta (C), falsa (F)** o si no tiene relación con lo que escuchaste **(N/R).** Si la oración es falsa, corrígela.

Es un verdadero honor para esta estación de televisión centroamericana tener aquí con nosotros a doña Violeta Barrios de Chamorro, ex-presidenta de Nicaragua. Esta distinguida señora ha desempeñado todos los papeles que le han tocado con gran éxito. La historia de su vida no es desconocida para ustedes los radioescuchas. En 1950 se casó con Pedro Joaquín Chamorro, editor del periódico *La Prensa* y destacado opositor al dictador Anastasio Somoza. Después del asesinato de su esposo, Violeta Chamorro pasó a dirigir el periódico. De julio de 1979 a abril de 1980 formó parte de la junta revolucionaria sandinista que tomó el poder después de la caída de Somoza. Desilusionada por las tendencias comunistas del Sandinismo, cada vez más marcadas, pasó a la oposición y llegó a la presidencia de Nicaragua en 1990 cuando derrotó en elecciones libres a Daniel Ortega, el candidato del régimen sandinista. Su gobierno logró la reconciliación de las fuerzas contrarrevolucionarias y reanudó los lazos de amistad con EE.UU. En 1997 regresó a ser directora del periódico *La Prensa*. Por eso hemos invitado a doña Violeta Barrios de Chamorro a nuestro programa. Le vamos a pedir que nos hable un poco sobre el futuro de nuestro país tal como ella lo ve, de los motivos de esperanza y de los problemas más importantes que enfrenta Nicaragua. Démosle a la señora ex-presidenta una calurosa bienvenida.

B **León.** Escucha el siguiente texto acerca de la ciudad de León y luego selecciona la opción correcta para completar las oraciones que aparecen a continuación.

Quiero visitar León porque me interesan las ciudades con un rico pasado. A menos de que uno prefiera las ciudades capitales, a veces las visitas a ciudades más pequeñas son más agradables. Dicen que no hay ninguna ciudad en Nicaragua que tenga el encanto colonial que se puede apreciar en León: calles estrechas, casas con techos de tejas rojas, bellos edificios antiguos. En caso de que seas amante de la poesía, te va a importar saber que el gran poeta Rubén Darío murió en esa ciudad en el año 1916. En la calle que lleva su nombre, se puede visitar el Museo-Archivo Rubén Darío, donde se exponen artículos personales del poeta así como libros que pertenecieron a su biblioteca personal.

Escucha una vez más para verificar tus respuestas.

(Repeat passage.)

C **Pequeña empresa.** Escucha lo que dice el gerente acerca de su empresa y luego determina si las afirmaciones que siguen coinciden **(Sí)** o no **(No)** con la información del texto.

Tenemos una pequeña empresa que cuenta con cincuenta empleados. Tenemos secretarias que hablan inglés pero no tenemos ninguna secretaria que hable español o sea que tampoco tenemos secretarias que sean bilingües. En este moment buscamos secretarias que puedan hablar y escribir los dos idiomas. En nuestra empresa hay un jefe de ventas que es muy dinámico y estamos muy contentos con la recepcionista que tenemos; es una persona que se lleva bien con la gente.

Escucha una vez más para verificar tus respuestas.

(Repeat passage.)

Pronunciación y ortografía

Guía para el uso de la letra z. La z tiene sólo un sonido /s/, que es idéntico al sonido de la s y al de la c en las combinaciones **ce** y **ci.** Observa el deletreo de este sonido al escuchar a la narradora leer las siguientes palabras.

zapote	centro	saltar
zacate	cerámica	asesinado
zona	ciclo	sociedad
arzobispo	proceso	subdesarollo
izquierdista	violencia	trasladarse
diez	apreciado	disuelto

D **La letra z.** Ahora, escucha a los narradores leer las siguientes palabras y escribe las letras que faltan en cada una.

1. **z**orro
2. vengan**z**a
3. fortale**z**a
4. a**z**úcar
5. fuer**z**a
6. garanti**z**ar
7. lan**z**ador
8. for**z**ado
9. me**z**clar
10. nacionali**z**ar

Deletreo con la letra z. La z siempre se escribe en ciertos sufijos, patronímicos y terminaciones.

- Con el sufijo **-azo** (indicando una acción realizada con un objeto determinado):

latig**azo**   puñet**azo**   botell**azo**   manot**azo**

- Con los patronímicos (apellidos derivados de nombres propios españoles) **-az, -ez, iz, -oz, uz:**

Alcar**az**   Domíng**uez**   Ru**iz**   Muñ**oz**

- Con las terminaciones **-ez, -eza** de sustantivos abstractos:

tim**ez**idez   honra**dez**   noble**za**   triste**za**

E Práctica con la letra z. Ahora, escucha a los narradores leer las siguientes palabras y escribe las letras que faltan en cada una.

1. golp**azo**
2. escas**ez**
3. Álvar**ez**
4. Gonzál**ez**
5. gol**azo**

6. per**eza**
7. garrot**azo**
8. Ló**pez**
9. espad**azo**
10. rigid**ez**

Dictado. Escucha el siguiente dictado e intenta escribir lo más que puedas. El dictado se repetirá una segunda vez para que revises tu párrafo.

El proceso de la paz

En noviembre de 1984 Daniel Ortega, líder del Frente Sandinista, fue elegido presidente de Nicaragua. Seis años más tarde fue derrotado en elecciones libres por la candidata de la Unión Nacional Opositora, Victoria Barrios de Chamorro. El gobierno de Chamorro logró la pacificación de los "contras", reincorporó la economía nicaragüense al mercado internacional y reanudó lazos de amistad con EE.UU. En 1997, Chamorro entregó la presidencia a Arnoldo Alemán Lecayo quien había vencido a Daniel Ortega, el candidato sandinista, en elecciones democráticas. Desde entonces se vio un mejoramiento en la economía del país debido a la exportación de azúcar y la liberalización del intercambio internacional. Desafortunadamente, la devastación del huracán Mitch en 1998 forzó al gobierno a concentrarse en la reconstrucción del país al pasar al siglo XXI.

Ahora, escucha una vez más para verificar lo que escribiste.

(Repeat passage.)

UNIDAD 5
LECCIÓN 2

¡A escuchar!

Gente del Mundo 21

A Lempira. Escucha con atención lo que dicen dos estudiantes y luego marca si cada oración que sigue es **cierta (C), falsa (F)** o si no tiene relación con lo que escuchaste **(N/R)**. Si la oración es falsa, corrígela.

ROBERTA: Miguel, ¿por qué se llama "lempira" la moneda nacional de Honduras?

MIGUEL: Se llama así en homenaje a un jefe indígena que luchó contra los españoles.

ROBERTA: ¿Pero qué significa la palabra lempira?

MIGUEL: Ése era su nombre y significa "señor de la sierra".

ROBERTA: ¿En qué época sucedió esto?

MIGUEL: Fue en la década de 1530, cuando Lempira organizó la lucha contra los españoles y resistió con mucho éxito a las fuerzas comandadas por Alfonso de Cáceres. Según cuenta la leyenda, los españoles convencieron a Lempira que recibiera a dos comisionados de Alfonso de Cáceres para negociar la paz. En el encuentro, uno de los soldados le disparó, matando al cacique y acabando así con uno de los líderes indígenas más importantes. Actualmente, en Honduras, lo consideran un héroe nacional.

B La Ceiba. Escucha lo que te dice un amigo hondureño acerca de una ciudad caribeña de Honduras que vas a visitar en estas vacaciones. Luego indica si la información que sigue es mencionada **(Sí)** o no **(No)** por tu amigo.

Como te gusta tenderte en la playa, tomar sol y nadar, debes visitar la costa caribeña de Honduras. Antes de que llegues a las islas de la Bahía, en pleno mar Caribe, pasa unos momentos en La Ceiba, capital del departamento de Atlántida. En caso de que de detengas en la plaza principal, vas a poder ver dos lagunitas con tortugas y cocodrilos que toman sol. Con tal de que estés allí en la segunda mitad del mes de mayo, vas a poder ver el Festival de San Isidro, que es el santo patrón de la ciudad. Tienes que aprender a bailar para que te diviertas con toda la gente durante ese festival.

Escucha una vez más para verificar tus respuestas.

(Repeat passage.)

C Las ruinas de Copán. Escucha el siguiente texto acerca de las ruinas de Copán y luego selecciona la opción correcta para completar las oraciones que aparecen a continuación.

Las ruinas arqueológicas de Copán son una excelente muestra del progreso y desarrollo de la civilización maya en Mesoamérica. Están localizadas a unos diez kilómetros de la frontera con Guatemala. En el Período Clásico Tardío, entre los años 600 a 900 antes de Cristo, este importante centro llegó a tener una población de unos veinte mil habitantes. En 1980 la UNESCO declaró a las ruinas de Copán como Patrimonio Cultural de la Humanidad, reconociendo así su importancia mundial.

Dos atractivos importantes de este centro turístico son el Parque Arqueológico y el Museo de la Escultura Maya. En el Parque Arqueológico se puede visitar el Grupo Principal que incluye la Gran Plaza y la Acrópolis. En la Gran Plaza se puede observar la Escalera de los Jeroglíficos, donde se encuentran representaciones de los gobernantes de la ciudad. En un altar de la Acrópolis, también se encuentran representados los dieciséis gobernantes de la ciudad. Es uno de los monumentos históricos más famosos de Copán.

Escucha una vez más para verificar tus respuestas.

(Repeat passage.)

Pronunciación y ortografía

Guía para el uso de la letra *s*. En lecciones previas aprendiste que la **s** tiene sólo un sonido /s/, que es idéntico al sonido de la **z** y al de la letra **c** en las combinaciones **ce** y **ci**. Observa el deletreo de este sonido cuando la narradora lea las siguientes palabras.

desafío	zambo	censo
sentimiento	zacate	descendiente
sindicato	zona	cilantro
colapso	mestizo	cineasta
superar	raza	vecino
musulmán	actriz	conciencia

D La letra *s*. Ahora escribe las letras que faltan mientras escuchas a los narradores leer las siguientes palabras.

1. asumir	6. abuso
2. acusar	7. serie
3. victorioso	8. asalto
4. siglo	9. depresión
5. sandinista	10. sociedad

Deletreo con la letra *s*. Las siguientes terminaciones se escriben siempre con la **s**.

• Las terminaciones **-sivo** y **-siva:**

deci**sivo**   pa**sivo**   expre**siva**   defen**siva**

• La terminación **-sión** añadida a sustantivos que se derivan de adjetivos que terminan en **-so, -sor, -sible, -sivo:**

confe**sión**   transmi**sión**   compren**sión**   vi**sión**

• Las terminaciones **-es** y **-ense** para indicar nacionalidad o localidad:

holand**és**   leon**és**   costarric**ense**   chihuahu**ense**

• Las terminaciones **-oso** y **-osa:**

contagi**oso**   graci**osa**

estudi**oso**   bondad**osa**

• La terminación **-ismo:**

capital**ismo**   comun**ismo**   islam**ismo**   barbar**ismo**

• La terminación **-ista:**

guitarr**ista**   art**ista**   dent**ista**   futbol**ista**

E Práctica con la letra *s*. Ahora, escucha a los narradores leer las siguientes palabras y escribe las letras que faltan en cada una.

1. pian**ista**	6. gase**osa**
2. cordob**és**	7. lenin**ismo**
3. explo**sión**	8. confu**sión**
4. parez**oso**	9. pose**sivo**
5. parisi**ense**	10. period**ista**

Dictado. Escucha el siguiente dictado e intenta escribir lo más que puedas. El dictado se repetirá una vez más para que revises tu párrafo.

La independencia de Honduras

Como provincia perteneciente a la Capitanía General de Guatemala, Honduras se independizó de España en 1821. Como el resto de los países centroamericanos, se incorporó al efímero imperio mexicano de Agustín de Iturbide y formó parte de la Federación de las Provincias Unidas de Centroamérica. En la vida política de la Federación sobresalió el hondureño Francisco Morazán, que fue elegido presidente en 1830 y 1834. El 5 de noviembre de 1838 Honduras se separó de la Federación y proclamó su independencia.

Ahora, escucha una vez más para verificar lo que escribiste.

(Repeat passage.)

UNIDAD 5
LECCIÓN 3

¡A escuchar!

Gente del Mundo 21

A Político costarricense. Escucha con atención lo que les pregunta un maestro de historia a sus estudiantes de una escuela secundaria de San José de Costa Rica. Luego marca si cada oración que sigue es **cierta (C), falsa (F)** o si no tiene relación con lo que escuchaste **(N/R).** Si la oración es falsa, corrígela.

MAESTRO: Bueno para repasar lo que leyeron como tarea les voy a hacer preguntas. ¿Cómo se llama el político costarricense que fue galardonado con el Premio Nobel de la Paz?

ALUMNA: Óscar Arias Sánchez.

MAESTRO: ¿En qué año le otorgaron este premio?

ALUMNO: ¿En 1990?

MAESTRO: No, fue en 1987. ¿Por qué creen que se mereció este premio?

ALUMNA: Por su activa participación en las negociaciones por la paz en Centroamérica. Si no me equivoco, las negociaciones llevaron a un acuerdo de paz entre los diferentes países de la región. Este acuerdo se firmó en la Ciudad de Guatemala el 7 de agosto de 1987.

MAESTRO: Muy bien. Óscar Arias Sánchez es un político muy respetado en Costa Rica. Fue presidente de nuestro país de 1986 a 1990.

B Costa Rica. Escucha el siguiente texto acerca de Costa Rica y luego selecciona la opción correcta para completar las oraciones que aparecen a continuación.

Costa Rica, a pesar de lo que dice su nombre, no es una nación rica aunque es el país con el mayor ingreso nacional *per cápita* de la región centroamericana. El país tenía ejército hasta que, en 1949, decidieron suprimirlo y dedicar esa parte del presupuesto a la educación, pero a pesar de ello, mantiene una guardia civil muy eficaz. Mientras que el resto de los países vecinos han sufrido una larga historia de dictaduras, Costa Rica aparece como uno de los países con la democracia más duradera. Cuando llegó el año 1989, los costarricenses celebraron cien años de gobiernos democráticos.

Escucha una vez más para verificar tus respuestas.

(Repeat passage.)

C Tareas domésticas. A continuación, escucharás a Alfredo decir cuándo va a hacer las tareas domésticas que le han pedido que haga. Completa cada oración al escuchar lo que dice.

1. Voy a hacer la cama **en cuanto desayune.**

2. Voy a arreglar mi cuarto **tan pronto como termine de ducharme.**

3. Voy a pasar la aspiradora a las diez **cuando apague la televisión.**

4. Voy a cortar el césped **cuando no haga tanto calor.**

5. Voy a poner los platos en la lavadora **después de que terminemos de cenar.**

Escucha una vez más para verificar tus respuestas.

(Repeat passage.)

Pronunciación y ortografía

Guía para el uso de la letra *x*. La x representa varios sonidos según en qué lugar de la palabra ocurra. Normalmente representa el sonido /ks/ como en **exigir.** Frente a ciertas consonantes se pierde la /k/ y se pronuncia simplemente /s/ (aspirada) como en **explorar.** En otras palabras se pronuncia como la **j:** es el sonido fricativo /x/ como en **México** o **Oaxaca.** Observa el deletreo de este sonido al escuchar a la narradora leer las siguientes palabras.

exilio	explosión	Texas
existencia	experiencia	mexicana
éxodo	exterminar	oaxaqueño
máximo	exclusivo	Mexicali
anexión	pretexto	texano
saxofón	excavación	Xavier

D La letra *x*. Ahora indica si las palabras que dicen los narradores tienen el sonido /ks/ o /s/.

1. expansión	6. expedición
2. textual	7. hexágono
3. existencia	8. exterminio
4. extranjero	9. conexión
5. exuberante	10. textura

Deletreo con la letra *x*. La x siempre se escribe en ciertos prefijos y terminaciones.

- Con el prefijo **ex-:**

exponer   **ex**presiva   **ex**ceso   **ex**presión

- Con el prefijo **extra-:**

extraordinario   **extra**terrestre

extralegal   **extra**sensible

- Con la terminación **-xión** en palabras derivadas de sustantivos o adjetivos terminados en **-je, -jo** o **-xo:**

refle**xión** (de reflejo)   cone**xión** (de conexo)

comple**xión** (de comple**jo**)   ane**xión** (de anexo)

E Práctica con la letra *x*. Ahora, escucha a los narradores leer las siguientes palabras y escribe las letras que faltan en cada una.

1. **ex**pulsar	6. refle**xión**
2. **ex**agerar	7. **ex**aminar
3. **ex**plosión	8. **extra**njero
4. crucifi**xión**	9. **ex**terior
5. **ex**traño	10. **ex**iliado

Dictado. Escucha el siguiente dictado e intenta escribir lo más que puedas. El dictado se repetirá una vez más para que revises tu párrafo.

Costa Rica: país ecologista

Debido a la acelerada deforestación de las selvas que cubrían la mayor parte del territorio de Costa Rica, se ha establecido un sistema de zonas protegidas y parques nacionales. En proporción a su área, es ahora uno de los países que tiene más zonas protegidas (el veintiséis por ciento del territorio tiene algún tipo de protección, el ocho por ciento está dedicado a parques nacionales.) Estados Unidos, por ejemplo, ha dedicado a parques nacionales solamente el 3,2 por ciento de su superficie.

Ahora, escucha una vez más para verificar lo que escribiste.

(Repeat passage.)

UNIDAD 6
LECCIÓN 1

¡A escuchar!

Gente del Mundo 21

A **Premio Nobel de Literatura.** Escucha lo que un profesor de literatura latinoamericana les pregunta a sus alumnos sobre uno de los escritores latinoamericanos más importantes del siglo XX. Luego marca si cada oración que sigue es **cierta (C), falsa (F)** o si no tiene relación con lo que escuchaste (**N/R**). Si la oración es falsa, corrígela.

PROFESOR: Voy a hacerles algunas preguntas sobre la lectura que tuvieron como tarea para hoy. ¿En qué año Gabriel García Márquez fue galardonado con el Premio Nobel de Literatura?

ALUMNA: En 1982.

PROFESOR: ¿Cuándo y dónde nació este escritor?

ALUMNO: Nació en 1928 en Aracataca, un pueblo de Colombia cerca de la costa del Mar Caribe.

PROFESOR: ¿Qué estudió en las universidades de Bogotá y Cartagena de Indias?

ALUMNA: Estudió derecho y periodismo.

PROFESOR: ¿Dónde aparece por primera vez Macondo, el pueblo imaginario inventado por García Márquez?

ALUMNA: Aparece en su primera novela, *La hojarasca*, que publicó en 1955.

PROFESOR: ¿Cuál es el título del libro que lo consagró como novelista?

ALUMNO: *El laberinto de la soledad.*

PROFESOR: No, ése es un libro de ensayos escrito por Octavio Paz. ¿Alguien se acuerda?

ALUMNA: *Cien años de soledad.* Es una novela que se publicó en 1967 y es la historia del pueblo de Macondo y de sus fundadores, la familia Buendía.

B **La Catedral de Sal.** Escucha el siguiente texto acerca de la Catedral de Sal de Zipaquirá y luego selecciona la opción que complete correctamente las oraciones que siguen.

El próximo domingo iré a Zipaquirá. ¡Por fin veré la Catedral de Sal, de la cual todo el mundo me habla! Tomaré el tren turístico en Bogatá por la mañana y regresaré por la tarde. Dicen que en Zipaquirá hay tanta sal que habría que explotar esas minas durante cien años de modo continuo para que se agotaran. La Catedral de Sal fue inaugurada en 1954 y está dedicada a Nuestra Señora del Rosario, que es la santa patrona de los mineros. Se llega allí después de caminar aproximadamente cinco minutos desde la entrada a las minas. El techo está a una altura de veintitrés metros del piso y el altar es un inmenso bloque de sal que pesa dieciocho toneladas. Tiene capacidad para diez mil personas. Su construción tardó diez años. Además, me dijeron que ofrece una vista impresionante.

Escucha una vez más para verificar tus respuestas.

(Repeat passage.)

Pronunciación y ortografía

Guía para el uso de la letra *g*. El sonido de la **g** varía según dónde ocurra en la palabra, la frase o la oración. Al principio de una frase u oración y después de la **n** tiene el sonido /g/ (excepto en las combinaciones **ge** y **gi**) como en **grabadora** o **tengo**. Este sonido es muy parecido al sonido de la *g* en inglés. En cualquier otro caso, tiene un sonido más suave, /g̸/, como en **grabadora, segunda** o **llegada,** (excepto en las combinaciones **ge** y **gi**).

Observa la diferencia entre los dos sonidos cuando la narradora lea las siguientes palabras.

po**ng**o	al**g**unos
te**ng**o	lo**g**rar
gótico	pro**g**rama
grande	la **g**rande
ganadero	el **g**anadero

Pronunciación de *ge* y *gi*. El sonido de la **g** antes de las vocales **e** o **i** es idéntico al sonido /x/ de la **j** como en **José** o **justo**. Escucha la pronunciación de **ge** y **gi** en las siguientes palabras.

gente	fu**gi**tivo
inteli**ge**nte	**gi**gante
sumer**gi**rse	

C **Práctica con la letra *g*.** Ahora, escucha a los narradores leer las siguientes palabras con los tres sonidos de la letra **g** y escribe las letras que faltan en cada una.

1. obli**g**ar
2. **g**obierno
3. **g**uerra
4. prote**g**er
5. sa**g**rado
6. nego**c**iar
7. **gi**gantesco
8. presti**g**ioso
9. **g**ravemente
10. exa**g**erar

Deletreo con la letra *g*. La **g** siempre se escribe en ciertas raíces y terminaciones y antes de la **u** con diéresis (**ü**).

• En las raíces **geo-, legi-** y **ges-:**

geográfico	**legi**slatura	**ges**tación
apo**geo**	**legi**ble	con**ges**tión

- En la raíz **-gen:**

generación　　**gen**erar　　**gen**te

- En los verbos terminados en **-ger, -gir, -gerar** y **-gerir:**

reco**ger**　　diri**gir**　　exa**gerar**　　su**gerir**

prote**ger**　　corre**gir**　　ali**gerar**　　in**gerir**

- En palabras que se escriben con **güe** o **güi:**

bilin**güe**　　ver**güe**nza　　ar**güi**r

averi**güe**　　**güe**ro　　pin**güi**no

D　Práctica con *ge* y *gi*. Ahora, escucha a los narradores leer las siguientes palabras y escribe las letras que faltan en cada una.

1. **ge**ología
2. enco**ger**
3. sur**gir**
4. **ge**nética
5. ele**gir**
6. le**gí**timo
7. **güe**ra
8. exi**gir**
9. **ge**ografía
10. le**gis**lador

Dictado. Escucha el siguiente dictado e intenta escribir lo más que puedas. El dictado se repetirá una vez más para que revises tu párrafo.

Guerra de los Mil Días y sus efectos

Entre 1899 y 1903 tuvo lugar la más sangrienta de las guerras civiles colombianas, la Guerra de los Mil Días, que dejó al país exhausto. En noviembre de ese último año, Panamá declaró su independencia de Colombia. El gobierno estadounidense apoyó esta acción pues facilitaba considerablemente su plan de abrir un canal a través del istmo centroamericano. En 1914 Colombia reconoció la independencia de Panamá y recibió una compensación de 25 millones de dólares por parte de Estados Unidos.

Ahora, escucha un vez más para verificar lo que escribiste.

(Repeat passage.)

UNIDAD 6
LECCIÓN 2

¡A escuchar!

Gente del Mundo 21

A　Un cantante y político. Escucha la conversación entre dos panameños, el señor Ordóñez y su hijo Patricio, sobre un cantante que fue candidato a la presidencia de su país. Luego, marca si cada oración que sigue es **cierta (C), falsa (F)** o si no tiene relación con lo que escuchaste **(N/R).** Si la oración es falsa, corrígela.

SR. ORDÓÑEZ: ¿No ves, Patricio? Te dije que Rubén Blades no podía ser elegido. Salvador Rodríguez, el candidato del Partido Revolucionario Demócrata, ha ganado las elecciones presidenciales. Blades debe conformarse con ser músico y no meterse en política.

PATRICIO: No digas eso, papá. Blades hizo una campaña muy buena y creo que es un modelo para los panameños de todas las edades.

SR. ORDÓÑEZ: Pero lo que hace falta en el país no es un buen modelo, sino un buen presidente. Y el pueblo panameño decidió que Rodríguez, y no Blades, tenía la capacidad necesaria para gobernar el país.

PATRICIO: Pero no te olvides que Blades no es solamente un músico. Se recibió de abogado en Panamá antes de ir a Nueva York en 1974 y sacó una maestría en derecho internacional en la Universidad de Harvard.

SR. ORDÓÑEZ: No niego que tiene una buena formación y que es un hombre de mucho talento. Me encantan sus películas como *Crossover Dreams y Milagro Beanfield War.* Pero eso no basta para que lo elijamos presidente. Hace falta tener experiencia política.

PATRICIO: Pero, papá, Blades fundó *Papá Egoró,* un nuevo partido político.

SR. ORDÓÑEZ: Nunca han faltado los partidos políticos en Hispanoamérica, Patricio.

PATRICIO: Recuerda que *Papá Egoró* significa "Nuestra Madre Tierra". El nombre lo dice todo.

SR. ORDÓÑEZ: Blades puede ponerle el nombre que quiera a su partido, pero parece que la mayoría de los panameños se dieron cuenta de que un hombre como Blades, que ha vivido veinte años en el extranjero, no conoce bien los problemas de Panamá.

B　Los cunas. Escucha el siguiente texto acerca de los cunas y luego selecciona la respuesta que complete correctamente las oraciones que siguen.

Al este de la ciudad de Colón, en el mar Caribe, se encuentran las islas San Blas, habitadas por los cunas. Hay una isla por cada día del año, pero sólo unas cincuenta están habitadas. En éstas se concentra la población cuna, el grupo indígena de Panamá con mejor organización política. Los cunas administran el territorio de San Blas prácticamente por sí mismos y envían representantes a la Asamblea Nacional.

Aunque muchos hombres trabajan temporalmente en el continente, la mayoría de las mujeres viven permanentemente en las islas. Usan anillos de oro en las orejas y en la nariz y llevan vestidos multicolores con interesantes diseños de formas geométricas, de animales y flores estilizados o de temas contemporáneos. A los turistas les encantan especialmente los diseños de las blusas o *molas*, como se las denomina en la lengua cuna.

Escucha un vez más para verificar tus respuestas.

(Repeat passage.)

C Daniel y Salchicha. Escucha lo que una vecina le cuenta a otra vecina acerca de lo que le ocurrió a Daniel, hijo de Doña Emerita. Luego marca si cada oración que sigue es **cierta (C), falsa (F)** o si no tiene relación con lo que escuchaste **(N/R).** Si la oración es falsa, corrígela.

Mira, anteayer Daniel, el hijo de doña Emerita, jugaba al baloncesto cuando se le fue la pelota al patio del vecino. Se preguntó si valdría la pena brincar la cerca y decidió hacerlo para no tener que molestar al vecino. Para la gran sorpresa de Daniel, el normalmente amistoso perro del vecino, el tal llamado Salchicha, le gruñó, mostrando enormes colmillos blancos y lanzándose hacia él. En unos instantes Daniel se encontraba con una pierna en los colmillos del perro y con la otra colgando en la seguridad de su propio patio. Su mamá, quien lo vio colgando y columpiándose en la cerca por la ventana de la cocina, echó un grito y salió corriendo, con los brazos alzados, para darle a Salchicha con la escoba. Mientras Daniel se balanceaba, doña Emerita le gritaba a Salchicha, dándole finalmente un escobazo para que éste soltara a Daniel. Doña Emerita llevó a Daniel al doctor inmediatamente. "Se parecen a los ojos de mi rata Mikus", exclamó Daniel. Efectivamente, Daniel ahora lucía dos agujeros rojos y redonditos en la pierna. Después de limpiarle la herida, el doctor le puso una inyección a Daniel, quien para entonces estaba cansadísimo y bien enfadado. Días después del susto y de la visita de doña Emerita al vecino, dueño de Salchicha, doña Emerita y sus amigos se sientan en la cocina y se ríen a carcajadas tan sólo al pensar en Daniel columpiándose allí y doña Emerita gritándole a Salchicha y amenazándolo con la escoba.

Escucha una vez más para verificar tus respuestas.

(Repeat passage.)

Pronunciación y ortografía

Guía para el uso de la letra *j*. En lecciones previas aprendiste que la **j** tiene sólo un sonido **/x/,** que es idéntico al sonido de la **g** en las combinaciones **ge** y **gi.** Oberva el deletreo de este sonido al escuchar a la narradora leer las siguientes palabras.

jardines

mestizaje

dijiste

ojo

judíos

D La letra *j*. Ahora, escucha a los narradores leer las siguientes palabras y escribe las letras que faltan en cada una.

1. **j**unta
2. fran**j**a
3. extran**j**ero
4. lengua**j**e
5. via**j**ero
6. homena**j**e
7. porcenta**j**e
8. **j**abón
9. tra**j**e
10. **J**alisco

Deletreo con la letra *j*. La **j** siempre se escribe en ciertas terminaciones y formas del verbo.

- En las terminaciones **-aje, -jero** y **-jería:**

mesti**zaje**   extran**jero**   relo**jería**

aprendi**zaje**   ca**jero**   bru**jería**

- En el pretérito de los verbos irregulares terminados en **-cir** y de verbos regulares cuyo radical termina en **j:**

redu**je** (de reducir)   tra**je** (de traer)

produ**je** (de producir)   fi**jé** (de fijar)

di**je** (de decir)   traba**jé** (de trabajar)

E Práctica con la letra *j*. Ahora, escucha a los narradores leer las siguientes palabras y escribe las letras que faltan en cada una.

1. conse**j**ero
2. redu**j**eron
3. di**j**o
4. relo**j**ería
5. mensa**j**e
6. condu**j**imos
7. paisa**j**e
8. relo**j**ero
9. tra**j**iste
10. mane**j**aron

F Deletro del sonido /x/. Este sonido presenta dificultad al escribirlo cuando precede a las vocales **e** o **i.** Al escuchar a los narradores leer las siguientes palabras, complétalas con **g** o **j,** según corresponda.

1. origen
2. jugador
3. tradujeron
4. recojimos
5. legítimo
6. trabajadora
7. ejército
8. exigen
9. congestión
10. encrucijada

Dictado. Escucha el siguiente dictado e intenta escribir lo más que puedas. El dictado se repetirá una vez más para que revises tu párrafo.

La independencia de Panamá y la vinculación con Colombia

Panamá permaneció aislada de los movimientos independentistas ya que su único medio de comunicación por barco estaba controlado por las autoridades españolas. La independencia se produjo sin violencia cuando una junta de notables la declaró en la Ciudad de Panamá el 28 de noviembre de 1821, que se conmemora como la fecha oficial de la independencia de Panamá. Pocos meses más tarde, Panamá se integró a la República de la Gran Colombia junto con Venezuela, Colombia y Ecuador.

Ahora, escucha una vez más para verificar lo que escribiste.

(Repeat passage.)

Lengua en uso

M **"Canto a la Muerte".** Ahora escucha la siguiente canción y escribe las palabras que faltan. La canción se va a repetir dos veces.

Canto a la muerte
de Rubén Blades

No te alegres, Muerte, hoy con tu victoria,
pues mi madre vive toda en mi memoria.
No te enorgullezcas si me ves llorando,
yo no me avergüenzo
de estarla extrañando.
Me ha enseñado, Muerte,
a no tenerte miedo.
Mi querida vieja se fue combatiendo.
No te enorgullezcas, Muerte,
tu triunfo es vacío,
yo su amor protejo
y ella cuida el mío.
Decir "adiós" es difícil camará,
pero aún lo es mucho más
cuando se le da a una madre.
Deja un vacío imposible de llenar,
por toda la eternidad;
huérfano es el amor mío.

(coro)

Madre sólo hay una en la vida.
Madre sólo hay una en la vida.

En cualquier rincón del mundo
no habrá voz que no te diga.

Cuando una madre se va,
qué difícil despedirla.
Me duele lo que no llegué a decirte,
de que te fueras, mi Má...
que me puso de rodillas.

UNIDAD 6
LECCIÓN 3

¡A escuchar!

Gente del Mundo 21

A **Carolina Herrera.** Escucha el siguiente texto acerca de la modista venezolana Carolina Herrera. Luego marca si cada oración que sigue es **cierta (C), falsa (F)** o si no tiene relación con lo que escuchaste (**N/R**). Si la oración es falsa, corrígela.

El éxito de la modista venezolana Carolina Herrera se debe en gran parte al hecho de que nació y se crió en una familia privilegiada de la clase alta. En su casa se acostumbraba a hacer fiestas elegantes e invitar a gente de alta sociedad que aprovechaba de la ocasión para lucir ropa de última moda. De niña le gustaba diseñar ropa para sus muñecas y de joven diseñaba su propia ropa y hasta la ropa de varias amigas.

Cuando se casó en 1969 con Reinaldo Herrera, su vida social le dio la oportunidad de lucir su exquisito buen gusto en vestir, lo cual le ganó un puesto a perpetuidad en la Lista de las Mejores Vestidas. En 1981 fue nombrada al *Fashion Hall of Fame*. Para fines de 1982 su reputación mundial como modista ya estaba bien establecida. Grandes personalidades como la princesa Elizabeth de Yugoslavia y Nancy Reagan, la ex-primera dama de EE.UU., siempre llevaban sus diseños. Su trabajo es conocido por el mundo entero y es tan apreciado que unas pijamas de seda diseñadas por ella se han vendido en 1.200 dólares, un traje de mujer en 3.800 dólares y unos vestidos largos de etiqueta en 4.000 dólares.

Herrera se mantiene tan ocupada ahora como siempre. "Yo nunca estoy conforme con mi trabajo. Soy una perfeccionista." Y sí que lo es. Tan pronto como saca una nueva colección de vestidos, confiesa que podría sacar otra superior a la presente. ¡Eso es la perfección!

B **Colonial Tovar.** Escucha el siguiente texto acerca de un pueblo cercano a Caracas y luego indica si la información que sigue es mencionada (**Sí**) o no (**No**) por la persona que habla.

Cuando vayas a Caracas deberías subir a la Colonia Tovar. Éste es un pueblito situado a casi dos mil metros sobre el nivel del mar y queda a unos cincuenta kilómetros de Caracas. Fue fundado en 1843 por inmigrantes de la Selva Negra, Alemania, a quienes el gobierno les prometió tierras y autonomía política. Las promesas del gobierno no se cumplieron pero el dueño de las tierras, don Felipe Tovar, se las cedió. A la muerte de don Felipe, los colonos le dieron su nombre al pueblo. Puedes aprender acerca de esta historia en el museo del pueblo. Cuando vayas, no dejes de probar las deliciosas especialidades germanas del pueblo: pan fresco, mermelada de moras y salchichas.

Escucha una vez más para verificar tus respuestas.

(Repeat passage.)

C **Boleto del metro.** Vas a escuchar instrucciones para comprar un boleto del metro caraqueño usando una máquina expendedora. Mientras escuchas las instrucciones ordena numéricamente los dibujos correspondientes.

1. Asegúrese de que tenga monedas.

2. Si no tiene monedas, obténgalas de las máquinas que proporcionan cambio.

3. Consulte las tarifas para determinar el valor de su pasaje.

4. El precio de su boleto aparece sobre el nombre de la estación adonde usted va.

5. Oprima el botón de la máquina que indique el precio de su pasaje.

6. Si comete un error, oprima el botón que dice anulación y comience de nuevo.

7. Introduzca por la ranura las monedas con el precio exacto del pasaje.

8. Cuando complete la cantidad, la máquina le dará su boleto por la ventanilla iluminada.

Escucha una vez más para verificar tus respuestas

(Repeat passage.)

Pronunciación y ortografía

Guía para el uso de la letra *h*. La h es muda; no tiene sonido. Sólo tiene valor ortográfico. Observa el deletreo de las siguientes palabras con la **h** mientras la narradora las lee.

hospital

humano

a**h**ora

habitar

ex**h**austo

D **La letra *h*.** Ahora escucha a los narradores leer las siguientes palabras y escribe las letras que faltan en cada una.

1. **h**eredar	6. **h**ostilidad
2. pro**h**ibir	7. ve**h**emente
3. re**h**usar	8. **h**éroe
4. **h**ierro	9. ex**h**alar
5. **h**uelga	10. **h**ormiga

Deletreo con la letra *h*. La **h** siempre se escribe en una variedad de prefijos griegos.

- Con los prefijos **hema-** y **hemo-,** que significan **sangre:**

hematología	**hema**tólogo	**hemo**globina
hematosis	**hemo**filia	**hemo**rragia

- Con el prefijo **hecto-,** que significa **cien,** y **hexa-,** que significa **seis:**

hectómetro	**hect**área	**hexa**cordo
hectolitro	**hexá**gono	**hexa**sílabo

- Con el prefijo **hosp-,** que significa **huésped,** y **host-,** que significa **extranjero:**

hospital	**hosp**icio	**host**ilizar
hospedar	**host**il	**host**ilidad

- Con el prefijo **hiper-,** que significa **exceso,** e **hidro-,** que significa **agua:**

hipercrítico	**hiper**termia	**hidro**metría
hipersensible	**hidro**plano	**hidro**terapia

- Con el prefijo **helio-,** que significa **sol,** e **hipo-,** que significa **inferioridad:**

heliofísica	**helio**scopio	**hipó**crita
heliografía	**hipo**condrio	**hipo**pótamo

E **Práctica con la letra *h*.** Ahora, escucha a los narradores leer las siguientes palabras y escribe las letras que faltan en cada una.

1. **h**ectogramo	6. **h**ipotensión
2. **h**elioterapia	7. **h**ectógrafo
3. **h**idrosoluble	8. **h**ospitalizar
4. **h**ospedar	9. **h**exagonal
5. **h**idrostática	10. **h**ipoteca

Dictado. Escucha el siguiente dictado e intenta escribir lo más que puedas. El dictado se repetirá una vez más para que revises tu párrafo.

El desarrollo industrial

En la década de los 60, Venezuela alcanzó un gran desarrollo económico que atrajo a muchos inmigrantes de Europa y de otros países sudamericanos. En 1973 los precios del petróleo se cuadruplicaron como resultado de la guerra árabe-israelí y de la política de la Organización de Países Exportadores de Petróleo (OPEP), de la cual Venezuela era socio desde su fundación en 1960. En 1976 el presidente Carlos Andrés Pérez nacionalizó la industria petrolera, lo que proveyó al país mayores ingresos que permitieron impulsar el desarrollo industrial.

Ahora, escucha una vez más para verificar lo que escribiste.

(Repeat passage.)

¡A escuchar!

Gente del Mundo 21

A **Político peruano.** Escucha lo que discute una pareja de peruanos sobre la labor realizada en Perú por el ex-presidente Alberto Fujimori. Luego marca si cada oración que sigue es **cierta (C), falsa (F)** o si no tiene relación con lo que escuchaste **(N/R).** Si la oración es falsa, corrígela.

ANTONIO: María, lo que necesitaba Perú era una persona como el ingeniero Alberto Fujimori. Por eso yo voté por la agrupación independiente "Cambio 90" que lo postuló para las elecciones presidenciales de 1990.

MARÍA: Antonio, tú sabes que yo también voté por Fujimori, pero no estoy tan segura que lo que necesitaba Perú era un gobierno que un año después, en 1991, disolvería el congreso y se convertiría cada día en un gobierno más autoritario.

ANTONIO: ¿Pero qué podía hacer Fujimori con un congreso lleno de políticos curruptos? Necesitábamos un gobierno más eficaz para controlar la ola de violencia promovida por los guerrilleros izquierdistas de "Sendero Luminoso".

MARÍA: Pero, ¿de qué sirve tener paz si no tenemos libertad?

ANTONIO: ¿Qué me dices de la gran victoria del gobierno de Fujimori cuando en 1992 se capturó al líder del grupo guerrillero "Sendero Luminoso"? No todos los problemas se pueden resolver en un momento, pero yo creo que el gobierno de Fujimori hizo un buen papel.

B **Perú precolombino.** Escucha el siguiente texto acerca de la dificultad de conocer las culturas precolombinas de Perú. Luego indica si la información que aparece a continuación se menciona **(Sí)** o no **(No)** en el texto.

La historia precolombina de Perú es una de las más ricas del continente. A todo el mundo le fascina, por ejemplo, la historia del imperio de los incas. Sin embargo, es difícil tener un mayor conocimiento de esa historia precolombina por tres razones principales. Primeramente, el territorio de esta nación es y ha sido inestable, sujeto a calamidades naturales como terremotos e inundaciones que han destruido

seguramente pueblos y ciudades antiguos. En segundo lugar, sería importante que existieran documentos escritos para conocer de un modo más directo esas culturas antiguas. Gran parte de nuestro conocimiento proviene de lo que los incas les contaron a los historiadores españoles y no sabemos si esa información oral era verdadera o no. Y en tercer lugar, parte de ese pasado se ha perdido a causa de los huaqueros, o ladrones de tumbas y excavaciones arqueológicas. Como es difícil vigilar estos tesoros, los huaqueros los saquean, vendiendo en el mercado negro antiguos y valiosos objetos.

Escucha una vez más para verificar tus respuestas.

(Repeat passage.)

C **Abuelos tolerantes.** Escucha lo que dice Claudio acerca de lo que sus abuelos les permitían hacer a él y a sus hermanos cuando, de niños, iban a visitarlos. Mientras escuchas, ordena numéricamente los dibujos. Ten en cuenta que algunos dibujos quedarán sin numerar.

1. Nos permitían que nos levantáramos tarde.

2. Nos permitían que comiéramos postres a toda hora.

3. Nos permitían que durmiéramos en la sala de estar algunas veces.

4. Nos permitían que no hiciéramos las camas.

5. Nos permitían que jugáramos al béisbol hasta muy tarde.

Escucha un vez más para verificar tus respuestas.

(Repeat passage.)

Pronunciación y ortografía

Guía para el uso de la letra y. La **y** tiene dos sonidos. Cuando ocurre sola o al final de una palabra tiene el sonido **/i/,** como en **fray** y **estoy.** Este sonido es idéntico al sonido de la vocal **i.** En todos los otros casos tiene el sonido **/y/,** como en **ayudante** y **yo.** (Este sonido puede variar, acercándose en algunas regiones al sonido *sh* del inglés.) Observa el deletreo de estos sonidos al escuchar a la narradora leer las siguientes palabras.

y	ensa**y**o
so**y**	apo**y**ar
virre**y**	**y**erno
Urugua**y**	a**y**uda
mu**y**	le**y**es

D **La letra y.** Ahora escucha a los narradores leer palabras con los dos sonidos de la letra **y** e indica si el sonido que escuchas en cada una es **/i/** o **/y/.**

1. reyes
2. voy
3. mayoría
4. trayectoria
5. estoy

6. apoyo
7. ley
8. buey
9. yegua
10. inyecciones

Deletreo con la letra y. La **y** siempre se escribe en ciertas palabras y formas verbales y en ciertas combinaciones.

- En ciertas palabras que empiezan con **a**:

ayer	**ay**uda	**ay**uno
ayunar	**ay**untar	**ay**udante

- En formas verbales cuando la letra **i** ocurriría entre dos vocales y no se acentuaría:

le**ye**ndo (de leer)	o**ye**n (de oír)
ha**ya** (de haber)	ca**yó** (de caer)

- Cuando el sonido **/i/** ocurre al final de una palabra y no se acentúa. El plural de sustantivos en esta categoría también se escribe con **y.**

esto**y**	re**y**	le**y**	virre**y**
vo**y**	re**y**es	le**y**es	virre**y**es

E **Práctica con la letra y.** Ahora, escucha a los narradores leer las siguientes palabras y escribe las letras que faltan en cada una.

1. **ay**unas
2. ha**y**
3. ca**y**endo
4. bue**y**es
5. hu**y**an
6. Paragua**y**
7. re**y**es
8. **ay**acuchano
9. va**y**an
10. **ay**udante

Dictado. Escucha el siguiente dictado e intenta escribir lo más que puedas. El dictado se repetirá una vez más para que revises tu párrafo.

Las grandes civilizaciones antiguas de Perú

Miles de años antes de la conquista española, las tierras que hoy forman Perú estaban habitadas por sociedades complejas y refinadas. La primera gran civilización de la región andina se conoce con el nombre de Chavín y floreció entre los años 900 y 200 a.C. en el altiplano y la zona costera del norte de Perú. Después siguió la cultura mochica, que se desarrolló en una zona más reducida de la costa norte de Perú. Los mochicas construyeron las dos grandes pirámides de adobe que se conocen como Huaca del Sol y Huaca de la Luna. Una extraordinaria habilidad artística caracteriza las finas cerámicas de los mochicas.

Ahora, escucha una vez más para verificar lo que escribiste.

(Repeat passage.)

Lengua en uso

L **"Basta y sobra".** Ahora escucha la siguiente canción y escribe las palabras que faltan. La canción se va a repetir dos veces.

Basta y sobra
de Marcial Alejandro
(interpretada por Tania Libertad)

Se necesita algo de llanto
y entonar un dulce canto
para sentirse capaz

de reclamar por la paz
que necesitamos tanto.

Basta y sobra con recordar
lo que nos hizo llorar
la Madre Naturaleza,
para no pensar jamás
que son la guerra y la paz
un simple juego de mesa.

La sonrisa de la niñez
y la calma de la vejez
son motivos para decir
otra vez yo pido paz.
Yo pido paz.
Yo pido paz.

Se necesita mucha firmeza,
el amor y la terneza,
ganas de reconstruir
y nunca más permitir
que perdamos la cabeza.

Basta y sobra con recordar
lo que nos hizo llorar
la Madre Naturaleza,
para no pensar jamás
que son la guerra y la paz
un simple juego de mesa.

La sonrisa de la niñez
y la calma de la vejez
son motivos para decir
otra vez yo pido paz
por el milagro de vivir.

Escucha una vez más para verificar tus respuestas.

(Repeat song.)

UNIDAD 7
LECCIÓN 2

¡A escuchar!

Gente del Mundo 21

A **Político ecuatoriano.** Escucha lo que una profesora de ciencias políticas de la Universidad de Guayaquil les dice a sus alumnos sobre un político ecuatoriano. Luego marca si cada oración que sigue es **cierta (C), falsa (F)** o si no tiene relación con lo que escuchaste **(N/R).**

Es interesante que Sixto Durán Ballén ex-presidente de Ecuador, haya nacido en Boston, EE.UU., cuando su padre era cónsul de Ecuador en esa ciudad. Desde chico se sintió inclinado a la arquitectura y realizó sus estudios universitarios en la Universidad de Columbia en Nueva York. Después de graduado regresó a Ecuador, donde ejerció su carrera de arquitecto urbano. A los treinta y cinco años fue nombrado Ministro de Obras Públicas y años más tarde fue elegido alcalde de Quito. En las elecciones de 1992 resultó triunfador con el cincuenta y ocho por ciento de los votos, siendo candidato de la coalición de los Partidos Unión Republicana y Conservador.

B Otavalo. Escucha el texto sobre Otavalo y luego marca si cada oración que sigue es **cierta (C)** o **falsa (F)**. Si la oración es falsa, corrígela.

Aunque yo había visitado Ecuador antes, nunca había ido al pueblito de Otavalo, situado al norte de Quito y famoso por los indígenas del mismo nombre. Es un pueblo de unos cuarenta mil habitantes; que está situado a quinientos metros sobre el nivel del mar. Cuando paseaba por la Plaza Bolívar vi la estatua del líder indígena Rumiñahui, famoso por haber resistido a los incas y del cual los otavalos se sienten muy orgullosos. Me impresionó la apariencia de los hombres otavalos: pantalones blancos que les llegan hasta más arriba de los zapatos, ponchos azules y cabello muy largo con trenzas. Como el día siguiente era sábado, aproveché para ir al mercado de tejidos y artesanías en la Plaza de Ponchos. Quería probarme un poncho de lana de vistosos colores y me compré uno. No soy muy bueno para regatear, así que pagué el precio que me pidieron. Pero quedé contento porque era un poncho muy bonito.

Escucha una vez más para verificar tus respuestas.

(Repeat passage.)

C Excursión. Tus amigos te dejaron mensajes telefónicos diciéndote cuándo saldrían de casa para una excursión que preparan. Mientras escuchas sus mensajes, ordena numéricamente los dibujos. Ten en cuenta que algunos dibujos quedarán sin numerar.

1. Alberto dijo que saldría cuando el reloj indicara las dos.
2. Mónica dijo que saldría en cuanto pusiera sus cosas en la mochila.
3. Amalia dijo que saldría tan pronto como terminara de almorzar.
4. Esteban dijo que no saldría mientras su hermana no regresara con el coche.
5. Leonor dijo que no saldría hasta que viera su programa de televisión favorito.

Escucha una vez más para verificar tus respuestas.

(Repeat passage.)

Pronunciación y ortografía

Guía para el uso de la agrupación *ll*. La **ll** tiene el mismo sonido que la **y** en palabras como **yo** y **ayuda**. Observa el uso de la **ll** al escuchar a la narradora leer las siguientes palabras.

lla**neros**	bata**lla**
lla**ves**	caudi**llo**
lle**gada**	

Deletreo con la agrupación *ll*. La **ll** siempre se escribe con ciertos sufijos y terminaciones.

* Con las terminaciones **-ella** y **-ello:**

be**lla**	estre**lla**	cue**llo**
donce**lla**	cabe**llo**	se**llo**

* Con los diminutivos **-illo, -illa, -cillo** y **-cilla:**

Juan**illo**	chiqu**illa**	raton**cillo**
picad**illo**	calzon**cillo**	rincon**cillo**

D Práctica con las agrupación *ll*. Ahora, escucha a los narradores leer las siguientes palabras y escribe las letras que faltan en cada una.

1. rab**illo**	6. conej**illo**
2. torre**cilla**	7. mart**illo**
3. pilon**cillo**	8. ladr**illo**
4. tort**illa**	9. pajar**illo**
5. rastr**illo**	10. piece**cillo**

E Práctica con las letras *y* y la agrupación *ll*. Debido a que tienen el mismo sonido, la **y** y la **ll** con frecuencia presentan dificultades ortográficas. Escucha a los narradores leer las siguientes palabras con el sonido /y/ y complétalas con **y** o con la agrupación **ll,** según corresponda.

1. ori**lla**	6. caudi**llo**
2. **y**erno	7. semi**lla**
3. mayo**r**ía	8. ensa**y**o
4. bata**lla**	9. pesadi**lla**
5. le**y**es	10. gua**y**abera

Dictado. Escucha el siguiente dictado e intenta escribir lo más que puedas. El dictado se repetirá una vez más para que revises tu párrafo.

Época más reciente

A partir de 1972, cuando se inició la explotación de sus reservas petroleras, Ecuador ha tenido un acelerado desarrollo industrial. Esto ha modificado substancialmente las estructuras económicas tradicionales basadas en la agricultura. Aunque la exportación de plátanos sigue siendo importante, la actividad económica principal está relacionada ahora con el petróleo. Se han construido refinerías, la más importante de las cuales es la de Esmeraldas. El desarrollo económico ha traído al país una mayor estabilidad política y desde 1979 se ha renovado el gobierno a través de elecciones democráticas.

Ahora, escucha una vez más para verificar lo que escribiste.

(Repeat passage.)

¡A escuchar!

Gente del Mundo 21

A **Líder boliviano.** Escucha lo que una profesora de historia latinoamericana les dice a sus alumnos sobre un importante líder político boliviano. Luego marca si cada oración que sigue es **cierta (C), falsa (F)** o si no tiene relación con lo que escuchaste **(N/R)**. Si la oración es falsa, corrígela.

Victor Paz Estenssoro ha sido una de las figuras políticas más importantes de Bolivia por más de cuatro décadas. Ha sido elegido presidente de ese país en tres ocasiones. Nació en 1907 en Tarija, Bolivia, cursó la carrera de derecho y fue profesor de la Universidad de San Andrés, en La Paz. En 1941 fundó el Movimiento Nacionalista Revolucionario, MNR, partido con el que ganó las elecciones presidenciales de 1951 aunque no asumió el poder hasta 1952, después de una revolución contra una junta militar que había tomado el poder. Este primer gobierno de Paz Estenssoro realizó una serie de reformas que constituyeron lo que se ha llamado la Revolución Nacional Boliviana de 1952. Volvió a ser elegido presidente en 1960 y en 1985. Su sobrino Jaime Paz Zamora fue elegido presidente en 1989.

B **El lago Titicaca.** Escucha el siguiente texto acerca del lago Titicaca y luego selecciona la opción que complete correctamente la información

El lago Titicaca está situado en la altiplanicie andina, en la frontera entre Perú y Bolivia, y pertenece a ambos países. Es el lago navegable más alto del mundo: está a tres mil ochocientos metros de altura y es tan profundo que buques de vapor lo pueden navegar. Debido a tanta profundidad su temperatura no varía mucho durante el año. Tiene 171 kilómetros de largo y sesenta y cuatro de ancho. En la cuenca del lago hay una población de indígenas que cultivan los campos y crían ovejas y llamas. Hay también muchas islas con valiosos tesoros arqueológicos.

Escucha una vez más para verificar tus respuestas.

(Repeat passage.)

C **Encargos.** Ahora vas a escuchar a Elvira mencionar las cosas que sus padres le han pedido que haga y que todavía no ha hecho. Mientras escuchas, ordena numéricamente los dibujos. Ten en cuenta que algunos dibujos quedarán si numerar.

1. Todavía no he llevado el perro al veterinario.

2. Todavía no he ido al correo.

3. Todavía no he devuelto uno libros a la biblioteca.

4. Todavía no le he escrito una carta de agradecimiento a la tía Lola.

5. Todavía no he recogido unos remedios de la farmacia Inti.

Escucha una vez más para verificar tus respuestas.

(Repeta passage.)

Pronunciación y ortografía

C **Guía para el uso de la *r* y la agrupación *rr*.** La **r** tiene dos sonidos, uno simple /ř/, como en **cero, altura** y **prevalecer,** y otro múltiple /r̄/, como en **cerro, guerra** y **renovado.** Ahora, al escuchar a la narradora leer las siguientes palabras, observa que el deletreo del sonido /ř/ siempre se representa por la **r** mientras que el sonido /r̄/ se representa tanto por la agrupación **rr** como por la **r.**

corazón	reunión
abstracto	revuelta
heredero	reclamo
empresa	barrio
florecer	desarrollo

D **La letra *r*.** Ahora escucha a los narradores leer las siguientes palabras con los dos sonidos de la **r** e indica si el sonido que escuchas es /ř/ o /r̄/.

1. corridos	**6.** riqueza
2. multirracial	**7.** desarrollo
3. muralla	**8.** brillante
4. desierto	**9.** resentir
5. guerrilla	**10.** orgullo

Deletreo con los sonidos /ř/ y /r̄/. Las siguientes reglas de ortografía determinan cuándo se debe usar una **r** o la agrupación **rr.**

- La letra **r** tiene el sonido /ř/ cuando ocurre entre vocales, antes de una vocal o después de una consonante excepto **l, n** o **s.**

ante**r**ior	auto**r**idad	ni**tr**ato
pe**r**iodismo	o**r**iente	**cr**uzar

- La letra **r** tiene el sonido /r̄/ cuando ocurre al principio de una palabra.

residir	**r**atifica	**r**eloj	**r**ostro

- La letra **r** también tiene el sonido /r/ cuando ocurre después de la **l, n** o **s.**

al**r**ededor	en**r**iquecer	hon**r**ar	des**r**atizar

- La agrupación **rr** siempre tiene el sonido /r̄/.

de**rr**ota	ente**rr**ado	hie**rr**o	te**rr**emoto

- Cuando una palabra que empieza con **r** se combina con otra para formar una palabra compuesta, la **r** inicial se duplica para conservar el sonido /r̄/ original.

costa**rr**icense	multi**rr**acial	infra**rr**ojo	vi**rr**ey

E **Práctica con los sonidos /ř/ y /r̄/.** Ahora, escucha a los narradores leer las siguientes palabras y escribe las letras que faltan en cada una.

1. territorio
2. Enriqueta
3. irreverente
4. prosperar
5. ferrocarril
6. revolución
7. interrumpir
8. fuerza
9. serpiente
10. enriquecerse

F **Deletreo de palabras parónimas.** Dado que tanto la **r** como la **rr** ocurren entre vocales, existen varios pares de palabras parónimas, o sea idénticas excepto por una letra, por ejemplo, **coro** y **corro**. Mientras los narradores leen las siguientes palabras parónimas, escribe las letras que faltan en cada una.

1. pero / perro
2. corral / coral
3. ahorra / ahora
4. para / parra
5. cerro / cero
6. hiero / hierro
7. caro / carro
8. forro / foro

Dictado. Escucha el siguiente dictado e intenta escribir lo más que puedas. El dictado se repetirá una vez más para que revises tu párrafo.

Las consecuencias de la independencia en Bolivia

La independencia trajo pocos beneficios para la mayoría de los habitantes de Bolivia. El control del país pasó de una minoría española a una minoría criolla muchas veces en conflicto entre sí por intereses personales. A finales del siglo XIX, las ciudades de Sucre y La Paz se disputaron la sede de la capital de la nación. Ante la amenaza de una guerra civil, se optó por la siguiente solución: la sede del gobierno y el poder legislativo se trasladaron a La Paz, mientras que la capitalidad oficial y el Tribunal Supremo permanecieron en Sucre.

Ahora, escucha una vez más para verificar lo que escribiste.

(Repeat passage.)

UNIDAD 8
LECCIÓN 1

¡A escuchar!

Gente del Mundo 21

A **Escritor argentino.** Dos amigas están hablando en un café al aire libre en Buenos Aires. Escucha lo que dicen sobre la vida y la obra de uno de los escritores más importantes del siglo XX. Luego marca si cada oración que sigue es **cierta (C)**, **falsa (F)** o si no tiene relación con lo que escuchaste **(N/R)**. Si la oración es falsa, corrígela.

AMIGA 1: Cada vez que leo un cuento de Jorge Luis Borges por segunda o tercera vez, descubro algo nuevo. En sus cuentos noto las referencias a la literatura de muchos pueblos.

AMIGA 2: Sí, Borges era muy culto y además un estudioso de las distintas literaturas del mundo. Nació en Buenos Aires en 1899 y en 1914 se trasladó a Ginebra, Suiza, donde estudió el bachillerato y aprendió francés y alemán; el inglés ya lo dominaba porque lo había aprendido de niño con su abuela, que era inglesa. En Europa se asoció con escritores que proponían una forma experimental de escribir.

AMIGA 1: Me he dado cuenta de que Borges en muchos de sus cuentos utiliza la biblioteca como un símbolo.

AMIGA 2: No sé si sabías que Borges trabajó como bibliotecario cuando regresó a Argentina en 1921. Aunque a partir de 1923 comenzó a publicar libros de poemas y de ensayos literarios, su fama mundial se debe a las colecciones de cuentos como *Ficciones,* escrito en 1944, *El Aleph,* de 1949, y *El hacedor* en 1960.

AMIGA 1: Me parece increíble que cuando se quedó ciego, en 1955, comenzara a dictar sus textos.

AMIGA 2: Borges murió en Ginebra, donde reposan sus restos; en esa ciudad pasó los mejores años de su juventud.

B **El tango.** Escucha el texto que sigue acerca del tango y luego selecciona la opción que complete correctamente las oraciones que siguen.

Se cree que el tango nació como baile en los bares populares de la zona del puerto de Buenos Aires, a comienzos de este siglo. Mucha gente se escandalizó de que el hombre y la mujer bailaran tan juntos y abrazados, pero todos admiraron la elegancia de los movimientos de los bailarines. Con el nacimiento de la industria del disco, poco a poco la música y la letra del tango fueron haciéndose populares. Originalmente se tocaba con violines y flautas, pero después estos instrumentos fueron sustituidos por el bandoneón, una especie de acordeón que tiene botones en lugar de teclas, que es ahora la marca característica del tango. En 1911 el nuevo baile conquistó París y eso fue sello de aprobación para la sociedad argentina. De regreso a Buenos Aires, el tango adquirió fama y respeto social. Después de la Primera Guerra Mundial, todas las capas de la sociedad bailaban al son del tango. La inmensa popularidad de Carlos Gardel, el cantante de tangos más famoso que haya existido, llevó ese estilo musical más allá de las fronteras de Argentina. Fue una tragedia nacional cuando Gardel murió en un accidente aéreo en Medellín, en 1936. Se considera que la época de oro del tango se extiende entre 1920 y 1950 y que en las últimas décadas ha perdido popularidad frente a la música rock.

Escucha una vez más para verificar tus respuestas.

(Repeat passage.)

Pronunciación y ortografía

Palabras parónimas: *ay* y *hay.* Estas palabras son parecidas y se pronuncian de la misma manera, pero tienen distintos significados.

- La palabra **ay** es una exclamación que puede indicar sorpresa o dolor.

¡Ay! ¡Qué sorpresa!

¡Ay, ay, ay! Me duele mucho, mamá

¡Ay! Acaban de avisarme que Inés tuvo un accidente.

- La palabra **hay** es una forma impersonal del verbo **haber** que significa *there is* o *there are.* La expresión **hay que** significa **es preciso, es necesario.**

Hay mucha gente aquí. ¿Qué pasa?

Dice que **hay** leche pero que no **hay** tortillas.

¡Hay que llamar este número en seguida!

C **Práctica con ay,** *hay y hay que.* Ahora, al escuchar a los narradores, indica con una **X** si lo que oyes es la exclamación **ay,** el verbo **hay** o la expresión **hay que.**

1. Hay tiempo. Tenemos hasta el martes por la tarde.
2. ¡Ay! ¡No me digas! ¿Cuándo supiste eso?
3. ¿Tú no lo sabías? ¡Ay! ¿Cómo es posible?
4. ¡Hoy es 31! Hombre, hay que pagar esto en seguida.
5. ¡Está nevando! ¡Hoy no hay clases!

D **Deletreo.** Al escuchar a los narradores leer las siguientes oraciones, escribe **ay** o **hay,** según corresponda.

1. **¡Hay** que hacerlo, y se acabó! ¡Ya no quiero oír más protestas!
2. **¡Ay!** Ya no aguanto este dolor de muelas.
3. No sé cuántas personas **hay.** ¡El teatro está lleno!
4. **¡Ay!** Estoy tan nerviosa. ¿Qué hora es?
5. No **hay** más remedio. Tenemos que hacerlo.

Dictado. Escucha el siguiente dictado e intenta escribir lo más que puedas. El dictado se repetirá una vez más para que revises tu párrafo.

La era de Perón

Como ministro de trabajo, el coronel Juan Domingo Perón se hizo muy popular y cuando fue encarcelado en 1945, las masas obreras consiguieron que fuera liberado. En 1946, tras una campaña en la que participó muy activamente su segunda esposa María Eva Duarte de Perón, más conocida como Evita, Perón fue elegido presidente con el cincuenta y cinco por ciento de los votos. Durante los nueve años que

estuvo en el poder, desarrolló un programa político denominado justicialismo, que incluía medidas en las que se mezclaba el populismo (política que busca apoyo en las masas con acciones muchas veces demagógicas) y el autoritarismo (imposición de decisiones antidemocráticas).

Ahora, escucha una vez más para verificar lo que escribiste.

(Repeat passage.)

Lengua en uso

L **"Venas abiertas".** Ahora escucha la siguiente canción de Mercedes Sosa y escribe las palabras que faltan. La canción se va a repetir dos veces.

Venas abiertas
de Mercedes Sosa

América Latina
tiene que ir de la mano
por un sendero distinto,
por un camino más claro.
Sus hijos ya no podemos
olvidar nuestro pasado;
tenemos muchas heridas
los latinoamericanos.

Vivimos tantas pasiones
con el correr de los años.
Somos de sangre caliente
y de sueños postergados.
Yo quiero que estemos juntos
porque debemos cuidarnos.
Quien nos lastima no sabe
que somos todos hermanos.

Y nadie va a quedarse a un lado;
nadie mirará al costado.
Tiempo de vivir,
tiempo de vivir.

Nada nos regalaron,
hemos pagado muy caro.
Quien se equivoca y no aprende
vuelve a estar equivocado.
Tenemos venas abiertas,
corazones castigados.
Somos fervientemente
latinoamericanos.

Y cuando vengan los días
que nosotros esperamos,
con todas las melodías,
haremos un solo canto.
El cielo será celeste,
los vientos habrán cambiado
y nacerá un nuevo tiempo
latinoamericano.

Nadie va a quedarse a un lado;
nadie mirará al costado,
nada de morir.

Vamos a buscar lo que deseamos,
nadie va a quedarse a un lado.
Pronto va a llegar,
tiempo de vivir.
¡Tiempo de vivir!

Escucha una vez más para verificar tus respuestas.

(Repeat song.)

¡A escuchar!

Gente del Mundo 21

A **Dictador paraguayo.** Escucha lo que un estudiante paraguayo le explica a una estudiante estadounidense que se encuentra en Paraguay como parte de un programa del Cuerpo de Paz o *Peace Corps*. Luego marca si cada oración que sigue es **cierta (C)**, **falsa (F)** o si no tiene relación con lo que escuchaste **(N/R)**. Si la oración es falsa, corrígela.

BÁRBARA: Todavía no entiendo muy bien la historia contemporánea de Paraguay. Por ejemplo, ¿quién es Alfredo Stroessner cuyo nombre veo por todas partes?

JAVIER: Pues, Alfredo Stroessner es un militar que ocupó la presidencia de Paraguay durante treinta y cinco años, lo que constituyó uno de los gobiernos más largos de la historia latinoamericana.

BÁRBARA: Su apellido me parece interesante. ¿Qué tipo de apellido es ése?

JAVIER: Alemán. Su padre fue un inmigrante alemán, aunque Alfredo Stroessner nació en Encarnación en 1912. En 1929 ingresó en La Escuela Militar de Asunción e hizo una carrera militar que lo llevó a ocupar, en 1951, el cargo de comandante en jefe del ejército paraguayo.

BÁRBARA: ¿Pero cómo llegó a ocupar la presidencia de Paraguay?

JAVIER: En 1954 participó en un golpe de estado contra el presidente Federico Chávez. Poco después resultó vencedor en las elecciones presidenciales en las que él era el único candidato. De la misma manera fue reelegido siete veces hasta 1989.

BÁRBARA: Entonces sólo mantenía las apariencias democráticas pero en realidad era un dictador.

JAVIER: Sí, hasta que en 1989 fue derrocado por un golpe de estado y marchó al exilio.

B **Música paraguaya.** Escucha el siguiente texto acerca de la música de Paraguay y luego marca si cada oración que sigue es **cierta (C)** o **falsa (F)**. Si la oración es falsa, corrígela.

Desde el punto de vista musical, Paraguay constituye una paradoja. Mientras que éste es un país en el que la mayoría de la población habla una lengua indígena, el guaraní, no hay influjo indígena en su música, la cual es en su totalidad de origen europeo. Los jesuitas que llegaron a Paraguay en los siglos XVII y XVIII notaron una gran predisposición de los guaraníes para la música. Cuando establecieron sus misiones, les dieron instrucción en la música europea y les enseñaron a tocar el arpa, instrumento característico de la música popular paraguaya. Aunque en Paraguay hubo esclavos negros, éstos se asimilaron rápidamente a la población y no tuvieron mayor influencia en la música, a diferencia de lo que ocurrió en otros países. La música paraguaya tampoco muestra influencia de las naciones vecinas de Argentina y Brasil. La mayoría de las melodías populares hablan de temas de amor o imitan el canto de los pájaros, la caída de la lluvia y otros sonidos de la naturaleza. Dos canciones muy conocidas son "Recuerdos de Ypacarai" y "Pájaro Campana"; esta última no tiene letra e imita el canto del quetzal, un hermoso pájaro de la selva paraguaya.

Escucha una vez más para verificar tus respuestas.

(Repeat passage.)

Pronunciación y ortografía

Palabras parónimas: *a, ah* y *ha*. Estas palabras son parecidas y se pronuncian de la misma manera, pero tienen distintos significados.

- La preposición **a** tiene muchos significados. Algunos de los más comunes son:

Dirección: Vamos **a** Nuevo México este verano.

Movimiento: Camino **a** la escuela todos los días.

Hora: Van a llamar **a** las doce.

Situación: Dobla **a** la izquierda.

Espacio de tiempo: Abrimos de ocho **a** seis.

- La palabra **ah** es una exclamación de admiración, sorpresa o pena.

¡**Ah**, me encanta! ¿Dónde lo conseguiste?

¡**Ah**, eres tú! No te conocí la voz.

¡**Ah**, que aburrimiento! No hay nada que hacer.

- La palabra **ha** es una forma del verbo auxiliar **haber.** Seguido de la preposición **de,** significa **deber de, ser necesario.**

¿No te **ha** contestado todavía?

Ha estado llamando cada quince minutos.

Ella **ha de** escribirle la próxima semana.

C **Práctica con *a, ah* y *ha*.** Ahora, al escuchar a los narradores, indica si lo que oyes es la preposición **a**, la exclamación **ah** o el verbo **ha**.

1. Estoy muy preocupado. Miguel Ángel no **ha** llamado todavía.

2. Llegan a Nueva York esta noche, ¿no?

3. ¡Ah, no es para mí! ¡Qué pena!

4. Vuelven a México en una semana.

5. Usted no ha conocido mi casa, ¿verdad?

6. ¡Ah, es hermoso! ¿Cuándo te lo regalaron?

D **Deletreo.** Al escuchar a los narradores leer las siguientes oraciones, escribe **a, ah** o **ha,** según corresponda.

1. ¿Nadie **ha** hablado con papá todavía?

2. Vienen **a** averiguar lo del accidente.

3. Creo que salen **a** Mazatlán la próxima semana.

4. ¿Es para Ernesto? ¡**Ah,** yo pensé que era para ti!

5. No **ha** habido mucho tráfico, gracias a Dios.

Dictado. Escucha el siguiente dictado e intenta escribir lo más que puedas. El dictado se repetirá una vez más para que revises tu párrafo.

Paraguay: la nación guaraní

Paraguay se distingue de otras naciones latinoamericanas por la persistencia de la cultura guaraní mezclada con la hispánica. La mayoría de la población paraguaya habla ambas lenguas: el español y el guaraní. El guaraní se emplea como lenguaje familiar, mientras que el español se habla en la vida comercial. El nombre de Paraguay proviene de un término guaraní que quiere decir "aguas que corren hacia el mar" y que hace referencia al río Paraguay que, junto con el río Uruguay, desemboca en el Río de la Plata.

Ahora, escucha una vez más para verificar lo que escribiste.

(Repeat passage.)

¡A escuchar!

Gente del Mundo 21

A **Escritora chilena.** Escucha lo que dicen dos amigas depués de asistir a una presentación de una de las escritoras chilenas más conocidas del momento. Luego marca si cada oración que sigue es **cierta (C), falsa (F)** o si no tiene relación con lo que escuchaste **(N/R).** Si la oración es falsa, corrígela.

AMIGA 1: Gracias por invitarme a escuchar a esta genial escritora. Su energía, su honestidad y su sentido del humor me han impresionado mucho. ¡Y vaya si tiene energía Isabel Allende! ¡Qué espíritu tan joven!

AMIGA 2: Sí, tienes razón. Isabel Allende nació en 1942, pero todavía es una persona con un espíritu muy joven.

AMIGA 1: ¿Hay alguna relación entre Isabel Allende, la escritora, y Salvador Allende, el ex-presidente de Chile?

AMIGA 2: Sí, ella es sobrina de Salvador Allende. Es interesante saber que comenzó a escribir en 1981, cuando se encontraba en Venezuela como resultado del golpe militar que había derrocado a su tío. Como sabes, él murió asesinado durante el golpe militar. Su primera novela, *La casa de los espíritus,* publicada en 1982, constituye un resumen de la vida chilena del siglo XX.

AMIGA 1: Yo quiero leer esa novela antes de ver la película que se hizo en 1994 basada en el libro.

AMIGA 2: También te va gustar leer su novela que se titula *El plan infinito* y que tiene lugar en EE.UU., país donde ha residido desde 1988. El protagonista de esta novela es un angloamericano que se cría en el barrio chicano del este de Los Ángeles. ¡Es una novela muy original y multicultural!

B **Isla de Pascua.** Escucha el texto sobre la isla de Pascua y luego selecciona la opción que complete correctamente las oraciones que siguen.

Las isla de Pascua, posesión de Chile en el Pacífico, se encuentra a casi cuatro mil kilómetros al oeste del continente. El explorador holandés Jacob Roggeveen le dio ese nombre a la isla porque fue un domingo de Pascua en 1722 cuando ancló sus barcos allí. Chile tomó posesión de la isla mucho más tarde, en 1888. Su ancho máximo es de veinticuatro kilómetros, tiene la forma de un triángulo y en cada vértice hay un volcán apagado. Aproximadamente dos mil quinientas personas habitan la isla, de entre las cuales las dos terceras partes son habitantes originarios de esa región; el resto vive allí temporalmente y es originario del continente. Los isleños son de origen polinésico y han preservado sus danzas y canciones ancestrales. La isla es conocida en el mundo entero por sus *moais,* inmensos monolitos de piedra de diferentes tamaños. Aunque hay un *moai* gigante de veintiún metros de altura y algunos de apenas dos metros, la mayoría mide entre cinco y siete metros. Hay más de seiscientos *moais* diseminados por toda la isla.

Escucha una vez más para verificar tus respuestas.

(Repeat passage.)

C Alegría. Romina habla de algunas cosas que le han causado alegría recientemente. Mientras escuchas, ordena numéricamente los dibujos. Ten en cuenta que algunos dibujos quedarán sin numerar.

1. Me alegra que mis padres hayan comenzado a practicar natación.

2. También me alegra que mi amiga Marta haya ganado una buena cantidad de dinero en la lotería.

3. Estoy muy contenta porque mi profesor de español ha viajado a Chile.

4. Me parece fantástico que mi amigo Arturo se haya comprado un coche nuevo.

5. Me gusta que mi hermanito se haya interesado por las artes marciales.

Escucha una vez más para verificar tus respuestas.

(Repeat passage.)

Pronunciación y ortografía

Palabras parónimas: *esta, ésta* **y** *está.* Estas palabras son parecidas, pero tienen distintos significados.

- La palabra **esta** es un adjetivo demostrativo que se usa para designar a una persona o cosa cercana.

¡No me digas que **esta** niña es tu hija!

Prefiero **esta** blusa. La otra es más cara y de calidad inferior.

- La palabra **ésta** es pronombre demostrativo. Reemplaza al adjetivo demostrativo y desaparece el sustantivo que se refiere a una persona o cosa cercana.

Voy a comprar la otra falda; **ésta** no me gusta.

La de Miguel es bonita, pero **ésta** es hermosísima.

- La palabra **está** es una forma del verbo **estar.**

¿Dónde **está** todo el mundo?

Por fin, la comida **está** lista.

D Práctica con *esta, ésta* **y** *está.* Ahora, al escuchar a los narradores, indica si lo que oyes es el adjetivo demostrativo **esta,** el pronombre demostrativo **ésta** o el verbo **está.**

1. **Ésta** es tuya; dejé la mía en casa.

2. Dice que ese regalo **está** bien si todos nos ponemos de acuerdo.

3. Un día de estos voy a comprarme **esta** pulsera.

4. Te digo que **esta** mujer nunca me hace caso.

5. Tú ya tienes **ésta,** ¿verdad?

6. El cielo **está** nublado.

E Deletreo. Al escuchar a los narradores leer las siguientes oraciones, escribe el adjetivo demostrativo **esta,** el pronombre demostrativo **ésta** o el verbo **está,** según corresponda.

1. Sabemos que **esta** persona vive en San Antonio, pero no sabemos en qué calle.

2. El disco compacto **está** en el estante junto con las revistas.

3. Ven, mira. Quiero presentarte a **esta** amiga mía.

4. ¡Dios mío! ¡Vengan pronto! El avión **está** por salir.

5. Decidieron que **ésta** es mejor porque pesa más.

6. No creo que les interese **ésta,** porque no estará lista hasta al año próximo.

Dictado. Escucha el siguiente dictado e intenta escribir lo más que puedas. El dictado se repetirá una vez más para que revises tu párrafo.

El regreso a la democracia

A finales de la década de los 80 Chile gozó de una intensa recuperación económica. En 1988 el gobierno perdió un referéndum que habría mantenido a Pinochet en el poder hasta 1996. De 1990 a 1994, el presidente Patricio Aylwin, quien fue elegido democráticamente, mantuvo la exitosa estrategia económica del régimen anterior, pero buscó liberalizar la vida política. En diciembre de 1993 fue elegido presidente Eduardo Frei Ruiz-Tagle, hijo del presidente Eduardo Frei Montalva quién gobernó Chile de 1964 a 1970. Chile se ha constituido en un ejemplo latinoamericano donde florecen el progreso económico y la democratización del país.

Ahora, escucha una vez más para verificar lo que escribiste.

(Repeat passage.)

Testing Program

To the Instructor

Components

The *Mundo 21* Testing Program includes eight **Pruebas,** one for each of the eight units; two **Exámenes,** a comprehensive exam at the end of units 1–4 and another at the end of units 5–8; an answer key for all the exams and the script for the *Testing Program Cassette.* In addition, a complete alternate set of **Pruebas** and **Exámenes** including the two comprehensive exams is part of the program. A *Testing Program Cassette,* which contains the listening comprehension parts of the **Pruebas** and the **Exámenes** is also available.

Organization of the *Pruebas*

Each unit **Prueba** consists of six parts:

I.   Gente del Mundo 21

In this section students listen to a radio program, a TV news report, a lecture, or a conversation about one of the noteworthy persons they met in the **Gente del Mundo 21** section of the student text. The information they hear reviews what they have previously read about the person and introduces additional material. Comprehension is evaluated by having students answer multiple-choice questions based on what they hear.

II.   Historia y cultura

This section checks important cultural and historical facts studied in the **Del pasado al presente** and the **Ventana cultural** sections of the text by having students answer multiple-choice questions based on what they read.

III.   Estructura en contexto

This section measures acquisition of important grammatical concepts through a variety of contextualized activities. Various formats, such as fill-in-the-blanks, question-answer items, sentence completions, and sentence transformations are used to evaluate progress. The cultural and historical knowledge base is expanded through the contextualizations used in these grammar sections.

IV.   Cultura en vivo y Vocabulario

In this section, the active vocabulary in the three lessons of the unit is checked by having students do a matching activity that lists active vocabulary words in one column and their definitions in another.

V. Lectura

This section measures reading comprehension as it further expands knowledge of Hispanic culture. The readings used are very similar to the readings students do in the **Ventana cultural** sections of the text. Reading comprehension is checked by having students answer true/false questions based on the content of the passage.

VI. Composición

In this section, students apply recently learned writing strategies as they demonstrate their proficiency in writing Spanish. Like the composition writing in the **Cuaderno de actividades,** the topics students are asked to write on allow them to use their creativity as they narrate, describe, compare and contrast, and express and defend opinions about some aspect of the literary readings dealt with in the unit.

Organization of the *Exámenes* (Comprehensive Exams)

There are two comprehensive exams (midterm and final): one covers units 1–4, the other units 5–8. These exams vary slightly in format from the **Pruebas.** They take into account the limited time available to instructors for correcting midterm and final exams. Both comprehensive exams have four parts plus a fifth part that is optional:

I.   **Comprensión oral**   a listening comprehension section

II. **Gente del Mundo 21**   a review of selected stellar personalities from each country studied

III. **Del pasado al presente**   a check of important cultural and historical facts

IV. **Estructura**   a check of grammatical accuracy

V.   **Composición**   a check of writing proficiency (optional)

With the exception of the **Composición,** all items on these exams are multiple choice or true/false. It is recommended that the composition, if assigned, be done in class several days before the actual exam to allow the time needed for grading.

Grading and Evaluation

The unit **Pruebas** and **Exámenes** are worth 100 points each. Both **Pruebas** and **Exámenes** have been weighted, allowing approximately 30% for cultural and historical recall (**Gente del Mundo 21**, **Historia y cultura**, and **Lectura**), 30% for grammatical accuracy (**Estructura en contexto**), 10% for active vocabulary recall (**Cultura en vivo y Vocabulario**), and 30% for writing communicatively (**Composición**). The two comprehensive exams are weighted in much the same manner. Instructors should note that the comprehensive exams will be graded on the basis of a different number of points depending on whether or not they require the composition of their students.

Correcting the *Pruebas*

Four of the six parts of all **Pruebas** (**Gente del Mundo 21**, **Historia y cultura**, **Cultura en vivo y Vocabulario**, and **Lectura**) have been designed so that responses are easily identified as right or wrong. In the **Estructura en contexto** sections, instructors may want to allow for partial credit in those exercises or items where responses are appropriate but contain some errors.

The **Composición** section may be evaluated holistically, according to students' ability to perform the task comprehensibly. A suggested rubric for assigning points when grading holistically follows. This example is based on a quiz item worth 15 points. Adjustments would have to be made where the points vary slightly. On unit exams, this scale would have to be doubled and adjusted, if necessary. Two other suggestions for grading extended writing tasks appear in the Teaching Suggestions on page 23 of the **Instructor's Resource Manual.**

14–15 points **Superior** response. All aspects of task exceed expectations. Much detail/information included. Response completely understandable. Extremely high degree of accuracy.

12–13 points **Good** response. All or most aspects of task meet or exceed expectations. Considerable detail/information included. Response completely understandable. Few serious errors.

9–11 points **Acceptable** response. Requirements of task adequately met. Sufficient or barely sufficient detail/information provided. Some errors, but in general comprehensible.

6–8 points **Inadequate** response. Some or several aspects of task not accounted for. Numerous errors. Only some parts of response are comprehensible.

0–5 points **Unacceptable** response. Very little or none of task accomplished. Numerous errors of a serious nature. Totally inaccurate. Totally incomprehensible. Reliance on English. No attempt made.

Grading

How grades are recorded and averaged is highly individual, but instructors may wish to consider the following suggestions for assigning letter grades to exam performance:

Exam point score	Percentage	Letter grade
98–100	98–100	A+
94–97	94–97	A
91–93	91–93	A–
88–90	88–90	B+
84–87	84–87	B
81–83	81–83	B–
76–80	76–80	C+
71–75	71–75	C
66–70	66–70	C–
61–65	61–65	D+
56–60	56–60	D
51–55	51–55	D–
0–50	0–50	F

On a 100-point exam, this curve allows a ten-point spread for both the **A** and **B** range and a fifteen-point spread for the **C** and D range.

¡Buena suerte!

Fabián A. Samaniego
Nelson Rojas
Francisco X. Alarcón

I. Gente del Mundo 21

Mujeres latinas en la política. Escucha lo que dice la comentarista de un programa de radio que presenta a tres mujeres políticas hispanas que representan a varias comunidades latinas de EE.UU. Luego, escoge la respuesta que complete mejor cada oración. (6 puntos)

1. La comentarista está en una estación de radio en _____.

    a. Miami   **b.** Los Ángeles   **c.** Washington, D.C.

2. La comentarista ha invitado a tres políticas latinas para que _____.

    a. hagan comentarios sobre las próximas elecciones presidenciales

    b. hablen de los problemas que afectan a los hispanos en EE.UU.

    c. ayuden a la estación de radio a recibir fondos del público

3. Las tres políticas latinas son _____.

    a. congresistas

    b. senadoras

    c. gobernadoras

4. Loretta Sánchez venció a Bob Dornan, quien era _____.

    a. un demócrata liberal

    b. un político independiente

    c. un republicano conservador

5. La congresista demócrata Nydia Velázquez es de origen _____.

    a. mexicano   **b.** cubano   **c.** puertorriqueño

6. Ileana Ros-Lehtinen fue la primera mujer hispana elegida _____.

    a. congresista para el Congreso de EE.UU.

    b. gobernadora de la Florida

    c. senadora en el Senado de EE.UU.

II.   Historia y cultura

Los hispanos en EE.UU. El siguiente ejercicio comprueba si has comprendido las lecturas **Del pasado al presente** y las **Ventanas al Mundo 21** que aparecen en las tres lecciones de esta unidad. Escoge la respuesta que complete mejor cada oración. (9 puntos)

1. Con _____ terminó la guerra entre México y EE.UU.

    a. la Compra de Gadsen de 1853

    b. el Tratado de Guadalupe-Hidalgo de 1848

    c. el Tratado de París de 1898

2. En 1917 los puertorriqueños _____.

    a. ganaron su independencia de los españoles

    b. recibieron la ciudadanía estadounidense

    c. empezaron la tradición del desfile puertorriqueño en Nueva York

3. El régimen autoritario de _____ ha obligado a cientos de miles de cubanos a refugiarse en EE.UU. desde 1960.

    a. Fulgencio Batista   **b.** Antonio Machado   **c.** Fidel Castro

4. La película *West Side Story*, que ganó varios premios "Óscar" en 1961, trata el problema que enfrentan los jóvenes puertorriqueños _____.

    a. al ser reclutados para servir en el ejército estadounidense

    b. en adaptarse a la vida de los barrios de EE.UU.

    c. al asistir a universidades estadounidenses

5. _____ fundó el Teatro Campesino en 1965.

    a. Luis Valdez   **b.** César Chávez   **c.** Xavier Suárez

6. A diferencia de los inmigrantes cubanos de los años 60 y 70, "los marielitos" que llegaron en 1980 eran _____.

    a. de las clases menos acomodadas

    b. principalmente profesionales como doctores e ingenieros

    c. la mayoría estudiantes universitarios

7. _____ es otro nombre para los puertorriqueños.

    a. Guanacos   **b.** Boricuas   **c.** Guaraníes

8. Los chicanos se concentran principalmente en _____.

    a. Nueva York   **b.** la Florida   **c.** el suroeste de EE.UU.

9. El talentoso artista cubanoamericano _____ completó una maestría en música de la Universidad de Miami.

    a. Jon Secada   **b.** Desi Arnaz   **c.** Andy García

III. Estructura en contexto

A

El comienzo del año escolar. Es el primer día de clases del nuevo año escolar. ¿Cómo se sienten los estudiantes? (5 puntos)

1. Gabriela está _____. (cansado)

2. Víctor está _____. (triste)

3. Las hermanas Vega están _____. (deprimido)

4. Inés y Manolo están _____. (apenado)

5. Quico y Beto están _____. (entusiasmado)

B

Tierra Amarilla. Completa la siguiente información acerca del pueblo de Tierra Amarilla usando los verbos **ser** o **estar**. (5 puntos)

Tierra Amarilla _____ (1) un pueblo que

_____ (2) en el estado de Nuevo México.

_____ (3) un lugar tranquilo todavía. Por cierto que no

_____ (4) el mismo pueblo en que vivió Adolfo Miller; por

ejemplo, ahora _____ (5) más poblado que durante la época

de Adolfo Miller, pero todavía mantiene las tradiciones hispanas.

C

Un desfile puertorriqueño. Tú vas a estar en Nueva York este año el día del desfile puertorriqueño. Por eso, llamas a un amigo puertorriqueño y le haces las preguntas que siguen. Completa cada pregunta con la forma apropiada de los verbos indicados. (5 puntos)

1. ¿_____ (Pensar-tú) ir al desfile este año?

2. ¿_____ (Poder-yo) acompañarte?

3. ¿A qué hora _____ (comenzar) el desfile?

4. ¿_____ (Sentirse-tú) orgulloso de ser puertorriqueño al ver el desfile?

5. ¿_____ (Divertirse) la gente en el desfile?

D **Una invitación rechazada.** Completa el siguiente diálogo para saber por qué no puede aceptar Hilda la invitación de su amigo Ernesto. (10 puntos)

Ernesto: Hilda, esta noche _____ (1. ir-yo) al cine.

¿_____ (2. Venir) conmigo?

_____ (3. Suponer-yo) que te interesa.

¿Qué me _____ (4. decir)?

Hilda: _____ (5. Estar) ocupadísima hoy y no

_____ (6. poder) ir. Pero te

_____ (7. agradecer) enormemente la

invitación. ¿Lo _____ (8. hacer-nosotros) el

próximo fin de semana? _____ (9. Saber-yo)

que voy a necesitar distraerme para entonces.

Ernesto: De acuerdo. Te _____ (10. proponer-yo) otra

salida dentro de unos días.

E **Nuevo trabajo.** Acabas de cambiar de trabajo y ahora, unos amigos quieren que compares el nuevo trabajo con el antiguo. ¿Qué dices para hacer esta comparación? (5 puntos)

	Trabajo	
	Nuevo	**Antiguo**
Horas por semana	20	20
Dólares por hora	5.50	4.50
Distancia de casa	7 millas	10 millas
Regresar a casa	9 de la noche	9:30 de la noche
¿Interesante?	Sí	Sí

1. Trabajo _____ horas por semana _____ antes.

2. Gano _____ dólares por hora _____ antes.

3. Llego a casa _____ temprano _____ antes.

4. El nuevo trabajo está _____ lejos de casa _____ el antiguo.

5. El nuevo trabajo es _____ interesante _____ el antiguo.

IV. Cultura en vivo y Vocabulario

Indica qué palabra o frase de la segunda columna se relaciona mejor con cada una de la primera. (10 puntos)

_____ **1.** dramaturgo   **a.** exquisito, delicado

_____ **2.** fuerte   **b.** ordenarse uno tras otro

_____ **3.** pantalla   **c.** silla

_____ **4.** hacer cola   **d.** historia

_____ **5.** divertido   **e.** con alto volumen

_____ **6.** bailable   **f.** donde se proyecta una película

_____ **7.** ranchera   **g.** música para bailar

_____ **8.** asiento   **h.** creador de obras teatrales

_____ **9.** suave   **i.** agradable, cómico, alegre

_____ **10.** cuento   **j.** música de los vaqueros

V. Lectura

Carmen Lomas Garza: artista inspirada en la familia

Carmen Lomas Garza es una de las primeras artistas chicanas que ha sido reconocida por el mundo artístico de EE.UU. Su arte ilumina principalmente escenas de la vida familiar de su niñez en Kingsville, un pequeño pueblo de Texas. A primera vista sus obras parecen ser representaciones sencillas, pero al observarlas con mayor atención, hasta en el menor detalle se puede apreciar la gran emoción y simpatía que siente la artista en representar la vida de sus familiares y de su comunidad.

En 1990 publicó un hermoso libro titulado *Family Pictures/Cuadros de familia*. "Los cuadros de este libro", escribe la artista en la introducción, "los pinté usando los recuerdos de mi niñez en Kingsville, cerca de la frontera con México. Desde pequeña, siempre soñé con ser artista. Dibujaba cada día; estudié arte en la escuela; y por fin, me hice artista. Mi familia me ha inspirado y alentado todos los años. Éste es mi libro de cuadros de familia". Desde hace aproximadamente veinte años, Carmen Lomas Garza vive dedicada a su arte en San Francisco, California.

Carmen Lomas Garza. Indica si los siguientes comentarios son ciertos o falsos. (5 puntos)

C   F   **1.** Carmen Lomas Garza es originaria de Nuevo México.

C   F   **2.** Las obras de Carmen Lomas Garza son muy sencillas y casi no tienen detalles.

C   F   **3.** Ella pintó *Cuadros de familia* usando los recuerdos de cuando era niña en Kingsville.

C   F   **4.** Cuando era niña, a Carmen Lomas Garza no le interesaba ni pintar ni dibujar.

C   F   **5.** Ella vive desde hace aproximadamente veinte años dedicada a su arte en Nueva York.

VI. Composición

Escribe una composición sobre uno de los siguientes temas. (40 puntos)

a. "Adolfo Miller". En este cuento del escritor nuevomexicano Sabine Ulibarrí, don Anselmo recibió al gringuito Adolfo Miller como si fuera su propio hijo. ¿Por qué crees que no lo dejó casarse con su hija Francisquita, sabiendo que ella y Adolfo estaban muy enamorados? ¿Por qué aceptó Francisquita casarse con otro? ¿Qué papel habrán tenido las tradiciones familiares o culturales en todo esto?

b. *Cuando era puertorriqueña.* Imagínate que, como la autora puertorriqueña Esmeralda Santiago, tú has decidido escribir una novela de una joven estadounidense que decide irse a vivir a un país hispano. ¿Qué problemas biculturales crees que puede tener tu personaje principal relacionados con el bilingüismo? Describe varios.

c. *Soñar en cubano.* Relaciona el título de la novela de Cristina García, *Soñar en cubano*, con el fragmento que leíste. ¿Es un título apropiado para ese fragmento? ¿Por qué? Da varios ejemplos.

Nombre _____ Fecha _____

Sección _____

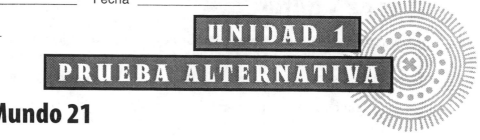

I. Gente del Mundo 21

Músico puertorriqueño. Escucha al locutor de un programa especial de la radio dedicado a Tito Puente, el legendario salsero puertorriqueño de Nueva York. Luego, escoge la respuesta que complete mejor cada oración. (5 puntos)

1. Tito Puente es un músico puertorriqueño que nació en _____ el 23 de abril de 1923.

    a. San Juan de Puerto Rico

    b. el barrio latino de la Ciudad de Nueva York

    c. Ponce, Puerto Rico

2. La carrera musical de Tito Puente cubre _____.

    a. tres décadas

    b. cuatro décadas

    c. cinco décadas

3. El instrumento favorito de Tito Puente son _____.

    a. las congas

    b. los timbales

    c. las trompetas

4. El estilo único de Tito Puente es una mezcla pulsante y sabrosa de _____.

    a. música rock y plena puertorriqueña

    b. flamenco español y música pop

    c. jazz latino y música caribeña

5. Una muestra de la generosidad de Tito Puente _____.

    a. es la *Fundación Tito Puente*

    b. es la película de su vida, *Los reyes del mambo*

    c. son sus conciertos en beneficio de víctimas de huracanes en Puerto Rico

II. Historia y cultura

El siguiente ejercicio comprueba si has comprendido las lecturas **Del pasado al presente** y las **Ventanas al Mundo 21** que aparecen en las tres lecciones de esta unidad. Escoge la respuesta que complete mejor cada oración. (9 puntos)

1. Los hispanos han habitado grandes extensiones de tierras en el sur y oeste de EE.UU. por más de _____ años.

   a. 100   **b.** 200   **c.** 300

2. A diferencia de otros grupos hispanos, los puertorriqueños son _____ estadounidenses.

   a. residentes   **b.** ciudadanos   **c.** inmigrantes

3. El primer grupo de refugiados cubanos que empezó a llegar a Miami en 1960, era principalmente _____.

   a. de las clases menos acomodadas

   b. profesionales de clase media

   c. de la clase privilegiada

4. Los puertorriqueños en la isla _____.

   a. tienen que pagar impuestos federales a EE.UU.

   b. pueden votar en las elecciones presidenciales de EE.UU.

   c. pueden ser reclutados para servir en el ejército estadounidense

5. El acuerdo con México para atraer a trabajadores agrícolas de ese país a EE.UU. entre 1942 y 1964 se llamaba _____.

   a. el Programa de Braceros

   b. la Alianza para el Progreso

   c. la Amnistía

6. El evento cultural anual más grande de los hispanos en EE.UU. es _____.

   a. el Desfile Puertorriqueño en Nueva York

   b. el Festival de la Calle Ocho en Miami

   c. la celebración del Día de la Raza en Los Ángeles

7. El cantante cubanoamericano que fue miembro de la compañía *Miami Sound Machine* y que ha tenido mucho éxito cantando tanto en inglés como en español es _____.

   a. Jon Secada   **b.** Oscar Hijuelos   **c.** Andy García

8. ¿Qué conmemora la "Fiesta del Sol" que se celebra cada año
   en el barrio mexicano de Pilsen de Chicago?

   a. el inicio de la primavera

   b. la Independencia Mexicana

   c. los esfuerzos comunitarios para establecer la Escuela Secundaria Benito
      Juárez

9. En EE.UU., una de las áreas en que los cubanoamericanos más se han distinguido es en _____.

   a. la medicina

   b. la comida

   c. la música

III. Estructura en contexto

A

Materias académicas. Tus compañeros expresan opiniones sobre las materias
que estudian. ¿Qué opinas tú? Al contestar, sustituye las palabras subrayadas
por las palabras entre paréntesis y haz todos los cambios necesarios.
(5 puntos)

1. ¿Historia? Esa materia es entretenida. (curso)

   _____

2. ¿Matemáticas? Esta materia es muy rigurosa. (asignatura)

   _____

3. ¿Lenguas extranjeras? Esos cursos son interesantes. (Química)

   _____

4. ¿Filosofía? Ese curso es muy profundo. (disciplina)

   _____

5. ¿Biología? Este curso es magnífico. (Biología y química)

   _____

B **Una estudiante nueva.** Usa los verbos **ser** o **estar** en el presente para completar la información acerca de Alicia. (15 puntos)

Alicia _____ (1) de México, pero ahora _____ (2) en nuestra ciudad. _____ (3) una joven inteligente, dinámica y amistosa. Ahora _____ (4) estudiando porque tiene un examen mañana. _____ (5) muy nerviosa.

C **En el restaurante.** Completa el siguiente diálogo entre un cliente y un camarero en un restaurante puertorriqueño. (6 puntos)

Cliente: ¿Qué me _____ (1. sugerir) usted hoy?

Camarero: Le _____ (2. recomendar) el arroz con pollo.

Cliente: ¿Qué más _____ (3. venir) con ese plato?

Camarero: Pues, el plato _____ (4. incluir) sopa o ensalada y luego postre y café.

Cliente: Voy a pedir el arroz con pollo. ¿_____ (5. Poder) traerme algo de beber antes? Cualquier refresco.

Camarero: Sí, cómo no. En seguida le _____ (6. traer) su refresco.

D **Una selección difícil.** Tú y tus amigos no pueden ponerse de acuerdo sobre qué película ver. ¿Qué dice cada uno? (8 puntos)

Eliana: Yo _____ (1. preferir) las películas de ciencia ficción.

Roberto: Yo _____ (2. querer) ver un film policial.

Lorena: Yo _____ (3. recomendar) ir al cine Colón. Tienen una película cómica muy buena.

Raúl: Te _____ (4. repetir) que no me gustan las películas cómicas. Son aburridísimas.

Tú: Yo _____ (5. pensar) que _____ (6. poder-nosotros) ver la película del cine Universo. Los críticos _____ (7. decir) cosas muy buenas acerca de ella.

Federico: Yo _____ (8. proponer) ir a ver una película de acción.

Nombre _____ Fecha _____

Sección _____

E **Reservaciones.** Has recibido información sobre dos hoteles y no sabes
en cuál hacer reservaciones. Decides compararlos primero. (7 puntos)

Hotel Excélsior	Hotel Supremo
75 habitaciones	75 habitaciones
$85 habitación doble	$90 habitación doble, con desayuno continental
piscina	piscina con sauna y jacuzzi
televisor; minirefrigerador en la habitación	televisor con servicio de cable

1. El Hotel Supremo es _____ grande _____ el
   Hotel Excélsior.

2. El Hotel Excélsior tiene _____ habitaciones
   _____ el Hotel Supremo

3. El Hotel Excélsior parece ser un poco _____ económico
   _____ el Hotel Supremo.

4. La piscina del Hotel Excélsior no tiene _____ atractivos
   _____ la del Hotel Supremo.

5. En el Hotel Excélsior hay _____ canales de televisión
   _____ en el Hotel Supremo.

6. El Hotel Excélsior es _____ caro _____ el Hotel
   Supremo.

7. Probablemente, la piscina del Hotel Supremo es _____ grande
   _____ la piscina del Hotel Excélsior.

IV. Cultura en vivo y Vocabulario

Indica qué palabra de la segunda columna se relaciona mejor con la de la primera. (10 puntos)

_____ 1. destacado   **a.** fuerte

_____ 2. conjunto   **b.** detestar

_____ 3. taquilla   **c.** tambor

_____ 4. odiar   **d.** argumento

_____ 5. comedia   **e.** excepcional

_____ 6. batería   **f.** gustar

_____ 7. poderosa   **g.** banda

_____ 8. entrada   **h.** película

_____ 9. agradar   **i.** boletería

_____ 10. trama   **j.** boleto

Nombre _____ Fecha _____

Sección _____

V. Lectura

El mambo:
un ritmo cubano que puso a bailar al mundo

La música afrocubana ha tenido un gran impacto en el desarrollo de la música latinoamericana y norteamericana. El mambo es un ritmo que tiene raíces en cantos africanos y después se incorpora en el repertorio de bandas populares cubanas en los años 30. La palabra "mambo", que en el idioma de los negros congos significa conversación, alude a la conversación o contrapunteo de diversos instrumentos durante un mambo.

El mambo no sería lo que es hoy sin el aporte de Dámaso Pérez Prado, justamente apodado "el rey del mambo", nacido en la provincia de Matanzas en Cuba en 1921. Es significativo que Pérez Prado se hizo famoso no en Cuba sino en México, donde el mambo llegó a ser más popular que en Cuba. Su primer gran éxito, grabado en México en 1949, se titula *Qué rico el mambo*.

De México el mambo pasó a EE.UU. y en Los Ángeles y Nueva York se convirtió en un baile muy popular. Así los mejores bailadores del mambo se congregaban los miércoles en el Palladium de Nueva York acompañados por las orquestas de Machito, Tito Puente o Tito Rodríguez. Con la película basada en la reciente novela del autor cubanoamericano Oscar Hijuelos, *The Mambo Kings Play Songs of Love*, muchas generaciones de inspirados bailadores vuelven a recordar el mambo.

Adaptado de "Qué rico el mambo" de Gustavo Pérez Firmat, *Más.*

El mambo. Indica si los siguientes comentarios son ciertos o falsos. (5 puntos)

C F **1.** El mambo es un ritmo que tiene raíces en la música indígena de México.

C F **2.** La palabra "mambo" alude a la conversación de las parejas mientras bailan.

C F **3.** Dámaso Pérez Prado es considerado "el rey del mambo".

C F **4.** El mambo llegó a ser más popular en México que en Cuba.

C F **5.** Los primeros bailadores de mambo en EE.UU. se congregaban en el Palladium de Nueva York.

VI. Composición

Escribe una composición sobre uno de los siguientes temas. (40 puntos)

a. **"Adolfo Miller".** En este cuento del escritor nuevomexicano Sabine Ulibarrí, don Anselmo recibió al gringuito Adolfo Miller como si fuera su propio hijo. ¿Por qué crees que no lo dejó casarse con su hija Francisquita, sabiendo que ella y Adolfo estaban muy enamorados? ¿Por qué aceptó Francisquita casarse con otro? ¿Qué papel habrán tenido las tradiciones familiares o culturales en todo esto?

b. *Cuando era puertorriqueña.* Imagínate que, como la autora puertorriqueña Esmeralda Santiago, tú has decidido escribir una novela de una joven estadounidense que decide irse a vivir a un país hispano. ¿Qué problemas biculturales crees que puede tener tu personaje principal relacionados con el bilingüismo? Describe varios.

c. *Soñar en cubano.* Relaciona el título de la novela de Cristina García, *Soñar en cubano*, con el fragmento que leíste. ¿Es un título apropiado para ese fragmento? ¿Por qué? Da varios ejemplos.

I. Gente del Mundo 21

El rey de España. Escucha la conversación entre dos jóvenes estudiantes. Uno es Enrique, un estudiante latino de EE.UU. que recién ha llegado a Madrid para estudiar por un año, y el otro es Miguel, hijo de la familia española con la que ahora vive Enrique. Luego, escoge la respuesta que complete mejor cada oración. (5 puntos)

1. El nombre oficial de España es ____.

    a. República Española

    b. Reino de España

    c. Federación Española

2. Juan Carlos I nació en ____ en 1938.

    a. Madrid

    b. Barcelona

    c. Roma

3. Juan Carlos I fue escogido por Francisco Franco como su sucesor por ser ____ de Alfonso XIII, el último rey de España, que salió del país en 1931.

    a. hermano

    b. hijo

    c. nieto

4. Juan Carlos I subió al trono el 22 de noviembre de 1975, ____.

    a. dos meses antes que muriera Franco

    b. dos días después de la muerte de Franco

    c. cuando Franco renunció al poder

5. Según Miguel, Juan Carlos I de España es muy popular y tiene mucho prestigio entre el pueblo español porque ____.

    a. es el hombre más rico del mundo

    b. es descendiente de los Reyes Católicos

    c. siempre ha defendido la democracia

II. Historia y cultura

El siguiente ejercicio comprueba si has comprendido las lecturas **Del pasado al presente** y **Ventanas al Mundo 21** que aparecen en las tres lecciones de esta unidad. Escoge la respuesta que complete mejor cada oración. (9 puntos)

1. La Giralda de _____ es una hermosa torre que perteneció a una gran mezquita y que luego se convirtió en el campanario de una catedral cristiana.

    a. Granada **b.** Sevilla **c.** Córdoba

2. Critóbal Colón usó el nombre _____ para referirse a las tierras que exploró en 1492 en el hemisferio occidental.

    a. "Las Indias" **b.** "América" **c.** "Bahamas"

3. Carlos I de España se hizo coronar emperador de Alemania con el nombre de _____.

    a. Carlos II **b.** Carlos III **c.** Carlos V

4. Doménikos Theotokópoulos, también conocido como "El Greco", fue un famoso _____.

    a. poeta **b.** dramaturgo **c.** pintor

5. La constitución española, que refleja la diversidad de España al designarla como un Estado de Autonomías, se escribió _____.

    a. a mediados del Sigo de Oro

    b. en la primera mitad del siglo XIX

    c. en la segunda mitad del siglo XX

6. En 1898 España cedió sus últimas colonias de Cuba, Puerto Rico, Guam y las Filipinas a _____.

    a. Inglaterra

    b. Francia

    c. EE.UU.

7. La Guerra Civil Española fue provocada por _____ en 1936.

    a. una rebelión militar

    b. una intervención francesa

    c. un levantamiento del pueblo español

8. Por su sistema político España es en la actualidad una ____.

   a. república

   b. dictadura

   c. monarquía constitucional

9. Las jóvenes españolas ____.

   a. superan a las francesas y danesas en los estudios superiores

   b. desempeñan ocupaciones mayormente femeninas

   c. se hallan entre las más educadas de Europa

III. Estructura en contexto

A **El sábado.** ¿Qué hicieron tus amigos el sábado pasado? Emplea el pretérito al contestar (5 puntos)

1. Rubén / leer una novela histórica

   _____

2. Mónica / dormir toda la tarde

   _____

3. Jaime / venir a mi casa a escuchar música

   _____

4. Susana / hacer la tarea por la mañana

   _____

5. yo / ir a un concierto y / llegar atrasado

   _____

B   **Veranos a las orillas del río.** Completa la siguiente narración para saber cómo pasaba el verano esta joven. Usa el imperfecto de los verbos indicados entre paréntesis. (10 puntos)

De niña, yo _____ (1. vivir) en un pueblo que

_____ (2. quedar) cerca de las montañas. No _____

(3. ser) muy grande, pero _____ (4. tener) un río que

_____ (5. correr) por la parte norte, importantísimo para nosotros

los niños. Durante el verano, cuando _____ (6. terminar) la

escuela, allí _____ (7. ir/nosotros) todas las tardes.

_____ (8. Bañarse), _____ (9. tomar) sol y

_____ (10. charlar) de esto y de aquello.

C   **En Madrid.** Contesta las preguntas que te hace un amigo que quiere saber cómo fue tu visita a Madrid. Emplea un pronombre complemento en tu respuesta. (10 puntos)

Modelo: ¿Recorriste el centro de Madrid?

Sí, lo recorrí una y otra vez. o

(No, no lo recorrí mucho.)

1. ¿Probaste las tapas madrileñas?

_____

2. ¿Visitaste a algunos amigos madrileños?

_____

3. ¿Pudiste visitar el Centro de Arte Reina Sofía?

_____

4. ¿Admiraste las pinturas de Velázquez?

_____

5. ¿Le trajiste regalos a tu mamá?

_____

D   **Intereses.** Di qué les gusta a los miembros de tu familia. (5 puntos)

1. mi hermano / gustar / coleccionar sellos

   _____

2. mi abuelo / encantar / música clásica

   _____

3. mi hermanita / fascinar / muñecas que hablan

   _____

4. mis padres / atraer / coches antiguos

   _____

5. mi prima / entusiasmar / collares de perlas

   _____

E   **Un fotógrafo poco activo.** Alberto era el miembro más activo del Club de fotografía pero últimamente esto ha cambiado. Para saber cómo ha cambiado, completa la narración a continuación usando estas palabras indefinidas y negativas, según convenga. (6 puntos)

algo	nada	siempre	jamás
alguien	nadie	o/o. . .o	ni/ni. . .ni
alguno	ninguno	también	tampoco
alguna vez	nunca	cualquiera	

Alberto se inscribió en nuestro club de fotografía y era uno de los miembros más

activos. _____ (1) miembros comentaron que sus presentaciones

siempre eran muy claras y que los ayudaban mucho. Sin embargo, últimamente no

ha venido a _____ (2) reunión. Es un buen fotógrafo, pero nadie lo

ha visto sacar fotos recientemente. No usa _____ (3) su cámara

_____ (4) su talento ahora. _____ (5) se ofrece a dar

presentaciones para los otros miembros. No hace _____ (6) por el

club. Probablemente está muy ocupado con sus estudios.

IV. Cultura en vivo y Vocabulario

Indica qué palabra o frase de la segunda columna se relaciona mejor con cada palabra de la primera. (10 puntos)

_____ 1. hermanastra

_____ 2. exposición

_____ 3. sobrina

_____ 4. lienzo

_____ 5. surrealista

_____ 6. suegro

_____ 7. fresco

_____ 8. metro

_____ 9. parador

_____ 10. cine

a. arte que representa lo imaginario y lo irracional

b. padre de tu esposa

c. tren subterráneo

d. arte de pintar en una pared recién preparada

e. hotel

f. hija de tu hermana

g. lugar donde se proyectan películas

h. exhibición

i. hija del nuevo esposo de tu madre

j. tela donde pinta un pintor

V. Lectura

El paseo como tradición

Una de las peculiaridades de las ciudades españolas que sorprende mucho a los visitantes extranjeros es el gran número de personas de todas las edades y clases sociales que se encuentran en la calle a altas horas de la noche, por las avenidas y plazas y en los lugares de reunión.

Familias enteras, personas mayores, jóvenes y niños salen a dar un paseo después de la cena, pasada la puesta del sol. Dar un paseo es no sólo una sana actividad después de una comida pesada, también es una forma de diversión que muchos españoles han convertido en arte.

Dar un paseo nocturno es una costumbre muy arraigada en Madrid. Esta ciudad de noche es distinta a las demás capitales europeas. En Madrid no sólo hacen vida nocturna las personas que salen para ir al teatro, cine, discoteca o cualquier otro espectáculo. Hacen también vida nocturna en los cafés y las aceras, las personas que salen después de la cena para tomar un café, una cerveza o simplemente a pasear por las calles céntricas como el Paseo de la Castellana y la Gran Vía. Al retirarse las familias, las personas mayores y los niños, la vida nocturna continúa con adultos y jóvenes. Por eso en Madrid las calles están animadas todas las noches hasta las dos o tres de la madrugada.

Los paseos. Indica si los siguientes comentarios son ciertos o falsos. (5 puntos)

C   F   **1.** Los visitantes extranjeros a España se sorprenden de la falta de vida nocturna en la mayoría de las ciudades principales.

C   F   **2.** El dar un paseo después de la cena es una costumbre nueva importada que sólo los muy jóvenes siguen.

C   F   **3.** Caminar después de una comida pesada se considera una actividad sana.

C   F   **4.** A diferencia de otras ciudades europeas, en Madrid salen familias enteras a dar un paseo al anochecer.

C   F   **5.** A las doce de la noche cierran todos los cafés y restaurantes de Madrid y por eso hay mucha gente en las calles.

VI. Composición

Escribe una composición sobre uno de los siguientes temas. (35 puntos)

a. **"¡Granada, por don Fernando!"** Describe a la reina en el romance "¡Granada, por don Fernando!" ¿Qué tipo de mujer era? ¿Cuáles son algunos aspectos de su personalidad? ¿Cómo crees que era físicamente? Da ejemplos específicos.

b. *Don Quijote en el Mundo 21.* Escribe un breve resumen del episodio que tú escribiste (o estás escribiendo) para la obra titulada *Don Quijote en el Mundo 21.*

c. **"El crimen fue en Granada".** Describe brevemente la muerte de Federico García Lorca, según la describe el poeta español Antonio Machado en su poema "El crimen fue en Granada".

I. Gente del Mundo 21

El Cid Campeador. Escucha lo que dicen Lola y Luis, dos estudiantes españoles de Madrid, después de ver la película "El Cid" con Charlton Heston y Sofía Loren. Luego, escoge la respuesta que complete mejor cada oración. (5 puntos)

1. Lo que más le impresiona a Luis de la película "El Cid" es ____.

   a. la actuación de Charlton Heston

   b. la escenografía de la película

   c. la actuación de Sofía Loren

2. Al principio Luis creyó que "El Cid" era ____.

   a. una película no muy realista

   b. sólo una invención de un guionista de Hollywood

   c. una adaptación de un poema histórico

3. Lola explica que el personaje llamado "El Cid" fue ____.

   a. un príncipe de origen árabe

   b. un personaje inventado para Charlton Heston

   c. una persona de carne y hueso

4. Cid viene de la palabra árabe *sayyid* que significa ____.

   a. "señor"

   b. "enemigo"

   c. "extranjero"

5. El poema titulado "Cantar del Mío Cid" es el primer gran poema épico compuesto en el siglo ____.

   a. X

   b. XI

   c. XII

II. Historia y cultura

El siguiente ejercicio comprueba si has comprendido las lecturas **Del pasado al presente** y **Ventanas al Mundo 21** que aparecen en las tres lecciones de esta unidad. Escoge la respuesta que complete mejor cada oración. (9 puntos)

1. Las primeras civilizaciones que habitaron partes de la Península Ibérica fueron _____.

   a. los fenicios, los griegos y los celtas

   b. los musulmanes y los judíos

   c. los romanos, los vándalos y los visigodos

2. El período de mayor esplendor de la cultura española se conoce como _____.

   a. la Edad de Plata   **b.** el Siglo de Oro   **c.** el Renacimiento

3. La Guerra Civil Española (1936–1939) vio a dos fuerzas enfrentarse la una contra la otra, _____.

   a. las fuerzas democráticas y las republicanas

   b. las fuerzas nacionalistas y las regionalistas

   c. las fuerzas republicanas y las nacionalistas

4. En 1808, Napoleón Bonaparte trasladó a la familia real a Francia, y nombró a su hermano, José Bonaparte, rey de _____.

   a. España

   b. las colonias francesas en América

   c. Francia

5. La constitución española de 1978 refleja la diversidad de España al designarla como _____.

   a. un Estado de Autonomías

   b. una democracia

   c. una federación

6. En los siglos XVI y XVII el oro y la plata de América fueron usados principalmente para _____.

   a. financiar las continuas guerras de España en Europa y para comprar productos importados

   b. impulsar el desarrollo de la economía española

   c. mejorar las condiciones de vida de la mayoría de los españoles

7. Ninguna institución es más importante que _____ en la cultura hispana.

   a. la familia

   b. la religión

   c. la estabilidad económica

8. Todos los paradores nacionales de España _____.

   a. son viejos castillos y monasterios históricos

   b. edificios modernos con piscinas y restaurantes maravillosos

   c. son o antiguas edificaciones o modernos hoteles de lujo

9. Durante el reinado de los Borbones, España comenzó un proceso de _____ con Europa.

   a. aislamiento

   b. más comunicación y trato

   c. colonización

III. Estructura en contexto

A

Un fuerte temblor. Completa la siguiente narración usando el pretérito de los verbos entre paréntesis. (10 puntos)

Ayer por la noche todos nosotros _____ (1. tener) un susto

tremendo. A las tres de la mañana _____ (2. oír) un gran

ruido y _____ (3. ver) que toda la casa se movía de un lado a

otro. _____ (4. Salir) a la calle y _____

(5. permanecer) allí hasta que _____ (6. terminar) el temblor.

Al día siguiente el periódico _____ (7. dar) la siguiente

información: _____ (8. ser) un temblor de magnitud 6,

_____ (9. durar) dos minutos y _____ (10. causar)

daños importantes por toda la ciudad.

B   **Una boda.** Empleando el imperfecto de indicativo, completa la descripción de la boda de la hermana de la persona que escribe. (7 puntos)

La iglesia _____ (1. estar) llena de amigos y familiares. Los

novios _____ (2. mirarse) y _____ (3. sonreírse);

se _____ (4. poder) ver que _____ (5. estar-ellos)

muy felices. Yo _____ (6. ser) una de las damas de honor y debo

confesar que _____ (7. sentirse) muy emocionada. La ceremonia

religiosa y luego la recepción fueron muy bonitas.

C   **Un fin de semana de televisión.** Contesta las preguntas que te hace un compañero acerca de los programas de televisión que miraste el fin de semana pasado. Emplea pronombres personales de objeto directo e indirecto en tu respuesta. (5 puntos)

Modelo: ¿Encendiste el televisor el domingo por la mañana?

                Sí, lo encendí. (No, no lo encendí.)

1. ¿Miraste las telenovelas el viernes por la noche?

_____

2. ¿Les mencionaste el programa sobre las ciencias medievales a tus amigos?

_____

3. ¿Pudiste ver la final de tenis en el canal ocho?

_____

4. ¿Miraste las noticias el sábado por la tarde?

_____

5. ¿Le recomendaste el reportaje a un amigo?

_____

D   **Los gustos artísticos.** Con los siguientes grupos de elementos, forma oraciones que describen los gustos artísticos de las personas mencionadas. (5 puntos)

1. Marisol / gustar / cuadros de Renacimiento

_____

2. Wilfredo y Gustavo / agradar / arte medieval

_____

3. mis padres / interesar / arte de España

_____

4. nosotros / encantar / arte del Siglo de Oro

_____

5. mi profesora de arte / entusiasmar / cuadros de Velázquez

_____

E   **Una atleta poco activa.** Beatriz era el miembro más activo del Club Atlético de la ciudad pero últimamente esto ha cambiado. Para saber cómo ha cambiado, completa la narración que aparece a continuación usando estas palabras indefinidas y negativas, según convenga.

algo	**nada**	**siempre**	**jamás**
alguien	**nadie**	**o/o. . .o**	**ni/ni. . .ni**
alguno	**ninguno**	**también**	**tampoco**
alguna vez	**nunca**	**cualquiera**	

Beatriz se inscribió en nuestro club de atletas y era una de los miembros más

activos. _____ (1) miembros creían que era una de las mejores

corredoras del mundo entero. Sin embargo, últimamente no ha venido a

_____ (2) de las prácticas. Es una buena atleta, pero nadie la ha

visto correr recientemente. No usa _____ (3) las pistas de la

universidad _____ (4) el gimnasio para correr ahora.

_____ (5) se ofrece a participar en competiciones. No hace

_____ (6) por el club. Probablemente está muy ocupada con sus

estudios.

IV. Cultura en vivo y Vocabulario

Indica qué palabra o frase de la segunda columna se relaciona mejor con la de la primera. (10 puntos)

_____ 1. balneario

_____ 2. brillante

_____ 3. gemelos

_____ 4. pesar

_____ 5. dibujante

_____ 6. mesón

_____ 7. fresco

_____ 8. parador

_____ 9. exposición

_____ 10. lienzo

a. pintor

b. tela donde pinta un pintor

c. mural

d. hotel

e. exhibición

f. playa

g. condolencia

h. hermanos

i. llamativo

j. fonda

V. Lectura

Autobiografía del cineasta Pedro Almodóvar

Nací en La Mancha hace más de cuatro décadas. Viví los ocho primeros años de mi vida en mi pueblo natal. Me dejaron una huella profunda y fueron el primer indicativo del tipo de vida que no quería para mí. Después me trasladé con mi familia a Extremadura, sin un centavo. Estudié bachillerato elemental y superior, y dactilografía (escribir a máquina). Esto último es lo único que me ha servido en el futuro.

A los dieciséis años rompí con la familia, que me tenía preparado un futuro de oficinista en un banco del pueblo, y me vine a Madrid, a labrarme un presente más de acuerdo con mi naturaleza. Vine decidido a trabajar y estudiar, pero vivir me robaba las veinticuatro horas del día. Aún así tuve que extraer de donde podía ocho horas para trabajar diariamente en la Telefónica, como auxiliar administrativo, durante doce años.

Me compré una cámara súper 8 y empecé a rodar. Hasta ahora, he rodado diez películas en formato comercial y múltiples películas de súper 8. Engordo. Escribo y ruedo películas. Triunfo afuera y aquí. Adelgazo. Y de repente me veo en los años 90. Sigo rodando. No me siento feliz; sin embargo, creo que soy un hombre afortunado.

Adaptado de "Autobiografía de Pedro Almodóvar", *El País*

Pedro Almodóvar. Indica si los siguientes comentarios son ciertos o falsos. (5 puntos)

C   F   **1.** Pedro Almodóvar nació en La Mancha.

C   F   **2.** Al cineasta le gustó el tipo de vida de la Mancha.

C   F   **3.** Su familia quería que él fuera maestro de la escuela del pueblo.

C   F   **4.** Trabajó en la Telefónica de Madrid como auxiliar administrativo durante doce años.

C   F   **5.** Según el artículo, ha filmado diez películas en formato comercial y se cree un hombre afortunado.

VI. Composición

Escribe una composición sobre uno de los siguientes temas. (38 puntos)

a. **"¡Granada, por don Fernando!".** Describe a la reina en el romance "¡Granada, por don Fernando!" ¿Qué tipo de mujer era? ¿Cuáles son algunos aspectos de su personalidad? ¿Cómo crees que era físicamente? Da ejemplos específicos.

b. *Don Quijote en el Mundo 21.* Escribe un breve resumen del episodio que tú escribiste (o estás escribiendo) para la obra titulada *Don Quijote en el Mundo 21.*

c. **"El crimen fue en Granada".** Describe brevemente la muerte de Federico García Lorca, según la describe el poeta español Antonio Machado en su poema "El crimen fue en Granada".

UNIDAD 3
PRUEBA

I. Gente del Mundo 21

Rigoberta Menchú Tum. Escucha la conversación que tienen Marcia, una estudiante latina de EE.UU. que ha llegado recientemente a Guatemala para estudiar por un año, y Teresa, su nueva amiga guatemalteca. Esta conversación tiene lugar después que ambas han visto una entrevista a Rigoberta Menchú en la televisión guatemalteca. Luego, escoge la respuesta que complete mejor cada oración. (5 puntos)

1. A Marcia le gustaría conocer a Rigoberta Menchú en persona porque _____.

    a. es una persona que ahora tiene mucho dinero

    b. es una de las figuras políticas más importantes de Latinoamérica

    c. es una persona de origen humilde que ha superado muchos obstáculos

2. A los veinte años de edad, Rigoberta Menchú decidió aprender _____ para poder contar a otros de la opresión que sufren los pueblos indígenas en Guatemala.

    a. quiché   **b.** español   **c.** francés

3. El libro *Me llamo Rigoberta Menchú y así me nació la conciencia* _____.

    a. fue escrito en español por la propia Rigoberta Menchú

    b. fue producto de entrevistas realizadas a través de varios años en Guatemala con Rigoberta Menchú

    c. fue el resultado de una serie de entrevistas que luego transcribió y editó la escritora venezolana Elizabeth Burgos

4. El libro *Me llamo Rigoberta Menchú y así me nació la conciencia* fue publicado en español en _____.

    a. 1953   **b.** 1973   **c.** 1983

5. En 1992 Rigoberta Menchú recibió el Premio Nobel de _____.

    a. Literatura

    b. Justicia Social

    c. la Paz

II. Historia y cultura

México, Guatemala y El Salvador: raíces de la esperanza. El siguiente ejercicio comprueba si has comprendido las lecturas **Del pasado al presente** y **Ventanas al Mundo 21** que aparecen en las tres lecciones de esta unidad. Escoge la respuesta que complete mejor cada oración. (9 puntos)

1. La capital del imperio azteca era _____.

    a. Teotihuacán   **b.** Tula   **c.** Tenochtitlán

2. Cortés usó el mito _____ para su beneficio, dejando creer a los indígenas que él era el dios mesoamericano que había prometido regresar de la región del oriente.

    a. de El Dorado

    b. de Quetzalcóatl

    c. del Popol Vuh

3. El resultado del levantamiento de los criollos contra el poder de los gachupines fue _____.

    a. la independencia de México y Guatemala en 1821

    b. el establecimiento del Virreinato de la Nueva España

    c. la explotación general de la población indígena

4. El presidente conocido como el Abraham Lincoln mexicano por ser un gran reformador y porque resistió y venció a los invasores franceses es _____.

    a. Benito Juárez

    b. Agustín de Iturbide

    c. Porfirio Díaz

5. Durante el siglo XIX en Guatemala, grandes compañías extranjeras _____.

    a. facilitaron la construcción de ferrocarriles, carreteras y líneas telegráficas

    b. ayudaron a miles de campesinos indígenas a salir de la pobreza

    c. repartieron sus grandes plantaciones entre los campesinos indígenas que las trabajaban

6. El pueblo de Guatemala recuerda a Jacobo Arbenz Guzmán por haber _____.

    a. derrocado al coronel Carlos Castillo Armas con la ayuda de la CIA

    b. echado a compañías extranjeras, como la *United Fruit,* del país

    c. repartido más de un millón de hectáreas a familias campesinas

7. En extensión territorial el país más pequeño de Centroamérica
es ____.

    a. Costa Rica   **b.** Guatemala   **c.** El Salvador

8. En El Salvador, lo que impulsó el desarrollo económico a finales del siglo
XIX, fue la exportación de ____.

    a. café   **b.** bananos   **c.** cacao

9. El título de la pintura de Isaías Mata, *Cipotes en la marcha por la paz,* se
refiere a ____.

    a. soldados jóvenes

    b. la juventud mexicana

    c. niños jóvenes

III. Estructura en contexto

A

Un accidente en la playa. El verano pasado, durante las vacaciones de Isabel,
hubo un accidente en la playa. Para saber qué pasó, completa la siguiente
narración usando el pretérito o el imperfecto, según convenga. (15 puntos)

El verano pasado _____ (1. pasar yo) las vacaciones a orillas del

mar. _____ (2. Vivir) dos semanas en una pensión que

_____ (3. quedar) cerca de la playa. En general,

_____ (4. divertirse) bastante, salvo el día del accidente en la

playa. Ese día, _____ (5. hacer) viento y el mar

_____ (6. estar) muy agitado. No _____ (7. haber)

nadie bañándose porque _____ (8. ser) muy peligroso. De pronto,

un joven imprudente _____ (9. lanzarse) al agua y

_____ (10. salir) mar afuera. Por supuesto, cuando

_____ (11. tratar) de volver no _____ (12. poder)

porque la corriente _____ (13. ser) muy fuerte. Afortunadamente,

los salvavidas _____ (14. lograr) rescatarlo y la aventura

_____ (15. terminar) bien.

B

Los gustos. Habla de los gustos de tus amigos y de los gustos tuyos. Emplea adjetivos y pronombres posesivos como en el modelo. (10 puntos)

Modelo: deporte

Elvira / básquetbol

yo / béisbol

¿Cuál es el deporte favorito de Elvira?

El deporte favorito suyo es el básquetbol. El mío es el béisbol.

1. música

    Carlos / jazz

    yo / rock

    _____

    _____

2. clase

    Miguel y Javier / biología

    tú / historia

    _____

    _____

3. plato mexicano

    Carmen / tamales

    Uds. / enchiladas

    _____

    _____

4. programas

    Sofía / las comedias

    nosotros / los noticiarios

    _____

    _____

5. pasatiempo

    Arturo / coleccionar monedas

    yo / coleccionar sellos

    _____

    _____

C   **Lectura interesante.** Completa la siguiente narración con las preposiciones que faltan para contar tu experiencia con la novela de Laura Esquivel *Como agua para chocolate*. Escribe "X" si no se necesita ninguna preposición. (5 puntos)

Cuando comencé _____ (1) leer la novela *Como agua para chocolate* no pude

_____ (2) cerrar el libro hasta que terminé _____ (3) leerlo. Aunque me gustaron

mucho las recetas de cocina —aprendí _____ (4) cocinar algunos platos— más

me gustó la historia de amor de Tita y Pedro. Cuando tenga tiempo, voy a

volver _____ (5) leer la novela.

D   **Un viaje.** Para saber adónde y cómo piensa viajar esta persona, completa la siguiente narración con las preposiciones **por** o **para**, según convenga. (8 puntos)

Necesito hacer un viaje a Denver, Colorado _____ (1) razones de

familia. Pensaba ir _____ (2) avión, pero creo que voy a ir

_____ (3) tren _____ (4) admirar los bellos

paisajes que se pueden ver. Además, el precio que cobran _____

(5) el boleto es algo más bajo. Tengo que estar allí _____ (6) el

sábado de la semana siguiente, así es que tengo tiempo. Voy a ir a la estación de

tren _____ (7) la tarde _____ (8) comprar el boleto.

IV. Cultura en vivo y Vocabulario

Indica qué palabra o frase de la segunda columna se relaciona mejor con la de la primera. (10 puntos)

_____	**1.** ancianos	**a.** tipo de verdura
_____	**2.** postular	**b.** bienestar
_____	**3.** diputado	**c.** segregación
_____	**4.** apio	**d.** prisionero sin justificación
_____	**5.** buena salud	**e.** afiliación política
_____	**6.** detención arbitraria	**f.** propina
_____	**7.** nopal	**g.** gente mayor
_____	**8.** demócrata	**h.** legislador
_____	**9.** discriminación	**i.** ser candidato
_____	**10.** pilón	**j.** cactus

V. Lectura

Introducción a los testimonios

En su mayoría, estos testimonios fueron recogidos en octubre y en noviembre de 1968. Los estudiantes que quedaron presos dieron sus testimonios en el curso de los dos años siguientes. Este relato les pertenece. Está hecho con sus palabras, sus luchas, sus errores, su dolor y su asombro. Aparecen también sus "aceleradas", su ingenuidad, su confianza. Sobre todo agradezco a las madres, a los que perdieron al hijo, al hermano, el haber accedido a hablar. El dolor es un acto absolutamente solitario. Hablar de él resulta casi intolerable; indagar, horadar, tiene sabor de insolencia.

Este relato recuerda a una madre que durante días permaneció quieta, endurecida bajo el golpe y, de repente, como animal herido —un animal a quien le extraen las entrañas— dejó salir del centro de su vida, de la vida misma que ella había dado, un ronco, un desgarrado grito. Un grito que daba miedo, miedo por el mal absoluto que se le puede hacer a un ser humano; ese grito distorsionado que todo lo rompe, el "ay" de la herida definitiva, la que no podrá cicatrizar jamás, la muerte del hijo.

Aquí está el eco del grito de los que murieron y el grito de los que quedaron. Aquí está su indignación y su protesta. Es el grito mudo que se atoró en miles de gargantas, en miles de ojos desorbitados por el espanto el 2 de octubre de 1968, en la noche de Tlatelolco.

Adaptado de La noche de Tlatelolco de Elena Poniatowska.

La noche de Tlatelolco. Indica si los siguientes comentarios son ciertos o falsos. (6 puntos)

C   F   **1.** Elena Poniatowska recogió la mayoría de los testimonios que publica en su libro *La noche de Tlatelolco* en octubre y noviembre de 1968.

C   F   **2.** Los estudiantes que fueron capturados no tuvieron la oportunidad de dar sus testimonios.

C   F   **3.** Este relato pertenece principalmente a los soldados y policías que participaron en la masacre.

C   F   **4.** En su introducción, Elena Poniatowska les da las gracias a los periodistas de los diarios oficiales por la información que publicaron de una manera honesta.

C F **5.** El relato trata del dolor de una madre cuyo hijo murió en Tlatelolco.

C F **6.** Elena Poniatowska dice que en las páginas de su libro está el eco del grito de las personas que perdieron su vida y el grito de los que sobrevivieron a la masacre del 2 de octubre de 1968.

VI. Composición

Escribe una composición sobre uno de los siguientes temas. (32 puntos)

a. **"Tiempo libre".** Describe al personaje principal de "Tiempo libre", el cuento del escritor mexicano Guillermo Samperio. ¿Qué tipo de personalidad tenía? ¿Cómo era físicamente? ¿Qué tenía por todo el cuerpo? ¿A quién puedes decir que se parece?

b. *Me llamo Rigoberta Menchú...* En el fragmento que estudiaste de la autobiografía *Me llamo Rigoberta Menchú y así me nació la conciencia,* se relata la vida de la abuela paterna de Rigoberta y la de su padre. Describe, en tus propias palabras, la vida de una de estas dos personas, según lo que leíste.

c. **"Los perros mágicos de los volcanes".** Haz un resumen del cuento de Manlio Argueta titulado "Los perros mágicos de los volcanes". ¿Dónde tiene lugar el cuento? ¿Quién no quiere a los cadejos? ¿Por qué? ¿Qué sucede al final del cuento? ¿Cuál es la moraleja de este cuento?

UNIDAD 3

PRUEBA ALTERNATIVA

I.   Gente del Mundo 21

Octavio Paz. Escucha lo que les dice una profesora de literatura latinoamericana a sus alumnos sobre uno de los escritores mexicanos más importantes del siglo XX. Luego, escoge la respuesta que complete mejor cada oración.
(5 puntos)

1. Octavio Paz es uno de los escritores mexicanos más importantes del siglo XX y es conocido por _____.

   a. poemas y ensayos

   b. novelas

   c. obras de teatro

2. Recibió el Premio Nobel de Literatura en _____.

   a. 1970   **b.** 1980   **c.** 1990

3. Publicó su primer libro de poemas, titulado *Luna silvestre,* antes de cumplir los _____.

   a. dieciocho años

   b. veintiún años

   c. treinta años

4. Uno de sus libros de _____ de mayor influencia es *El laberinto de la soledad,* publicado en 1950.

   a. poemas   **b.** cuentos   **c.** ensayos

5. En 1968, en protesta por la represión del gobierno mexicano contra estudiantes, Octavio Paz renunció como _____.

   a. secretario de Educación

   b. embajador de México en India

   c. rector de la Universidad Nacional Autónoma de México

II. Historia y cultura

México: tierra de contrastes. El siguiente ejercicio comprueba si has comprendido las lecturas **Del pasado al presente** y **Ventanas al Mundo 21** que aparecen en las tres lecciones de esta unidad. Escoge la respuesta que complete mejor cada oración. (9 puntos)

1. Los aztecas fundaron la ciudad de _____, que ahora es la capital de México.

   a. Teotihuacán **b.** Tenochtitlán   **c.** Chichén-Itzá

2. En 1950, el presidente guatemalteco que fue elegido democráticamente e inició ambiciosas reformas económicas y sociales fue _____.

   a. Jorge Ubico **b.** Juan José Arévalo **c.** Jacobo Arbenz Guzmán

3. Al final del siglo XIX el cultivo _____ impulsó un considerable desarrollo económico en El Salvador.

   a. del café **b.** del maíz   **c.** del azúcar

4. La palabra *quiché* y el término náhuatl de donde se deriva el nombre del país de Guatemala significan ambos _____.

   a. agua **b.** bosque   **c.** montaña

5. Durante la época colonial, de 1521 a 1821, la Ciudad de México era la capital del _____.

   a. Virreinato de la Nueva España

   b. Virreinato de la Nueva Castilla

   c. Virreinato de Anáhuac

6. En 1932, ocurrió una sangrienta insurrección popular en El Salvador en la cual más de 30.000 personas resultaron muertas. Hasta _____, el propio líder de la insurrección, fue ejecutado.

   a. Óscar Arnulfo Romero

   b. Napoleón Duarte

   c. Agustín Farabundo Martí

7. La mayoría de los guatemaltecos son indígenas de origen _____.

   a. azteca **b.** olmeca   **c.** maya

8. En 1969 se produjo lo que se conoce como "La guerra del fútbol" entre El Salvador y _____.

   a. Nicaragua **b.** Honduras   **c.** Guatemala

9. El político que gobernó México como dictador durante más de treinta años a partir de 1877 es _____.

   a. Benito Juárez **b.** Porfirio Díaz   **c.** Emiliano Zapata

III. Estructura en contexto

A **Una sinopsis.** Completa esta sinopsis del cuento "Tiempo libre" de Guillermo Samperio, con el pretérito o el imperfecto de los verbos que aparecen entre paréntesis, según convenga. (15 puntos)

Todas las mañanas el protagonista _____ (1. salir) a comprar el

periódico muy temprano y siempre _____ (2. mancharse) los

dedos con tinta al leerlo. Pero esa mañana _____ (3. sentir) un

gran malestar en cuanto _____ (4. tocar) el periódico. Él

_____ (5. creer) que no _____ (6. ser) nada serio

y _____ (7. sentarse) a leer el periódico en su sillón favorito.

Pero pronto la tinta del periódico le _____ (8. cubrir) todo

el cuerpo. Él _____ (9. ir) al baño y _____

(10. lavarse) las manos y los brazos pero _____ (11. ser) inútil.

Preocupado, el señor _____ (12. llamar) al médico pero éste

sólo le _____ (13. recomendar) que tomara unas vacaciones.

Al final del cuento, cuando la señora _____ (14. regresar) a

la casa, el hombre _____ (15. estar) en el suelo. Se había con-

vertido en un periódico.

B   **Familias.** La persona que habla compara a la familia de su mejor amigo con su propia familia. Completa el siguiente texto usando las formas apropiadas de los adjetivos o pronombres posesivos. (10 puntos)

Modelo: **Sus** abuelos vinieron de España; **los míos** vinieron de México.

1. _____ padres viven en Colorado; _____ viven

   en Texas.

2. _____ madre es profesora; _____ es empleada

   de banco.

3. _____ padre trabaja para una gran empresa;

   _____ trabaja por cuenta propia.

4. _____ hermanita está en quinto grado; _____

   está en sexto grado.

5. _____ hermano mayor va a asistir a la universidad;

   _____ está en la universidad.

C   **Un día de nieve.** Completa la siguiente narración incluyendo las preposiciones que faltan: **a, con** o **de.** Escribe **X** si no se necesita ninguna preposición. (5 puntos)

Yo acababa _____ (1) desayunar cuando empezó

_____ (2) nevar. Contaba _____ (3) quedarme

en casa, pero era día de clases y tenía que _____ (4) salir a la

escuela. Empecé _____ (5) caminar y durante todo el camino me

quejé de tener que ir a la escuela con el mal tiempo que hacía.

D   **Venta de coche.** La semana pasada Mario puso un aviso en el periódico para vender su coche. Completa la siguiente narración para saber si encontró un comprador. Usa las preposiciones **por** o **para**, según convenga. (8 puntos)

Ayer, _____ (1) fin, pude vender mi coche. El aviso estuvo en el

periódico _____ (2) más de una semana. Ayer un joven me llamó

_____ (3) teléfono _____ (4) informarse del coche

y _____ (5) conducirlo _____ (6) un rato. Me ofre-

ció un buen precio _____ (7) él y se lo llevó. Me dijo que era un

coche ideal _____ (8) él, porque estaba en buenas condiciones y

era económico.

IV. Cultura en vivo y Vocabulario

Indica qué palabra o frase de la segunda columna se relaciona mejor con la de la primera. (10 puntos)

	1. legislador	**a.**	segregación
____	**2.** nopal	**b.**	liberal
____	**3.** hongo	**c.**	igualdad de hombres y mujeres
____	**4.** elote	**d.**	champiñón
____	**5.** derecho básico	**e.**	conseguir una rebaja
____	**6.** control de natalidad	**f.**	tuna
____	**7.** discriminación	**g.**	ofrece mercancía
____	**8.** izquierdista	**h.**	senador
____	**9.** regateo	**i.**	maíz
____	**10.** vendedora	**j.**	derecho de la mujer

V.   Lectura

Descifrando la escritura maya

Los mayas dejaron su historia en piedras y libros hechos de corteza de árbol, pero hasta hace poco, por falta de información, era imposible descifrar la compleja escritura maya.

Hoy, la tercera parte de los 850 caracteres que los mayas usaban para transmitir sus ideas están identificados. Los mayas utilizaron un sistema logosilábico como la escritura jeroglífica del Egipto. Es decir, algunos signos representan objetos, ideas o acciones, y otros representan sonidos.

Para complicar las cosas, aunque todos los mayas nacen de un mismo tronco, se diferencian en muchas tribus. Sólo en Guatemala hay más de veinte grupos indígenas, cada uno con un dialecto propio. Lógicamente, hay muchas variaciones a la hora de escribir estas lenguas.

Adaptado de "¿Quién puede entender esto?", Muy.

La escritura maya. Indica si los siguientes comentarios son ciertos o falsos. (5 puntos)

C F   **1.** Los mayas tenían una lengua escrita.

C F   **2.** Los expertos ahora pueden leer toda la lengua escrita de los mayas.

C F   **3.** La escritura de los mayas es como la escritura de los griegos y los romanos.

C F   **4.** Todas las tribus mayas hablaban el mismo dialecto.

C F   **5.** La escritura maya incluye signos que representan ideas o acciones y otros que representan los sonidos de la lengua.

VI.   Composición

Escribe una composición sobre uno de los siguientes temas. (33 puntos)

a. "Tiempo libre". Describe al personaje principal de "Tiempo libre", el cuento del escritor mexicano Guillermo Samperio. ¿Qué tipo de personalidad tenía? ¿Cómo era físicamente? ¿Qué tenía por todo el cuerpo? ¿A quién puedes decir que se parece?

b. *Me llamo Rigoberta Menchú...* En el fragmento que estudiaste de la autobiografía *Me llamo Rigoberta Menchú y así me nació la conciencia,* se relata la vida de la abuela paterna de Rigoberta y la de su padre. Describe, en tus propias palabras, la vida de una de estas dos personas, según lo que leíste.

c. "Los perros mágicos de los volcanes". Haz un resumen del cuento de Manlio Argueta titulado "Los perros mágicos de los volcanes". ¿Dónde tiene lugar el cuento? ¿Quién no quiere a los cadejos? ¿Por qué? ¿Qué sucede al final del cuento? ¿Cuál es la moraleja de este cuento?

Nombre _____ Fecha _____

Sección _____

I. Gente del Mundo 21

Un poeta cubano. Escucha lo que dicen dos estudiantes de literatura latinoamericana de la Universidad de La Habana sobre uno de los poetas hispanoamericanos más reconocidos del siglo XX. Luego, escoge la respuesta que
complete mejor cada oración. (6 puntos)

1. El poeta Nicolás Guillén nació en 1902, en _____.

   a. La Habana　　　　　　**b.** Santiago　　　　　　**c.** Camagüey

2. Su padre sirvió a la república como _____.

   a. senador　　　　　　**b.** presidente　　　　　　**c.** diputado

3. Sus dos primeros libros, *Motivos del son* de 1930 y *Sóngoro consongo* de
   1931, _____.

   a. tienen versos complejos inspirados en la literatura francesa

   b. tienen versos sencillos inspirados en los ritmos y tradiciones afrocubanos

   c. tienen versos principalmente inspirados en la poesía del Siglo de Oro
   español

4. Uno de los estudiantes cubanos dice que cuando lee los poemas de estos dos
   libros en voz alta _____

   a. casi los puede cantar

   b. se pone a llorar

   c. se le hace muy difícil comprenderlos

5. Durante la dictadura de Fulgencio Batista, de 1952 a 1958, Guillén _____.

   a. fue presidente de la Unión de Escritores y Artistas Cubanos

   b. dejó de escribir poesía

   c. vivió en el exilio

6. Nicolás Guillén murió en _____.

   a. 1949　　　　　　**b.** 1969　　　　　　**c.** 1989

II.   Historia y cultura

El siguiente ejercicio comprueba si has comprendido las lecturas **Del pasado al presente** y **Ventanas al Mundo 21** que aparecen en las tres lecciones de esta unidad. Escoge la respuesta que complete mejor cada oración. (9 puntos)

1. La primera capital del imperio español en América fue _____.

   a. Santo Domingo   **b.** La Habana   **c.** San Juan

2. Los indígenas que habitaban las islas de Cuba, La Española y Puerto Rico eran _____.

   a. los mayas   **b.** los aztecas   **c.** los taínos

3. En 1898, _____.

   a. España cedió a EE.UU. los territorios de Puerto Rico, Guam y las Filipinas

   b. comenzó la primera guerra de la independencia cubana

   c. empezó la ocupación estadounidense de Cuba

4. En la República Dominicana llaman el "padre de la patria" a _____.

   a. José Martí   **b.** Juan Pablo Duarte   **c.** Pedro Santana

5. José Martí, uno de los grandes poetas y pensadores hispanoamericanos del siglo XIX, es reconocido como _____.

   a. el héroe nacional de Cuba

   b. el precursor del surrealismo en la poesía

   c. un revolucionario comunista

6. En 1917 el Congreso de EE.UU. pasó la Ley Jones que _____.

   a. cedió Puerto Rico, Cuba y otras islas a EE.UU.

   b. declaró ciudadanos estadounidenses a todos los residentes de la isla de Puerto Rico

   c. cedió la totalidad de la isla de La Española a Francia

7. El dictador Rafael Leónidas Trujillo gobernó la República Dominicana durante _____.

   a. una década   **b.** dos décadas   **c.** tres décadas

8. Los cubanos usan bicicletas como medio de transporte por falta de _____.

   a. guaguas que funcionan

   b. petróleo importado

   c. autos nuevos

9. Un gran número de beisbolistas profesionales en EE.UU. son ____.

   a. puertorriqueños

   b. cubanos

   c. dominicanos

III. Estructura en contexto

A

Juan Luis Guerra. Expresa los siguientes datos acerca del merenguero dominicano Juan Luis Guerra usando el presente perfecto. (10 puntos)

1. Juan Luis Guerra ayuda a los dominicanos pobres.

   _____

   _____

2. Muchos latinoamericanos conocen a este cantante dominicano.

   _____

   _____

3. Este cantante vende millones de discos.

   _____

   _____

4. Juan Luis Guerra grabó algunas canciones para el álbum *Ojalá que llueva café*.

   _____

   _____

5. Juan Luis Guerra admira a poetas como Federico García Lorca y Pablo Neruda.

   _____

   _____

B   **Tenemos visitas.** Unos primos vienen a visitar a tu familia durante el verano. Quieren saber qué se hace en tu ciudad para divertirse los fines de semana. Contesta usando la construcción del **se** pasivo. (5 puntos)

1. escuchar música

_____

2. salir con los amigos

_____

3. bailar en las discotecas

_____

4. organizar una fiesta

_____

5. hacer excursiones

_____

C   **¡Un huracán!** Según un miembro de la defensa civil, ¿qué es importante que ustedes hagan para estar preparados en caso de un alerta de huracán? Contesta usando las expresiones impersonales **Es necesario que (nosotros)..., Es importante que (nosotros)... y Es bueno que (nosotros)...** (5 puntos)

1. llenar el tanque de gasolina del coche

_____

2. poner agua limpia en la bañera

_____

3. congelar botellas de agua

_____

4. saber dónde está la linterna

_____

5. tener un radio en buenas condiciones

_____

D   **Pretextos.** Tú quieres ir a un concierto de Juan Luis Guerra el sábado, pero ninguno de tus amigos te puede acompañar. ¿Qué pretextos buscan? (5 puntos)

1. Es importante que _____ (terminar) un trabajo de investigación esa noche.

2. Es seguro que _____ (no regresar) hasta el domingo.

3. Creo que _____ (tener) que cuidar a mi hermanita esa noche.

4. Dudo que _____ (estar) libre porque tengo cita con mi novio(a) esa noche.

5. Sé que _____ (ir) a trabajar esa noche.

E   **Hay que cuidarse.** ¿Qué recomendaciones generales les hacen los cardiólogos a sus pacientes? Para saber cuáles son, completa estas oraciones con mandatos formales plurales. (5 puntos)

1. _____ (Hacerse) exámenes médicos regularmente.

2. No _____ (subir) de peso.

3. _____ (Comer) con moderación.

4. _____ (Seguir) una dieta equilibrada.

5. No _____ (consumir) demasiados productos grasos.

F   **Sugerencias.** Un amigo que no recibe muy buenas notas quiere que lo aconsejes. Usa mandatos informales para darle consejos. (5 puntos)

1. _____ (Hablar) con tus profesores.

2. _____ (Pedirles) ayuda.

3. _____ (Leer) la lección con atención.

4. _____ (Hacer) una lista de tus dudas.

5. _____ (Reunirse) con otros compañeros para estudiar.

IV. Cultura en vivo y Vocabulario

Indica qué palabra o frase de la segunda columna se relaciona mejor con cada
una de la primera. (10 puntos)

_____	**1.** factura	**a.**	llegar
_____	**2.** batazo	**b.**	juego
_____	**3.** merengue	**c.**	nota de compras
_____	**4.** cadencia	**d.**	jardinero
_____	**5.** lanzador	**e.**	hacer un jit
_____	**6.** aduana	**f.**	instrumento musical
_____	**7.** guardabosque	**g.**	ritmo
_____	**8.** aterrizar	**h.**	donde se registran las maletas
_____	**9.** partido	**i.**	baile
_____	**10.** chequere	**j.**	tirar la pelota

V.   Lectura

El Morro

El famoso Castillo de San Felipe del Morro, conocido popularmente como El Morro, se levanta a la entrada de la bahía de San Juan. La importancia estratégica de Puerto Rico obligó a los españoles a construir El Morro en 1591 para proteger a la ciudad de San Juan de los frecuentes ataques de piratas. Algunos años más tarde, en 1625, se construyó la fortaleza de San Cristóbal en la parte nordeste de la ciudad.

En 1595, Puerto Rico sufrió un ataque de Sir Francis Drake, pero éste no pudo tomar la ciudad de San Juan. En 1625, una armada holandesa incendió San Juan aunque no consiguió capturar la fortaleza de El Morro.

Los gruesos muros de piedra de El Morro permitían el desplazamiento de cañones. Aunque El Morro sigue siendo una imponente fortificación, ahora se ha convertido en uno de los lugares más visitados por turistas y se ha convertido en el símbolo de la ciudad de San Juan y del espíritu de resistencia de los puertorriqueños.

El Morro. Indica si los siguientes comentarios son ciertos o falsos. (5 puntos)

C   F   **1.** El castillo de El Morro se levanta en una colina a unas diez millas de la bahía de San Juan.

C   F   **2.** Los españoles construyeron la fortaleza de El Morro en 1591 para proteger la ciudad de los ataques de piratas.

C   F   **3.** En 1595, Sir Francis Drake logró ocupar la ciudad de San Juan.

C   F   **4.** Tres años más tarde, en 1598, una armada holandesa capturó e incendió la fortaleza de El Morro.

C   F   **5.** El Morro se ha convertido en el símbolo de la ciudad de San Juan.

VI. Composición

Escribe una composición sobre uno de los siguientes temas. (35 puntos)

a. *Versos sencillos.* ¿Qué relación hay entre los *Versos sencillos* de José Martí y la vida del poeta cubano? ¿Qué revelan los versos de la personalidad del poeta? Escribe un breve ensayo relacionando la vida del poeta a su obra.

b. **"El diario inconcluso".** Explica el título del cuento "El diario inconcluso" del popular escritor dominicano Virgilio Díaz Grullón. ¿Por qué quedó el diario sin terminar? ¿Qué crees que le pasó a la persona que lo escribió? ¿Lo terminará alguna vez? ¿Por qué?

c. **"Oh, sey can yu si bai de don-serly lai..."** ¿Era buen maestro Wayne Rodríguez, el protagonista de la novela *Raquelo tiene un mensaje,* del autor puertorriqueño Jaime Carrero? ¿Crees que hizo bien en insistir que los niños de la escuela no cantaran el himno de EE.UU. sin entender todo lo que cantaban? Expresa tu opinión y defiéndela.

UNIDAD 4
PRUEBA ALTERNATIVA

I. Gente del Mundo 21

Un controvertido líder cubano. Escucha lo que dice un profesor de historia latinoamericana sobre el líder cubano Fidel Castro. Luego, escoge la respuesta que complete mejor cada oración. (5 puntos)

1. Fidel Castro fue educado en escuelas católicas y se graduó en la Universidad de La Habana especializándose en ____.

    a. derecho

    b. medicina

    c. ciencias militares

2. El 26 de julio de 1956, Castro fracasó en su intento de tomar una instalación militar llamada Moncada en la ciudad de ____.

    a. Santiago

    b. La Habana

    c. México

3. En 1956, Fidel Castro dirigió la lucha contra el presidente de Cuba, ____.

    a. Antonio Machado

    b. Rafael Leónidas Trujillo

    c. Fulgencio Batista

4. Fidel Castro ha estado en el poder en Cuba desde ____.

    a. 1949

    b. 1959

    c. 1969

5. Fidel Castro es un líder controvertido ____.

    a. que ha permitido el establecimiento de partidos políticos de oposición en Cuba

    b. que ha reestablecido relaciones diplomáticas con EE.UU.

    c. que no ha permitido ninguna oposición a su gobierno en la isla

II. Historia y cultura

El siguiente ejercicio comprueba si has comprendido las lecturas **Del pasado al presente** y **Ventanas al Mundo 21** que aparecen en las tres lecciones de esta unidad. Escoge la respuesta que complete mejor cada oración. (9 puntos)

1. Debido al exterminio de la población nativa y la necesidad de trabajadores para el cultivo de la caña de azúcar, los españoles decidieron importar en el siglo XVI _____.

   a. esclavos africanos

   b. esclavos taínos de La Española

   c. esclavos mayas de Yucatán

2. En 1492, Cristóbal Colón le dio el nombre de _____ a la isla donde ahora se encuentra la República Dominicana.

   a. Isabela   **b.** Santo Domingo   **c.** La Española

3. Los taínos, que vivían allí antes de 1492, llamaban a la isla que ahora se conoce como Puerto Rico, _____.

   a. Mayagüez   **b.** Borinquen   **c.** Quisqueya

4. José Martí vivió más de quince años en _____ y escribió la mayoría de sus obras allí.

   a. Nueva York   **b.** Madrid   **c.** México

5. La ciudad de Santo Domingo fue fundada en 1496 por _____.

   a. Cristóbal Colón

   b. Diego Colón, hijo de Cristóbal Colón

   c. Bartolomé Colón, hermano de Cristóbal Colón

6. El conquistador español que fue el fundador de Caparra (el antiguo nombre de la ciudad de San Juan en Puerto Rico) es _____.

   a. Diego Velázquez

   b. Juan Ponce de León

   c. Hernán Cortés

7. Los refugiados cubanos conocidos como "marielitos" se llaman así porque en 1980 _____.

   a. salieron de una provincia cubana llamada Mariel

   b. salieron de Cuba en la celebración de San Mariel

   c. salieron del puerto cubano de Mariel

8. Un deporte muy popular en la República Dominicana y para el cual muchos jugadores dominicanos son contratados por equipos profesionales en EE.UU. es ____.

   a. el baloncesto   **b.** el béisbol   **c.** el fútbol

9. Felisa Rincón de Gautier ____.

   a. es la única mujer que votó en Puerto Rico en 1932

   b. se jubiló a los sesenta años y ahora vive en San Juan

   c. transformó a Puerto Rico en un país industrial

III. Estructura en contexto

A   **La clase de gramática.** La profesora quiere que vuelvan a escribir estos datos de la historia de Cuba usando el presente perfecto. (10 puntos)

1. Los españoles destruyeron el barco estadounidense *Maine*.

   _____

   _____

2. Estados Unidos atacó a España.

   _____

   _____

3. La armada estadounidense derrotó a la armada española.

   _____

   _____

4. Estados Unidos y España firmaron el Tratado de París.

   _____

   _____

5. España cedió Puerto Rico y otros territorios a Estados Unidos.

   _____

   _____

B **Información.** Tú estás de visita en Cuba y necesitas saber dónde se puede hacer lo siguiente. Escribe la pregunta que debes hacer. Usa el **se** pasivo en tus preguntas. (5 puntos)

1. cambiar / cheques de viajero

_____

2. tomar / tren

_____

3. vender / rollos de película

_____

4. comprar / periódico

_____

5. conseguir / mapas de la zona

_____

C **La clase de español.** ¿Qué es importante que ustedes hagan para estar preparados en la clase de español? Contesta usando las expresiones impersonales **Es necesario que (nosotros)..., Es importante que (nosotros)...** y **Es bueno que (nosotros)...** (5 puntos)

1. no hablar todos a la vez

_____

2. no hacer demasiado ruido

_____

3. traer las tareas hechas todos los días

_____

4. poner atención en clase

_____

5. saber los verbos irregulares

_____

D **Puerto Rico.** Los estudiantes expresan diversas opiniones e ideas acerca de Puerto Rico. Para saber lo que dicen, forma oraciones con los elementos dados. Escoge el presente de indicativo o de subjuntivo de los verbos. (5 puntos)

1. es malo: Puerto Rico / no tener mucha tierra cultivable

_____

_____

2. me parece: el español ser una lengua oficial

_____

_____

3. dudo: los puertorriqueños tener los mismos derechos que los ciudadanos de los Estados Unidos

_____

_____

4. creo: un gobernador administrar la Isla

_____

_____

5. es sorprendente: los puertorriqueños tener que hacer el servicio militar como los ciudadanos estadounidenses

_____

_____

E **Para buscar trabajo.** Tú y un amigo necesitan conseguir trabajo este verano. ¿Qué consejos les da el consejero? Usa mandatos formales en tus respuestas. (5 puntos)

1. decidir qué tipo de trabajo les interesa

_____

2. leer las ofertas de empleo en el periódico

_____

3. ir a algunas agencias de empleo

_____

4. comunicarse con el jefe de personal de las compañías que les interesan

_____

5. vestirse con esmero para las entrevistas

_____

F   **Se vende coche.** Tu mejor amigo quiere vender su coche. ¿Qué consejos le das? Usa mandatos informales en tus respuestas. (5 puntos)

1. poner un aviso en el periódico

_____

2. decirles a tus amigos que tu coche está en venta

_____

3. lavarlo y limpiarlo bien por dentro y por fuera

_____

4. no venderlo demasiado caro ni demasiado barato

_____

5. no aceptar ningún cheque personal

_____

IV.   Cultura en vivo y Vocabulario

Indica qué palabra o frase de la segunda columna se relaciona mejor con la de la primera. (10 puntos)

_____ **1.** jardinero   **a.** lanzar

_____ **2.** apellido   **b.** barco

_____ **3.** compás   **c.** contrabando

_____ **4.** aduana   **d.** volarse la cerca

_____ **5.** tirar   **e.** boleto de compra

_____ **6.** factura   **f.** cadencia

_____ **7.** hacer un cuadrangular   **g.** mambo

_____ **8.** registrar las maletas   **h.** pasaporte

_____ **9.** deporte de vela   **i.** guardabosque

_____ **10.** rumba   **j.** nombre de familia

V.   Lectura

Los dominicanos en EE.UU.

Desde la Segunda Guerra Mundial se ha acelerado el proceso de emigración de dominicanos que se dirigen hacia EE.UU. Más de medio millón de dominicanos han emigrado legalmente a este país durante este período. A diferencia de sus vecinos puertorriqueños que son ciudadanos de EE.UU., los dominicanos tienen que hacer trámites para entrar a EE.UU. Cada año más de 40.000 dominicanos reciben visas que les permiten ingresar a EE.UU. para reunirse con sus familiares que son ciudadanos estadounidenses o residentes legales en EE.UU.

En la Ciudad de Nueva York se ha establecido la mayor concentración de dominicanos después de Santo Domingo, la capital de la República Dominicana. Los dominicanos son ahora la segunda comunidad hispana en población de la Ciudad de Nueva York, después de los puertorriqueños. En el barrio dominicano neoyorquino, la música y el sabor de la cultura dominicana vibran por todas partes.

Los dominicanos en EE.UU. Indica si los siguientes comentarios son ciertos o falsos. (5 puntos)

C   **F**   1.   Durante los últimos cincuenta años más de medio millón de dominicanos han emigrado legalmente a EE.UU.

C   **F**   2.   Como los puertorriqueños, los dominicanos pueden entrar y salir de EE.UU. sin necesidad de visas.

C   **F**   3.   Cada año más de 40.000 dominicanos reciben visas para reunirse en EE.UU. con sus familiares que son ciudadanos estadounidenses o residentes legales de EE.UU.

C   **F**   4.   En la Ciudad de Nueva York viven más dominicanos que en Santo Domingo, capital de la República Dominicana.

C   **F**   5.   Ahora, la comunidad dominicana es la comunidad hispana más grande de la Ciudad de Nueva York.

VI. Composición

Escribe una composición sobre uno de los siguientes temas. (36 puntos)

a. *Versos sencillos.* ¿Qué relación hay entre los *Versos sencillos* de José Martí y la vida del poeta cubano? ¿Qué revelan los versos de la personalidad del poeta? Escribe un breve ensayo relacionando la vida del poeta a su obra.

b. **"El diario inconcluso".** Explica el título del cuento "El diario inconcluso" del popular escritor dominicano Virgilio Díaz Grullón. ¿Por qué quedó el diario sin terminar? ¿Qué crees que le pasó a la persona que lo escribió? ¿Lo terminará alguna vez? ¿Por qué?

c. **"Oh, sey can yu si bai de don-serly lai..."** ¿Era buen maestro Wayne Rodríguez, el protagonista de la novela *Raquelo tiene un mensaje,* del autor puertorriqueño Jaime Carrero? ¿Crees que hizo bien en insistir que los niños de la escuela no cantaran el himno de EE.UU. sin entender todo lo que cantaban? Expresa tu opinión y defiéndela.

I. Comprensión oral

Las tres hispanidades. Escucha lo que dicen dos estudiantes después de ver una serie de programas culturales grabados para la televisión por el escritor mexicano Carlos Fuentes. Luego, escoge la respuesta que complete mejor cada oración. (18 puntos-3 c.u.)

1. La serie de cinco programas que grabó Carlos Fuentes para la televisión se titula _____.

 a. *El encuentro de tres mundos*

 b. *El espejo enterrado: reflexiones sobre España y el Nuevo Mundo*

 c. *La realidad multicultural del mundo hispánico*

2. El programa de la serie que más le gustó a Inés se llama _____.

 a. "Las tres hispanidades"

 b. "El precio de la libertad"

 c. "Tres mundos"

3. La primera hispanidad surge en _____.

 a. el mar Caribe   **b.** Norteamérica   **c.** la Península Ibérica

4. Según Carlos Fuentes, en los últimos veinte años España se ha convertido en _____.

 a. una nación donde la agricultura sigue siendo la actividad económica principal

 b. una nación moderna, industrial y democrática

 c. una dictadura con apariencia de democracia

5. En la actualidad, Latinoamérica o la segunda hispanidad es una región _____.

 a. donde la mayoría de la población vive en ciudades

 b. donde la cultura tradicional sigue intacta y sin cambios

 c. que no ha sido afectada ni por la urbanización ni por la industrialización

6. La tercera hispanidad está formada por _____.

 a. los mestizos que viven por toda Latinoamérica

 b. todos los hispanos que viven fuera de Latinoamérica

 c. todos los hispanos que viven en EE.UU.

II. Gente del Mundo 21

Comprueba si recuerdas a las personalidades que has conocido en las Unidades 1–4. Escoge la respuesta que complete mejor cada oración (18 puntos-2 c.u.)

1. Considerado el iniciador del teatro chicano, el fundador del Teatro Campesino en 1965 es _____.

   a. Luis Valdez

   b. Edward James Olmos

   c. Cheech Marín

2. La única persona que ha ganado los cuatro premios más prestigiosos del mundo del espectáculo —el "Óscar", el "Emmy", el "Tony" y el "Grammy"— es _____.

   a. Rosie Pérez   b. Chita Rivera   c. Rita Moreno

3. El escritor cubanoamericano _____ fue galardonado con el Premio Pulitzer de Ficción en 1990 y es conocido como uno de los mejores escritores de su generación. Su novela *Los reyes del mambo tocan canciones de amor* (1989) fue llevada al cine con mucho éxito con el título de *The Mambo Kings*.

   a. Xavier Suárez   b. Óscar Hijuelos   c. Andy García

4. El pintor español Pablo Picasso (1881–1973) es considerado uno de los creadores del _____.

   a. realismo

   b. surrealismo

   c. cubismo

5. Los artistas mexicanos reconocidos como dos de los más importantes del siglo XX, él, en particular, por sus maravillosos murales y ella, por sus retratos y autorretratos, son _____.

   a. Luis Miguel y Alejandra Guzmán

   b. Diego Rivera y Frida Kahlo

   c. Carlos Fuentes y Elena Poniatowska

6. La publicación de su biografía en 1983 la hizo famosa por todo el mundo y en 1992, la guatemalteca _____ recibió el Premio Nobel de la Paz.

   a. Rigoberta Menchú

   b. Nancy Morejón

   c. Gabriela Mistral

7. _____ es un pintor cubano mundialmente reconocido, cuyas pinturas reflejan la tradición africana.

   a. Nicolás Guillén

   b. Wilfredo Lam

   c. Eliseo Diego

8. El tímido compositor e intérprete dominicano de melódicos merengues, tremendamente popular en Latinoamérica, EE.UU. y España, es _____.

   a. Juan Luis Guerra

   b. Joaquín Balaguer

   c. José Rijo

9. El Generalísimo Francisco Franco gobernó España hasta su muerte en 1975, cuando el príncipe _____ tomó el poder.

   a. Miguel de Unamuno

   b. Juan Carlos de Borbón

   c. Carlos IV

III. Del pasado al presente

Comprueba si recuerdas lo que has leído en las secciones **Del pasado al presente** de las Unidades 1–4. Escoge la respuesta que complete mejor cada oración. (34 puntos-2 c.u.)

1. El Tratado de Guadalupe-Hidalgo, que se firmó en 1848, terminó la guerra entre ____.

   a. España y EE.UU.   **b.** México y EE.UU.   **c.** México y España

2. La palabra "chicano" hace referencia a un origen ____.

   a. indígena   **b.** hispano   **c.** español

3. En la ciudad de Nueva York viven ____ en San Juan, la capital de Puerto Rico.

   a. más puertorriqueños que

   b. menos puertorriqueños que

   c. casi tantos puertorriqueños como

4. Tanto los puertorriqueños que viven en la isla de Puerto Rico como los que viven en el continente ____.

   a. pueden votar en las elecciones presidenciales de EE.UU.

   b. tienen que pagar impuestos federales

   c. pueden ser llamados a servir en las fuerzas armadas de EE.UU.

5. De todos los hispanos que viven en EE.UU., los que han logrado mayor prosperidad económica son ____.

   a. los puertorriqueños

   b. los cubanoamericanos

   c. los chicanos

6. La constitución española de 1978 refleja la diversidad de España al designarla como ____.

   a. un Estado de Autonomías

   b. una democracia

   c. una federación

7. Dos pintores importantes del Siglo de Oro español son ____.

   a. El Greco y Diego Velázquez

   b. Pablo Picasso y Salvador Dalí

   c. Antonio Gaudí y Pedro Almodóvar

8. La España del rey Juan Carlos I se caracteriza por ser un país _____.

   a. económicamente desarrollado, con instituciones democráticas consolidadas

   b. donde el gobierno controla la vida política y social mediante la prohibición de los partidos políticos, la censura y la vigilancia estricta

   c. sumergido en una constante lucha entre liberales y reaccionarios, con frecuentes rebeliones populares y guerras de guerrillas

9. Tenochtitlán fue fundada en 1325 por los _____, en el lugar que hoy ocupa el centro de la Ciudad de México.

   a. teotihuacanos   **b.** mayas   **c.** aztecas

10. El movimiento social que empezó en 1910 en México y que llevó a la proclamación de una nueva constitución, es _____.

   a. el "porfiriato"

   b. la Revolución Mexicana

   c. la invasión francesa

11. La mayoría de los guatemaltecos son indígenas de origen _____.

   a. azteca   **b.** olmeca   **c.** maya

12. Desde la muerte de Franco, la participación de las mujeres españolas en la educación y en las profesiones _____.

   a. ha disminuido

   b. ha aumentado mucho

   c. ha permanecido igual

13. El héroe nacional de Cuba que vivió más de quince años en Nueva York y escribió la mayoría de sus obras allí es _____.

   a. Fidel Castro

   b. Fulgencio Batista

   c. José Martí

14. En diciembre de 1958, Fidel Castro provocó la caída _____.

   a. del comunismo en Cuba

   b. de Fulgencio Batista

   c. de la Bahía de Cochinos

15. Se calcula que antes de 1492 había alrededor de un millón de taínos y cincuenta años más tarde esta población indígena había sido reducida a menos de quinientas personas en ____, la primera colonia española de América.

    a. La Española

    b. Cuba

    c. Puerto Rico

16. El dictador que dominó la República Dominicana durante más de tres décadas es ____.

    a. José Núñez de Cáceres

    b. Rafael Leónidas Trujillo

    c. Juan Pablo Duarte

17. La constitución aprobada en 1952 convirtió a Puerto Rico en ____.

    a. el estado número cincuenta y uno de EE.UU.

    b. un Estado Libre Asociado de EE.UU.

    c. un país independiente

IV. Estructura

A

Mi rutina. Habla de tu vida diaria. Escoge el presente de indicativo o subjuntivo de los verbos que aparecen entre paréntesis. (15 puntos)

_____ (1. Creer) que _____ (2. tener) una vida muy interesante. _____ (3. levantarse) temprano,

_____ (4. ducharse), _____ (5. arreglarse) y

_____ (6. salir) para mis clases. _____ (7. Ser) necesario que _____ (8. salir) antes de las siete para llegar

puntualmente. _____ (9. Dudar) que _____

(10. ser) un(a) estudiante excelente, pero siempre _____

(11. sacar) buenas notas. A mis amigos les _____ (12. sorprender) que me _____ (13. gustar) la física porque todos

_____ (14. decir) que _____ (15. ser) una materia

muy difícil.

B

Sonsonate. Completa la siguiente narración para conocer una ciudad salvadoreña. Completa el párrafo escogiendo las formas verbales correctas de los verbos que aparecen entre paréntesis. (15 puntos)

Hoy _____ (1. ser / estar) lunes y _____ (2. ser / estar) en San Salvador, la capital de El Salvador. _____ (3. Ser / Estar) aquí dos semanas y media. Ayer _____ (4. pasar) todo el día en Sonsonate, una ciudad salvadoreña que _____ (5. ser / estar) a unos sesenta kilómetros de San Salvador. _____ (6. Ir) a Sonsonate porque _____ (7. querer) conocer una ciudad más pequeña que la capital. _____ (8. Hacer) el viaje en autobús. Al llegar, _____ (9. dar) un paseo rápido por el centro. Luego, _____ (10. ir) al mercado donde _____ (11. comprar) un maletín de cuero. _____ (12. Visitar) el salto de agua del río Sensunayán. En la tarde, _____ (13. estar) cansado, pero muy contento. _____ (14. Creer) que _____ (15. ser) una buena idea ir a Sonsonate.

V. Composición (optativa)

1. **Hispanos en Estados Unidos.** Escoge uno de los siguientes temas para escribir una composición. Apoya tus opiniones con ejemplos específicos. ¿Hasta qué punto son los hispanos en Estados Unidos producto directo de los países que has estudiado: España, México, Guatemala, El Salvador, Cuba, la Repúbica Dominicana y Puerto Rico? ¿Hasta qué punto se han alejado totalmente de sus orígenes? Escribe una composición al contestar estas preguntas. (50 puntos)

2. **EE.UU., España, México, Guatemala, El Salvador, Puerto Rico, Cuba y la República Dominicana.** ¿Qué tienen en común estos países? ¿En cuántos grupos dividirías estos países? ¿Por qué? ¿Hay países que deben quedar solos, sin agruparse? Si es así, ¿qué países serían y por qué no formarían parte de un grupo?

Nombre _____ Fecha _____

Sección _____

I. Comprensión oral

Indica la respuesta correcta. (18 puntos-3 c.u.)

1.	a	b	c	**4.**	a	b	c
2.	a	b	c	**5.**	a	b	c
3.	a	b	c	**6.**	a	b	c

Total _____

Nota final _____

II. Gente del Mundo 21

Indica la respuesta correcta. (18 puntos-2 c.u.)

1.	a	b	c	**6.**	a	b	c
2.	a	b	c	**7.**	a	b	c
3.	a	b	c	**8.**	a	b	c
4.	a	b	c	**9.**	a	b	c
5.	a	b	c				

III. Del pasado al presente

Indica la respuesta correcta. (34 puntos-2 c.u.)

1.	a	b	c	**10.**	a	b	c
2.	a	b	c	**11.**	a	b	c
3.	a	b	c	**12.**	a	b	c
4.	a	b	c	**13.**	a	b	c
5.	a	b	c	**14.**	a	b	c
6.	a	b	c	**15.**	a	b	c
7.	a	b	c	**16.**	a	b	c
8.	a	b	c	**17.**	a	b	c
9.	a	b	c				

IV.   Estructura

A

Mi rutina. Indica la respuesta correcta. (15 puntos)

1. Creo — Crea
2. tengo — tenga
3. Me levanto — Me levante
4. me ducho — me duche
5. me arreglo — me arregle
6. salgo — salga
7. Es — Sea
8. salgo — salga
9. Dudo — Dude
10. soy — sea
11. saco — saque
12. sorprende — sorprenda
13. gusta — guste
14. dicen — digan
15. es — sea

B

Sonsonate. Indica la respuesta correcta. (15 puntos)

1. es — está
2. soy — estoy
3. He sido — He estado
4. pasé — pasaba
5. es — está
6. Fui — Iba
7. quise — quería
8. Hice — Hacía
9. di — daba
10. fui — iba
11. compré — compraba
12. Visité — Visitaba
13. estaba — estuve
14. Creo — Crea
15. fue — era

UNIDADES 1–4

EXAMEN ALTERNATIVO

I.   Comprensión oral

Las tres hispanidades. Escucha lo que dicen dos estudiantes después de ver una serie de programas culturales grabados para la televisión por el escritor mexicano Carlos Fuentes. Luego, escoge la respuesta que complete mejor cada oración. (18 puntos-3 c.u.)

1. La tercera hispanidad está formada por _____.

   a. los mestizos que viven por toda Latinoamérica

   b. todos los hispanos que viven fuera de Latinoamérica

   c. todos los hispanos que viven en EE.UU.

2. En la actualidad, Latinoamérica o la segunda hispanidad es una región _____.

   a. donde la mayoría de la población vive en ciudades

   b. donde la cultura tradicional sigue intacta y sin cambios

   c. que no ha sido afectada ni por la urbanización ni por la industrialización

3. Según Carlos Fuentes, en los últimos veinte años España se ha convertido en _____.

   a. una nación donde la agricultura sigue siendo la actividad económica principal

   b. una nación moderna, industrial y democrática

   c. una dictadura con apariencia de democracia

4. La primera hispanidad surge en _____.

   a. el mar Caribe

   b. Norteamérica

   c. la Península Ibérica

5. El programa de la serie que más le gustó a Inés se llama _____.

   a. "Las tres hispanidades"

   b. "El precio de la libertad"

   c. "Tres mundos"

6. La serie de cinco programas que grabó Carlos Fuentes para la televisión se titula _____.

   a. *El encuentro de tres mundos*

   b. *El espejo enterrado: reflexiones sobre España y el Nuevo Mundo*

   c. *La realidad multicultural del mundo hispánico*

II. Gente del Mundo 21

Comprueba si recuerdas a las personalidades que has conocido en las unidades 1–4. Escoge la respuesta que complete mejor cada oración. (18 puntos-2 c.u.)

1. La publicación de su biografía en 1983 la hizo famosa por todo el mundo y en 1992, la guatemalteca _____ recibió el Premio Nobel de la Paz.

   a. Rigoberta Menchú

   b. Nancy Morejón

   c. Gabriela Mistral

2. Los artistas mexicanos reconocidos como dos de los más importantes del siglo XX, él, en particular, por sus maravillosos murales y ella, por sus retratos y autorretratos, son _____.

   a. Luis Miguel y Alejandra Guzmán

   b. Diego Rivera y Frida Kahlo

   c. Carlos Fuentes y Elena Poniatowska

3. El pintor español Pablo Picasso (1881–1973) es considerado uno de los creadores del _____.

   a. realismo

   b. surrealismo

   c. cubismo

4. El escritor cubanoamericano _____ fue galardonado con el Premio Pulitzer de Ficción en 1990 y es conocido como uno de los mejores escritores de su generación. Su novela *Los reyes del mambo tocan canciones de amor* (1989) fue llevada al cine con mucho éxito con el título de *The Mambo Kings*.

   a. Xavier Suárez   b. Óscar Hijuelos   c. Andy García

5. La única persona que ha ganado los cuatro premios más prestigiosos del mundo del espectáculo —el "Óscar", el "Emmy", el "Tony" y el "Grammy"— es _____.

   a. Rosie Pérez   b. Chita Rivera   c. Rita Moreno

6. Considerado el iniciador del teatro chicano, el fundador del Teatro Campesino en 1965 es _____.

   a. Luis Valdez

   b. Edward James Olmos

   c. Cheech Marín

7. El Generalísimo Francisco Franco gobernó España hasta su muerte en 1975, cuando el príncipe _____ tomó el poder.

    a. Miguel de Unamuno

    b. Juan Carlos de Borbón

    c. Carlos IV

8. _____ es un pintor cubano mundialmente reconocido, cuyas pinturas reflejan la tradición africana.

    a. Nicolás Guillén

    b. Wilfredo Lam

    c. Eliseo Diego

9. El tímido compositor e intérprete dominicano de melódicos merengues, tremendamente popular en Latinoamérica, EE.UU. y España es _____.

    a. Juan Luis Guerra

    b. Joaquín Balaguer

    c. José Rijo

III. Del pasado al presente

Comprueba si recuerdas lo que has leído en las secciones **Del pasado al presente** de la unidades 1–4. Escoge la respuesta que complete mejor cada oración. (34 puntos-2 c.u.)

1. Dos pintores importantes del Siglo de Oro español son ____.

   a. El Greco y Diego Velázquez

   b. Pablo Picasso y Salvador Dalí

   c. Antonio Gaudí y Pedro Almodóvar

2. La constitución española de 1978 refleja la diversidad de España al designarla como ____.

   a. un Estado de Autonomías

   b. una democracia

   c. una federación

3. De todos los hispanos que viven en EE.UU., los que han logrado mayor prosperidad económica son ____.

   a. los puertorriqueños

   b. los cubanoamericanos

   c. los chicanos

4. Tanto los puertorriqueños que viven en la isla de Puerto Rico como los que viven en el continente ____.

   a. pueden votar en las elecciones presidenciales de EE.UU.

   b. tienen que pagar impuestos federales

   c. pueden ser llamados a servir en las fuerzas armadas de EE.UU.

5. En la Ciudad de Nueva York viven ____ en San Juan, la capital de Puerto Rico.

   a. más puertorriqueños que

   b. menos puertorriqueños que

   c. casi tantos puertorriqueños como

6. La palabra "chicano" hace referencia a un origen ____.

   a. indígena   **b.** hispano   **c.** español

7. El Tratado de Guadalupe-Hidalgo, que se firmó en 1848, terminó la guerra entre ____.

   a. España y EE.UU.   **b.** México y EE.UU.   **c.** México y España

8. En diciembre de 1958, Fidel Castro provocó la caída _____.

    a. del comunismo en Cuba

    b. de Fulgencio Batista

    c. de la Bahía de Cochinos

9. El héroe nacional de Cuba que vivió más de quince años en Nueva York y escribió la mayoría de sus obras allí es _____.

    a. Fidel Castro

    b. Fulgencio Batista

    c. José Martí

10. Desde la muerte de Franco, la participación de las mujeres españolas en la educación y en las profesiones _____.

    a. ha disminuido

    b. ha aumentado mucho

    c. ha permanecido igual

11. La mayoría de los guatemaltecos son indígenas de origen _____.

    a. azteca   **b.** olmeca   **c.** maya

12. El movimiento social que empezó en 1910 en México y que llevó a la proclamación de una nueva constitución, es _____.

    a. el "porfiriato"

    b. la Revolución Mexicana

    c. la invasión francesa

13. Tenochtitlán fue fundada en 1325 por los _____, en el lugar que hoy ocupa el centro de la Ciudad de México.

    a. teotihuacanos   **b.** mayas   **c.** aztecas

14. La España del rey Juan Carlos I se caracteriza por ser un país _____.

    a. económicamente desarrollado, con instituciones democráticas consolidadas

    b. donde el gobierno controla la vida política y social mediante la prohibición de los partidos políticos, la censura y la vigilancia estricta

    c. sumergido en una constante lucha entre liberales y reaccionarios, con frecuentes rebeliones populares y guerras de guerrillas

15. El dictador que dominó la República Dominicana durante más de tres décadas es _____.

    a. José Núñez de Cáceres

    b. Rafael Leónidas Trujillo

    c. Juan Pablo Duarte

16. La constitución aprobada en 1952 convirtió a Puerto Rico en _____.

    a. el estado número cincuenta y uno de EE.UU.

    b. un Estado Libre Asociado de EE.UU.

    c. un país independiente

17. Se calcula que antes de 1492 había alrededor de un millón de taínos y cincuenta años más tarde esta población indígena había sido reducida a menos de quinientas personas en _____, la primera colonia española de América.

    a. La Española

    b. Cuba

    c. Puerto Rico

Nombre _____ Fecha _____

Sección _____

IV. Estructura

A **Sonsonate.** Completa la siguiente narración para conocer una ciudad salvadoreña. Completa el párrafo escogiendo las formas verbales correctas de los verbos que aparecen entre paréntesis. (15 puntos)

Hoy _____ (1. ser / estar) lunes y _____ (2. ser / estar) en San Salvador, la capital de El Salvador. _____ (3. Ser / Estar) aquí dos semanas y media. Ayer _____ (4. pasar) todo el día en Sonsonate, una ciudad salvadoreña que _____ (5. ser / estar) a unos sesenta kilómetros de San Salvador. _____ (6. Ir) a Sonsonate porque _____ (7. querer) conocer una ciudad más pequeña que la capital. _____ (8. Hacer) el viaje en autobús. Al llegar, _____ (9. dar) un paseo rápido por el centro. Luego, _____ (10. ir) al mercado donde _____ (11. comprar) un maletín de cuero. _____ (12. Visitar) el salto de agua del río Sensunayán. En la tarde, _____ (13. estar) cansado, pero muy contento. _____ (14. Creer) que _____ (15. ser) una buena idea ir a Sonsonate.

B **Mi rutina.** Habla de tu vida diaria. Escoge el presente de indicativo o subjuntivo de los verbos que aparecen entre paréntesis. (15 puntos)

_____ (1. Creer) que _____ (2. tener) una vida muy interesante _____ (3. Levantarse) temprano, _____ (4. ducharse), _____ (5. arreglarse) y _____ (6. salir) para mis clases. _____ (7. Ser) necesario que _____ (8. salir) antes de las siete para llegar puntualmente. _____ (9. Dudar) que _____ (10. ser) un(a) estudiante excelente, pero siempre _____ (11. sacar) buenas notas. A mis amigos les _____ (12. sorprender) que me _____ (13. gustar) la física porque todos _____ (14. decir) que _____ (15. ser) una materia muy difícil.

V. Composición (optativa)

1. **Hispanos en Estados Unidos.** Escoge uno de los siguientes temas para escribir, una composición. Apoya tus opiniones con ejemplos específicos. ¿Hasta qué punto son los hispanos en Estados Unidos producto directo de los países que has estudiado: España, México, Guatemala, El Salvador, Cuba, la República Dominicana y Puerto Rico? ¿Hasta qué punto se han alejado totalmente de sus orígenes? Escribe una composición al contestar estas preguntas. (50 puntos)

2. **EE.UU., España, México, Guatemala, El Salvador, Puerto Rico, Cuba y la República Dominicana.** ¿Qué tienen en común estos países? ¿En cuántos grupos dividirías estos países? ¿Por qué? ¿Hay países que deben quedar solos, sin agruparse? Si es así, ¿qué países serían y por qué no formarían parte de un grupo?

UNIDADES 1–4
EXAMEN ALTERNATIVO

I. Comprensión oral

Indica la respuesta correcta. (18 puntos-3 c.u.)

1.	a	b	c	**4.**	a	b	c
2.	a	b	c	**5.**	a	b	c
3.	a	b	c	**6.**	a	b	c

Total _____

Nota final _____

II. Gente del Mundo 21

Indica la respuesta correcta. (18 puntos-2 c.u.)

1.	a	b	c	**6.**	a	b	c
2.	a	b	c	**7.**	a	b	c
3.	a	b	c	**8.**	a	b	c
4.	a	b	c	**9.**	a	b	c
5.	a	b	c				

III. Del pasado al presente

Indica la respuesta correcta. (34 puntos-2 c.u.)

1.	a	b	c	**10.**	a	b	c
2.	a	b	c	**11.**	a	b	c
3.	a	b	c	**12.**	a	b	c
4.	a	b	c	**13.**	a	b	c
5.	a	b	c	**14.**	a	b	c
6.	a	b	c	**15.**	a	b	c
7.	a	b	c	**16.**	a	b	c
8.	a	b	c	**17.**	a	b	c
9.	a	b	c				

IV. Estructura

A

Sonsonate. Indica la respuesta correcta. (15 puntos)

1. es	está
2. soy	estoy
3. He sido	He estado
4. pasé	pasaba
5. es	está
6. Fui	Iba
7. quise	quería
8. Hice	Hacía
9. di	daba
10. fui	iba
11. compré	compraba
12. Visité	Visitaba
13. estaba	estuve
14. Creo	Crea
15. fue	era

B

Mi rutina. Indica la respuesta correcta. (15 puntos)

1. Creo	Crea
2. tengo	tenga
3. Me levanto	Me levante
4. me ducho	me ducha
5. me arreglo	me arregla
6. salgo	salga
7. Es	Sea
8. salgo	salga
9. Dudo	Dude
10. soy	sea
11. saco	saque
12. sorprende	sorprenda
13. gusta	guste
14. dicen	digan
15. es	sea

I.   Gente del Mundo 21

Franklin Chang-Díaz. Escucha lo que dicen dos ancianos costarricenses después de ver por televisión un programa sobre Franklin Chang-Díaz. Luego escoge la respuesta que complete mejor cada oración. (5 puntos)

1. Las personas que hablan _____ .

    a. son miembros de la familia Chang-Díaz en Costa Rica

    b. fueron los vecinos de la familia Chang-Díaz en Costa Rica

    c. fucron los vecinos de la familia Chang-Díaz en EE.UU.

2. Ramón y María Eugenia _____ .

    a. son los padres de Franklin Chang-Díaz

    b. son los vecinos de la familia Chang-Díaz

    c. son los abuelos de Franklin Chang-Díaz

3. La madre de Franklin Chang-Díaz estuvo muy triste cuando Franklin _____ .

    a. fue seleccionado para ser astronauta

    b. se fue a estudiar en M.I.T.

    c. se fue a EE.UU. a vivir con unos parientes

4. Franklin Chang-Díaz fue el primer _____ .

    a. latino en graduarse de M.I.T.

    b. astronauta latino

    c. director latino del Johnson Space Center en Houston

5. Ahora Franklin Chang-Díaz es _____ .

    a. director de la NASA

    b. profesor en dos universidades

    c. rector de la Universidad de Connecticut

II.   Historia y cultura

El siguiente ejercicio comprueba si has comprendido las lecturas **Del pasado al presente** y **Ventanas al Mundo 21** que aparecen en las tres lecciones de esta unidad. Escoge la respuesta que complete mejor cada oración. (9 puntos)

1. En extensión territorial, el país más grande de Centroamérica es _____.

    a. Costa Rica   **b.** Nicaragua   **c.** Honduras

2. Las famosas ruinas mayas de Copán se encuentran en _____.

    a. Nicaragua   **b.** Honduras   **c.** Costa Rica

3. La ciudad que fue elegida capital de su país para terminar el conflicto entre las ciudades de León y Granada es _____.

    a. Managua   **b.** Tegucigalpa   **c.** San José

4. El país con los índices más bajos de analfabetismo y de mortalidad infantil de Latinoamérica es _____.

    a. Honduras   **b.** Costa Rica   **c.** Nicaragua

5. En Honduras, el producto que impulsó el desarrollo económico a principios del siglo XX, fue _____.

    a. el café   **b.** el plátano   **c.** el cacao

6. El creador del modernismo es el poeta _____.

    a. Pedro Joaquín Chamorro

    b. Rubén Darío

    c. Ernesto Cardenal

7. En 1949 Costa Rica disolvió el ejército en favor de _____.

    a. la infraestructura

    b. la ecología

    c. la educación

8. La economía de Honduras se basa principalmente en _____.

    a. la agricultura   **b.** el comercio   **c.** la industria

9. El país más democrático de Centroamérica es _____.

    a. Honduras   **b.** Nicaragua   **c.** Costa Rica

III. Estructura en contexto

A

San Pedro Sula. Completa la siguiente información acerca de la segunda ciudad de Honduras usando los pronombres relativos apropiados. (7 puntos)

San Pedro Sula, _____ (1) habitantes se llaman sampedranos, es la segunda ciudad más importante de Honduras, después de Tegucigalpa. Es una ciudad _____ (2) está en la parte norte del país, a unos 240 kilómetros de la capital. Es un importante centro de transporte, del _____ (3) parten autobuses a todas partes del país. Todo turista _____ (4) viaja por Honduras eventualmente pasa por San Pedro Sula. Los turistas, a _____ (5) les agradan mucho los festivales, visitan durante la Semana Sampedrana, _____ (6) se celebra a fines de junio. Este festival, en el _____ (7) los sampedranos se pasan una semana entera celebrando, es como el carnaval en otros países latinos.

B

De compras. Unos amigos hablan de las compras que esperan hacer cuando visiten el centro comercial. Para saber lo que dicen, escribe la forma apropiada del presente de indicativo o de subjuntivo del verbo entre paréntesis. (8 puntos)

1. Los pantalones que _____ (llevar-yo) están un poco gastados. Necesito unos pantalones que _____ (poder) usar con mi chaqueta azul marino.

2. Quiero comprar una blusa de manga corta que _____ (hacer) juego con mi falda verde. Las blusas que _____ (tener-yo) no van muy bien con esa falda.

3. Me encantan los aretes que _____ (ponerse) Mónica. Quiero encontrar unos que _____ (parecerse) a los de ella.

4. Deseo comprarme unos zapatos de básquetbol que _____ (ser) tan livianos como los que _____ (usar) mis compañeros de equipo.

C **Los estudios.** Tú y tus amigos hablan de sus estudios. Completa las siguientes oraciones con el presente de indicativo o de subjuntivo del verbo indicado entre paréntesis, según convenga. (6 puntos)

1. Debo ir a la biblioteca ya que _____ (tener) que consultar un diccionario más completo que el mío.

2. Yo no voy a la biblioteca a menos que _____ (tener) que hacer un trabajo de investigación.

3. Yo necesito pasar muchas horas leyendo y aprendiendo cosas de memoria para que _____ (mejorar) mis notas.

4. ¿Han inventado un método para sacar buenas notas sin que nosotros _____ (necesitar) estudiar tanto?

5. Creo que voy a estudiar toda la noche porque el examen que _____ (tener) mañana es dificilísimo.

6. Mis padres quieren que yo deje de trabajar para que _____ (dedicar) más tiempo a mis clases.

D **¡Qué día para Jaimito!** La mamá de Jaimito le explica lo que tiene que hacer hoy. Para saber lo que le dice, completa este párrafo con el presente de indicativo o de subjuntivo de los verbos entre paréntesis, según convenga. (16 puntos)

Jaimito, quiero que arregles tu cuarto. Tú sabes que me enfermo cuando

_____ (1. ver) tanto desorden en tu cuarto. Cuando

_____ (2. terminar) de arreglar el cuarto, haz la tarea. Tan pronto

como la _____ (3. hacer), tienes que ir a la tienda a comprar al-

gunas cosas. Aunque no te _____ (4. agradar) ir de compras,

tienes que ayudar en casa. En cuanto _____ (5. volver) de la

tienda, me ayudarás en el jardín. Sabes que yo necesito ayuda cuando

_____ (6. trabajar) en el jardín. Después que _____

(7. cortar-tú) el césped, puedes ir a ver televisión. Pero recuerda, mi amor,

cuando _____ (8. querer) comer, debes pasar al comedor; no

quiero ver platos en la alfombra.

IV. Cultura en vivo y Vocabulario

Indica qué palabra o frase de la segunda columna se relaciona mejor con la de la primera. (10 puntos)

_____ 1. acción   **a.** pasillo en una estación de ferrocarril

_____ 2. sequía   **b.** llanta

_____ 3. ingreso   **c.** tala

_____ 4. contaminación   **d.** incrementar

_____ 5. sin escalas   **e.** peligro natural

_____ 6. banco   **f.** ganancia

_____ 7. andén   **g.** directo

_____ 8. desforestación   **h.** inversión

_____ 9. neumático   **i.** institución financiera

_____ 10. aumentar   **j.** derrame de petróleo

Nombre _____   Fecha _____

Sección _____

V.   Lectura

Cinco países con un solo pasado

Además de tener muchas características físicas parecidas por estar localizados en la zona volcánica que se llama la cintura de América, Guatemala, Honduras, El Salvador, Nicaragua y Costa Rica son países que comparten una misma historia.

Por siglos los cinco países formaron parte de la Capitanía General de Guatemala que le daba a cada región cierto grado de autonomía. Durante un breve período, de 1822 a 1823, los cinco países formaron parte del imperio mexicano establecido por Agustín de Iturbide. Luego en 1823 los cinco países se unieron bajo el nombre de Provincias Unidas de Centroamérica. Pero los intereses particulares de los jefes políticos regionales pudieron más que las fuerzas de integración y en 1838 esta federación se desintegró.

Ha habido muchos intentos, hasta ahora sin mucho éxito, de establecer relaciones más estrechas entre los cinco países. Por ejemplo, en la década de los 50, se estableció el Mercado Común Centroamericano.

Los habitantes de cada uno de los cinco países consideran a sus vecinos como parte de una gran familia centroamericana aunque cada quien guarda sus propias tradiciones. Entre los centroamericanos, hasta los apodos son familiares: a los guatemaltecos se les conoce como "chapines", a los hondureños como "catrachos", a los salvadoreños como "guanacos", a los nicaragüenses como "nicas" y a los costarricenses como "ticos".

La historia de cinco países. Indica si los siguientes comentarios son ciertos o falsos. (5 puntos)

C   F   **1.** Panamá es uno de los cinco países centroamericanos que comparten una misma historia.

C   F   **2.** Por siglos los cinco países formaron parte del Virreinato de Nueva Granada.

C   F   **3.** La federación llamada Provincias Unidas de Centroamérica duró de 1823 a 1838.

C   F   **4.** A los salvadoreños se les conoce como "chapines".

C   F   **5.** A los costarricenses se les conoce como "ticos".

VI. Composición

Escribe una composición sobre uno de los siguientes temas. (34 puntos)

a. **"A Margarita Debaile".** En este poema, el nicaragüense Rubén Darío le relata un cuento de fantasía a una niña. Escribe un resumen de ese cuento. ¿Quiénes fueron los protagonistas? ¿En qué consiste la trama? ¿Cómo termina? ¿Cuál fue la intención del poeta al escribir este cuento?

b. **"Paz del solvente".** En este poema el hondureño José Adán Castelar se imagina lo que podría hacer si ganara el sueldo de algunos poetas en EE.UU. ¿Crees que 2.000 dólares es demasiada remuneración para un poeta en EE.UU.? ¿Por qué? ¿Cuánto crees que ganan los poetas en Latinoamérica? ¿Por que habrá tanta diferencia? ¿Por qué hay tanta diferencia entre lo que gana un poeta y un futbolista o un actor?

c. **"La paz no tiene fronteras".** ¿Cuál es el significado del título que Óscar Arias le dio al discurso que hizo al serle otorgado el Premio Nobel de la Paz en 1987? ¿Cómo se relaciona el contenido del discurso con el título? ¿Crees que es un buen título para ese discurso? ¿Por qué?

Nombre _____ Fecha _____

Sección _____

UNIDAD 5

PRUEBA ALTERNATIVA

I. Gente del Mundo 21

La ex-presidenta de Nicaragua. Escucha lo que dice un comentarista de una estación de televisión centroamericana al presentar a la ex-presidenta de Nicaragua. Luego, escoge la respuesta que complete mejor cada oración. (5 puntos)

1. Después del asesinato de su esposo, doña Violeta Barrios de Chamorro _____.

   a. vendió el periódico *La Prensa* y se mudó a Miami

   b. se ocupó de la dirección del periódico *La Prensa*

   c. no se interesó más en la publicación del periódico *La Prensa*

2. De julio de 1979 a abril de 1980, Violeta Barrios de Chamorro formó parte _____, el grupo que tomó el poder después de la caída de Somoza.

   a. de la junta revolucionaria

   b. de la Corte Suprema de la Justicia

   c. del movimiento contrarrevolucionario

3. Violeta Barrios de Chamorro llegó a la presidencia en 1990 _____.

   a. como resultado de un golpe militar

   b. después de una invasión fomentada por los EE.UU.

   c. después de triunfar en las elecciones libres

4. El gobierno de Chamorro logró _____ de las fuerzas contrarrevolucionarias.

   a. el aumento

   b. la reconciliación

   c. el encarcelamiento

5. En 1997 Violeta Barrios de Chamorro _____.

   a. fue elegida presidenta por segunda vez

   b. fue asesinada por un sandinista

   c. volvió a ser directora de *La Prensa*

II. Historia y cultura

El siguiente ejercicio comprueba si has comprendido las lecturas **Del pasado al presente** y **Ventanas al Mundo 21** que aparecen en las tres lecciones de esta unidad. Escoge la respuesta que complete mejor cada oración. (9 puntos)

1. La presente capital de Nicaragua se estableció en 1857 para terminar con el conflicto entre las ciudades de _____ .

   a. Masaya y León   **b.** Estelí y Granada   **c.** León y Granada

2. El nombre de Honduras tiene su origen en _____ .

   a. la tribu de indígenas que recibió a Cristobal Colón

   b. la profundidad del sufrimiento

   c. la calidad de la madera dura que se encuentra en la selva

3. En proporción a su área, el porcentaje de territorio que Costa Rica dedica a parques nacionales es _____ .

   a. menor que EE.UU.

   b. más grande que EE.UU.

   c. casi igual que EE.UU.

4. Después de ganar su independencia, el mayor conflicto de Honduras fue _____ .

   a. la intervención de grandes compañías norteamericanas

   b. la crisis económica relacionada a la exportación de café

   c. la lucha entre conservadores y liberales

5. César Augusto Sandino fue líder de un grupo de guerrilleros nicaragüenses que lucharon _____ .

   a. contra las tropas españolas

   b. contra las tropas de EE.UU.

   c. contra las tropas inglesas

6. Durante la época colonial, Costa Rica _____ .

   a. fue una región tan rica como México y Perú

   b. tuvo una reducida población española dedicada a la agricultura de subsistencia

   c. permaneció completamente deshabitada

7. En abril de 1997 hubo un cambio en la presidencia en Nicaragua debido a _____.

   a. las elecciones

   b. un golpe militar

   c. la muerte del presidente

8. En 1998, el huracán Mitch destruyó _____ en Honduras.

   a. las plantaciones bananeras

   b. las instalaciones de la *United Fruit Company*

   c. los cafetales

9. Entre 1950 y 1987 la inscripción de estudiantes costarricenses en la enseñanza secundaria _____.

   a. se ha mantenido a un nivel constante

   b. ha experimentado un crecimiento normal

   c. ha tenido un crecimiento espectacular

III. Estructura en contexto

A **Ernesto Cardenal.** Completa la siguiente información acerca de la vida del sacerdote y poeta Ernesto Cardenal. Combina las dos oraciones dadas en una sola empleando un pronombre relativo apropiado. (7 puntos)

1. Ernesto Cardenal nació en Granada en 1925. Es un importante poeta nicaragüense.

   _____

   _____

2. El Colegio Centroamericano está en la ciudad de Granada. Ernesto Cardenal estudió en ese colegio.

   _____

   _____

3. La denuncia social y el misticismo son temas poéticos. Estos temas aparecen una y otra vez en la obra de Cardenal.

   _____

   _____

4. En 1964 publicó su obra *Salmos*. El título de esta obra hace pensar en los salmos de la Biblia.

   _____

   _____

5. *Salmos* es un libro de poesía. En él, Cardenal denuncia la injusticia con una fuerza moral bíblica.

   _____

   _____

6. Una de sus obras más recientes es *Canto cósmico*. Es un gran poema místico que recuenta la creación del universo.

   _____

   _____

7. Cardenal apoyó al gobierno sandinista. Fue ministro de cultura durante ese gobierno.

   _____

   _____

B   **El trabajo.** Tu amiga Nora quiere cambiar de trabajo. Para saber por qué, completa las oraciones con los verbos que aparecen entre paréntesis escogiendo la forma apropiada del presente de indicativo o de subjuntivo, según convenga. (8 puntos)

No me gusta el trabajo que _____ (1. tener) ahora. Es un trabajo

que _____ (2. requerir) demasiado esfuerzo muscular. Es un tra-

bajo que me _____ (3. cansar) mucho. Necesito un trabajo que

_____ (4. ser) menos agotador *(exhausting)* y que

_____ (5. pagar) mejor. Además, quiero un jefe que me

_____ (6. permitir) trabajar y estudiar al mismo tiempo. Por eso,

ahora busco un puesto donde no _____ (7. tener) que trabajar tan-

tas horas. Y debe ser un puesto que no _____ (8. requerir) de-

masiado esfuerzo físico.

C   **Al teatro.** Tú y tus amigos hablan de ir a ver una obra de teatro el fin de semana próximo. Completa la oración con la forma apropiada del presente de indicativo o de subjuntivo del verbo que aparece entre paréntesis. (6 puntos)

1. Con tal de que Uds. _____ (salir) conmigo, voy al teatro.

2. Quiero ir al teatro Estrellas porque la obra que ponen me

_____ (interesar) mucho.

3. Quiero ver la obra antes de que la compañía _____ (irse) a

otra ciudad.

4. Yo ya _____ (conocer) la obra. Lo que quiero ver es cómo la

ponen en escena.

5. Voy a avisarle a mi hermano para que él _____ (sacar) las

entradas.

6. Él nos las puede comprar, a menos que Uds. _____ (preferir)

hacerlo.

D **Planes para el verano.** Tú y tus amigos hablan de lo que piensan hacer el verano que viene. Completa las oraciones con el presente de indicativo o subjuntivo del verbo que aparece entre paréntesis. (8 puntos)

1. Voy a quedarme en la ciudad porque _____ (deber) estudiar este verano.

2. Yo también me quedo aquí a menos que mis padres _____ (decidir) alquilar una casa en la montaña. En ese caso me _____ (ir) a quedar con ellos.

3. Tengo ganas de ir a ver a mis primos en Tegucigalpa con tal de que ellos _____ (poder) ir conmigo a Copán.

4. Voy a un pueblito cerca de la costa, ya que unos parientes me _____ (invitar) cada verano.

5. En caso de que yo no _____ (conseguir) trabajo en una oficina, mi tío me va a dejar trabajar en su tienda de ropa.

6. Yo también voy a trabajar en la tienda de tu tío cuando _____ (regresar) de mis vacaciones en Costa Rica.

7. Pues entonces no nos volvemos a ver hasta después de que _____ (terminar) las vacaciones.

IV.   Cultura en vivo y Vocabulario

Indica qué palabra o frase de la segunda columna se relaciona mejor con la de la primera. (10 puntos)

_____	1. carretera	**a.** tren
_____	2. inversionistas	**b.** neumático
_____	3. ganancia	**c.** derrame de petróleo
_____	4. tala	**d.** la quema de la selva
_____	5. vuelo	**e.** aumentar
_____	6. contaminación	**f.** desforestación
_____	7. bomba de aire	**g.** camino
_____	8. incendios	**h.** ida y vuelta
_____	9. ferrocarril	**i.** ingreso
_____	10. incrementar	**j.** accionistas

Nombre _____ Fecha _____

Sección _____

V. Lectura

Frutas del paraíso

En el Mercado Borbón de San José, Costa Rica, o en cualquier típica "feria del agricultor" en la que se cierran calles para la venta de verduras y productos agrícolas, se pueden encontrar frutas tropicales que dan mucho colorido y sabor a las mesas de las familias costarricenses.

La **papaya** es una fruta tropical jugosa, fresca y ligera que recuerda, por su aspecto, al melón. Es originaria de Mesoamérica y se consume como postre, en desayunos, ensaladas, etcétera. Contiene una enzima denominada papaína que facilita la digestión.

La **piña**, denominada también ananás, es originaria de Sudamérica y posee un apreciable contenido de vitaminas A y C, así como una elevada proporción de azúcares y sales minerales.

El **mango** es conocido como el rey oriental de las frutas. Proviene de la India y los portugueses lo trajeron a América. Su contenido de azúcares llega al 20 por ciento. Los mangos se consumen frescos, como postre, en ensaladas y también en conservas y mermeladas.

Frutas tropicales. Indica si los siguientes comentarios son ciertos o falsos.
(5 puntos)

C   F   **1.** La venta de frutas tropicales es algo muy común en Costa Rica.

C   F   **2.** La papaya es una fruta originaria de África.

C   F   **3.** La enzima llamada papaína dificulta la digestión.

C   F   **4.** La piña, que también se llama ananás, es originaria de Sudamérica.

C   F   **5.** El mango proviene de la India y los portugueses lo trajeron a América.

VI. Composición

Escribe una composición sobre uno de los siguientes temas. (42 puntos)

a. **"A Margarita Debaile".** En este poema, el nicaragüense Rubén Darío le relata un cuento de fantasía a una niña. Escribe un resumen de ese cuento. ¿Quiénes fueron los protagonistas? ¿En qué consiste la trama? ¿Cómo termina? ¿Cuál fue la intención del poeta al escribir este cuento?

b. **"Paz del solvente".** En este poema el hondureño José Adán Castelar, se imagina lo que podría hacer si ganara el sueldo de algunos poetas en EE.UU. ¿Crees que $2.000 es demasiada remuneración para un poeta en EE.UU.? ¿Por qué? ¿Cuánto crees que ganan los poetas en Latinoamérica? ¿Por qué habrá tanta diferencia? ¿Por qué hay tanta diferencia en lo que gana un poeta y un futbolista o un actor?

c. **"La paz no tiene fronteras".** ¿Cuál es el significado del título que Óscar Arias le dio al discurso que hizo al serle otorgado el Premio Nobel de la Paz en 1987? ¿Cómo se relaciona el contenido del discurso con el título? ¿Crees que es un buen título para ese discurso? ¿Por qué?

Nombre _____ Fecha _____

Sección _____

I.   Gente del Mundo 21

Una artista colombiana. Escucha lo que dicen dos amigos colombianos
después de asistir a una exhibición de las últimas obras de Beatriz González en
una galería de Bogotá. Luego, escoge la respuesta que complete mejor cada
oración. (5 puntos)

1. Beatriz González pinta copias de cuadros célebres en ____.

   a. enormes muros

   b. muebles

   c. edificios

2. Augusto cree que los cuadros de Beatriz González son ____.

   a. interesantes

   b. aburridos

   c. muy abstractos

3. Julio piensa que las obras de Beatriz González ____.

   a. no tienen ningún sentido del humor

   b. tienen un humor negro

   c. son demasiado abstractas para ser interpretadas

4. Según Augusto, la reacción de los padres de ambos amigos ante la mesa con
   una escena patriótica en su superficie ____.

   a. sería muy positiva

   b. sería de indiferencia

   c. provocaría una discusión política

5. Beatriz González vive actualmente en ____.

   a. Bogotá

   b. Nueva York

   c. París

II. Historia y cultura

El siguiente ejercicio comprueba si has comprendido las lecturas **Del pasado al presente** y **Ventanas al mundo 21** que aparecen en las tres lecciones de esta unidad. Escoge la respuesta que complete mejor cada oración. (9 puntos)

1. De estos tres países, el que tiene la extensión territorial más pequeña es _____.

   a. Panamá   **b.** Colombia   **c.** Venezuela

2. La cultura conocida como la de San Agustín se desarrolló en el territorio que hoy es _____.

   a. Venezuela   **b.** Ecuador   **c.** Colombia

3. Colombia es el país que produce más _____.

   a. esmeraldas   **b.** diamantes   **c.** perlas

4. El canal de Panamá se construyó entre 1904 y _____.

   a. 1914   **b.** 1924   **c.** 1934

5. Una encuesta hecha a mediados de 1970 a la población cuna de Panamá indicaba _____.

   a. que la mayoría de las mujeres trabajaba en la ciudad de Colón

   b. que casi todas las familias cunas habían abandonado sus antiguas costumbres

   c. que sólo el 4% de las mujeres cunas de la comarca vivía fuera de ella

6. La República de la Gran Colombia proclamada en 1819 no incluyó el territorio que hoy es _____.

   a. Ecuador   **b.** Panamá   **c.** Bolivia

7. Simón Bolívar murió en 1830 en una hacienda cerca de Santa Marta _____.

   a. sin realizar su sueño de la unificación de las antiguas colonias españolas en América

   b. cuando todavía era presidente del Perú, Bolivia y de la Gran Colombia

   c. antes de derrotar a los españoles en Sudamérica

8. De 1908 a 1935, Venezuela fue gobernada por Juan Vicente Gómez, _____.

   a. quien fue un presidente liberal

   b. quien fue uno de los dictadores más sanguinarios de Latinoamérica

   c. quien no permitió la explotación de petróleo en el país

9. El Museo del Oro del Banco de la República de Bogotá se fundó en 1939 con el propósito de coleccionar y preservar las obras de oro que son en su mayoría _____.

   a. prehispánicas   **b.** coloniales   **c.** modernas

III. Estructura en contexto

A

Una telenovela. Cuando ves a tu amiga Clara mirando una telenovela, le dices, en broma, que tú ya sabes lo que va a pasar. Usa el futuro de los verbos que aparecen entre paréntesis para decir lo que les pasará a los personajes principales. (5 puntos)

1. La heroína _____ (sufrir) mucho.

2. El héroe _____ (tener) dificultades para ver a la heroína.

3. Las familias _____ (hacer) difícil el encuentro de los protagonistas.

4. El héroe y la heroína _____ (casarse) al final.

5. Todos los familiares _____ (venir) a la boda.

B

Un paquete misterioso. Cuando los Henríquez llegan a casa, descubren un paquete que dice simplemente "Familia Henríquez". Todos se hacen preguntas sobre el paquete. Usa el futuro de probabilidad al formular tus preguntas. (5 puntos)

1. ¿_____ (Ser) para mí?

2. ¿_____ (Contener) los discos que pedí por correo?

3. ¿_____ (Haber) un hermoso regalo dentro?

4. ¿_____ (Pertenecer) a los vecinos?

5. ¿_____ (Decir) dentro del paquete para quién es?

C **Para desarrollar los poderes mentales.** Una amiga te cuenta que acaba de leer un artículo fascinante en el que se menciona lo que ocurriría si la gente desarrollara más sus poderes mentales. Para saber lo que dice, emplea el condicional de los verbos que aparecen entre paréntesis. (5 puntos)

1. Los medios de comunicación actuales no_____ (desaparecer)

   totalmente.

2. La comunicación escrita _____ (tener) menos importancia.

3. _____ (Comunicarnos) por telepatía.

4. El poder de la memoria _____ (aumentar) inmensamente.

5. Todos nosotros _____ (poder) recitar la lista de nuestros presi-

   dentes sin problema.

D **¿Ideas?** Completa tu conversación telefónica con una agente de viajes, a quien le pides sugerencias para tus próximas vacaciones. Emplea el condicional de los verbos que aparecen entre paréntesis. (5 puntos)

¿Aló? ¿Señora Cristina? Necesito sus consejos. Me _____

(1. gustar) pasar dos semanas de vacaciones en un lugar tranquilo.

_____ (2. Preferir) un pueblito en las montañas.

_____ (3. Querer) viajar el próximo martes. Sé que

_____ (4. deber) darle más tiempo para buscar la información,

pero, en fin, ¿_____ (5. poder) usted hacerme unas recomenda-

ciones ahora mismo?

Nombre _____ Fecha _____

Sección _____

E **Fantasías de verano.** Este verano no tendrás vacaciones porque tienes que
estudiar y trabajar, pero sueñas con lo que te gustaría hacer. Usa el imperfecto
de subjuntivo y el condicional de los verbos que aparecen entre paréntesis.
(10 puntos)

1. Si _____ (estar) en el campo, _____ (montar) a

   caballo frecuentemente.

2. Si _____ (ser) posible, _____ (pasar) un par de

   meses en una isla tropical.

3. Si _____ (ir) a un lago, _____ (pescar) todos los

   días.

4. Si _____ (poder), _____ (hacer) un crucero por

   el Caribe.

5. Si _____ (tener) más imaginación, _____

   (inventar) un plan para hacerme rico rápidamente.

IV. Cultura en vivo y Vocabulario

Indica qué palabra o frase de la segunda columna se relaciona mejor con la de la primera. (10 puntos)

_____ **1.** clavel   **a.** plomo

_____ **2.** alucinógeno   **b.** piedra preciosa

_____ **3.** alfarería   **c.** mamífero

_____ **4.** esmeralda   **d.** drogadicto

_____ **5.** coser   **e.** flor

_____ **6.** impresión   **f.** hacer puntadas

_____ **7.** alce   **g.** trabajo en barro

_____ **8.** aguja   **h.** imagen grabada

_____ **9.** mineral   **i.** jeringa

_____ **10.** toxicómano   **j.** heroína

V. Lectura

Tres criollos venezolanos y su importancia en la independencia de Sudamérica

Caracas fue una de las ciudades hispanoamericanas donde las ideas ilustradas del siglo XVIII tuvieron mucho efecto. Estas ideas, respecto a los derechos naturales del hombre y la crítica de las instituciones tradicionales, guiaron la lucha contra la tiranía del imperio español. Las familias caraqueñas acomodadas eran principalmente comerciantes que anhelaban hacer negocio con otras naciones además de España y resentían las restricciones burocráticas de sus gobernantes lejanos. Los criollos, es decir, los de origen español nacidos en América, comenzaron a ver a los peninsulares, es decir, los españoles venidos de España, como un obstáculo a sus intereses.

Uno de los precursores de la independencia de Hispanoamérica fue Francisco Miranda (1750–1816), quien nació en Caracas y participó en la guerra de la Independencia estadounidense contra los británicos, llegando a ser teniente coronel en el ejército de George Washington. También participó en la Revolución francesa, y de regreso a EE.UU., consiguió la ayuda del presidente Thomas Jefferson para su proyecto de una Hispanoamérica independiente. En 1806 desembarcó con un pequeño ejército en la costa venezolana, pero no logró su objetivo.

Simón Bolívar (1783–1830) fue otro criollo caraqueño cuyo ideario político y genio militar fueron decisivos para asegurar el triunfo de la revolución en Sudamérica. El 5 de julio de 1811, el primer Congreso Nacional de Venezuela, reunido en Caracas bajo la dirección de Bolívar, proclamó la independencia de Venezuela, aunque ésta no se logró hasta muchos años después.

El lugarteniente de Simón Bolívar y su brazo derecho en muchas de sus campañas contra los españoles fue Antonio José de Sucre (1795–1830), otro ilustre criollo venezolano que fue el libertador de Ecuador en 1822 y que posteriormente, en 1825, proclamó la independencia de Bolivia.

Tres criollos y la independencia. Indica si los siguientes comentarios son ciertos o falsos. (6 puntos)

C   F   **1.** Los criollos eran los españoles que habían nacido en la Península Ibérica.

C   F   **2.** Las ideas de la Ilustración del siglo XVIII tuvieron muy poca difusión e impacto en la ciudad de Caracas.

C   F   **3.** Francisco Miranda llegó a ser teniente coronel en el ejército de George Washington.

C   F   **4.** Simón Bolívar era un criollo caraqueño.

C   F   **5.** Antonio José de Sucre fue un enemigo político y militar de Simón Bolívar.

C   F   **6.** Los tres criollos venezolanos desempeñaron un papel muy importante en la lucha por la independencia.

VI. Composición

Escribe una composición sobre uno de los siguientes temas. (40 puntos)

a. "Un día de estos". Explica el significado del cuento "Un día de estos", del colombiano Gabriel García Márquez. ¿Por qué no quería el dentista ver al alcalde? ¿Por qué dijo el dentista que no podía usar anestesia? ¿Cómo interpretas el final del cuento cuando el alcalde dice "Es la misma vaina"?

b. "Pena tan grande" y "La única mujer". A base de estos dos poemas de Bertalicia Peralta, ¿crees que su poesía es feminista o simplemente poesía que expresa simpatía por la mujer? Expresa tu opinión y defiéndela.

c. "La cascada de Salto de Ángel". En la tradición oral venezolana, una leyenda explica el origen de esta famosa cascada. Escribe un resumen de esa leyenda. Incluye los detalles más importantes.

I. Gente del Mundo 21

Una escritora venezolana. Escucha lo que dicen dos amigas que viven en Caracas sobre la obra de la escritora venezolana Teresa de la Parra. Luego, escoge la respuesta que complete mejor cada oración. (6 puntos)

1. A las dos amigas caraqueñas les gustó la _____ *Ifigenia.*

   a. telenovela   **b.** obra de teatro   **c.** ópera

2. *Ifigenia* está basada en _____.

   a. un poema   **b.** un cuento   **c.** una novela

3. La autora Teresa de la Parra nació en 1890 en _____.

   a. Caracas

   b. París

   c. Valencia

4. Teresa de la Parra publicó _____.

   a. una docena de libros de poemas y novelas

   b. cuatro colecciones de cuentos

   c. dos novelas

5. La autora es actualmente reconocida como una de las primeras novelistas hispanoamericanas _____.

   a. cuyas obras reflejan la perspectiva de la mujer

   b. que publican sus obras en Europa

   c. cuyas novelas son traducidas a más de veinte lenguas

6. Una de las amigas caraqueñas se queja que ahora no ve telenovelas porque _____.

   a. se le ha descompuesto el televisor

   b. trabaja de programadora

   c. se pasa el tiempo escribiendo novelas

II. Historia y cultura

El siguiente ejercicio comprueba si has comprendido las lecturas **Del pasado al presente** y **Ventanas al Mundo 21** que aparecen en las tres lecciones de esta unidad. Escoge la respuesta que complete mejor cada oración. (9 puntos)

1. El único país sudamericano que tiene una costa tanto en el mar Caribe como en el océano Pacífico es _____ .

   a. Venezuela   **b.** Colombia   **c.** Ecuador

2. El grupo indígena de los cunas se concentra en _____ .

   a. las islas San Blas en el mar Caribe

   b. alrededor de la Ciudad de Panamá

   c. en el interior montañoso de Colombia

3. Venezuela fue el primer país hispanoamericano _____ .

   a. en que tuvo lugar una rebelión para lograr la independencia de España en 1806

   b. que estableció relaciones diplomáticas con EE.UU.

   c. que aceptó el gobierno impuesto por Napoleón en España en 1808

4. En 1739, Panamá pasó a formar parte del Virreinato _____ .

   a. del Río de la Plata

   b. de Nueva España

   c. de Nueva Granada

5. La leyenda de El Dorado surgió de un antiguo rito chibcha que consistía en envolver a su jefe en polvo de oro _____ .

   a. antes de bañarlo en el lago Guatavita

   b. antes de llevarlo a un pico de los Andes

   c. después de sumergirlo en el mar Caribe

6. El verdadero desarrollo económico y social de Venezuela se inició con la explotación del petróleo después de 1918 en la región _____ .

   a. de los Andes

   b. de los llanos

   c. del lago de Maracaibo

7. La compañía que comenzó la construcción del canal de Panamá en 1880 y que luego la abandonó en 1889 era _____ .

   a. estadounidense   **b.** inglesa   **c.** francesa

8. Pablo Escobar, líder fugitivo del cartel de Medellín que murió en un encuentro violento con la policía colombiana en 1993, era ____.

   a. narcotraficante

   b. guerrillero de izquierda

   c. periodista de la oposición

9. ¿Cuál de estos tres países sudamericanos tiene el ingreso per cápita más alto?

   a. Venezuela   **b.** Colombia   **c.** Panamá

III. **Estructura en contexto**

A

Cambios futuros. Di cómo imaginas que van a ser tus amigos dentro de diez años. Usa el futuro. (5 puntos)

1. [*nombre de amigo(a)*] / ser ejecutivo(a) de una gran empresa

   _____

2. [*nombre de amigo(a)*] /vivir en el extranjero

   _____

3. [*amigo(a)*] / jugar al fútbol en un club profesional

   _____

4. [*amigo(a)*] / ejercer la profesión de abogado

   _____

5. [*amigo(a)*] / querer presentarse como candidato(a) a diputado(a) o senador(a)

   _____

B   **¿Dónde estaba Irma?** Les cuentas a tus amigos que la noche anterior telefoneaste a Irma varias veces, pero nadie contestó. Todos dan una razón por la cual no contestó. Utiliza el condicional de probabilidad de los verbos que aparecen entre paréntesis. (5 puntos)

1. _____ (Andar) por la ciudad.

2. _____ (Estar) en casa de una amiga.

3. _____ No (querer) hablar con nadie.

4. _____ (Ser) temprano e Irma no habría vuelto.

5. _____ (Tener) que trabajar hasta muy tarde.

C   **Promesas del candidato.** En su discurso, el candidato menciona todas las cosas que él cambiaría si la gente votara por él. Para saber lo que cambiaría, emplea el condicional de los verbos que aparecen entre paréntesis. (5 puntos)

1. La educación y la salud pública _____ (mejorar).

2. Nuestra moneda _____ (valer) más.

3. Todos _____ (ganar) más dinero.

4. Nadie _____ (tener) miedo de caminar por las calles de noche.

5. _____ (Haber) menos inflación.

D   **Entusiasmados.** Tú y unos amigos están muy entusiasmados porque podrán contratar al cantante que quieren para el baile del próximo mes en su escuela. ¿Qué les dijo el cantante? Para saberlo, usa el condicional de los verbos que aparecen entre paréntesis. (5 puntos)

1. Nos dijo que no nos _____ (cobrar-él) mucho.

2. Nos aseguró que _____ (poder-nosotros) pagarle después del baile.

3. Nos garantizó que _____ (venir-él) sin falta.

4. Nos prometió que _____ (llegar-él) temprano.

5. Nos aseguró que _____ (interpretar-él) sus últimas canciones exitosas.

E **Deseos no cumplidos.** Esta tarde tú y unos amigos están ocupados con deberes escolares, pero cada uno dice lo que le gustaría hacer. Usa el imperfecto de subjuntivo y el condicional de los verbos que aparecen entre paréntesis. (5 puntos)

1. Si Roberto no _____ (estar) ocupado, _____ (ir) al gimnasio.

2. Si yo _____ (poder) usar mi bicicleta, _____ (salir) al campo.

3. Si Celeste _____ (tener) menos tarea, _____ (asistir) a un concierto de música folklórica.

4. Si Pablo _____ (llegar) temprano de la biblioteca, _____ (ver) el partido de fútbol.

5. Si Lidia _____ (terminar) el informe, _____ (tomar) el sol en la playa.

IV. Cultura en vivo y Vocabulario

Indica qué palabra o frase de la segunda columna se relaciona mejor con la de la primera. (10 puntos)

_____ 1. calmante   **a.** cerámica

_____ 2. costura   **b.** llamativo

_____ 3. alfarería   **c.** árbol

_____ 4. toxicómano   **d.** cuero

_____ 5. vistoso   **e.** piedra preciosa

_____ 6. fauna   **f.** cosido

_____ 7. piel   **g.** animales

_____ 8. zafiro   **h.** textiles

_____ 9. abedul   **i.** drogadicto

_____ 10. tela   **j.** antidepresivo

V. Lectura

La caída de Manuel Antonio Noriega

Manuel Antonio Noriega nació en 1938 en un barrio popular de la Ciudad de Panamá pero, con el tiempo, llegó a tener, inexplicablemente, más de 20 millones de dólares depositados por el mundo en veintisiete bancos. Después de estudiar en una academia militar en el Perú, ingresó a la Guardia Nacional de Panamá. En 1970 fue nombrado jefe de inteligencia militar, por haber ayudado a impedir una rebelión militar. Su ambición de poder lo llevó a la jefatura de las Fuerzas de Defensa de Panamá en 1983, y llegó a ser el hombre fuerte de Panamá.

En 1987, Noriega fue acusado por un coronel de haber ordenado el asesinato del líder de la oposición y de la muerte del general Omar Torrijos, ocurrida en un accidente aéreo. Estas revelaciones aumentaron el descontento general entre los panameños, molestos por la crisis económica y la corrupción oficial. Por otro lado, en los tribunales de Miami y Tampa, Noriega fue acusado de ayudar a los traficantes de drogas y otros crímenes. En las elecciones presidenciales de mayo de 1989 resultó triunfador Guillermo Endara, el candidato de la oposición, pero Noriega no reconoció este triunfo y anuló las elecciones.

El gobierno de EE.UU., que en el pasado había apoyado a Noriega, exigió su renuncia pero éste se negó a dejar su puesto. La guerra de nervios entre ambos gobiernos aumentó. Cuando Noriega fue proclamado jefe de estado, las fuerzas armadas de EE.UU. invadieron Panamá. Se calcula que unos 300 civiles murieron como resultado de esta invasión. El 3 de enero de 1990, Noriega se entregó a las fuerzas armadas estadounidenses y fue trasladado a la Florida donde fue sometido a juicio. En 1992 Noriega fue declarado culpable y condenado a cuarenta años de prisión. Actualmente se encuentra en una prisión federal de EE.UU. cumpliendo su sentencia.

La caída de Noriega. Indica si los siguientes comentarios son ciertos o falsos. (5 puntos)

C F 1. La ambición de poder de Manuel Antonio Noriega lo llevó a la jefatura de las Fuerzas de Defensa de Panamá en 1983.

C F 2. En 1987, Noriega fue acusado de haber ordenado la muerte del líder de la oposición y del general Omar Torrijos.

C F 3. En 1989, Noriega reconoció el triunfo del candidato de la oposición, Guillermo Endara.

C   F   **4.** El 3 de enero de 1990, Noriega logró evadir a las autoridades estadounidenses y huyó de Panamá.

C   F   **5.** Actualmente Noriega se encuentra en una prisión federal de EE.UU. cumpliendo una sentencia de cuarenta años.

VI.   Composición

Escribe una composición sobre uno de los siguientes temas. (45 puntos)

a. **"Un día de estos".** Explica el significado del cuento "Un día de estos", del colombiano Gabriel García Márquez. ¿Por qué no quería el dentista ver al alcalde? ¿Por qué dijo el dentista que no podía usar anestesia? ¿Cómo interpretas el final del cuento cuando el alcalde dice "Es la misma vaina"?

b. **"Pena tan grande"** y **"La única mujer".** A base de estos dos poemas de Bertalicia Peralta, ¿crees que su poesía es feminista o simplemente poesía que expresa simpatía por la mujer? Expresa tu opinión y defiéndela.

c. **"La cascada de Salto de Ángel".** En la tradición oral venezolana, una leyenda explica el origen de esta famosa cascada. Escribe un resumen de esa leyenda. Incluye los detalles más importantes.

Nombre _____   Fecha _____

Sección _____

I.   Gente del Mundo 21

Una cantante peruana. Escucha lo que dicen dos amigos peruanos después de asistir a un concierto de la cantante peruana Tania Libertad. Luego, escoge la respuesta que complete mejor cada oración. (5 puntos)

1. Los dos amigos asistieron a un concierto _____ de la famosa cantante peruana Tania Libertad.

   a. en vivo

   b. pregrabado

   c. televisado

2. Tania Libertad ha grabado más de _____ discos.

   a. veinte

   b. treinta

   c. cuarenta

3. Tania Libertad es una de las mejores representantes de la música _____.

   a. popular latinoamericana

   b. folklórica andina

   c. caribeña

4. Muchas de sus composiciones _____.

   a. son bailables

   b. son para escuchar y pensar

   c. están basadas en el jazz de Nueva Orleans

5. Tania Libertad propone que a su música se le llame _____.

   a. canto nuevo latinoamericano

   b. la nueva trova

   c. música popular latinoamericana

II. Historia y cultura

El siguiente ejercicio comprueba si has comprendido las lecturas **Del pasado al presente** y **Ventanas al Mundo 21** que aparecen en las tres lecciones de esta unidad. Escoge la respuesta que complete mejor cada oración. (9 puntos)

1. De estos tres países, el que tiene la extensión territorial más grande es ____.

    a. Perú   **b.** Ecuador   **c.** Bolivia

2. El imperio incaico se llamaba "Tahuantinsuyo", palabra que significa en quechua ____.

    a. "imperio del Sol"

    b. "las cuatro direcciones"

    c. "puma de la montaña"

3. En 1533 Francisco Pizarro condenó a muerte al inca ____.

    a. Huáscar   **b.** Atahualpa   **c.** Huayna Cápac

4. La papa es una planta originaria de la región andina y su nombre proviene del ____.

    a. quechua   **b.** quiché   **c.** guaraní

5. Las tumbas reales de Sipán descubiertas en 1987 se han identificado con la civilización ____.

    a. incaica   **b.** mochica   **c.** aymara

6. El puerto principal de Ecuador es ____.

    a. Guayaquil   **b.** Quito   **c.** El Callao

7. El ____ es la moneda de Ecuador.

    a. peso   **b.** sucre   **c.** bolívar

8. La ciudad minera que se fundó en 1546 cerca de grandes depósitos de plata y que en el siglo XVII llegó a ser la ciudad más grande de América es ____.

    a. La Paz   **b.** Chuquisaca   **c.** Potosí

9. Como resultado de la Guerra del Pacífico (1879–1883), Bolivia cedió su única salida al mar ____.

    a. a Chile   **b.** a Paraguay   **c.** al Perú

III. Estructura en contexto

A **¡No falta mucho para las vacaciones!** Todos tus amigos piensan salir pronto de vacaciones. Para saber cuándo se van, completa las siguientes oraciones con el imperfecto de subjuntivo de los verbos que aparecen entre paréntesis. (5 puntos)

1. Margarita me dijo que saldría de vacaciones tan pronto como

   _____ (acabar) el semestre.

2. Felipe me dijo que saldría en cuanto _____ (dejar) de trabajar

   en julio.

3. Arturo dijo que saldría en cuanto _____ (hacer) un poco más

   de calor, quizás en julio.

4. Catalina dijo que no saldría de vacaciones hasta que sus hermanos

   _____ (volver) de Europa.

5. Raquel me dijo que no saldría de vacaciones antes que _____

   (terminar) las clases de la escuela de verano.

B **En la oficina de turismo.** Un amigo cuenta las recomendaciones que le hizo un empleado de la oficina de turismo Dinatur en La Paz. Para saber lo que dice, completa las siguientes oraciones con el imperfecto de indicativo o de subjuntivo de los verbos que aparecen entre paréntesis, según convenga. (7 puntos)

1. El empleado me recomendó que no _____ (tratar) de verlo

   todo en un solo día.

2. El empleado me sugirió que _____ (visitar) los edificios colo-

   niales de la calle Jaén.

3. El empleado dudaba que el Museo Nacional de Arte _____

   (estar) abierto los lunes.

4. El empleado pensaba que los mapas de su oficina _____ (ser)

   adecuados.

5. El empleado me aconsejó que _____ (pasar) unas horas en el

   Museo Tiahuanaco.

6. El empleado dijo que él no _____ (conocer) el Mercado de Hechicería.

7. Él me recomendó que _____ (ir) a ver el Mercado Camacho.

C **¡A buscar regalos!** Di qué tipo de regalos buscabas para tu mamá para el Día de las Madres. Usa el imperfecto de indicativo o de subjuntivo de los verbos que aparecen entre paréntesis, según convenga. (6 puntos)

1. Quería algo que _____ (ser) muy especial.

2. Pero quería encontrar un regalo que no _____ (costar) una fortuna.

3. Deseaba algo que me _____ (gustar) a mí también.

4. No encontré ningún libro que le_____ (interesar) a mamá.

5. No vi ni un solo disco compacto que me _____ (parecer) apropiado.

6. Finalmente compré una cinta de video en el cual el cantante que más le gusta a mi mamá _____ (interpretar) unas bellas canciones.

D **¡Qué mala nota!** Completa las siguientes oraciones para expresar lo que le dices a un compañero que ha sacado una mala nota en el último examen de física. Usa el presente perfecto de indicativo o de subjuntivo de los verbos que aparecen entre paréntesis, según convenga. (6 puntos)

1. Me dicen que _____ _____ (recibir-tú) una mala nota en tu examen de física.

2. ¿Será posible que no _____ _____? (estudiar-tú)

3. Lamento que no _____ _____ (salir-tú) bien.

4. ¿Cuál _____ _____ (ser) el promedio de los resultados en tu clase?

5. Se dice que los profesores de física _____ _____ (suspender) a muchos estudiantes.

6. Es una lástima que nadie _____ _____ (organizar) una sesión de repaso antes del examen.

IV. Cultura en vivo y Vocabulario

Indica qué palabra o frase de la segunda columna se relaciona mejor con la de la primera. (10 puntos)

_____ **1.** parrillada   **a.** caminar

_____ **2.** encaje   **b.** vestidos de máscaras

_____ **3.** andar   **c.** tamaño, medida

_____ **4.** zapatillas   **d.** corredores

_____ **5.** estiramiento   **e.** material

_____ **6.** disfraces   **f.** procesión de gente y una banda

_____ **7.** *chasquis*   **g.** zapatos

_____ **8.** talla   **h.** asado

_____ **9.** chanclos   **i.** pantuflas

_____ **10.** desfile   **j.** preparar los músculos para correr

V. Lectura

Las ciudades se agigantan

Uno de los cambios más importantes en Latinoamérica desde la Segunda Guerra Mundial ha sido el enorme crecimiento demográfico del continente y la expansión de la población de las ciudades. Al comienzo del siglo XX, ninguna ciudad latinoamericana llegaba al millón de habitantes. Ahora es muy común que las ciudades capitales tengan por lo menos esa cantidad. Estas ciudades han absorbido los pueblos y las regiones cercanos para transformarse en grandes aglomeraciones urbanas. Por ejemplo, se calcula que en 1990 la aglomeración urbana de Lima, capital del Perú, tenía una población de 6 millones y medio. Muchos de estos habitantes son campesinos provenientes del altiplano peruano que se mudan de las regiones rurales a la gran ciudad en busca de empleo y mejores condiciones de vida. Miles de ellos viven en los "pueblos nuevos" que han surgido alrededor de Lima y que en su mayoría carecen de servicios urbanos básicos, como electricidad, alcantarillado y agua potable.

Lo que sucede en Lima se repite en otras ciudades, a veces en escala mayor. Por ejemplo, la aglomeración urbana de la Ciudad de México tiene ahora unos 20 millones de habitantes y ha llegado a ser la mayor ciudad del mundo. En relativamente pocas generaciones, los latinoamericanos han pasado de ser personas típicamente rurales a ser habitantes de zonas urbanas con todos los problemas que conlleva la vida en ciudades muy grandes, a menudo muy pobres, con insuficiencia de servicios para una población que aumenta muy rápidamente.

La explosión urbana ha ocasionado una transformación acelerada de la cultura latinoamericana. Los medios de comunicación, principalmente la radio y la televisión, moldean ahora el gusto y el estilo de vida de grandes sectores de la población, los que en otros tiempos vivían según costumbres basadas en antiguas tradiciones regionales. La ironía es que mientras más radios, televisores y otros aparatos electrónicos de comunicación haya, se hace cada vez más difícil en los grandes centros urbanos la comunicación humana entre los miembros de la familia y la comunidad.

Las grandes ciudades. Indica si los siguientes comentarios son ciertos o falsos. (6 puntos)

C F   **1.** Uno de los cambios más importantes desde la Segunda Guerra Mundial ha sido el enorme crecimiento de las ciudades latinoamericanas.

C F   **2.** Al comienzo del siglo XX, diez ciudades latinoamericanas tenían por lo menos un millón de habitantes.

C F   **3.** Se calcula que en 1990 la aglomeración urbana de Lima, la capital del Perú, tenía una población de 6 millones y medio.

C　**F**　**4.** La mayoría de los habitantes de los "pueblos nuevos" que rodean Lima son gente de la clase alta que ya no quiere vivir en el centro de Lima.

C　**F**　**5.** Se calcula que en 1994 la aglomeración urbana de la Ciudad de México tenía casi 20 millones de habitantes y ahora se considera la ciudad más poblada del mundo.

C　**F**　**6.** Ahora la radio y la televisión moldean los gustos y el estilo de vida de las masas, los cuales en otros tiempos derivaban de antiguas tradiciones regionales.

VI. Composición

Escribe una composición sobre uno de los siguientes temas. (46 puntos)

a. Costumbrismo. El poeta y escritor limeño Hernán Velarde pertenece a un grupo de escritores costumbristas peruanos. Explica lo que esto significa. ¿Muestran los costumbristas un punto de vista realista, idealista, optimista o pesimista? ¿Qué tono le dan a sus obras: poético, lírico, sentimental, sofisticado o común y corriente? Apoya tu explicación con ejemplos específicos que recuerdas del poema "Visión de antaño".

b. Sátira. Unas técnicas favoritas del cuentista ecuatoriano José Antonio Campos fueron el humor, la sátira y la burla. Explica cómo utiliza estas técnicas en el cuento "Los tres cuervos". ¿En qué consiste el humor? ¿Qué tipo de sátira utiliza? ¿De quién(es) se burla?

c. Japonesa-boliviana. La autora Maricarmen Ohara es japonesa-boliviana. ¿Hasta qué punto crees que su cuento "Chino-japonés" es autobiográfico? ¿Es posible que ella haya sufrido como Fernando Hidehito Takei Mier? ¿Será la familia de la autora la familia que aparece en el cuento? Decídelo tú mismo(a) y defiende tu opinión con ejemplos específicos del cuento.

I.   Gente del Mundo 21

Un escritor peruano. Escucha lo que dicen una profesora de literatura latinoamericana y sus estudiantes sobre la vida y obra de Mario Vargas Llosa, uno
de los escritores peruanos más célebres del mundo. Luego, escoge la respuesta
que complete mejor cada oración. (5 puntos)

1. Mario Vargas Llosa nació en 1936 en _____.

   a. Lima

   b. Arequipa

   c. Cuzco

2. Se doctoró en la Universidad de _____.

   a. San Marcos

   b. Oxford

   c. Madrid

3. Su primera novela, *La ciudad y los perros,* publicada en 1963, se basa en sus
   experiencias personales en _____.

   a. un seminario

   b. la universidad

   c. una escuela militar

4. Desde que se publicó *La ciudad y los perros,* el autor _____.

   a. no ha escrito más novelas

   b. ha publicado muchas novelas aunque pocos críticos conocen su obra

   c. ha publicado muchas novelas y es considerado uno de los novelistas más
      representativos del florecimiento de la novela latinoamericana

5. El candidato que ganó la elecciones presidenciales en 1990 en Perú fue
   _____.

   a. Alberto Fujimori

   b. Mario Vargas Llosa

   c. Fernando Belaúnde Terry

II. Historia y cultura

En el siguiente ejercicio, comprueba si has comprendido las lecturas **Del pasado al presente** y **Ventanas al Mundo 21** que aparecen en las tres lecciones de esta unidad. Escoge la respuesta que complete mejor cada oración. (10 puntos)

1. De estos tres países, el que tiene la extensión territorial más pequeña es _____.

   a. Perú   **b.** Ecuador   **c.** Bolivia

2. La ciudad de Chan Chan era la capital del reino _____.

   a. chimú   **b.** mochica   **c.** shiri

3. La capital del Imperio Inca fue _____.

   a. Cuzco   **b.** Machu Picchu   **c.** Sipán

4. Bolivia tiene dos capitales: la sede del gobierno y el poder legislativo están en La Paz y el Tribunal Supremo se encuentra en _____.

   a. Potosí   **b.** Santa Cruz   **c.** Sucre

5. El metal que constituyó la base de la riqueza de las minas de Potosí durante la colonia fue _____.

   a. el oro   **b.** el estaño   **c.** la plata

6. En 1941, _____ se apoderó de la mayor parte de la región amazónica de Ecuador.

   a. Colombia   **b.** Chile   **c.** Perú

7. Víctor Paz Estenssoro impulsó una ambiciosa reforma agraria en Bolivia que benefició a _____.

   a. la clase alta

   b. los campesinos indígenas

   c. los mineros

8. El presidente de Perú, que en 1990 empezó un programa de reformas económicas y políticas con el propósito de controlar la violencia y el terrorismo, fue _____.

   a. Ramón Castilla

   b. Alberto Fujimori

   c. Fernando Belaúnde Terry

9. En febrero de 1997, el Congreso ecuatoriano le pidió al presidente que renunciara el puesto y _____ fue nombrado presidente en elecciones nacionales.

    a. Fabián Alarcón   **b.** Rosalía Arteaga   **c.** Sixto Durán Ballén

10. El general boliviano que fue nombrado presidente en 1970 y otra vez en 1997 fue _____.

    a. Hernán Siles Suazo

    b. Gonzalo Sánchez

    c. Hugo Bánzer Suárez

III. Estructura en contexto

A

Una enfermedad. Una amiga te cuenta lo que le dijo el médico sobre su enfermedad. Para saber lo que dice, completa las oraciones con el imperfecto de subjuntivo de los verbos que aparecen entre paréntesis. (5 puntos)

1. Me dijo que hice bien en ir a verlo antes de que la infección

    _____ (hacerse) más grave.

2. Me dijo que yo debía llamarlo en caso de que me _____

    (subir) la fiebre.

3. Me dijo que no volviera hasta dentro de tres días, a menos que

    _____ (surgir) complicaciones.

4. Me dijo que tenía que tomar antibióticos a fin de que la infección

    _____ (desaparecer).

5. Me dijo que no podía salir a la calle, aunque _____ (salir) por

    poco tiempo y con mucha ropa.

B   **Un viaje de verano.** Cuéntanos lo que le has dicho a un amigo boliviano sobre un viaje que vas a hacer por su país. Usa el imperfecto de indicativo o de subjuntivo de los verbos que aparecen entre paréntesis, según convenga. (7 puntos)

1. Le expliqué a mi amigo que iría a verlo cuando _____ (estar) de vacaciones.

2. Le dije que iba a comprar los billetes de avión en seguida, antes de que _____ (subir) los precios.

3. Le dije que saldría la última semana de julio, aunque quizá no _____ (hacer) buen tiempo.

4. Le aseguré que en cuanto _____ (saber) la fecha se la diría.

5. Le repetí que estaría allí sólo dos semanas porque _____ (tener) muchos compromisos con mi familia para el verano.

6. Le propuse que fuéramos a la sierra porque _____ (ser) la región que yo más quería recorrer.

7. Le dije que me llevara a Potosí después de que _____ (regresar) de Santa Cruz.

C

Las ideas de Bolívar. Los estudiantes hablan de las ideas de Simón Bolívar sobre la independencia de Sudamérica. Para saber lo que dicen, usa el imperfecto de indicativo o de subjuntivo de los verbos que aparecen entre paréntesis, según convenga. (6 puntos)

1. Bolívar creía que _____ (ser) posible lograr la unidad sudamericana.

2. Bolívar pensaba que algunos líderes sudamericanos _____ (perseguir) ambiciones personales.

3. Bolívar quería que los españoles les _____ (dar) la libertad a las colonias.

4. Bolívar dudaba que los españoles _____ (poder) vencer a los ejércitos americanos.

5. Bolívar estaba seguro que los pueblos sudamericanos _____ (desear) la unificación.

6. Bolívar creía que los pueblos sudamericanos _____ (poder) ser gobernados por una sola persona.

D **Regreso del extranjero.** Unos amigos hablan con un compañero que ha regresado de Ecuador, donde estudiaba con una beca. Para saber lo que cada uno le dice, usa el presente perfecto de indicativo o de subjuntivo de los verbos que aparecen entre paréntesis, según convenga. (6 puntos)

1. Estoy muy contento de que _____ _____ (poder-tú) pasar un año en el extranjero.

2. Tú mamá me dice que _____ _____ (hacer-tú) muchos viajes por Sudamérica durante el año.

3. Es bueno que _____ _____ (recibir-tú) una beca.

4. Supongo que _____ _____ (ver) muchas cosas interesantes allá.

5. Dudo que _____ _____ _____ (aburrirte).

6. Es impresionante que el gobierno _____ _____ _____ (darte) una beca tan grande.

IV. Cultura en vivo y Vocabulario

Indica qué palabra o frase de la segunda columna se relaciona mejor con cada una de la primera. (10 puntos)

____	1. fuegos artificiales	**a.** Carnaval
____	2. mezclilla	**b.** Miércoles de Ceniza
____	3. trotar	**c.** jeans
____	4. bombines	**d.** falda
____	5. doblar	**e.** hacer jogging
____	6. Cuaresma	**f.** abrigo
____	7. respirar	**g.** Día de la Independencia
____	8. pollera	**h.** brazos o piernas
____	9. impermeable	**i.** exhalar
____	10. tamborileros	**j.** sombreros

V. Lectura

El estaño: el oro de Bolivia

Durante la época colonial, el territorio que es ahora Bolivia era el mayor productor de plata del mundo. Ciudades enteras fueron construidas para abastecer a las zonas mineras. En el siglo XX, el estaño (*tin*) sustituyó a la plata como el principal producto de exportación. Bolivia pasó a ser, durante un período, el principal productor occidental de este mineral. Simón Patiño (1860–1947), de ascendencia indígena, fue uno de los industriales que más se benefició con el auge del estaño. Nació en la pobreza, pero logró levantar un imperio mundial de la industria del estaño y llegó a ser uno de los hombres más ricos del mundo.

Hasta hace poco Bolivia todavía era un país monoexportador. En 1963, el 92 por ciento de sus exportaciones de 72.122.723 dólares eran de minerales, de los cuales un 80 por ciento eran del estaño. Los productos agrícolas formaban únicamente el 5,6 por ciento de estas exportaciones, y el petróleo otro 1,9 por ciento. Por otro lado, la exportación de productos manufacturados representaba un insignificante 0,08 por ciento. En las últimas tres décadas esta situación ha cambiado sustancialmente debido a un esfuerzo del gobierno para diversificar la economía del país. Aunque los minerales todavía constituyen una parte considerable de las exportaciones bolivianas, ya no son el factor económico decisivo.

El estaño boliviano. Indica si los siguientes comentarios son ciertos o falsos. (6 puntos)

C   F   1. En el siglo XX, el estaño sustituyó a la plata como el principal producto de exportación de Bolivia.

C   F   2. Simón Patiño (1860–1947), de ascendencia indígena, fue una de las personas que más se benefició con la prosperidad del estaño en Bolivia.

C   F   3. En 1928, Simón Patiño fue elegido presidente de Bolivia.

C   F   4. Según un estudio de 1963, la plata era el principal producto de exportación de Bolivia.

C   F   5. El mismo estudio demostró que los productos manufacturados representaban un porcentaje insignificante de las exportaciones bolivianas.

C   F   6. Aunque los minerales todavía constituyen una parte considerable de las exportaciones bolivianas, ya no son el factor económico decisivo.

VI. Composición

Escribe una composición sobre uno de los siguientes temas. (45 puntos)

a. Costumbrismo. El poeta y escritor limeño Hernán Velarde pertenece a un grupo de escritores costumbristas peruanos. Explica lo que esto significa. ¿Muestran los costumbristas un punto de vista realista, idealista, optimista o pesimista? ¿Qué tono tienen sus obras: poético, lírico, sentimental, sofisticado o común y corriente? Apoya tu explicación con ejemplos específicos que recuerdas del poema "Visión de antaño".

b. Sátira. Unas técnicas favoritas del cuentista ecuatoriano José Antonio Campos fueron el humor, la sátira y la burla. Explica cómo utiliza estas técnicas en el cuento "Los tres cuervos". ¿En qué consiste el humor? ¿Qué tipo de sátira utiliza? ¿De quién(es) se burla?

c. Japonesa-boliviana. La autora Maricarmen Ohara es japonesa-boliviana. ¿Hasta qué punto crees que su cuento "Chino-japonés" es autobiográfico? ¿Es posible que ella haya sufrido como Fernando Hidehito Takei Mier? ¿Será la familia de la autora la familia que aparece en el cuento? Decídelo tú mismo(a) y defiende tu opinión con ejemplos específicos del cuento.

I. Gente del Mundo 21

Un pintor chileno. Escucha lo que dicen una madre y su hija después de asistir a la apertura de la exhibición de Roberto Matta, uno de los pintores chilenos más importantes del mundo del arte contemporáneo. Luego, escoge la respuesta que complete mejor cada oración. (5 puntos)

1. Al principio la mamá _____ dar su opinión sobre Roberto Matta.

    a. temía

    b. insistía en

    c. quería

2. La mamá dice que en uno de los cuadros de Roberto Matta _____.

    a. hay figuras demasiado realistas

    b. hay muchísimos colores

    c. predominan los colores blanco, negro y gris

3. Roberto Matta es un artista chileno de ascendencia _____.

    a. francesa

    b. vasca

    c. alemana

4. Roberto Matta terminó la carrera de _____.

    a. artes plásticas

    b. ingeniería

    c. arquitectura

5. La hija piensa que su mamá supera a sus profesores de crítica de arte de la universidad _____.

    a. porque su mamá pinta muy bien

    b. porque pudo expresar en pocas palabras el tema central del arte surrealista de Roberto Matta.

    c. porque conoce la obra de Roberto Matta desde hace muchos años

II. Historia y cultura

El siguiente ejercicio comprueba si has comprendido las lecturas **Del pasado al presente** y **Ventanas al Mundo 21** que aparecen en las tres lecciones de esta unidad. Escoge la respuesta que complete mejor cada oración. (9 puntos)

1. De estos tres países, el que tiene la extensión territorial más grande es _____.

   a. Chile **b.** Paraguay **c.** Uruguay

2. El Río de la Plata se llamó así _____.

   a. por los barcos españoles cargados de plata que se hundieron en sus aguas

   b. por la leyenda indígena de una sierra hecha de plata

   c. porque había mucha plata en sus orillas

3. _____ nunca fue parte del Virreinato del Río de la Plata.

   a. Uruguay **b.** Paraguay **c.** Chile

4. La actividad principal del gaucho era _____.

   a. la agricultura **b.** la ganadería **c.** la minería

5. El territorio de _____ también fue conocido como la Banda Oriental.

   a. Paraguay **b.** Uruguay **c.** Chile

6. La primera Copa Mundial se celebró en Montevideo, Uruguay, en 1930 y el país que ganó la copa fue _____.

   a. Brasil **b.** Argentina **c.** Uruguay

7. _____ fue elegida primero vicepresidenta y luego fue nombrada presidenta de Argentina.

   a. Eva Duarte de Perón, conocida como Evita Perón,

   b. María Estela Martínez, conocida como Isabel Perón,

   c. Cristina Peri Rossi, conocida también por sus escritos,

8. La presa de Itaipú, el proyecto hidroeléctrico más grande del mundo, fue construido por Brasil y _____.

   a. Argentina **b.** Paraguay **c.** Uruguay

9. Desde finales de los años 80, ha habido un gran aumento en las exportaciones de _____.

   a. ganado de Argentina

   b. frutas de Chile

   c. instrumentos musicales de Paraguay

III. Estructura en contexto

A   **¡Atraso!** Llegaste a clase, pero tarde. Usa el pluscuamperfecto de indicativo de los verbos que aparecen entre paréntesis para decir lo que encontraste. (5 puntos)

1. Cuando entré, la clase ya _____ _____ (empezar).

2. Los estudiantes ya _____ _____
    _____ (sentarse).

3. El profesor ya _____ _____ (devolver) la última prueba.

4. El profesor ya _____ _____ (corregir) la tarea para ese día.

5. Algunos estudiantes ya _____ _____ (hacer) el ejercicio A.

B   **Predicciones.** Tus amigos argentinos expresan su opinión acerca de lo que habrá ocurrido antes de que termine la década. Usa el futuro perfecto de los verbos que aparecen entre paréntesis en tus respuestas. (5 puntos)

1. Antes de que termine la década, nuestra moneda se _____
    _____ (devaluar) muchas veces.

2. Los problemas de límites con los países vecinos se _____
    _____ (resolver).

3. Nuestro gobierno _____ _____ (renegociar) la deuda externa varias veces.

4. _____ _____ (Comenzar) la explotación de la Antártida.

5. La población de la parte sur del país _____
    _____ (aumentar) considerablemente.

C   **Mala semana para la familia.** Ha habido varios problemas esta semana en la familia de Jorge. Para saber cómo le han afectado, completa las siguientes oraciones con el presente perfecto de subjuntivo o el pluscuamperfecto de subjuntivo de los verbos que aparecen entre paréntesis, según convenga. (5 puntos)

1. Me entristeció que mi hermanito _____ _____ (perder) su partido de fútbol el sábado pasado.

2. Es una lástima que la abuelita _____ _____ _____ (caerse).

3. Lamenté mucho que un conductor irresponsable _____ _____ (chocar) con el coche de papá.

4. Sentí mucho que mi hermana _____ _____ (tener) que guardar cama por la gripe.

5. Siento que mis primos no _____ _____ (poder) venir a vernos.

D   **Problemas en el trabajo.** Hablas de diversas posibilidades relacionadas con tu trabajo. Usa el presente de indicativo, el imperfecto de subjuntivo o el pluscuamperfecto de subjuntivo de los verbos que aparecen entre paréntesis, según convenga. (5 puntos)

1. Creo que me habrían ascendido si yo _____ (saber) otro idioma.

2. Estaría contento si el jefe me _____ (dar) menos trabajo.

3. Cambiaré de trabajo si el jefe _____ (enfadarse) conmigo otra vez.

4. Yo ahorraría más si _____ (ganar) más.

5. Yo aceptaré trabajar horas extraordinarias si se _____ (presentar) la oportunidad.

IV. Cultura en vivo y Vocabulario

Indica qué palabra o frase de la segunda columna se relaciona mejor con la de la primera. (10 puntos)

_____ 1. mestizo   **a.** español nacido en las Américas

_____ 2. arquero   **b.** la Federación Internacional de Fútbol Asociado

_____ 3. MERCOSUR   **c.** blanco e indígena

_____ 4. convenios   **d.** hacer goles

_____ 5. criollo   **e.** Tratado de Libre Comercio de América del Norte

_____ 6. tiro   **f.** Mercado Común del Sur

_____ 7. FIFA   **g.** quechua

_____ 8. NAFTA   **h.** portero

_____ 9. anotar puntos   **i.** acuerdos

_____ 10. inca   **j.** golpe de cabeza

V. Lectura

Tierra del Fuego: La punta de Sudamérica

El territorio insular que forma la punta sur de Sudamérica se llama Tierra del Fuego y se divide entre Chile y Argentina. Fue descubierta en 1520 por el navegante Fernando de Magallanes durante el primer viaje alrededor del mundo. Magallanes fue quien le dio su denominación actual al territorio después de observar desde lejos la multitud de hogueras que hacían los indígenas para calentarse en la noche. El clima es frío. La isla Grande de Tierra del Fuego tiene una forma triangular, y está separada del continente por el estrecho de Magallanes.

Aunque en 1881 se fijaron las fronteras entre Chile y Argentina, la posesión de algunas islas del canal del Beagle quedó en duda. La cuestión territorial llevó a reclamaciones estrepitosas y amenazas de acción militar. El conflicto entre Chile y Argentina se resolvió mediante el arbitraje del papa Juan Pablo II en 1987.

En la parte argentina de Tierra del Fuego se encuentra el puerto pesquero de Ushuaia, la ciudad más cercana al polo sur. La población más al sur de Chile es otro puerto pesquero llamado Porvenir. Así, desde la parte más al sur del continente americano, el Cabo de Hornos, el nombre de Porvenir resume las aspiraciones de millones de hombres, mujeres y niños que habitan el continente llamado América.

Tierra del Fuego. Indica si los siguientes comentarios son ciertos o falsos.
(12 puntos)

C F **1.** Tierra del Fuego se divide entre Chile y Argentina.

C F **2.** Fernando de Magallanes descubrió este territorio en 1520 mientras realizaba el primer viaje alrededor del mundo.

C F **3.** Magallanes nombró este territorio Tierra del Fuego porque hacía un calor terrible allí.

C F **4.** El conflicto entre Chile y Argentina se resolvió mediante el arbitraje del papa Juan Pablo II en 1987.

C F **5.** No hay pueblos en la parte argentina de Tierra del Fuego.

C F **6.** El puerto más al sur de Chile se llama Porvenir y en su nombre se resumen las aspiraciones de millones de americanos.

VI. Composición

Escribe una composición sobre uno de los siguientes temas. (44 puntos)

a. El realismo mágico. Explica el título del cuento de Julio Cortázar "Continuidad de los parques". ¿Por qué se considera parte del realismo mágico? ¿Qué es lo real y qué es lo ficticio o mágico de este cuento?

b. *Patas arriba.* Relaciona "El derecho al delirio", el fragmento que leíste del escritor uruguayo Eduardo Galeano, al título del libro de donde viene: *Patas arriba.* ¿Cuál es el mensaje que Galeano trata de comunicar aquí, a principios del nuevo milenio?

c. "La United Fruit Co." ¿Cuál es el tema del poema "La United Fruit Co." del chileno Pablo Neruda? ¿Crees que su punto de vista es compartido por otros latinoamericanos? ¿Por qué? ¿Qué opinas tú de lo que el poeta dice?

I. Gente del Mundo 21

Un poeta chileno. Escucha lo que dicen dos estudiantes de la Universidad de Santiago de Chile sobre la vida y obra de Pablo Neruda, uno de los poetas más conocidos de la literatura latinoamericana. Luego, escoge la respuesta que complete mejor cada oración. (6 puntos)

1. José Luis es estudiante de _____.

   a. filosofía   **b.** derecho   **c.** ingeniería

2. *Veinte poemas de amor y una canción desesperada,* el libro de poemas favorito de José Luis, fue publicado por Pablo Neruda cuando éste tenía _____.

   a. sólo veinte años   **b.** treinta años   **c.** cuarenta años

3. El nombre original del poeta era Neftalí Ricardo Reyes Basoalto. Lo cambió en 1923 a Pablo Ncruda, un nombre tomado de un _____.

   a. héroe chileno

   b. abuelo paterno

   c. poeta checo

4. El libro *España en el corazón* (1937) refleja las experiencias del poeta en _____.

   a. la Guerra Civil Española

   b. la Segunda Guerra Mundial

   c. una visita a la Plaza Mayor de Madrid

5. Pablo Neruda recibió el Premio Nobel de Literatura en _____.

   a. 1951   **b.** 1961   **c.** 1971

6. El poeta murió en 1973, _____.

   a. pocos meses después de la elección de Salvador Allende

   b. trece días después de la caída del gobierno de su amigo Salvador Allende

   c. en el primer aniversario de la caída del gobierno de Salvador Allende

II. Historia y cultura

El siguiente ejercicio comprueba si has comprendido las lecturas **Del pasado al presente** y **Ventanas al Mundo 21** que aparecen en las tres lecciones de esta unidad. Escoge la respuesta que complete mejor cada oración. (10 puntos)

1. La riqueza de las treinta y dos reducciones o misiones paraguayas se basaba en _____.

   a. la explotación de ricas minas de oro

   b. una próspera producción agrícola y artesanal

   c. la venta de esclavos indígenas

2. En 1865, la Triple Alianza formada por Argentina, Brasil y Uruguay tuvo una sangrienta guerra contra _____.

   a. Chile

   b. Paraguay

   c. Perú

3. En la década de los años 20 se empezaba a describir a Uruguay como _____ por su prosperidad y estabilidad institucional.

   a. el "granero del mundo"

   b. El Dorado

   c. la "Suiza de América"

4. El general Alfredo Stroessner fue nombrado presidente en 1954 y siguió en el poder hasta que fue derrocado en _____.

   a. 1969   **b.** 1979   **c.** 1989

5. A lo largo de los doce años de gobierno militar que empezó en 1972, se exiliaron más de _____ uruguayos por razones económicas o políticas.

   a. 30.000   **b.** 100.000   **c.** 300.000

6. De 1830 a 1973 la historia política de Chile se distingue de la de las otras naciones latinoamericanas por _____.

   a. tener gobiernos democráticos interrumpidos únicamente por dos períodos de gobiernos militares

   b. nunca haber tenido un gobierno militar en su historia

   c. las constantes guerras civiles que devastaron al país

7. Cuando Perón murió en 1974, su esposa María Estela Martínez (conocida como Isabel Perón) se convirtió en la primera mujer latinoamericana en _____.

   a. rechazar la presidencia de su país

   b. acceder al cargo de vice presidente

   c. acceder al cargo de presidente

8. El presidente socialista Salvador Allende _____.

   a. fue vencido en nuevas elecciones presidenciales

   b. fue derrocado por un violento golpe militar

   c. renunció a la presidencia después de protestas pacíficas

9. En 1990, el dictador Augusto Pinochet entregó el poder cuando el demócrata-cristiano Patricio Aylwin _____.

   a. ganó las elecciones presidenciales

   b. dirigió una rebelión militar

   c. fue escogido por los jefes militares como sucesor de Pinochet

10. En 1999, el ex-alcalde de Buenos Aires y candidato izquierdista _____ ganó las elecciones presidenciales.

   a. Carlos Menem

   b. Fernando de la Rúa

   c. Raúl Alfonsín

III. Estructura en contexto

A **Despidiéndose de una amiga.** Describe lo que pasó anoche cuando fuiste al aeropuerto a despedirte de una amiga. Emplea el pluscuamperfecto de indicativo de los verbos que aparecen entre paréntesis. (5 puntos)

1. El avión todavía no _____ _____ (despegar).

2. Mi amiga ya _____ _____ (facturar) las maletas.

3. Cuando llegué al aeropuerto, muchos pasajeros ya _____ _____ (salir) hacia inmigración.

4. Mi amiga ya _____ _____ (cambiar) dinero en la oficina de cambios del aeropuerto.

5. Mi amiga todavía no _____ _____ _____ (despedirse) de todos sus familiares.

B **Pronósticos.** Di lo que imaginas que tus amigos habrán hecho dentro de unos cuantos años. Usa en tus respuestas el futuro perfecto de los verbos que aparecen entre paréntesis. (5 puntos)

1. Francisca ya _____ _____ (conseguir) un excelente trabajo.

2. Julián y Becky ya _____ _____ _____ (casarse).

3. Enrique ya _____ _____ (montar) un negocio de importaciones.

4. Inés ya _____ _____ (escribir) una novela.

5. Gabriel ya _____ _____ (cambiar) de trabajo varias veces.

C   **Una renuncia.** Acabas de renunciar a tu puesto. ¿Qué estás pensando ahora? Usa en tus respuestas el presente perfecto de subjuntivo o el pluscuamperfecto de subjuntivo de los verbos que aparecen entre paréntesis. (5 puntos)

1. Siento que no me _____ _____ (ofrecer-ellos) más dinero.

2. No habría renunciado si me _____ _____ (dar-ellos) un ascenso.

3. Es una lástima que mi jefe no _____ _____ (ser) más comprensivo.

4. No habría renunciado si la compañía me _____ _____ (aumentar) las prestaciones sociales.

5. No habría renunciado si la compañía _____ _____ (abrir) sucursales en Latinoamérica.

D   **Opiniones.** Tus amigos chilenos expresan diversas opiniones acerca de su país. Para saber lo que piensan, completa las siguientes oraciones con el presente de indicativo, el imperfecto de subjuntivo o el pluscuamperfecto de subjuntivo de los verbos que aparecen entre paréntesis, según convenga. (5 puntos)

1. La economía mejorará si _____ (subir) el precio del cobre.

2. Los bolivianos estarían muy contentos si Chile les _____ (devolver) el territorio que perdieron en la Guerra del Pacífico.

3. Sería mejor para el país si la educación superior _____ (costar) menos dinero.

4. Los agricultores estarán contentos si _____ (continuar) las exportaciones de fruta.

5. Muchos profesionales no habrían salido del país hace unos años si no _____ _____ (haber) tantos problemas políticos en Chile.

IV. Cultura en vivo y Vocabulario

Indica qué palabra o frase de la segunda columna se relaciona mejor con cada una de la primera. (10 puntos)

_____ 1. mulato

_____ 2. portero

_____ 3. Mercado Común del Sur

_____ 4. acuerdo

_____ 5. zambo

_____ 6. cobrar un penal

_____ 7. la Federación Internacional de Fútbol Asociado

_____ 8. Tratado de Libre Comercio de América del Norte

_____ 9. guaraní

_____ 10. náhuatl

a. indígena y negro

b. FIFA

c. blanco y negro

d. Paraguay

e. NAFTA

f. MERCOSUR

g. aztecas

h. arquero

i. convenio

j. contar una falta

V.   Lectura

Con Gabriela Mistral
el Premio Nobel de Literatura
llegó a Hispanoamérica

Lucila Godoy Alcayaga nació en Vicuña, Chile, el 7 de abril de 1889. Pasó su infancia en las regiones desoladas del norte de Chile. A los quince años se hizo maestra de escuela. Como escritora adoptó el seudónimo literario de Gabriela Mistral en homenaje al escritor italiano Gabriele D'Annunzio y al francés Frédéric Mistral. Con este seudónimo la poeta se hizo famosa cuando en 1914 ganó un premio nacional con los "Sonetos de la Muerte", que aparecieron en su primer libro, *Desolación* (1922). En este libro, que muchos críticos consideran su mejor, se expresa el dolor, la tristeza y la soledad que siente la poeta por el suicidio de un novio de su juventud cuando ella sólo tenía diecisiete años. Su poesía nunca deja de tener un tono personal, muy íntimo. "El poeta hace casi siempre autobiografía", dijo la poeta al respecto.

En su segundo libro, *Ternura* (1924), la poeta canta al amor maternal a los niños y por los que más sufren en el mundo. Este sentimiento de solidaridad humana es el tema central de su tercer libro, *Tala* (1938). Gabriela Mistral abandonó la enseñanza para desempeñar cargos diplomáticos en Europa. En 1945 recibió el Premio Nobel de Literatura, siendo la primera mujer hispana y la primera figura literaria de Hispanoamérica galardonada con este honor. Continuó viajando por todo el mundo y publicando libros de poemas consciente de su papel de escritora. "En la literatura de la lengua española", escribió Gabriela Mistral, "represento la reacción contra la forma purista del idioma metropolitano español". Murió en Hampstead, en el estado de Nueva Jersey, EE.UU., el 10 de enero de 1957.

Gabriela Mistral. Indica si los siguientes comentarios son ciertos o falsos. (6 puntos)

C   F   1. Lucila Godoy Alcayaga es el nombre verdadero de la famosa escritora chilena conocida por el seudónimo de Gabriela Mistral.

C   F   2. Gabriel Mistral es el nombre completo de un escritor francés.

C   F   3. Gabriela Mistral pasó su infancia en las regiones fértiles de bosques y lagos del sur de Chile.

C   F   4. En su primer libro, *Desolación* (1922), se expresa la tristeza que siente la poeta por el suicidio de un novio de su juventud cuando ella sólo tenía diecisiete años.

C   F   **5.** Gabriela Mistral fue maestra y después diplomática.

C   F   **6.** Gabriela Mistral fue la primera figura literaria hispanoamericana a quien se le otorgó el Premio Nobel de Literatura.

VI. Composición

Escribe una composición sobre uno de los siguientes temas. (48 puntos)

a. El realismo mágico. Explica el título del cuento de Julio Cortázar "Continuidad de los parques". ¿Por qué se considera parte del realismo mágico? ¿Qué es lo real y qué es lo ficticio o mágico de este cuento?

b. *Patas arriba*. Relaciona "El derecho al delirio", el fragmento que leíste del escritor uruguayo Eduardo Galeano, al título del libro de donde viene: *Patas arriba*. ¿Cuál es el mensaje que Galeano trata de comunicar aquí, a principios del nuevo milenio?

c. "La United Fruit Co." ¿Cuál es el tema del poema "La United Fruit Co." del chileno Pablo Neruda? ¿Crees que su punto de vista es compartido por otros latinoamericanos? ¿Por qué? ¿Qué opinas tú de lo que el poeta dice?

UNIDADES 5–8
EXAMEN

I. Comprensión oral

La integración del mundo hispano. Escucha lo que dicen dos comentaristas de radio sobre la realidad política del mundo hispano. Luego, escoge la respuesta que complete mejor cada oración. (12 puntos–2 c.u.)

1. La reunión anual de gobernantes hispanos que se celebró en Cartagena de Indias, Colombia, en junio de 1994, fue ____.

   a. la primera Cumbre Iberoamericana

   b. la segunda Cumbre Iberoamericana

   c. la cuarta Cumbre Iberoamericana

2. En esta Cumbre Iberoamericana, la mayoría de los gobernantes presentes ____.

   a. llegaron al poder a través de golpes de estado

   b. representaban sistemas democráticos

   c. eran dictadores militares

3. Todos los líderes que participaron en la Cumbre eran de países democráticos salvo ____.

   a. Fidel Castro de Cuba

   b. Carlos Saúl Menem de Argentina

   c. Violeta Barrios de Chamorro de Nicaragua

4. A la Cumbre Iberoamericana fueron invitados los gobernantes de ____.

   a. Latinoamérica exclusivamente

   b. los dieciocho países independientes latinoamericanos de lengua española más Brasil, España y Portugal

   c. veintiuna naciones del mundo hispano incluyendo EE.UU.

5. En la actualidad los gobiernos democráticos de Latinoamérica, España y Portugal están muy interesados en ____.

   a. comprar armamentos y mantener grandes ejércitos

   b. ampliar intercambios comerciales y relaciones multilaterales a todos los niveles

   c. formar una alianza militar

6. Los países que forman el llamado Grupo de los Tres y que firmaron un tratado de libre comercio como parte de la Cumbre Iberoamericana de 1994 son ____.

   a. Ecuador, Perú y Bolivia

   b. Argentina, Uruguay y Paraguay

   c. México, Colombia y Venezuela

II.   Gente del Mundo 21

Comprueba si recuerdas a las personalidades que has conocido en las Unidades 5–8. Escoge la respuesta que complete mejor cada oración. (13 puntos-1.c.u.)

1. Manlio Argueta es un escritor salvadoreño que comenzó su carrera literaria como poeta pero que se ha distinguido como _____.

   a. dramaturgo   **b.** guionista   **c.** novelista

2. Violeta Barrios de Chamorro llegó a la presidencia de Nicaragua en 1990 _____.

   a. como resultado de un golpe militar

   b. después de una invasión con la ayuda de EE.UU.

   c. después de triunfar en elecciones libres

3. La moneda nacional de Honduras debe su nombre _____.

   a. al cacique Lempira

   b. a las ruinas de Copán

   c. a San Pedro Sula

4. El político costarricense que fue galardonado en 1987 con el Premio Nobel de la Paz por su activa participación en las negociaciones por la paz en Centroamérica es _____.

   a. José Figueres Ferrer

   b. Óscar Arias Sánchez

   c. Rafael Ángel Calderón Fournier

5. El escritor colombiano galardonado con el Premio Nobel de Literatura en 1982, conocido sobre todo por su novela *Cien años de soledad* (1967), es _____.

   a. José Eustasio Rivera

   b. Gabriel García Márquez

   c. Fernando Botero

6. El militar y político panameño que, después de un largo proceso de negociación, firmó, con el presidente estadounidense Jimmy Carter, dos tratados que estipulan la cesión (*transfer*) del canal a Panamá en el año 2000 fue _____.

   a. Guillermo Endara

   b. Manuel Antonio Noriega

   c. Omar Torrijos

7. Teresa de la Parra (1890–1936) es una novelista venezolana reconocida como una de las primeras novelistas hispanoamericanas _____.

   a. que reflejan la perspectiva de la mujer

   b. que publican en Europa

   c. cuyas obras han sido traducidas a más de veinte lenguas

8. El escritor peruano que habla de sus experiencias personales en una escuela militar en su primera novela *La ciudad y los perros* (1963), es _____.

   a. Mario Vargas Llosa

   b. Mario Benedetti

   c. Julio Cortázar

9. El novelista y dramaturgo ecuatoriano cuya obra más conocida, *Huasipungo* (1934), describe la explotación de los indígenas ecuatorianos es _____.

   a. Gustavo Vásconez   b. Enrique Tábara   c. Jorge Icaza

10. El escritor boliviano cuya novela *Raza de bronce* (1919) se considera una de las mejores novelas indigenistas es _____.

    a. Augusto Roa Bastos   b. Alcides Arguedas   c. Pablo Neruda

11. El escritor argentino que desde 1955 quedó ciego y se vio obligado a dictar sus textos, y cuyas obras incluyen antologías de cuentos como *Ficciones* (1944), *El Aleph* (1949) y *El hacedor* (1960), es _____.

    a. Julio Cortázar   b. Ernesto Sábato   c. Jorge Luis Borges

12. La escritora uruguaya _____, que se exilió de su país en 1972, es autora de varias colecciones de cuentos, varios libros de poemas y una novela.

    a. Cristina Peri Rossi

    b. Gabriela Mistral

    c. María Luisa Bombal

13. El novelista paraguayo _____ fue galardonado con el prestigioso premio Miguel de Cervantes. Sus dos novelas principales, *Hijo de hombre* (1960) y *Yo, el supremo* (1974), tienen como tema central la historia de la violencia política de su país.

    a. Jorge Luis Borges   b. Jorge Icaza   c. Augusto Roa Bastos

III. Del pasado al presente

Comprueba si recuerdas lo que has leído en las secciones **Del pasado al presente** de las Unidades 5–8. Escoge la respuesta que complete mejor cada oración. (21 puntos-1 c.u.)

1. En 1969 se produjo lo que se conoce como "La guerra del fútbol" entre El Salvador y _____ .

   a. Nicaragua **b.** Honduras **c.** Guatemala

2. El Frente Farabundo Martí para la Liberación Nacional (FMLN) es _____ en El Salvador

   a. una organización política de derecha

   b. una organización política de izquierda

   c. una organización del Partido Demócrata Cristiano

3. Una de las grandes compañías norteamericanas que a principios del siglo XX llegó a controlar grandes territorios hondureños para la producción y exportación masivas de plátanos es _____ .

   a. *Associated Grocers Inc.* **b.** *Standard Oil* **c.** *United Fruit Co.*

4. La familia que dominó Nicaragua de 1937 a 1979 es la familia de _____ .

   a. los Somoza **b.** los Chamorro **c.** los Cáceres

5. César Augusto Sandino fue líder de un grupo de guerrilleros nicaragüenses que lucharon _____ .

   a. contra las tropas españolas

   b. contra las tropas de EE.UU.

   c. contra las tropas inglesas

6. De acuerdo con la constitución de 1949, Costa Rica es el único país de Latinoamérica que no tiene _____ .

   a. ejército **b.** elecciones **c.** corte suprema

7. El país de habla hispana que tiene un alto nivel de vida con los índices más bajos de analfabetismo y de mortalidad infantil es _____ .

   a. Chile **b.** México **c.** Costa Rica

8. En 1914, EE.UU. compensó a Colombia por el reconocimiento de la independencia de Panamá con _____ .

   a. la entrega de todos los cafetales colombianos que estaban en manos de compañías estadounidenses

   b. el permiso de comerciar libremente con EE.UU. por 25 años

   c. 25 millones de dólares

9. La muerte de Pablo Escobar, líder fugitivo del cartel de Medellín que murió en un encuentro violento con la policía colombiana en 1993, muestra _____.

   a. la resistencia de los grupos guerrilleros a pactar con el gobierno colombiano

   b. la determinación del gobierno colombiano de controlar a los narcotraficantes

   c. que los jefes del narcotráfico han acelerado los ataques terroristas en determinadas ciudades

10. Según la constitución panameña de 1904, cuando se reanudó la construcción del canal, Panamá se convirtió en un protectorado de EE.UU., pues el gobierno estadounidense tenía el derecho de _____.

   a. intervenir en Panamá con fuerzas armadas de EE.UU. en caso de desórdenes públicos

   b. usar, controlar y operar a perpetuidad la Zona del Canal

   c. representar al gobierno panameño en cualquier asunto relacionado con la Zona del Canal

11. El presidente panameño que fue derrocado en 1989 por una intervención militar estadounidense es _____.

   a. Manuel Antonio Noriega

   b. Guillermo Endara

   c. Omar Torrijos

12. En 1976 el presidente Carlos Andrés Pérez nacionalizó la industria petrolera, lo que proporcionó a Venezuela _____.

   a. una dictadura militar que duró diez años

   b. una rebelión popular dirigida por oficiales jóvenes del ejército

   c. mayores ingresos para impulsar el desarrollo industrial

13. Dos culturas que florecieron en el Perú miles de años antes de la conquista española son _____.

   a. la olmeca y la tolteca

   b. la chavín y la mochica

   c. la aymara y la guaraní

14. A finales de los 80, Perú se vio cada vez más agobiado por la crisis económica, la penetración del narcotráfico y _____.

    a. el terrorismo del grupo guerrillero Sendero Luminoso

    b. conflictos con Chile sobre los depósitos minerales del desierto de Atacama

    c. la escasez de guano en las islas de la costa del Pacífico

15. Las islas Galápagos son parte del territorio de _____.

    a. Perú   **b.** Ecuador   **c.** Argentina

16. Actualmente la actividad más importante para la economía de Ecuador es la exportación de _____.

    a. plátanos   **b.** café   **c.** petróleo

17. Bolivia tiene dos capitales: la sede de gobierno y el poder legislativo están en La Paz y la capital constitucional y el Tribunal Supremo están en _____.

    a. Potosí   **b.** Santa Cruz   **c.** Sucre

18. La llamada Revolución Nacional Boliviana que se inició en 1952 bajo la dirección de Víctor Paz Estenssoro, impuso una ambiciosa reforma agraria que benefició a _____.

    a. los campesinos indígenas

    b. las compañías de petróleo

    c. la clase más acomodada

19. Durante los nueve años que _____ estuvo en el poder en Argentina, su segunda esposa participó activamente en el gobierno a favor de los "descamisados".

    a. Raúl Alfonsín   **b.** Juan Domingo Perón   **c.** Carlos Saúl Menem

20. En 1976 se inició en Argentina un período de siete años de gobiernos militares durante el cual la deuda externa aumentó colosalmente, el aparato productivo del país se arruinó y _____.

    a. miles de personas "desaparecieron"

    b. se legalizó el divorcio

    c. se impuso la enseñanza religiosa obligatoria

21. Durante la década de los 20, Uruguay conoció un período de gran prosperidad económica y estabilidad institucional que le valió el nombre _____.

    a. de "granero del mundo"

    b. de "El Dorado"

    c. de la "Suiza de América"

IV. Estructura

A **Un estudiante de intercambio.** Le escribes a una amiga acerca de tus experiencias en Caracas, donde pasas unos meses como estudiante de intercambio. Termina tu carta escogiendo la forma correcta de los verbos que aparecen entre paréntesis. (24 puntos-2 c.u.)

Estoy en Caracas, que es una ciudad mucho más grande de lo que me

_____ (1. imaginar). _____ (2. Llegar) hace como

una semana y no creo que me _____ (3. acostumbrar) todavía a la

vida en una gran urbe. Me molesta que _____ (4. haber) tantos ve-

hículos en las calles. A veces pienso que _____ (5. haber) más ve-

hículos que gente en esta ciudad. Estaría más contento si _____

(6. haber) menos problemas de tráfico. Por otra parte, me encanta el metro, tan

moderno, rápido y cómodo. A menos que las líneas no _____

(7. ir) adonde yo necesito ir, es el medio de transporte que _____

(8. emplear) todo el tiempo. Todavía no _____ (9. tener) la opor-

tunidad de visitar muchos museos; hasta ahora sólo _____

(10. visitar) la Casa Natal del Libertador, Simón Bolívar.

Estoy muy a gusto con la familia con la cual vivo. Hay dos hijos de mi edad

con quienes hasta ahora me _____ (11. entender) muy bien. Sin

embargo, tengo problemas con la inmensa mayoría de los caraqueños porque

hablan muy rápido. Si _____ (12. hablar) más lentamente, enten-

dería mucho más. Mi familia me dice que pronto me convertiré en un verdadero

caraqueño.

B

Un viaje al pasado. Pedro habla de sus impresiones de una visita que acaba de hacer al pueblo donde pasó su infancia. Para saber lo que dice, escoge la forma correcta de los verbos que aparecen entre paréntesis. (30 puntos-2 c.u.)

Hasta hace poco yo nunca _____ (1. regresar) al pueblo donde

viví cuando _____ (2. ser) niño. Hace dos semanas, sin embargo,

_____ (3. tener) la oportunidad de pasar un par de días en el

pueblo de mi infancia. Aunque pensaba que _____ (4. haber)

muchos cambios, no estaba totalmente preparado para los muchos cambios

que _____ (5. ver). Me paseé por la plaza que cruzaba cada

domingo cuando _____ (6. ir) a la iglesia. Encontré que no

_____ (7. cambiar) mucho; la iglesia también

_____ (8. estar) casi igual. Busqué una heladería que había en

una de las calles que bordean la plaza, pero no la _____ (9. en-

contrar). Me dio mucha pena que esa heladería _____ (10. desa-

parecer). Si hubiera encontrado la heladería, _____ (11. pedir) un

helado de chocolate como solía hacer en mi niñez. No _____

(12. reconocer) tampoco mi vieja escuela. El edificio de un piso que yo recor-

daba se _____ (13. convertir) en un edificio moderno de varios

pisos. Cuando traté de encontrar la casa donde yo _____

(14. vivir), lo único que vi fueron edificios de apartamentos. Me sentí feliz de

regresar al pueblo de mi niñez, pero me entristeció un poco también que una

parte de mi pasado _____ (15. desaparecer).

V. Composición (optativa)

Mundo 21: aspiraciones y contrastes. ¿Te parece que "aspiraciones y contrastes" es un subtítulo apropiado para *Mundo 21*? ¿Por qué? ¿Cuáles son las
aspiraciones más notables de las veintiuna naciones hispanohablantes? ¿Cuáles
son los contrastes más sobresalientes dentro de estos países? (50 puntos)

UNIDADES 5–8
EXAMEN FINAL

I. Comprensión oral

Indica la respuesta correcta. (12 puntos-2 c.u.)

1.	a	b	c	**4.**	a	b	c
2.	a	b	c	**5.**	a	b	c
3.	a	b	c	**6.**	a	b	c

Total _____
Nota final _____

II. Gente del Mundo 21

Indica la respuesta correcta. (13 puntos-1 c.u.)

1.	a	b	c	**8.**	a	b	c
2.	a	b	c	**9.**	a	b	c
3.	a	b	c	**10.**	a	b	c
4.	a	b	c	**11.**	a	b	c
5.	a	b	c	**12.**	a	b	c
6.	a	b	c	**13.**	a	b	c
7.	a	b	c				

III. Del pasado al presente

Indica la respuesta correcta. (21 puntos-1 c.u.)

1.	a	b	c	**12.**	a	b	c
2.	a	b	c	**13.**	a	b	c
3.	a	b	c	**14.**	a	b	c
4.	a	b	c	**15.**	a	b	c
5.	a	b	c	**16.**	a	b	c
6.	a	b	c	**17.**	a	b	c
7.	a	b	c	**18.**	a	b	c
8.	a	b	c	**19.**	a	b	c
9.	a	b	c	**20.**	a	b	c
10.	a	b	c	**21.**	a	b	c
11.	a	b	c				

IV. Estructura

A

Un estudiante de intercambio. Indica la respuesta correcta. (24 puntos-2 c.u.)

1. había imaginado   haya imaginado
2. Llegué   Llegaba
3. he acostumbrado   haya acostumbrado
4. hay   haya
5. hay   haya
6. hay   hubiera
7. van   vayan
8. empleo   emplee
9. tuve   he tenido
10. visité   he visitado
11. entendí   he entendido
12. hablan   hablaran

B

Un viaje al pasado. Indica la respuesta correcta. (30 puntos-2 c.u.)

1. he regresado   había regresado
2. fui   era
3. tuve   tenía
4. hay   habría
5. vi   vea
6. fue   iba
7. cambiaba   había cambiado
8. estuvo   estaba
9. encontré   encontraba
10. había desaparecido   hubiera desaparecido
11. haya pedido   habría pedido
12. reconocí   reconocía
13. convertía   había convertido
14. vivía   viviría
15. había desaparecido   hubiera desaparecido

UNIDADES 5–8
EXAMEN ALTERNATIVO

I. Comprensión oral

La integración del mundo hispano. Escucha lo que dicen dos comentaristas de radio sobre la realidad política del mundo hispano. Luego, escoge la respuesta que complete mejor cada oración. (12 puntos–2 c.u.)

1. Los países que forman el llamado Grupo de los Tres y que firmaron un tratado de libre comercio como parte de la Cumbre Iberoamericana de 1994 son _____.

    a. Ecuador, Perú y Bolivia

    b. Argentina, Uruguay y Paraguay

    c. México, Colombia y Venezuela

2. En la actualidad los gobiernos democráticos de Latinoamérica, España y Portugal están muy interesados en _____.

    a. comprar armamentos y mantener grandes ejércitos

    b. ampliar intercambios comerciales y relaciones multilaterales a todos los niveles

    c. formar una alianza militar

3. A la Cumbre Iberoamericana fueron invitados los gobernantes de _____.

    a. Latinoamérica exclusivamente

    b. los dieciocho países independientes latinoamericanos de lengua española más Brasil, España y Portugal

    c. veintiuna naciones del mundo hispano incluyendo EE.UU.

4. Todos los líderes que participaron en la Cumbre eran de países democráticos salvo _____.

    a. Fidel Castro de Cuba

    b. Carlos Saúl Menem de Argentina

    c. Violeta Barrios de Chamorro de Nicaragua

5. En esta Cumbre Iberoamericana, la mayoría de los gobernantes presentes _____.

    a. llegaron al poder a través de golpes de estado

    b. representaban sistemas democráticos

    c. eran dictadores militares

6. La reunión anual de gobernantes hispanos que se celebró en Cartagena de Indias, Colombia, en junio de 1994, fue _____.

    a. la primera Cumbre Iberoamericana

    b. la segunda Cumbre Iberoamericana

    c. la cuarta Cumbre Iberoamericana

II.   Gente del Mundo 21

Comprueba si recuerdas a las personalidades que has conocido en las unidades 5–8. Escoge la respuesta que complete mejor cada oración. (13 puntos-1 c.u.)

1. Teresa de la Parra (1890–1936) es una novelista venezolana reconocida como una de las primeras novelistas hispanoamericanas _____.

    a. que reflejan la perspectiva de la mujer

    b. que publican en Europa

    c. cuyas obras han sido traducidas a más de veinte lenguas

2. El militar y político panameño que, después de un largo proceso de negociación, firmó con el presidente estadounidense Jimmy Carter dos tratados que estipulan la cesión *(transfer)* del canal a Panamá en el año 2000 fue _____.

    a. Guillermo Endara

    b. Manuel Antonio Noriega

    c. Omar Torrijos

3. El escritor colombiano galardonado con el Premio Nobel de Literatura en 1982, conocido sobre todo por su novela *Cien años de soledad* (1967), es _____.

    a. José Eustasio Rivera

    b. Gabriel García Márquez

    c. Fernando Botero

4. El político costarricense que fue galardonado en 1987 con el Premio Nobel de la Paz por su activa participación en las negociaciones por la paz en Centroamérica es _____.

   a. José Figueres Ferrer

   b. Óscar Arias Sánchez

   c. Rafael Ángel Calderón Fournier

5. La moneda nacional de Honduras debe su nombre _____.

   a. al cacique Lempira

   b. a las ruinas de Copán

   c. a San Pedro Sula

6. Violeta Barrios de Chamorro llegó a la presidencia de Nicaragua en 1990 _____.

   a. como resultado de un golpe militar

   b. después de una invasión con la ayuda de EE.UU.

   c. después de triunfar en elecciones libres

7. Manlio Argueta es un escritor salvadoreño que comenzó su carrera literaria como poeta pero que se ha distinguido como _____.

   a. dramaturgo   **b.** guionista   **c.** novelista

8. El novelista paraguayo _____ fue galardonado con el prestigioso premio Miguel de Cervantes. Sus dos novelas principales, *Hijo de hombre* (1960) y *Yo, el supremo* (1974), tienen como tema central la historia de la violencia política de su país.

   a. Jorge Luis Borges   **b.** Jorge Icaza   **c.** Augusto Roa Bastos

9. La escritora uruguaya _____, que se exilió de su país en 1972, es autora de varias colecciones de cuentos, varios libros de poemas y una novela.

   a. Cristina Peri Rossi   **b.** Gabriela Mistral   **c.** María Luisa Bombal

10. El escritor argentino que desde 1955 quedó ciego y se vio obligado a dictar sus textos, y cuyas obras incluyen antologías de cuentos como *Ficciones* (1944), *El Aleph* (1949) y *El hacedor* (1960), es _____.

   a. Julio Cortázar   **b.** Ernesto Sábato   **c.** Jorge Luis Borges

11. El escritor boliviano cuya novela *Raza de bronce* (1919) se considera una de las mejores novelas indigenistas es _____.

   a. Augusto Roa Bastos

   b. Alcides Arguedas

   c. Pablo Neruda

12. El novelista y dramaturgo ecuatoriano cuya obra más conocida, *Huasipungo* (1934), describe la explotación de los indígenas ecuatorianos, es _____.

   a. Abdón Ubidia   **b.** Enrique Tábara   **c.** Jorge Icaza

13. El escritor peruano que habla de sus experiencias personales en una escuela militar en su primera novela *La ciudad y los perros* (1963), es _____.

   a. Mario Vargas Llosa   **b.** Mario Benedetti   **c.** Julio Cortázar

III.   Del pasado al presente

Comprueba si recuerdas lo que has leído en las secciones **Del pasado al presente** de las unidades 5–8. Escoge la respuesta que complete mejor cada oración. (21 puntos-1 c.u.)

1. El país de habla hispana que tiene un alto nivel de vida con los índices más bajos de analfabetismo y de mortalidad infantil es _____.

   a. Chile   **b.** México   **c.** Costa Rica

2. De acuerdo con la constitución de 1949, Costa Rica es el único país de Latinoamérica que no tiene _____.

   a. ejército   **b.** elecciones   **c.** corte suprema

3. César Augusto Sandino fue líder de un grupo de guerrilleros nicaragüenses que lucharon _____.

   a. contra las tropas españolas

   b. contra las tropas de EE.UU.

   c. contra las tropas inglesas

4. La familia que dominó Nicaragua de 1937 a 1979 es la familia de _____.

   a. los Somoza

   b. los Chamorro

   c. los Cáceres

5. Una de las grandes compañías norteamericanas que a principios del siglo XX llegó a controlar grandes territorios hondureños para la producción y exportación masivas de plátanos es _____.

   a. *Associated Grocers Inc.*   **b.** *Standard Oil*   **c.** *United Fruit Co.*

6. El Frente Farabundo Martí para la Liberación Nacional (FMLN) es _____ en El Salvador.

   a. una organización política de derecha

   b. una organización política de izquierda

   c. una organización del Partido Demócrata Cristiano

7. En 1969 se produjo lo que se conoce como "La guerra del fútbol" entre El Salvador y _____.

   a. Nicaragua   **b.** Honduras   **c.** Guatemala

8. Dos culturas que florecieron en Perú miles de años antes de la conquista española son _____.

   a. la olmeca y la tolteca

   b. la chavín y la mochica

   c. la aymara y la guaraní

9. En 1976 el presidente Carlos Andrés Pérez nacionalizó la industria petrolera, lo que proporcionó a Venezuela _____.

   a. una dictadura militar que duró diez años

   b. una rebelión popular dirigida por oficiales jóvenes del ejército

   c. mayores ingresos para impulsar el desarrollo industrial

10. El presidente panameño que fue derrocado en 1989 por una intervención militar estadounidense es _____.

    a. Manuel Antonio Noriega

    b. Guillermo Endara

    c. Omar Torrijos

11. Según la constitución panameña de 1904, cuando se reanudó la construcción del canal, Panamá se convirtió en un protectorado de EE.UU., pues el gobierno estadounidense tenía el derecho de ____.

   a. intervenir en Panamá con fuerzas armadas de EE.UU. en caso de desórdenes públicos

   b. usar, controlar y operar a perpetuidad la Zona del Canal

   c. representar al gobierno panameño en cualquier asunto relacionado con la Zona del Canal

12. La muerte de Pablo Escobar, líder fugitivo del cartel de Medellín que murió en un encuentro violento con la policía colombiana en 1993, muestra ____.

   a. la resistencia de los grupos guerrilleros a pactar con el gobierno colombiano

   b. la determinación del gobierno colombiano de controlar a los narcotraficantes

   c. que los jefes del narcotráfico han acelerado los ataques terroristas en determinadas ciudades

13. En 1914, los Estados Unidos compensó a Colombia por el reconocimiento de la independencia de Panamá con ____.

   a. la entrega de todos los cafetales colombianos que estaban en manos de compañías estadounidenses

   b. el permiso de comerciar libremente con EE.UU. por 25 años

   c. 25 millones de dólares

14. En 1976 se inició en Argentina un período de siete años de gobiernos militares durante el cual la deuda externa aumentó colosalmente, el aparato productivo del país se arruinó y ____.

   a. miles de personas "desaparecieron"

   b. se legalizó el divorcio

   c. se impuso la enseñanza religiosa obligatoria

15. Durante los nueve años que ____ estuvo en el poder en Argentina, su segunda esposa participó activamente en el gobierno a favor de los "descamisados".

   a. Raúl Alfonsín

   b. Juan Domingo Perón

   c. Carlos Saúl Menem

16. La llamada Revolución Nacional Boliviana que se inició en 1952 bajo la dirección de Víctor Paz Estenssoro, impuso una ambiciosa reforma agraria que benefició a ____.

   a. los campesinos indígenas

   b. las compañías de petróleo

   c. la clase más acomodada

17. Bolivia tiene dos capitales: la sede de gobierno y el poder legislativo están en La Paz y la capital constitucional y el Tribunal Supremo están en ____.

   a. Potosí   **b.** Santa Cruz   **c.** Sucre

18. Actualmente la actividad más importante para la economía de Ecuador es la exportación de ____.

   a. plátanos   **b.** café   **c.** petróleo

19. Las islas Galápagos son parte del territorio de ____.

   a. Perú

   b. Ecuador

   c. Argentina

20. A finales de la década de los 80, Perú se vio cada vez más agobiado por la crisis económica, la penetración del narcotráfico y ____

   a. el terrorismo del grupo guerrillero Sendero Luminoso

   b. conflictos con Chile sobre los depósitos minerales del desierto de Atacama

   c. la escasez de guano en las islas de la costa del Pacífico

21. En 1973, el presidente socialista Salvador Allende ____.

   a. fue vencido en nuevas elecciones presidenciales

   b. fue derrocado por un violento golpe militar

   c. renunció a la presidencia después de protestas pacíficas

IV. Estructura

A

Un viaje al pasado. Pedro habla de sus impresiones de una visita que acaba de hacer al pueblo donde pasó su infancia. Para saber lo que dice, escoge la forma correcta de los verbos que aparecen entre paréntesis. (30 puntos-2 c.u.)

Hasta hace poco yo nunca _____ (1. regresar) al pueblo donde

viví cuando _____ (2. ser) niño. Hace dos semanas, sin embargo,

_____ (3. tener) la oportunidad de pasar un par de días en el

pueblo de mi infancia. Aunque pensaba que _____ (4. haber) mu-

chos cambios, no estaba totalmente preparado para los muchos cambios que

_____ (5. ver). Me paseé por la plaza que cruzaba cada domingo

cuando _____ (6. ir) a la iglesia. Encontré que no

_____ (7. cambiar) mucho; la iglesia también

_____ (8. estar) casi igual. Busqué una heladería que había en

una de las calles que bordean la plaza, pero no la _____ (9. en-

contrar). Me dio mucha pena que esa heladería _____ (10. desa-

parecer). Si hubiera encontrado la heladería, _____ (11. pedir) un

helado de chocolate como solía hacer en mi niñez. No _____

(12. reconocer) tampoco mi vieja escuela. El edificio de un piso que yo recor-

daba se _____ (13. convertir) en un edificio moderno de varios

pisos. Cuando traté de encontrar la casa donde yo _____

(14. vivir), lo único que vi fueron edificios de apartamentos. Me sentí feliz de

regresar al pueblo de mi niñez, pero me entristeció un poco también que una

parte de mi pasado _____ (15. desaparecer).

B **Un estudiante de intercambio.** Le escribes a una amiga acerca de tus experiencias en Caracas, donde pasas unos meses como estudiante de intercambio. Termina tu carta escogiendo la forma correcta de los verbos que aparecen entre paréntesis. (24 puntos-2 c.u.)

Estoy en Caracas, que es una ciudad mucho más grande de lo que me

_____ (1. imaginar) _____ (2. Llegar) hace como

una semana y no creo que me _____ (3. acostumbrar) todavía a la

vida en una gran urbe. Me molesta que _____ (4. haber) tantos

vehículos en las calles. A veces pienso que _____ (5. haber) más

vehículos que gente en esta ciudad. Estaría más contento si _____

(6. haber) menos problemas de tráfico. Por otra parte, me encanta el metro,

tan moderno, rápido y cómodo. A menos que las líneas no _____

(7. ir) adonde yo necesito ir, es el medio de transporte que _____

(8. emplear) todo el tiempo. Todavía no _____ (9. tener) la

oportunidad de visitar muchos museos; hasta ahora sólo _____

(10. visitar) la Casa Natal del Libertador, Simón Bolívar.

Estoy muy a gusto con la familia con la cual vivo. Hay dos hijos de mi edad

con quienes hasta ahora me _____ (11. entender) muy bien. Sin

embargo, tengo problemas con la inmensa mayoría de los caraqueños porque

hablan muy rápido. Si _____ (12. hablar) más lentamente, enten-

dería mucho más. Mi familia me dice que pronto me convertiré en un verdadero

caraqueño.

V. Composición (optativa)

Mundo 21. Aunque las veintiuna naciones del Mundo 21 tienen mucho en común, también son muy diferentes las unas de las otras. ¿Por qué? ¿Cuáles son algunas de esas diferencias? ¿Cómo explicarías esas diferencias? ¿Cuáles son algunas de las semejanzas más notables entre estos países? (50 puntos)

Nombre _____ Fecha _____

Sección _____

I. Comprensión oral

Indica la respuesta correcta. (12 puntos-2 c.u.)

1.	a	b	c		**4.**	a	b	c
2.	a	b	c		**5.**	a	b	c
3.	a	b	c		**6.**	a	b	c

Total _____

Nota final _____

II. Gente del Mundo 21

Indica la respuesta correcta. (13 puntos-1 c.u.)

1.	a	b	c		**8.**	a	b	c
2.	a	b	c		**9.**	a	b	c
3.	a	b	c		**10.**	a	b	c
4.	a	b	c		**11.**	a	b	c
5.	a	b	c		**12.**	a	b	c
6.	a	b	c		**13.**	a	b	c
7.	a	b	c					

III. Del pasado al presente

Indica la respuesta correcta. (21 puntos-1 c.u.)

1.	a	b	c		**12.**	a	b	c
2.	a	b	c		**13.**	a	b	c
3.	a	b	c		**14.**	a	b	c
4.	a	b	c		**15.**	a	b	c
5.	a	b	c		**16.**	a	b	c
6.	a	b	c		**17.**	a	b	c
7.	a	b	c		**18.**	a	b	c
8.	a	b	c		**19.**	a	b	c
9.	a	b	c		**20.**	a	b	c
10.	a	b	c		**21.**	a	b	c
11.	a	b	c					

IV. Estructura

A

Un viaje al pasado. Indica la respuesta correcta. (30 puntos-2 c.u.)

1. he regresado   había regresado

2. fui   era

3. tuve   tenía

4. hay   habría

5. vi   vea

6. fue   iba

7. cambiaba   había cambiado

8. estuvo   estaba

9. encontré   encontraba

10. había desaparecido   hubiera desaparecido

11. haya pedido   habría pedido

12. reconocí   reconocía

13. convertía   había convertido

14. vivía   viviría

15. había desaparecido   hubiera desaparecido

B

Un estudiante de intercambio. Indica la respuesta correcta. (24 puntos-2 c.u.)

1. había imaginado   haya imaginado

2. Llegué   Llegaba

3. he acostumbrado   haya acostumbrado

4. hay   haya

5. hay   haya

6. hay   hubiera

7. van   vayan

8. empleo   emplee

9. tuve   he tenido

10. visité   he visitado

11. entendí   he entendido

12. hablan   hablaran

Answer Key and Audio Script

I.   Gente del Mundo 21

Mujeres latinas en la política. Escucha lo que dice la comentarista de un programa de radio que presenta a tres mujeres políticas hispanas que representan a varias comunidades latinas de EE.UU. Luego, escoge la respuesta que complete mejor cada oración.

Buenas noches, amigos y amigas que nos escuchan en la radio. *Radio Washington* va a presentarles esta noche un programa muy especial. A nuestros estudios aquí en Washington D.C., hemos invitado a tres mujeres que reflejan la realidad política de los hispanos para que nos hablen de los problemas que afectan a las diversas comunidades latinas en EE.UU. Primero quiero presentarles a la congresista demócrata Loretta Sánchez que representa a un distrito del Condado de Orange en California. Este condado fue representado por muchos años por el ex-congresista republicano Bob Dornan, uno de los políticos más conservadores del congreso. Este ex-congresista republicano se reusó a aceptar su primera derrota frente a Loretta Sánchez y luchó en vano en el congreso para que éste no reconociera la victoria de Sánchez. Luego tenemos a la congresista demócrata Nydia Velázquez, que en 1992 fue la primera mujer de origen puertorriqueño elegida al Congreso de EE.UU. sobreponiéndose a grandes obstáculos. Representa un distrito de la Ciudad de Nueva York. Finalmente, tenemos en nuestros estudios a la congresista republicana Iliana Ros-Lehtinen que en 1989 llegó a ser la primera mujer hispana elegida congresista para el Congreso de EE.UU. como representante de un distrito de la Florida. Fue también la primera hispana nombrada a encabezar un subcomité del Congreso. Entre sus muchas metas, Iliana Ros-Lehtinen quiere ayudar a la mujer hispana a lograr el gran potencial que está a su alcance.

Escucha una vez más para verificar tus respuetas.

(Repeat passage.)

1. c   **2.** b   **3.** a   **4.** c   **5.** c   **6.** a

II.   Historia y cultura

1. b   **2.** b   **3.** c   **4.** b
5. a   **6.** a   **7.** b   **8.** c
9. a

III.   Estructura en contexto

A 1. cansada
   2. triste
   3. deprimidas
   4. apenados
   5. entusiasmados

B 1. es   **2.** está   **3.** Es
   4. es   **5.** está

C 1. Piensas   **2.** Puedo
   3. comienza   **4.** Te sientes
   5. Se divierte

D 1. voy   **2.** Vienes
   3. Supongo   **4.** dices
   5. Estoy   **6.** puedo
   7. agradezco   **8.** hacemos
   9. Sé   **10.** propongo

E 1. Trabajo tantas horas por semana como antes.
   2. Gano más dólares por hora que antes.
   3. Llego a casa más temprano que antes.
   4. El nuevo trabajo está menos lejos de casa que el antiguo.
   5. El nuevo trabajo es tan interesante como el antiguo.

IV.   Cultura en vivo y Vocabulario

1. h   **2.** e   **3.** f   **4.** b
5. i   **6.** g   **7.** j   **8.** c
9. a   **10.** d

V.   Lectura

1. F   **2.** F   **3.** C
4. F   **5.** F

I.   Gente del Mundo 21

Músico puertorriqueño. Escucha al locutor de un programa especial de la radio dedicado a Tito Puente, el legendario salsero puertorriqueño de Nueva York. Luego, escoge la respuesta que complete mejor cada oración.

Estimados radioescuchas, hoy le estamos dedicando un programa especial de su estación favorita de la radio latina de Nueva York al gran músico puertorriqueño Tito Puente, quien nació en el barrio latino de Nueva York el 23 de abril de 1923. Después de una gran carrera musical que cubre ya cinco décadas, es uno de los músicos latinos más reconocidos en EE.UU. Para fines de la década de los años 40, Tito Puente ya había llegado a ser el artista favorito del "Copacabana", el famoso club nocturno neoyorquino, y del "Palladium" de Hollywood. El instrumento favorito de Tito Puente son los timbales que toca con desbordante entusiasmo. Su estilo único es una mezcla pulsante y sabrosa de jazz latino y música caribeña. Su larga carrera musical, que incluye más de cien discos y 400 composiciones, le ha traído galardones impresionantes como un "EUBIE", cuatro "Grammys", el título de "Embajador de la Música Latinoamericana", las llaves de la Ciudad de Nueva York y muchos más. Sus composiciones incluyen música para las películas *Los Reyes del Mambo, Dick Tracy, Radio Days* y otras. Tito personifica la sabrosura y alegría rítmica de la música y también la generosidad hispana. Su Fundación Tito Puente ha distribuido más de cincuenta becas a jóvenes hispanos talentosos.

Escucha una vez más para verificar tus repuestas.

(*Repeat passage.*)

1. b   2. c   3. b   4. c   5. a

II.   Historia y cultura

1. c   2. b   3. b   4. c   5. a
6. a   7. a   8. c   9. c

III.   Estructura en contexto

A 1. ¿Historia? Ese curso es entretenido.
   2. ¿Matemáticas? Esta asignatura es muy rigurosa.
   3. ¿Química? Ese curso es interesante.
   4. ¿Filosofía? Esa disciplina es muy profunda.
   5. ¿Biología y química? Estos cursos son magníficos.

B 1. es   2. está
   3. Es   4. está
   5. Está

C 1. sugiere   2. recomiendo
   3. viene   4. incluye
   5. Puede   6. traigo

D 1. prefiero   2. quiero
   3. recomiendo   4. repito
   5. pienso   6. podemos
   7. dicen   8. propongo

E 1. tan; como   5. menos; que
   2. tantas; como   6. menos; que

3. más; que   7. más; que
4. tantos; como

IV.   Cultura en vivo y Vocabulario

1. e   2. g   3. i   4. b   5. h
6. c   7. a   8. j   9. f   10. d

V.   Lectura

1. F   2. F   3. C
4. C   5. C

UNIDAD 2
PRUEBA

I.   Gente del Mundo 21

El rey de España. Escucha la conversación entre dos jóvenes estudiantes. Uno es Enrique, un estudiante latino de EE.UU. que recién ha llegado a Madrid para estudiar por un año, y el otro es Miguel, hijo de la familia española con la que ahora vive Enrique. Luego, escoge la respuesta que complete mejor cada oración.

Enrique: No comprendo. En la clase de historia de España acabamos de aprender que a finales de la década de 1970 España se convirtió en una democracia pero que al mismo tiempo es un reino. ¿Cómo puede ser esto?

Miguel: El nombre oficial de España es Reino de España. Esto quiere decir que España es una monarquía, pero una monarquía constitucional. Es decir, el país tiene un rey pero al mismo tiempo tiene un sistema político democrático en el que el pueblo elige al gobierno.

Enrique: ¿Y qué me dices del rey?

Miguel: Juan carlos I fue escogido por Francisco Franco como su sucesor por ser nieto de Alfonso XIII, el último rey español que abandonó el país en 1931 en una época de profunda crisis política y social que terminó cinco años más tarde en la Guerra Civil Española.

   Aunque nació en Roma en 1938, Juan Carlos I fue preparado desde muy joven para las responsabilidades que iba a tener como rey de España. Juan Carlos I subió al trono el 22 de noviembre de 1975, dos días después de la muerte de Franco.

Enrique: Pero, ¿qué papel tiene el rey?

Miguel: El rey es el símbolo de la unión de los españoles y es el jefe de estado. El rey es el que recibe a los embajadores y tiene otras funciones de protocolo, por ejemplo, inaugurar las Olimpiadas de Barcelona de 1992. El rey es una figura muy popular y tiene mucho prestigio entre el pueblo español porque siempre ha defendido la democracia.

Escucha una vez más para verificar tus respuestas.

(Repeat passage)

1. b.   **2.** c   **3.** c   **4.** b   **5.** c

II.   Historia y cultura

1. b.   **2.** a   **3.** c   **4.** c   **5.** c
6. c   **7.** a   **8.** c   **9.** c

III.   Estructura en contexto

A **1.** Rubén leyó una novela histórica.

2. Mónica durmió toda la tarde.

3. Jaime vino a mi casa a escuchar música.

4. Susana hizo la tarea por la mañana.

5. Yo fui a un concierto y llegué atrasado.

B **1.** vivía   **2.** quedaba

3. era   **4.** tenía

5. corría   **6.** terminaba

7. íbamos   **8.** Nos bañábamos

9. tomábamos   **10.** charlábamos

C **1.** Sí, las probé. (No, no las probé.)

2. Sí, los visité. (No, no los visité.)

3. Sí, pude visitarlo / lo pude visitar. (No, no pude visitarlo / no lo pude visitar.)

4. Sí, las admiré. (No, no las admiré.)

5. Sí, se los traje. (No, no se los traje.)

D **1.** A mi hermano la gusta coleccionar sellos.

2. A mi abuelo le encanta la música clásica.

3. A mi hermanita le fascinan las muñecas que hablan.

4. A mis padres les atraen los coches antiguos.

5. A mi prima le entusiasman los collares de perlas.

E **1.** Algunos   **2.** ninguna

3. ni   **4.** ni

5. Tampoco/Nunca/Jamás

6. nada

IV.   Cultura en vivo y Vocabulario

1. i   **2.** h   **3.** f   **4.** j   **5.** a
6. b   **7.** d   **8.** c   **9.** e   **10.** g

V.   Lectura

1. F   **2.** F   **3.** C
4. C   **5.** F

UNIDAD 2
PRUEBA ALTERNATIVA

I.   Gente del Mundo 21

El Cid Campeador. Escucha lo que dicen Lola y Luis, dos estudiantes españoles de Madrid, después de ver la película "El Cid" con Charlton Heston y Sofía Loren. Luego, escoge la respuesta que complete mejor cada oración.

Lola: Luis, ¿qué es lo que más te impresionó de la película "El Cid"?

Luis: Lo que más me impresionó fue la escenografía de la película. Realmente los castillos medievales y las batallas me parecieron muy realistas. Y a ti Lola, ¿qué es lo que más te gustó de la película?

Lola: La actuación de Charlton Heston como El Cid me pareció estupenda. Aunque te voy a confesar, Luis, disfruté más al leer el poema original, el "Cantar de Mío Cid". El poema te da la oportunidad de imaginarte al Cid y a los otros personajes.

Luis: Pues yo cuando vi la película pensé que todo había sido inventado por un guionista de Hollywood.

Lola: Pues para que sepas, "El Cid" fue una persona de carne y hueso. Su nombre verdadero era Rodrigo Díaz de Vivar y era descendiente de una antigua familia cristiana de Vivar en Burgos.

Luis: Tú que sabes tanto, ¿qué significa la palabra "El Cid"?

Lola: Cid viene de la palabra árabe *sayyid* que significa "señor". En realidad es el título del primer gran poema épico compuesto en español en el siglo XII.

Luis: Bueno, después de ver la película quizás ahora sea para mí más fácil leer el poema.

Escucha una vez más para verificar tus respuestas.

(Repeat passage.)

1. b   **2.** b   **3.** c   **4.** a   **5.** c

II. Historia y cultura

1. a   2. b   3. c   4. a   5. a
6. a   7. a   8. c   9. b

III. Estructura en contexto

A 1. tuvimos   2. sentimos
3. vimos   4. Salimos
5. permanecimos   6. terminó
7. dio   8. fue
9. duró   10. causó

B 1. estaba   2. se miraban
3. se sonreían   4. podía
5. estaban   6. era
7. me sentía

C 1. Sí, las miré. (No, no las miré.)
2. Sí, se lo mencioné. (No, no se lo mencioné.)
3. Sí, pude verla / la pude ver. (No, no pude verla / no la pude ver.)
4. Sí, las miré. (No, no las miré.)
5. Sí, se lo recomendé. (No, no se lo recomendé.)

D 1. A Marisol le gustan los cuadros del Renacimiento.
2. A Wilfredo y a Gustavo les agrada el arte medieval.
3. A mis padres les interesa el arte de España.
4. A nosotros nos encanta el arte del Siglo de Oro.
5. A mi profesora de arte le entusiasman los cuadros de Velázquez.

E 1. Algunos   2. ninguna
3. ni   4. ni
5. Nunca   6. nada

IV. Cultura en vivo y Vocabulario

1. f   2. i   3. h   4. g   5. a
6. j   7. c   8. d   9. e   10. b

V. Lectura

1. C   2. F   3. F
4. C   5. C

UNIDAD 3
PRUEBA

I. Gente del Mundo 21

Rigoberta Menchú Tum. Escucha la conversación que tienen Marcia, una estudiante latina de EE.UU.

que recién ha llegado a Guatemala para estudiar por un año, y Teresa, su nueva amiga guatemalteca. Esta conversación tiene lugar después que ambas han visto una entrevista a Rigoberta Menchú en la televisión guatemalteca. Luego, escoge la respuesta que complete mejor cada oración.

Marcia: Me gustaría conocer en persona a Rigoberta Menchú porque es una mujer humilde que ha podido superar grandes obstáculos.

Teresa: Sí, es cierto. Es impresionante que a los veinte años de edad ella decidió aprender español, pues hasta entonces sólo hablaba quiché. Y lo hizo sólo para así poder informar a otros de la opresión que sufren los pueblos indígenas de Guatemala.

Marcia: ¿Recuerdas cómo se escribió su libro *Me llamo Rigoberta Menchú y así me nació la conciencia?*

Teresa: En una visita que hizo Rigoberta Menchú a París conoció y le contó su vida a Elizabeth Burgos, una escritora venezolana que primero grabó y luego transcribió y editó las entrevistas. Este libro fue publicado en 1983 en español y ha sido traducido al inglés, francés y a muchas otras lenguas. En este libro explica Rigoberta Menchú cómo murieron asesinados dos de sus hermanos, su padre y su madre. Sus familiares fueron víctimas de la campaña de genocidio seguida contra los pueblos indígenas de Guatemala en las últimas cuatro décadas.

Marcia: A mí me da mucho gusto que en 1992 haya recibido el Premio Nobel de la Paz. Sin duda que Rigoberta Menchú es un verdadero modelo para muchos hombres y mujeres indígenas que luchan por una vida mejor.

Escucha una vez más para verificar tus respuestas.

(Repeat passage.)

1. c   2. b   3. c   4. c   5. c

II. Historia y cultura

1. c   2. b   3. a   4. a   5. a
6. c   7. c   8. a   9. c

III. Estructura en contexto

A 1. pasé   2. Viví
3. quedaba   4. me divertí
5. hacía   6. estaba
7. había   8. era
9. se lanzó   10. salió
11. trató   12. pudo
13. era   14. lograron
15. terminó

B 1. ¿Cuál es la música favorita de Carlos? La música favorita suya (de él) es el jazz. La mía es el rock.

2. ¿Cuál es la clase favorita de Miguel y Javier? La clase favorita suya (de ellos) es biología. La tuya es historia.

3. ¿Cuál es el plato mexicano favorito de Carmen? El plato mexicano favorito suyo (de ella) son los tamales. El suyo (El de Uds.) son las enchiladas.

4. ¿Cuáles son los programas favoritos de Sofía? Los programas favoritos suyos (de ella) son las comedias. Los nuestros son los noticiarios.

5. ¿Cuál es el pasatiempo favorito de Arturo? El pasatiempo favorito suyo (de él) es coleccionar monedas. El mío es coleccionar sellos.

C 1. a 2. X
3. de 4. a
5. a

D 1. por 2. por
3. por 4. para
5. por 6. para
7. por 8. para

IV. Cultura en vivo y Vocabulario

1. g 2. i 3. h 4. a 5. b
6. d 7. j 8. l 9. c 10. f

V. Lectura

1. C 2. F 3. F
4. F 5. C 6. C

I. Gente del Mundo 21

Octavio Paz. Escucha lo que les dice una profesora de literatura latinoamericana a sus alumnos sobre uno de los escritores mexicanos más importantes del siglo XX. Luego, escoge la respuesta que complete mejor cada oración.

Hoy vamos a estudiar la obra de Octavio paz, uno de los escritores mexicanos más importantes del siglo XX, que recibió el Premio Nobel de Literatura en 1990. Octavio Paz nació en la Ciudad de México en 1914 y se educó en la Universidad Nacional Autónoma de México. Publicó su primer libro de poemas, titulado *Luna silvestre*, antes de cumplir los veintiún años. Uno de los hechos que más lo conmovió durante su juventud fue la Guerra Civil Española y, como muchos otros escritores latinoamericanos, apoyó la causa de los republicanos. Además de distinguirse como poeta, Octavio Paz escribió libros sobre el arte, la literatura y la realidad mexicana en general. Uno de sus libros de ensayos de mayor influencia es *El laberinto de la soledad*, publicado en 1950, donde hace un análisis crítico de México y del mexicano. En protesta por la represión del gobierno mexicano que causó la muerte de más de 300 estudiantes en la Plaza de Tlatelolco de la Ciudad de México el dos de octubre de 1968, Octavio Paz renunció como embajador mexicano en la India. Cuando Octavio Paz murió en 1998, era reconocido como uno de los intelectuales más ilustres de México.

Escucha una vez más para verificar tus respuestas.

(Repeat passage.)

1. a 2. c 3. b 4. c 5. b

II. Historia y cultura

1. b 2. c 3. a 4. b 5. a
6. c 7. c 8. b 9. b

III. Estructura en contexto

A 1. salía 2. se manchaba
3. sintió 4. tocó
5. creía 6. era
7. se sentó 8. cubrió
9. fue 10. se lavó
11. fue 12. llamó
13. recomendó 14. regresó
15. estaba

B 1. Sus; los míos
2. Su; la mía
3. Su; el mío
4. Su; mía
5. Su; el mío

C 1. de 2. a
3. con 4. X
5. a

D 1. por 2. por
3. por 4. para
5. para 6. por
7. por 8. para

IV. Cultura en vivo y Vocabulario

1. h 2. f 3. d 4. i 5. c
6. j 7. a 8. b 9. e 10. g

V. Lectura

1. C **2.** F **3.** F
4. F **5.** C

UNIDAD 4
PRUEBA

I. Gente del Mundo 21

Un poeta cubano. Escucha lo que dicen dos estudiantes de literatura latinoamericana de la Universidad de La Habana sobre uno de los poetas hispanoamericanos más reconocidos del siglo XX. Luego, escoge la respuesta que complete mejor cada oración.

Mujer: ¡Qué bueno que ahora en nuestro curso de literatura hispanoamericana estemos leyendo a mi poeta favorito, Nicolás Guillén!

Hombre: Sí, al hombre que fue aclamado el poeta nacional de Cuba.

Mujer: Yo he visitado la casa donde nació en Camagüey en 1902. Su familia era muy distinguida, de antepasados africanos y españoles. ¿Sabías que su papá fue senador de la república?

Hombre: ¿De veras? A mí me encantan sus dos primeros libros: *Motivos del son* de 1930 y *Sóngoro cosongo* de 1931. Estos dos libros tienen versos sencillos inspirados en los ritmos y tradiciones afrocubanos. Cuando leo los poemas en voz alta casi los puedo cantar.

Mujer: También la vida de Nicolás Guillén es un reflejo de lo que sucedió en Cuba. Durante la dictadura de Fulgencio Batista —de 1952 a 1958— Guillén vivió en el exilio. Pero regresó a Cuba después del triunfo de la revolución de Castro.

Hombre: Guillén fue fundador y presidente durante muchos años de la Unión de Escritores y Artistas de Cuba. Cuando murió en 1989 muchísimos cubanos sentimos que habíamos perdido a uno de nuestros mejores valores culturales.

Escucha una vez más para verificar tus respuestas.

(Repeat passage.)

1. c **2.** a **3.** b
4. a **5.** c **6.** c

II. Historia y cultura

1. a **2.** c **3.** a **4.** b **5.** a
6. b **7.** c **8.** b **9.** c

III. Estructura en contexto

A **1.** Juan Luis Guerra ha ayudado a los dominicanos pobres.

2. Muchos latinoamericanos han conocido a este cantante dominicano.

3. Este cantante ha vendido millones de discos.

4. Juan Luis Guerra ha grabado algunas canciones para el álbum *Ojalá que llueva café*.

5. Juan Luis Guerra ha admirado a poetas, como Federico García Lorca y Pablo Neruda.

B **1.** Se escucha música.

2. Se sale con los amigos.

3. Se baila en las discotecas.

4. Se organiza una fiesta.

5. Se hacen excursiones.

C **1.** Es importante que llenemos el tanque de gasolina del coche.

2. Es necesario que pongamos agua limpia en la bañera.

3. Es bueno que congelemos botellas de agua.

4. Es importante que sepamos dónde está la linterna.

5. Es necesario que tengamos un radio en buenas condiciones.

D **1.** termine **2.** no regreso
3. tengo **4.** esté
5. voy

E **1.** Háganse **2.** suban
3. Coman **4.** Sigan
5. consuman

F **1.** Habla **2.** Pídeles
3. Lee **4.** Haz
5. Reúnete

IV. Cultura en vivo y Vocabulario

1. c **2.** e **3.** i **4.** g **5.** j
6. h **7.** d **8.** a **9.** b **10.** f

V. Lectura

1. F **2.** C **3.** F
4. F **5.** C

UNIDAD 4 PRUEBA ALTERNATIVA

I. Gente del Mundo 21

Un controvertido líder cubano. Escucha lo que dice un profesor de historia latinoamericana sobre el líder cubano Fidel Castro. Luego, escoge la respuesta que complete mejor cada oración.

Fidel Castro es una de las figuras políticas más controvertidas del mundo actual. Nació en 1926 en Mayarí, en la provincia de Oriente. Fue educado en escuelas católicas y se graduó en la facultad de derecho de la Universidad de La Habana. El 26 de julio de 1963, fracasó en su intento de tomar una instalación militar llamada Moncada en la ciudad de Santiago de Cuba. Fidel Castro y su hermano Raúl fueron mandados a una prisión y dos años más tarde fueron amnistiados. En México, organizaron el Movimiento 26 de julio junto con el revolucionario argentino Ernesto "Che" Guevara. En 1956 Castro dirigió la lucha de los revolucionarios contra Fulgencio Batista, quien huyó del país el 31 de diciembre de 1958. Después de un período de confusión, Fidel Castro organizó el nuevo gobierno bajo la dirección del Partido Comunista de Cuba, restringiendo las libertades individuales. Para algunos, Fidel Castro es un líder revolucionario que ha podido mantenerse en el poder durante más de treinta y cinco años debido a su inteligencia política. Para otros, Castro es un dictador comunista que no ha permitido ninguna oposición en la isla y ha obligado a diez por ciento de la población cubana a vivir en el exilio. Todos se preguntan, ¿qué pasará con Cuba cuando Fidel Castro no esté en el poder?

Escucha una vez más para verificar tus respuestas.

(Repeat passage.)

1. a   **2.** a   **3.** c

4. b   **5.** c

II. Historia y cultura

1. a   **2.** c   **3.** b   **4.** a   **5.** c

6. b   **7.** c   **8.** b   **9.** a

III. Estructura en contexto

A 1. Los españoles han destruido el barco estadounidense *Maine*.

2. Estados Unidos ha atacado a España.

3. La armada estadounidense ha derrotado a la armada española.

4. Estados Unidos y España han firmado el Tratado de París.

5. España ha cedido Puerto Rico y otros territorios a Estados Unidos.

B 1. ¿Dónde se cambian los cheques de viajero?

2. ¿Dónde se toma el tren?

3. ¿Dónde se venden rollos de película?

4. ¿Dónde se compra el periódico?

5. ¿Dónde se consiguen mapas de la zona?

C 1. Es necesario que no hablemos todos a la vez.

2. Es importante que no hagamos demasiado ruido.

3. Es necesario que traigamos las tareas hechas todos los días.

4. Es bueno que pongamos atención en clase.

5. Es importante que sepamos los verbos irregulares.

D 1. Es malo que Puerto Rico no tenga mucha tierra cultivable.

2. Me parece que el español es una lengua oficial.

3. Dudo que los puertorriqueños tengan los mismos derechos que los ciudadanos de los Estados Unidos.

4. Creo que un gobernador administra la isla.

5. Es sorprendente que los puertorriqueños tengan que hacer el servicio militar como los ciudadanos estadounidenses.

E 1. Decidan qué tipo de trabajo les interesa.

2. Lean las ofertas de empleo en el periódico.

3. Vayan a algunas agencias de empleo.

4. Comuníquense con el jefe de personal de las compañías que les interesan.

5. Vístanse con esmero para las entrevistas.

F 1. Pon un aviso en el periódico.

2. Diles a tus amigos que tu coche está en venta.

3. Lávalo y límpialo bien por dentro y por fuera.

4. No lo vendas demasiado caro ni demasiado barato.

5. No aceptes ningún cheque personal.

IV. Cultura en vivo y Vocabulario

1. i   **2.** j   **3.** f   **4.** h   **5.** a

6. e   **7.** d   **8.** c   **9.** b   **10.** g

V. Lectura

1. C   **2.** F   **3.** C   **4.** F   **5.** F

I. Comprensión oral

Las tres hispanidades. Escucha lo que dicen dos estudiantes después de ver una serie de programas culturales grabados para la televisión por el escritor mexicano Carlos Fuentes. Luego, escoge la respuesta que complete mejor cada oración.

Antonio: Después de ver la serie completa de cinco programas titulada *El espejo enterrado: reflexiones sobre España y el Nuevo Mundo* que el escritor mexicano Carlos Fuentes hizo para la televisión, he comenzado a entender más la cultura del mundo hispano. A ti, Inés, ¿cuál de los cinco programas te gustó más?

Inés: El último, el programa que se llamó "Las tres hispanidades".

Antonio: A mí también me gustó ese programa, aunque no está muy claro por qué se llama así. ¿Cuáles son "las tres hispanidades"?

Inés: Carlos Fuentes lo explica muy bien. "La primera hispanidad" surge en la Península Ibérica y es el resultado de la mezcla de muchos pueblos: iberos, celtas, fenicios, griegos, romanos, visigodos, árabes, judíos y otros más. Esta "primera hispanidad" se ha transformado de una manera acelerada en los últimos veinte años. Según Fuentes, España es un país con una herencia muy antigua pero es también muy moderno, industrial y democrático.

Antonio: ¿Entonces Latinoamérica es "la segunda hispanidad"?

Inés: Sí. Y esta "segunda hispanidad" también se ha transformado rápidamente. Ahora la gran mayoría de los latinoamericanos vive en las ciudades. Esta creciente urbanización ha afectado la cultura de grandes sectores de la población.

Antonio: ¿Cuál es entonces "la tercera hispanidad"?

Inés: Tú y yo que somos latinos y vivimos en los Estados Unidos, somos parte de "la tercera hispanidad" que la forman todos los hispanos de los Estados Unidos. Se calcula que hay más de 25 millones de hispanos en este país. La mayoría son jóvenes como tú y yo. ¡Qué bueno que somos bilingües y podemos comunicarnos tanto en inglés

como en español! En el próximo siglo los sueños enterrados de "las tres hispanidades" pueden hacerse realidad.

Escucha una vez más para verificar tus respuestas.

(Repeat passage.)

1. b	**2.** a	**3.** c
4. b	**5.** a	**6.** c

II. Gente del Mundo 21

1. a	**2.** c	**3.** b	**4.** c	**5.** b
6. a	**7.** b	**8.** a	**9.** b	

III. Del pasado al presente

1. b	**2.** b	**3.** a	**4.** c	**5.** b
6. b	**7.** a	**8.** a	**9.** c	**10.** b
11. c	**12.** b	**13.** c	**14.** b	**15.** a
16. b	**17.** b			

IV. Estructura

A
1. Creo	2. tengo
3. Me levanto	4. me ducho
5. me arreglo	6. salgo
7. Es	8. salga
9. Dudo	10. sea
11. saco	12. sorprende
13. guste	14. dicen
15. es	

B
1. es	2. estoy
3. He estado	4. pasé
5. está	6. Fui
7. quería	8. Hice
9. di	10. fui
11. compré	12. Visité
13. estaba	14. Creo
15. fue	

UNIDADES 1–4
EXAMEN ALTERNATIVO

I. Comprensión oral

Las tres hispanidades. Escucha lo que dicen dos estudiantes después de ver una serie de programas culturales grabados para la televisión por el escritor mexicano Carlos Fuentes. Luego, escoge la respuesta que complete mejor cada oración.

Antonio: Después de ver la serie completa de cinco programas titulada *El espejo enterrado: reflexiones sobre España y el Nuevo Mundo* que el escritor mexicano Carlos Fuentes hizo para la televisión, he comenzado a entender más la cultura del mundo hispano. A ti, Inés, ¿cuál de los cinco programas te gustó más?

Inés: El último, el programa que se llamó "Las tres hispanidades".

Antonio: A mí también me gustó ese programa, aunque no está muy claro por qué se llama así. ¿Cuáles son "las tres hispanidades"?

Inés: Carlos Fuentes lo explica muy bien. "La primera hispanidad" surge en la Península Ibérica y es el resultado de la mezcla de muchos pueblos: iberos, celtas, fenicios, griegos, romanos, visigodos, árabes, judíos y otros más. Esta "primera hispanidad" se ha transformado de una manera acelerada en los últimos viente años. Según Fuentes, España es un país con una herencia muy antigua pero es también muy moderno, industrial y democrático.

Antonio: ¿Entonces Latinoamérica es "la segunda hispanidad"?

Inés: Sí. Y esta "segunda hispanidad" también se ha transformado rápidamente. Ahora la gran mayoría de los latinoamericanos vive en las ciudades. Esta creciente urbanización ha afectado la cultura de grandes sectores de la población.

Antonio: ¿Cuál es entonces "la tercera hispanidad"?

Inés: Tú y yo que somos latinos y vivimos en los Estados Unidos, somos parte de "la tercera hispanidad" que la forman todos los hispanos de los Estados Unidos. Se calcula que hay más de 25 millones de hispanos en este país. La mayoría son jóvenes como tú y yo. ¡Qué bueno que somos bilingües y podemos comunicarnos tanto en inglés como en español! En el próximo siglo los sueños enterrados de "las tres hispanidades" pueden hacerse realidad.

Escucha una vez más para verificar tus respuestas.

(Repeat passage.)

1. c   2. a   3. b
4. c   5. a   6. b

II.   Gente del Mundo 21

1. a   2. b   3. c   4. b   5. c
6. a   7. b   8. b   9. a

III.   Del pasado al presente

1. a   2. a   3. b   4. c   5. a
6. a   7. b   8. b   9. c   10. b
11. c   12. b   13. c   14. a   15. b
16. b   17. a

IV.   Estructura

A 1. es   2. estoy
   3. He estado   4. pasé
   5. está   6. Fui
   7. quería   8. Hice
   9. di   10. fui
   11. compré   12. Visité
   13. estaba   14. Creo
   15. fue

B 1. Creo   2. tengo
   3. Me levanto   4. me ducho
   5. me arreglo   6. salgo
   7. Es   8. salga
   9. Dudo   10. sea
   11. saco   12. sorprende
   13. guste   14. dicen
   15. es

I.   Gente del Mundo 21

Franklin Chang-Díaz. Escucha lo que dicen dos ancianos costarricenses después de ver por televisión un programa sobre Franklin Chang-Díaz. Luego escoge la respuesta que complete mejor cada oración.

Esposo: Hoy me siento muy orgulloso de ser costarricense y de haber sido vecino de la familia Chang-Díaz.

Esposa: ¡Quién se iba a imaginar que el pequeñito Franklin llegaría a ser astronauta! Imagínate, no hace tanto se pasaba la tarde jugando aquí en la calle con nuestros hijos.

Esposo: Qué orgullo sentirán Ramón y María Eugenia al saber que su hijo fue el primer hispanoamericano que viajó en un transbordador espacial.

Esposa: Todavía recuerdo la tristeza de María Eugenia cuando, a los dieciocho años, decidió Franklin irse a EE.UU. para vivir con

un pariente suyo en Hartford, Connecticut.
Cómo lamentaba su madre el no poderle dar
más de cincuenta dólares cuando se fue.

Esposo: Qué mejor prueba de que el dinero no es lo
que más importa. Con tan poco en el bolsillo,
este muchacho se graduó de la Universidad
de Connecticut y continuó haciendo sus
estudios graduados en M.I.T.

Esposa: Y fíjate, Aurelio: después de ser el primer
astronauta hispanoamericano, pasó a ser el
primer director latino del Laboratorio de
Propulsión en el Johnson Space Center en
Houston.

Esposo: Sí, y sigue trabajando para la NASA y
enseñando en dos universidades, la de Rice y
la de Houston.

Esposa: ¡Qué afortunados hemos sido en tener un
vecino tan famoso!

Escucha una vez más para verificar tus respuestas.

(Repeat passage.)

1. b   **2.** a   **3.** c   **4.** b   **5.** b

II.   Historia y cultura

1. b.   **2.** b   **3.** a   **4.** b   **5.** b

6. b   **7.** c   **8.** a   **9.** c

III.   Estructura en contexto

A 1. cuyos   **2.** que

3. cual   **4.** que

5. quienes   **6.** que

B 1. llevo; pueda   **2.** haga; tengo

3. se pone; se parezcan   **4.** sean; usan

C 1. tengo   **2.** tenga

3. mejore   **4.** necesitemos

5. tengo   **6.** dedique

D 1. veo   **2.** termines

3. hagas   **4.** agrada

5. vuelvas   **6.** trabajo

7. cortes   **8.** quieras

IV.   Cultura en vivo y Vocabulario

1. h   **2.** e   **3.** f   **4.** j   **5.** g

6. i   **7.** a   **8.** c   **9.** b   **10.** d

V.   Lectura

1. F   **2.** F   **3.** C   **4.** F   **5.** C

I   Gente del Mundo 21

La ex-presidenta de Nicaragua. Escucha lo que
dice un comentarista de una estación de televisión
centroamericana al presentar a la ex-presidenta de
Nicaragua. Luego, escoge la respuesta que complete
mejor cada oración.

Es un verdadero honor para esta estación de televisión
centroamericana tener aquí con nosotros a doña
Violeta Barrios de Chamorro, ex-presidenta de
Nicaragua. Esta distinguida señora ha desempeñado
todos los papeles que le han tocado con gran éxito. La
historia de su vida no es desconocida para ustedes los
radioescuchas. En 1950 se casó con Pedro Joaquín
Chamorro, editor del periódico *La Prensa* y destacado
opositor al dictador Anastasio Somoza. Después del
asesinato de su esposo, Violeta Chamorro pasó a
dirigir el periódico. De julio de 1979 a abril de 1980
formó parte de la junta revolucionaria sandinista que
tomó el poder después de la caída de Somoza.
Desilusionada por las tendencias comunistas del
Sandinismo, cada vez más marcadas, pasó a la
oposición y llegó a la presidencia de Nicaragua en
1990 cuando derrotó en elecciones libres a Daniel
Ortega, el candidato del régimen sandinista. Su
gobierno logró la reconciliación de las fuerzas
contrarrevolucionarias y reanudó los lazos de amistad
con EE.UU. En 1997 volvió como directora del
periódico *La Prensa*. Por eso hemos invitado a doña
Violeta Barrios de Chamorro a nuestro programa. Le
vamos a pedir que nos hable un poco sobre el futuro
de nuestro país tal como ella lo ve, de los motivos
de esperanza y de los problemas más importantes
que enfrenta Nicaragua. Démosle a la señora
ex-presidenta una calurosa bienvenida.

Escucha una vez más para verificar tus respuestas.

(Repeat passage.)

1. b.   **2.** c   **3.** c   **4.** b   **5.** c

II.   Historia y cultura

1. c.   **2.** b   **3.** b   **4.** a   **5.** b

6. b   **7.** a   **8.** a   **9.** c

III. Estructura en contexto

A 1. Ernesto Cardenal, quien es un importante poeta nicaragüense, nació en Granada en 1925.

2. El Colegio Centroamericano, en el cual estudió Ernesto Cardenal, está en la ciudad de Granada.

3. La denuncia social y el misticismo son temas poéticos que aparecen una y otra vez en la obra de Cardenal.

4. En 1964 publicó su obra *Salmos*, cuyo título hace pensar en los salmos de la Biblia.

5. *Salmos*, en el cual Cardenal denuncia la injusticia con una fuerza moral bíblica, es un libro de poesía.

6. Una de sus obras más recientes, en la cual Cardenal recuenta la creación del universo, es el gran poema místico *Canto cósmico*.

7. Cardenal fue ministro de cultura durante el gobierno sandinista, al cual él apoyaba.

B 1. tengo   **2.** requiere

3. cansa   **4.** sea

5. pague   **6.** permita

7. tenga   **8.** requiera

C 1. salgan   **2.** interesa

3. se vaya   **4.** conozco

5. saque   **6.** prefieran

D 1. debo   **2.** decidan / voy

3. puedan   **4.** invitan

5. consiga   **6.** regrese

7. terminen

IV.   Cultura en vivo y Vocabulario

1. g   **2.** j   **3.** i   **4.** f   **5.** h

6. c   **7.** b   **8.** d   **9.** a   **10.** e

V.   Lectura

1. C   **2.** F   **3.** F   **4.** C   **5.** C

UNIDAD 6

PRUEBA

I.   Gente del Mundo 21

Una artista colombiana. Escucha lo que dicen dos amigos colombianos después de asistir a una exhibición de las últimas obras de Beatriz González en una galería de Bogotá. Luego, escoge la respuesta que complete mejor cada oración.

Julio: ¿Qué te parecieron las obras de Beatriz González, Augusto?

Augusto: Muy interesantes, Julio, pero no sé si me gustaron en realidad. Eso de pintar copias de cuadros famosos en muebles me parece una idea muy original, pero no sé cuál sea su intención.

Julio: A mí me parece que sus obras tienen un humor negro. No son simplemente cuadros sino verdaderos "objetos" de uso diario, como la mesa que vimos con una escena patriótica pintada en la superficie.

Augusto: Creo que ni tus padres ni los míos podrían comer en una mesa así. En vez de comer, se pondrían a discutir.

Julio: Eso es precisamente lo que quiere la artista. Sus obras nos hacen pensar.

Augusto: Ella vive en Nueva York, ¿verdad? Allá no tendrá dificultad alguna para vender sus obras.

Julio: No, ella no vive en Nueva York, Augusto. Vive en Bogotá y es una de las artistas colombianas más conocidas.

Escucha una vez más para verificar tus repuestas.

(Repeat passage.)

1. b   **2.** a   **3.** b   **4.** c   **5.** a

II.   Historia y cultura

1. a   **2.** c   **3.** a   **4.** a   **5.** c

6. b   **7.** a   **8.** b   **9.** a

III.   Estructura en contexto

A 1. sufrirá   **2.** tendrá

3. harán   **4.** se casarán

5. vendrán

B 1. Será   **2.** Contendrá

3. Habrá   **4.** Pertenecerá

5. Dirá

C 1. desaparecerían   **2.** tendría

3. Nos comunicaríamos

4. aumentaría   **5.** podríamos

D 1. gustaría   **2.** Preferiría

3. Querría   **4.** debería

5. podría

E 1. estuviera / montaría

2. fuera / pasaría

3. fuera / pescaría

4. pudiera / haría

5. tuviera / inventaría

UNIDAD 6
PRUEBA ALTERNATIVA

I. Gente del Mundo 21

Una escritora venezolana. Escucha lo que dicen dos amigas que viven en Caracas sobre la obra de la escritora venezolana Teresa de la Parra. Luego, escoge la respuesta que complete mejor cada oración.

Angélica: Ayer leí en el periódico que el próximo mes van a volver a pasar por televisión la telenovela *Ifigenia*. ¿Te acuerdas cómo nos gustó?

Rebeca: ¡Cómo no me voy a acordar, Angélica! Si a mi hija le puse el nombre de Ifigenia por la heroína de esa telenovela. ¡Ah cómo nos hizo reír y llorar!

Angélica: Pues, quieren pasar la telenovela de nuevo como homenaje a la escritora de la novela sobre la cual la basaron.

Rebeca: Teresa de la Parra merece el homenaje. Es una de las figuras más grandes de la literatura venezolana.

Angélica: Aunque vivió una gran parte de su vida fuera de Venezuela. ¿Sabes, Rebeca? Nació en París en 1890 de padres venezolanos y se crió a partir de los dos años en una hacienda cerca de Caracas.

Rebeca: Sí. A los ocho años la llevaron a España para hacer sus estudios. No volvió a su patria hasta los dieciocho años.

Angelica: Y en 1923, a los treinta y dos años, se estableció en París.

Rebeca: La telenovela parece ser autobiográfica, ¿no?

Angélica: Creo que sí. Su obra no es muy extensa, ¿sabes? Sólo publicó dos novelas, *Ifigenia* en 1924 y *Las memorias de Mamá Grande* en 1929.

Rebeca: Lo sé. Sin embargo, Teresa de la Parra es actualmente reconocida como una de las primeras novelistas hispanoamericanas que reflejan la perspectiva de la mujer.

Angélica: ¿Vas a seguir la telenovela otra vez si la vuelven a poner?

Rebeca: No sé si voy a poder. Desde que empecé mi trabajo de programadora, no tengo mucho tiempo para ver telenovelas.

Escucha una vez más para verificar tus respuestas.

(Repeat passage.)

1. a   2. c   3. b   4. c   5. a   6. b

II. Historia y cultura

1. b   2. a   3. a   4. c   5. a
6. c   7. c   8. a   9. a

III. Estructura en contexto

A 1. [*Nombre*] será ejecutivo(a) de una gran empresa.
   2. [*Nombre*] vivirá en el extranjero.
   3. [*Nombre*] jugará al fútbol en un club profesional.
   4. [*Nombre*] ejercerá la profesión de abogado.
   5. [*Nombre*] querrá presentarse como candidato(a) a diputado(a) o senador(a).

B 1. Andaría   2. Estaría
   3. querría   4. Sería
   5. Tendría

C 1. mejorarían   2. valdría
   3. ganarían   4. tendría
   5. Habría

D 1. cobraría   2. podríamos
   3. vendría   4. llegaría
   5. interpretaría

E 1. estuviera / iría
   2. pudiera / saldría
   3. tuviera / asistiría
   4. llegara / vería
   5. terminara / tomaría

IV. Cultura en vivo y Vocabulario

1. j   2. f   3. a   4. i   5. b
6. g   7. d   8. e   9. c   10. h

V. Lectura

1. C   2. C   3. F   4. F   5. C

I. Gente del Mundo 21

Una cantante peruana. Escucha lo que dicen dos amigos peruanos después de asistir a un concierto de la cantante peruana Tania Libertad. Luego, escoge la respuesta que complete mejor cada oración.

Alberto: ¿Qué te pareció el concierto en vivo de Tania Libertad?

Leticia: Magnífico. Me parece que canta aún mejor en persona que en sus grabaciones.

Alberto: Comprendo por qué es tan famosa.

Leticia: Yo sé que ha grabado más de veinte discos. Me gustaría tenerlos todos.

Alberto: Pues yo acabo de conseguir una de sus últimas grabaciones que se llama *Boleros hoy*.

Leticia: Tania Libertad es una de las mejores intérpretes del canto nuevo latinoamericano. Lo que me gusta mucho de este movimiento es que el lirismo musical se une al compromiso social.

Alberto: Tienes razón, Leticia. Esta música no es para bailar sino para escuchar.

Leticia: Ah, sí, te hace sentir y pensar. Por eso es tan popular.

Alberto: Tania Libertad lo explicó muy bien cuando dijo en una reciente entrevista que realmente no le interesan las etiquetas que le han puesto a la música que ella canta. Ella propone que se le llame simplemente "música popular latinoamericana".

Escucha una vez más para verificar tus respuestas.

(Repeat passage.)

1. a   **2.** a   **3.** a   **4.** b   **5.** c

II. Historia y cultura

1. a   **2.** b   **3.** b   **4.** a   **5.** b
6. a   **7.** b   **8.** c   **9.** a

III. Estructura en contexto

A 1. acabara   **2.** dejara
3. hiciera   **4.** volvieran
5. terminaran

B 1. tratara   **2.** visitara
3. estuviera   **4.** eran
5. pasara   **6.** conocía
7. fuera

C 1. fuera   **2.** costara
3. gustara   **4.** interesara
5. pareciera   **6.** interpretaba

D 1. has recibido
2. hayas estudiado
3. hayas salido
4. ha sido
5. han suspendido
6. haya organizado

IV. Cultura en vivo y Vocabulario

1. h   **2.** e   **3.** a   **4.** i   **5.** j
6. b   **7.** d   **8.** c   **9.** g   **10.** f

V. Lectura

1. C   **2.** F   **3.** C
4. F   **5.** C   **6.** C

UNIDAD 7
PRUEBA ALTERNATIVA

I. Gente del Mundo 21

Un escritor peruano. Escucha lo que dicen una profesora de literatura latinoamericana y sus estudiantes sobre la vida y obra de Mario Vargas Llosa, uno de los escritores peruanos más célebres del mundo. Luego, escoge la respuesta que complete mejor cada oración.

Profesora Ochoa: Voy a hacerles algunas preguntas sobre la lectura que tuvieron como tarea para hoy. ¿Dónde y cuándo nació Mario Vargas Llosa?

Pedro: Nació en Arequipa en 1936.

Profesora Ochoa: ¿En qué universidad se doctoró?

Anita: En la Universidad de Madrid.

Profesora Ochoa: Su primera novela, *La ciudad y los perros*, que salió en 1963, ¿en dónde tiene lugar?

Anita: La acción se desarrolla en una escuela militar. La novela es autobiográfica y refleja las experiencias personales del autor en una academia militar.

Profesora Ochoa: Sí, esta primera obra consagró a Vargas Llosa como un gran novelista. Desde entonces es considerado uno de los escritores más representativos del llamado "boom" de la novela latinoamericana. Ha publicado muchas novelas, pero ¿qué hizo Mario Vargas Llosa en 1990?

Pedro: Fue candidato del bloque conservador llamado Frente Democrático o FREDEMO.

Profesora Ochoa: ¿Ganó Vargas Llosa las elecciones?

Anita: No, el ingeniero Alberto Fujimori resultó ganador.

Escucha una vez más para verificar tus respuestas.

(Repeat passage.)

1. b   **2.** c   **3.** c   **4.** c   **5.** a

II. Historia y cultura

1. b.   **2.** a   **3.** a   **4.** c   **5.** c
6. c   **7.** b   **8.** b   **9.** a   **10.** c

III. Estructura en contexto

A **1.** se hiciera   **2.** subiera
   3. surgieran   **4.** desapareciera
   5. saliera

B **1.** estuviera   **2.** subieran
   3. hiciera   **4.** supiera
   5. tenía   **6.** era
   7. regresara

C **1.** era   **2.** perseguían
   3. dieran   **4.** pudieran
   5. deseaban   **6.** podían

D **1.** hayas podido
   2. has hecho
   3. hayas recibido
   4. has visto
   5. te hayas aburrido
   6. te haya dado

IV. Cultura en vivo y Vocabulario

1. g   **2.** c   **3.** e   **4.** j   **5.** h
6. b   **7.** i   **8.** d   **9.** f   **10.** a

V. Lectura

1. C   **2.** C   **3.** F
4. F   **5.** C   **6.** C

UNIDAD 8
PRUEBA

I. Gente del Mundo 21

Un pintor chileno. Escucha lo que dicen una madre y su hija después de asistir a la apertura de la exhibición de Roberto Matta, uno de los pintores chilenos más importantes del mundo del arte contemporáneo. Luego, escoge la respuesta que complete mejor cada oración.

Hija: Mamá, ¿qué te parecieron los cuadros de Roberto Matta?

Madre: Pues hija, yo no sé mucho de arte y realmente no me siento calificada para opinar.

Hija: Mamá, no seas tímida, yo sé que tú siempre tienes opiniones sobre lo que ves y oyes.

Madre: Pues, me parece que en uno de sus cuadros hubo una... este... una explosión de colores...

Hija: ¡Bravo! ¿Ves que sí eres una buena crítica de arte?

Madre: ¿Pero de dónde es ese pintor?

Hija: Es chileno de ascendencia vasca. Nació en 1922 en Santiago. Terminó la carrera de arquitectura y de 1934 a 1935 trabajó en Francia con el famoso arquitecto Le Corbusier.

Madre: Ah, entonces es arquitecto y no pintor.

Hija: Deja que te explique, mamá. Comenzó a pintar en 1938 uniéndose al movimiento surrealista centrado en París. Después emigró a Nueva York durante la Segunda Guerra Mundial. Tuvo un gran impacto en el desarrollo del expresionismo abstracto en EE.UU. Se le considera el máximo exponente del surrealismo latinoamericano.

Madre: Entonces, más que representar al mundo como lo vemos, intenta interpretarlo como lo sentimos y lo soñamos.

Hija: ¡Exactamente, mamá! Tú deberías dar clases de crítica de arte en la universidad. ¡Sabes más que muchos de mis profesores!

Escucha una vez más para verificar tus respuestas.

(Repeat passage.)

1. a   **2.** b   **3.** b   **4.** c   **5.** b

II. Historia y cultura

1. a   **2.** b   **3.** c   **4.** b   **5.** b
6. c   **7.** b   **8.** b   **9.** b

III. Estructura en contexto

A 1. había empezado

2. se habían sentado

3. había devuelto

4. había corregido

5. habían hecho

B 1. habrá devaluado

2. habrán resuelto

3. habrá renegociado

4. Habrá comenzado

5. habrá aumentado

C 1. hubiera perdido   2. se haya caído

3. hubiera chocado   4. hubiera tenido

5. hayan podido

D 1. hubiera sabido   2. diera

3. se enfada   4. ganara

5. presenta

IV. Cultura en vivo y Vocabulario

1. c   2. h   3. f   4. i   5. a

6. j   7. b   8. e   9. d   10. g

V. Lectura

1. C   2. C   3. F

4. C   5. F   6. C

I. Gente del Mundo 21

Un poeta chileno. Escucha lo que dicen dos estudiantes de la Universidad de Santiago de Chile sobre la vida y obra de Pablo Neruda, uno de los poetas más conocidos de la literatura latinoamericana. Luego, escoge la respuesta que complete mejor cada oración.

Maru: José Luis, ¿qué llevas ahí? ¿No me digas que un estudiante de ingeniería como tú lee poesía?

José Luis: No te sorprendas, Maru. A los ingenieros también nos gusta la poesía. Y éste que llevo aquí es mi libro de poemas favorito.

Maru: ¿Cómo se llama?

José Luis: *Veinte poemas de amor y una canción desesperada* de Pablo Neruda. Salió en 1921 cuando Neruda tenía sólo veinte años como yo.

Maru: Vaya, me impresionan tus conocimientos literarios.

José Luis: Puedes preguntarme lo que quieras sobre Neruda. Verás que también los chicos de la Facultad de Ingeniería somos literatos.

Maru: A ver, ¿cuándo y dónde nació Pablo Neruda?

José Luis: Nació en 1904 en Parral, pero su nombre no era Pablo Neruda sino Neftalí Ricardo Reyes Basoalto. Lo cambió a Pablo Neruda después de la publicación de su primer libro en 1923. Tomó el nombre de un poeta checo.

Maru: ¿Conoces otros libros de Neruda?

José Luis: Claro que sí. Publicó *Residencia en la tierra* en 1933 cuando vivía en Asia como diplomático chileno. *España en el corazón* salió en 1937 y refleja sus experiencias en la Guerra Civil Española. Y *Canto general*, que salió en 1950, es un recorrido poético por todo el continente. Ahora, Maru, yo te voy a hacer una pregunta, una pregunta muy fácil. ¿Cuándo recibió Neruda el Premio Nobel de Literatura?

Maru: A ver, lo acabo de leer, este... este...

José Luis: En 1971. Fue el segundo escritor chileno así galardonado. Gabriela Mistral recibió el Premio Nobel en 1947.

Maru: Ah, sí, ahora me acuerdo. ¿Y no murió poco después?

José Luis: Sí, en 1973, trece días después de la caída del gobierno de su amigo Salvador Allende.

Maru: Ya que sabes tanto, ¿por qué no me ayudas a escribir este ensayo sobre la poesía chilena contemporánea?

Escucha una vez más para verificar tus respuestas.

(Repeat passage.)

1. c   2. a   3. c

4. a   5. c   6. b

II. Historia y cultura

1. b   2. b   3. c   4. c   5. c

6. b   7. c   8. b   9. a   10. b

III. Estructura

A
1. había despegado
2. había facturado
3. habían salido
4. había cambiado
5. se había despedido

B
1. habrá conseguido
2. se habrán casado
3. habrá montado
4. habrá escrito
5. habrá cambiado

C
1. hayan ofrecido
2. hubieran dado
3. haya sido
4. hubiera aumentado
5. hubiera abierto

D
1. sube
2. devolviera
3. costara
4. continúan
5. hubiera habido

IV. Cultura en vivo y Vocabulario

1. c   2. h   3. f   4. i   5. a
6. j   7. b   8. e   9. d   10. g

V. Lectura

1. C   2. F   3. F
4. C   5. C   6. C

UNIDADES 5–8
EXAMEN

I. Comprensión oral

La integración del mundo hispano. Escucha lo que dicen dos comentaristas de radio sobre la realidad política del mundo hispano. Luego, escoge la respuesta que complete mejor cada oración.

Luis: De Cartagena de Indias, Colombia, en donde en estos días de junio de 1994 se está realizando la cuarta Cumbre Iberoamericana nos llega este reportaje.

Marta: Buenas tardes, Luis y estimados radioescuchas. A esta cuarta Cumbre Iberoamericana que se está celebrando en Cartagena de Indias, Colombia, han sido invitados los gobernantes de veintiuna naciones iberoamericanas o sea, los dieciocho

países latinoamericanos independientes de habla española más Brasil, España y Portugal.

Es importante señalar que los gobiernos democráticos han reemplazado a las dictaduras militares que hasta hace poco eran comunes en muchos países latinoamericanos. A esta cuarta Cumbre Iberoamericana, la gran mayoría de los gobernantes invitados representan sistemas democráticos, con la excepción de Fidel Castro de Cuba.

En vez de invertir en armamentos ultramodernos y en el mantenimiento de grandes ejércitos, los gobiernos democráticos de Latinoamérica, España y Portugal están más interesados en ampliar sus intercambios comerciales y relaciones multilaterales a todos los niveles. Estas relaciones entre los países podrían llevar en el futuro al establecimiento de una Comunidad Iberoamericana parecida a la Comunidad Económica Europea que luego se convirtió en la Unión Europea.

Los países que forman el llamado Grupo de los Tres —México, Colombia y Venezuela— han firmado un tratado de libre comercio que luego podría incluir a otros países del hemisferio. Por otro lado, Chile parece perfilarse como el primer país sudamericano que entrará en el Tratado de Libre Comercio de Norteamérica puesto en vigencia el primero de enero de 1992 por Canadá, EE.UU. y México. La unión de las economías del mundo hispano se ha convertido en un tema que reaparece constantemente en esta cuarta Cumbre Iberoamericana.

Escucha una vez más para verificar tus respuestas.

(Repeat passage.)

1. c   2. b   3. a
4. b   5. b   6. c

II. Gente del Mundo 21

1. c   2. c   3. a   4. b   5. b
6. c   7. a   8. a   9. c   10. b
11. c   12. a   13. c

III. Del pasado al presente

1. b   2. b   3. c   4. a   5. b
6. a   7. c   8. c   9. b   10. a
11. a   12. c   13. b   14. a   15. b
16. c   17. c   18. a   19. b   20. a
21. c

IV. Estructura

A 1. había imaginado
   2. Llegué
   3. haya acostumbrado
   4. haya
   5. hay
   6. hubiera
   7. vayan
   8. empleo
   9. he tenido
   10. he visitado
   11. he entendido
   12. hablaran

B 1. había regresado
   2. era
   3. tuve
   4. habría
   5. vi
   6. iba
   7. había cambiado
   8. estaba
   9. encontré
   10. hubiera desaparecido
   11. habría pedido
   12. reconocí
   13. había convertido
   14. vivía
   15. hubiera desaparecido

UNIDADES 5–8

EXAMEN ALTERNATIVO

I. Comprensión oral

La integración del mundo hispano. Escucha lo que dicen dos comentaristas de radio sobre la realidad política del mundo hispano. Luego, escoge la respuesta que complete mejor cada oración.

Luis: De Cartagena de Indias, Colombia, en donde en estos días de junio de 1994 se está realizando la cuarta Cumbre Iberoamericana nos llega este reportaje.

Marta: Buenas tardes, Luis y estimados radioescuchas. A esta cuarta Cumbre Iberoamericana que se está celebrando en Cartagena de Indias, Colombia, han sido invitados los gobernantes de veintiuna naciones iberoamericanas o sea, los dieciocho países latinoamericanos independientes de habla española más Brasil, España y Portugal.

Es importante señalar que los gobiernos democráticos han reemplazado a las dictaduras militares que hasta hace poco eran comunes en muchos países latinoamericanos. A esta cuarta Cumbre Iberoamericana, la gran mayoría de los gobernantes invitados representan sistemas democráticos, con la excepción de Fidel Castro de Cuba.

En vez de invertir en armamentos ultramodernos y en el mantenimiento de grandes ejércitos, los gobiernos democráticos de Latinoamérica, España y Portugal están más interesados en ampliar sus intercambios comerciales y relaciones multilaterales a todos los niveles. Estas relaciones entre los países podrían llevar en el futuro al establecimiento de una Comunidad Iberoamericana parecida a la Comunidad Económica Europea que luego se convirtió en la Unión Europea.

Los países que forman el llamado Grupo de los Tres —México, Colombia y Venezuela— han firmado un tratado de libre comercio que luego podría incluir a otros países del hemisferio. Por otro lado, Chile parece perfilarse como el primer país sudamericano que entrará en el Tratado de Libre Comercio de Norteamérica puesto en vigencia el primero de enero de 1992 por Canadá, EE.UU. y México. La unión de las economías del mundo hispano se ha convertido en un tema que reaparece constantemente en esta cuarta Cumbre Iberoamericana.

Escucha una vez más para verificar tus respuestas.

(Repeat passage.)

1. c	**2.** b	**3.** b
4. a	**5.** b	**6.** c

II. Gente del Mundo 21

1. a	**2.** c	**3.** b	**4.** b	**5.** a
6. c	**7.** c	**8.** c	**9.** a	**10.** c
11. b	**12.** c	**13.** a		

III. Del pasado al presente

1. c	2. a	3. b	4. a	5. c
6. b	7. b	8. b	9. c	10. a
11. a	12. b	13. c	14. a	15. b
16. a	17. c	18. c	19. b	20. a
21. b				

IV. Estructura

A 1. había regresado

2. era

3. tuve

4. habría

5. vi

6. iba

7. había cambiado

8. estaba

9. encontré

10. hubiera desaparecido

11. habría pedido

12. reconocí

13. había convertido

14. vivía

15. hubiera desaparecido

B 1. había imaginado

2. Llegué

4. haya acostumbrado

4. haya

5. hay

6. hubiera

8. vayan

8. empleo

9. he tenido

10. he visitado

11. he entendido

13. hablaran

Testing Program for
Heritage Learners

Para los profesores

Componentes

El programa de exámenes para hispanohablantes consta de ocho pruebas, una para cada una de las ocho unidades; un examen comprensivo al final de las unidades 1–4 y otro al final de las unidades 5–8; y una clave de respuestas para todos los exámenes. Además, hay un juego completo de pruebas y exámenes alternativos, inclusive para los dos exámenes comprensivos.

Organización

Cada prueba y examen están compuestos de siete secciones.

I. Historia y cultura

De selección múltiple, esta sección examina la habilidad de recordar importantes datos culturales e históricos que aprendieron en las lecturas **Del pasado al presente** y **Ventanas al Mundo 21** que aparecen en las tres lecciones de cada unidad.

II. Acentuación y ortografía/Ortografía

En **Acentuación y ortografía,** se evalúa el control de las reglas de silabeo y acentuación presentadas en la unidad. En **Ortografía** se examina el control de la correspondencia que hay entre algunas letras problemáticas y sus sonidos.

III. ¡A explorar!

Esta sección comprueba el conocimiento de principios básicos del lenguaje, conceptos relacionados con las necesidades específicas de los estudiantes hispanohablantes y variantes coloquiales en el uso de la lengua.

IV. Estructura en contexto

Esta sección mide la adquisición de importantes conceptos gramaticales por medio de diversas actividades contextualizadas. Para evaluar el progreso de los alumnos se usan distintos tipos de ejercicios, tal como espacios en blanco para completar, preguntas/respuestas y el completar o transformar oraciones.

V. Cultura en vivo y Vocabulario

Esta sección examina la habilidad de recordar las palabras del vocabulario activo de las tres lecciones de la unidad, por medio de combinar las palabras en una columna con su definición en otra columna.

VI. Lectura

Esta sección examina la habilidad de leer y comprender una lectura mientras que se aprende más de la cultura hispana. Estas lecturas son muy similares a las lecturas incluidas en las secciones de **Ventana al Mundo 21** en el texto. Se examina su comprensión a través de preguntas de tipo cierto/falso basadas en el contenido de cada lectura.

VII. Composición

Esta sección practica la destreza de escribir usando las estrategias de escritura que se presentan en el texto. Igual a los temas de composición en el **Cuaderno de actividades para hispanohablantes,** los de los exámenes fomentan el uso de la creatividad para narrar, describir, comparar y contrastar. Esta sección también permite que los alumnos expresen y defiendan opiniones sobre algún tema literario presentado en la unidad.

Calificación y evaluación

Las pruebas y los exámenes tienen un valor de 100 puntos cada uno y su distribución aproximada es la siguiente: 15% para información histórica y cultural (**Historia y cultura,** y **Lectura**), 10% para deletreo correcto (**Acentuación y ortografía/Ortografía**), 35% para exactitud gramatical (**¡A explorar!** y **Estructura en contexto**), 10% para vocabulario (**Cultura en vivo y Vocabulario**), 30% para escritura comunicativa (**Composición**).

La sección de **Composición** se puede calificar de un modo global *(holistically),* según la habilidad de los estudiantes para cumplir con lo que se les pide. La escala que sigue se puede usar para calificar de esta manera. Se basa en una composición de 30 puntos y tendría que ajustarse un poco si los puntos de la composición varían. Otras sugerencias para calificar la **Composición** aparecen en la página 22 del **Manual de Recursos para el Instructor** *(Instructor's Resource Manual).*

La tendencia de algunos hispanohablantes a usar variantes coloquiales en sus composiciones es totalmente normal. Se recomienda que la actitud del instructor hacia la "lengua de la comunidad" de estos hispanos sea positiva. En vez de restarle puntos, al calificar la composición se puede subrayar las variantes coloquiales y ofrecerle puntos adicionales al alumno si puede cambiar las expresiones subrayadas a formas normativas.

36–40 puntos   Una respuesta **superior.** El alumno cumplió con todo lo que se le pidió y aun más. Da mucho detalle e información. No hay ningún problema con entender lo que escribió y comete muy pocos errores de gramática y de ortografía.

26–35 puntos   Una respuesta **buena.** El alumno cumplió con casi todo lo que se le pidió. Da bastante detalle e información. Se entiende todo lo que escribe con una que otra excepción. Comete errores de gramática y/o de ortografía pero no son muy serios.

16–25 puntos   Una respuesta **aceptable.** El alumno cumplió con casi todo lo que se le pidió pero con bastantes dificultades. Hay una escasez de detalle e información. Se entiende la mayor parte de lo que escribe pero no todo.

Comete errores de gramática y/o de ortografía que a veces hacen difícil la comprensión.

6–15 puntos   Una respuesta **inadecuada.** El alumno no trató varios temas obligatorios. Existe tanta escasez de detalle e información que con frecuencia es incomprensible. Comete muchos errores de gramática y/o de ortografía.

0–5 puntos   Una respuesta **inaceptable.** El alumno no puso atención a grandes partes del tema. Es muy difícil seguir los puntos principales de lo que escribe. Comete errores por todas partes. Es casi totalmente incomprensible. Usa inglés continuamente. Parece no haber hecho ningún esfuerzo.

Calificación de exámenes

El sistema de evaluación de un alumno en una clase depende totalmente del criterio que el instructor ha establecido de antemano. A continuación hay unas sugerencias para asignar notas a los exámenes.

¡Buena suerte!

Fabián A. Samaniego
Nelson Rojas
Francisco X. Alarcón

UNIDAD 1
PRUEBA

I.   Historia y cultura

Los hispanos en EE.UU.: crisol de sueños. El siguiente ejercicio comprueba
si has comprendido las lecturas **Del pasado al presente** y **Ventanas al Mundo
21** que aparecen en las tres lecciones de esta unidad. Escoge la respuesta que
complete mejor cada oración. (9 puntos)

1. La guerra entre México y EE.UU. terminó con _____.

   a. la Compra de Gadsen de 1853

   b. el Tratado de Guadalupe-Hidalgo de 1848

   c. el Tratado de París de 1898

2. En 1917 los puertorriqueños _____.

   a. ganaron su independencia de los españoles

   b. recibieron la ciudadanía estadounidense

   c. empezaron la tradición del Desfile Puertorriqueño en Nueva York

3. El régimen autoritario de _____ ha obligado a cientos de miles de cubanos a
refugiarse en EE.UU. desde 1960.

   a. Fulgencio Batista   **b.** Antonio Machado   **c.** Fidel Castro

4. La película *West Side Story*, que ganó varios premios "Óscar" en 1961, trata
el problema que enfrentan los jóvenes puertorriqueños _____.

   a. al ser reclutados para servir en el ejército estadounidense

   b. en adaptarse a la vida de los barrios de EE.UU.

   c. al asistir a universidades estadounidenses

5. _____ fundó el Teatro Campesino en 1965.

   a. Luis Valdez   **b.** César Chávez   **c.** Xavier Suárez

6. A diferencia de los inmigrantes cubanos de los años 60 y 70, "los marielitos" que llegaron en 1980 eran _____.

   a. de las clases menos acomodadas

   b. principalmente profesionales como doctores e ingenieros

   c. en su mayoría estudiantes universitarios

7. _____ es otro nombre para los puertorriqueños.

   a. Guanacos   **b.** Boricuas   **c.** Guaraníes

8. Los chicanos se concentran principalmente en _____.

    a. Nueva York   **b.** la Florida   **c.** el suroeste de EE.UU.

9. El talentoso artista cubanoamericano _____ completó una maestría en música de la Universidad de Miami.

    a. Jon Secada   **b.** Desi Arnaz   **c.** Andy García

II.   Acentuación y ortografía

Sílabas y acentos. Divide las siguientes palabras en sílabas y subraya la sílaba que según las dos reglas principales debe llevar "el golpe" o énfasis. Luego pon al acento escrito donde sea necesario. (10 puntos)

    1. b a s i c o

    2. d i a l o g o s

    3. i n a u g u r a r

    4. m e l o d i a

    5. d e s c r i p c i o n

    6. a t l e t i c o

    7. a n g l o s a j o n

    8. d r a m a t u r g o

    9. b o r i c u a s

    10. o r t o g r a f i a

III.   ¡A explorar!

A

Terminología básica. Identifica las partes de las siguientes oraciones, usando la lista de términos dada a continuación. (5 puntos)

sustantivo	**pronombre**	**artículo**	**adjetivo**
verbo	**adverbio**	**preposición**	**conjunción**

1. En 1994 Raúl Julia sufrió un derrame cerebral y murió.

    En   _____

    sufrió   _____

    un   _____

    y   _____

    cerebral _____

2. Carlos Fuentes es un escritor mexicano muy famoso.

Carlos Fuentes _____

escritor _____

mexicano _____

muy _____

famoso _____

B   **Partes de la oración.** Identifica el **sujeto, verbo, (pronombre de) objeto directo** y **(pronombre de) objeto indirecto** en las siguientes oraciones. **¡OJO!** No siempre hay dos objetos en cada oración. (6 puntos)

1. Óscar Hijuelos dedicó dos de sus novelas al pueblo cubanoamericano.

sujeto: _____

verbo: _____

objeto directo: _____

objeto indirecto: _____

2. Sandra Cisneros les proporcionó excelente información a sus lectores en sus novelas.

sujeto: _____

verbo: _____

objeto directo: _____

objeto indirecto: _____

3. Rosie Pérez inició su carrera con Spike Lee en la película *Do the Right Thing*.

sujeto: _____

verbo: _____

objeto directo: _____

objeto indirecto: _____

C   **Puntuación.** En los siguientes trozos del cuento de Sabine Ulibarrí, "Adolfo Miller", coloca los signos de puntuación donde tú creas necesario. (6 puntos)

1. Nadie sabía de dónde venía si tenía familia o qué quería Lo único que se supo es que allí estaba Dijo que se llamaba Adolfo Miller

2. Víctor dice Voy a darme un baño Adolfo dice Voy por cigarrillos y una botella de whiskey

3. Quién puede saber el por qué de todo esto Uno se pregunta Por qué lo hizo

IV. Estructura en contexto

A   **El Desfile Puertorriqueño.** Tú vas a estar en Nueva York este año, para el día del Desfile Puertorriqueño. Por eso, llamas a un amigo puertorriqueño y le haces las preguntas que siguen. Completa cada pregunta con la forma apropiada de los verbos indicados. (5 puntos)

1. ¿_____ (Pensar-tú) ir al desfile este año?

2. ¿_____ (Poder-yo) acompañarte?

3. ¿A qué hora _____ (comenzar) el desfile?

4. ¿_____ (Sentirse-tú) orgulloso de ser puertorriqueño al ver el desfile?

5. ¿_____ (Divertirse) la gente en el desfile?

B   **Una invitación rechazada.** Completa el siguiente diálogo para saber
por qué no puede aceptar Hilda la invitación de su amigo Ernesto.
(10 puntos)

Ernesto: Hilda, esta noche _____ (1. ir-yo) al

cine. ¿_____ (2. Venir) conmigo?

_____ (3. Suponer-yo) que te interesa.

¿ Qué me _____ (4. decir)?

Hilda: _____ (5. Estar) ocupadísima hoy y no

_____ (6. poder) ir. Pero to

_____ (7. agradecer) enormemente la

invitación. ¿Lo _____ (8. hacer-

nosotros) el próximo fin de semana?

_____ (9. Saber-yo) que voy a

ncccsitar distraerme para entonces.

Ernesto: De acuerdo. Te _____ (10. proponer)

otra salida dentro de unos días.

V. Cultura en vivo y Vocabulario

Indica qué palabra o frase de la segunda columna se relaciona mejor con la de la primera. (10 puntos)

_____ 1. dramaturgo

_____ 2. fuerte

_____ 3. pantalla

_____ 4. hacer cola

_____ 5. divertido

_____ 6. bailable

_____ 7. ranchera

_____ 8. asiento

_____ 9. suave

_____ 10. cuento

a. exquisito, delicado

b. ordenarse uno tras otro

c. silla

d. historia

e. con alto volumen

f. donde se proyecta una película

g. música para bailar

h. creador de obras teatrales

i. agradable, cómico, alegre

j. música de los vaqueros

VI. Lectura

Carmen Lomas Garza: artista inspirada en la familia

Carmen Lomas Garza es una de las primeras artistas chicanas que ha sido reconocida por el mundo artístico de EE.UU. Su arte ilumina principalmente escenas de la vida familiar de su niñez en Kingsville, un pequeño pueblo de Texas. A primera vista sus obras parecen ser representaciones sencillas, pero al observarlas con mayor atención, hasta en el menor detalle se puede apreciar la gran emoción y simpatía que siente la artista en representar la vida de sus familiares y de su comunidad.

En 1990 publicó un hermoso libro titulado *Family Pictures/Cuadros de familia*. "Los cuadros de este libro", escribe la artista en la introducción, "los pinté usando los recuerdos de mi niñez en Kingsville, cerca de la frontera con México. Desde pequeña, siempre soñé con ser artista. Dibujaba cada día; estudié arte en la escuela; y por fin, me hice artista. Mi familia me ha inspirado y alentado todos los años. Éste es mi libro de cuadros de familia". Desde hace aproximadamente veinte años, Carmen Lomas Garza vive dedicada a su arte en San Francisco, California.

Carmen Lomas Garza. Indica si los siguientes comentarios son ciertos o falsos. (5 puntos)

C   F   **1.** Carmen Lomas Garza es originaria de Nuevo México.

C   F   **2.** Las obras de Carmen Lomas Garza son muy sencillas y casi no tienen detalles.

C   F   **3.** Ella pintó *Cuadros de familia* usando los recuerdos de cuando era niña en Kingsville.

C   F   **4.** Cuando era niña, a Carmen Lomas Garza no le interesaba ni pintar ni dibujar.

C   F   **5.** Ella vive desde hace aproximadamente veinte años dedicada a su arte en Nueva York.

VII. Composición

Escribe una composición sobre uno de los siguientes temas. (34 puntos)

a. **"Adolfo Miller".** En este cuento del escritor nuevomexicano Sabine Ulibarrí, don Anselmo recibió al gringuito Adolfo Miller como si fuera su propio hijo. ¿Por qué crees que no lo dejó casarse con su hija Francisquita, sabiendo que ella y Adolfo estaban muy enamorados? ¿Por qué aceptó Francisquita casarse con otro? ¿Qué papel habrán tenido las tradiciones familiares o culturales en todo esto?

b. *Cuando era puertorriqueña.* Imagínate que, como la autora puertorriqueña Esmeralda Santiago, tú has decidido escribir una novela de una joven estadounidense que decide irse a vivir a un país hispano. ¿Qué problemas biculturales relacionados con el bilingüismo crees que puede tener tu personaje principal? Describe varios.

c. *Soñar en cubano.* Relaciona el título de la novela de Cristina García, *Soñar en cubano,* con el fragmento que leíste. ¿Es un título apropiado para ese fragmento? ¿Por qué? Da varios ejemplos.

UNIDAD 1

PRUEBA ALTERNATIVA

I.   Historia y cultura

El siguiente ejercicio comprueba si has comprendido las lecturas **Del pasado al presente** y **Ventanas al Mundo 21** que aparecen en las tres lecciones de esta unidad. Escoge la respuesta que complete mejor cada oración. (9 puntos)

1. Los hispanos han habitado grandes extensiones de tierras en el sur y oeste de EE.UU. por más de _____ años.

    a. 100   **b.** 200   **c.** 300

2. A diferencia de otros grupos hispanos, los puertorriqueños son _____ estadounidenses.

    a. residentes   **b.** ciudadanos   **c.** inmigrantes

3. El primer grupo de refugiados cubanos, que empezó a llegar a Miami en 1960, era principalmente _____.

    a. de las clases menos acomodadas

    b. de profesionales de clase media

    c. de la clase privilegiada

4. Los puertorriqueños en la isla _____.

    a. tienen que pagar impuestos federales a EE.UU

    b. pueden votar en las elecciones presidenciales de EE.UU.

    c. pueden ser reclutados para servir en el ejército estadounidense

5. El acuerdo con México para atraer a trabajadores agrícolas de ese país a EE.UU. entre 1942 y 1964 se llamaba _____.

    a. el Programa de Braceros

    b. la Alianza para el Progreso

    c. la Amnistía

6. El evento cultural anual más grande de los hispanos en EE.UU. es _____.

    a. el Desfile Puertorriqueño en Nueva York

    b. el Festival de la Calle Ocho en Miami

    c. la celebración del Día de la Raza en Los Ángeles

7. El cantante cubanoamericano que fue miembro de la compañía
Miami Sound Machine y que ha tenido mucho éxito cantando tanto
en inglés como en español es ____.

    a. Jon Secada   **b.** Oscar Hijuelos   **c.** Andy García

8. ¿Qué conmemora la "Fiesta del Sol" que se celebra cada año
en el barrio mexicano de Pilsen de Chicago?

    a. el inicio de la primavera

    b. la Independencia Mexicana

    c. los esfuerzos comunitarios para establecer la Escuela Secundaria Benito
Juárez

9. En EE.UU., una de las áreas en que los cubanoamericanos más se han distinguido es en ____.

    a. la medicina   **b.** la comida   **c.** la música

II.   Acentuación y ortografía

Sílabas y acentos. Divide las siguientes palabras en sílabas y subraya la sílaba
que según las dos reglas principales debe llevar "el golpe" o énfasis. Luego pon
el acento escrito donde sea necesario. (10 puntos)

    1. l i d e r

    2. c o l e c c i o n

    3. j u v e n t u d

    4. m a y o r i a

    5. i n m i g r a c i o n

    6. a g r i c o l a s

    7. e n a m o r a d o

    8. e j e r c i t o

    9. c u l t u r a l

    10. c i u d a d a n i a

III. ¡A explorar!

A **Terminología básica.** Identifica las partes de las siguientes oraciones, usando la lista de términos dada a continuación. (5 puntos)

sustantivo	**pronombre**	**artículo**	**adjetivo**
verbo	**adverbio**	**preposición**	**conjunción**

1. En 1989 se inició *El show de Cristina* y ahora llega a 100 millones de televidentes.

En   _____

se inició   _____

y   _____

ahora   _____

a   _____

2. Rita Moreno es una actriz, cantante y bailarina puertorriqueña muy famosa.

Rita Moreno   _____

bailarina   _____

puertorriqueña   _____

muy   _____

famosa   _____

B **Partes de la oración.** Identifica el **sujeto, verbo, (pronombre de) objeto directo** y **(pronombre de) objeto indirecto** en las siguientes oraciones. **¡OJO!** No siempre hay dos objetos en cada oración. (6 puntos)

1. La Fundación Tito Puente ha distribuido más de cincuenta becas a jóvenes hispanos talentosos.

sujeto: _____

verbo: _____

objeto directo: _____

objeto indirecto: _____

MUNDO 21 Instructor's Resource Manual   **473**

2. Edward James Olmos ha ayudado mucho a los jóvenes hispanos.

sujeto: _____

verbo: _____

objeto directo: _____

objeto indirecto: _____

3. A Gloria Estefan le encanta ser bilingüe.

sujeto: _____

verbo: _____

objeto indirecto: _____

C

Puntuación. En los siguientes trozos del cuento de Sabine Ulibarrí, "Adolfo Miller", coloca los signos de puntuación donde tú creas necesario. (6 puntos)

1. Quién puede saber el por qué de todo esto Uno se pregunta Por qué lo hizo

2. Nadie sabía de dónde venía si tenía familia o qué quería Lo único que se supo es que allí estaba Dijo que se llamaba Adolfo Miller

3. Víctor dice Voy a darme un baño Adolfo dice Voy por cigarrillos y una botella de whiskey

IV. Estructura en contexto

A **En el restaurante.** Completa el siguiente diálogo entre un cliente y un camarero en un restaurante puertorriqueño. (6 puntos)

Cliente: ¿Qué me _____ (1. sugerir) usted hoy?

Camarero: Le _____ (2. recomendar) el arroz con pollo.

Cliente: ¿Qué más _____ (3. venir) con ese plato?

Camarero: Pues, el plato _____ (4. incluir) sopa o

ensalada y luego postre y café.

Cliente: Voy a pedir el arroz con pollo. ¿_____

(5. Poder) traerme algo de beber antes? Cualquier refresco.

Camarero: Sí, cómo no. En seguida le _____ (6. traer) su

refresco.

B **Una selección difícil.** Tú y tus amigos no pueden ponerse de acuerdo sobre qué película ver. ¿Qué dice cada uno? (8 puntos)

Eliana: Yo _____ (1. preferir) las películas de ciencia

ficción.

Roberto: Yo _____ (2. querer) ver un film policial.

Lorena: Yo _____ (3. recomendar) ir al cine Colón.

Tienen una película cómica muy buena.

Raúl: Te _____ (4. repetir) que no me gustan las

películas cómicas. Son aburridísimas.

Tú: Yo _____ (5. pensar) que

_____ (6. poder-nosotros) ver la película del

cine Universo. Los críticos _____ (7. decir)

cosas muy buenas acerca de ella.

Federico: Yo _____ (8. proponer) ir a ver una película de

acción.

V. Cultura en vivo y Vocabulario

Indica qué palabra de la segunda columna se relaciona mejor con la de la primera. (10 puntos)

____	**1.** destacado	**a.** fuerte
____	**2.** conjunto	**b.** detestar
____	**3.** taquilla	**c.** tambor
____	**4.** odiar	**d.** argumento
____	**5.** comedia	**e.** excepcional
____	**6.** batería	**f.** gustar
____	**7.** poderosa	**g.** banda
____	**8.** entrada	**h.** película
____	**9.** agradar	**i.** boletería
____	**10.** trama	**j.** boleto

Nombre _____ Fecha _____

Sección _____

VI. Lectura

El mambo:
un ritmo cubano que puso a bailar al mundo

La música afrocubana ha tenido un gran impacto en el desarrollo de la música latinoamericana y norteamericana. El mambo es un ritmo que tiene raíces en cantos africanos y después se incorpora en el repertorio de bandas populares cubanas en los años 30. La palabra "mambo", que en el idioma de los negros congos significa conversación, alude a la conversación o contrapunteo de diversos instrumentos durante un mambo.

El mambo no sería lo que es hoy sin el aporte de Dámaso Pérez Prado, justamente apodado "el rey del mambo", nacido en la provincia de Matanzas en Cuba en 1921. Es significativo que Pérez Prado se hizo famoso no en Cuba sino en México, donde el mambo llegó a ser más popular que en Cuba. Su primer gran éxito, grabado en México en 1949, se titula *Qué rico el mambo*.

De México el mambo pasó a EE.UU. y en Los Ángeles y Nueva York se convirtió en un baile muy popular. Así los mejores bailadores del mambo se congregaban los miércoles en el Palladium de Nueva York acompañados por las orquestas de Machito, Tito Puente o Tito Rodríguez. Con la película basada en la reciente novela del autor cubanoamericano Oscar Hijuelos, *The Mambo Kings Play Songs of Love*, muchas generaciones de inspirados bailadores vuelven a recordar el mambo.

Adaptado de "Qué rico el mambo"
de Gustavo Pérez Firmat, *Más.*

El mambo. Indica si los siguientes comentarios son ciertos o falsos. (5 points)

C   F   1. El mambo es un ritmo que tiene raíces en la música indígena de México.

C   F   2. La palabra "mambo" alude a la conversación de las parejas mientras bailan.

C   F   3. Dámaso Pérez Prado es considerado "el rey del mambo".

C   F   4. El mambo llegó a ser más popular en México que en Cuba.

C   F   5. Los primeros bailadores de mambo en EE.UU. se congregaban en el Palladium de Nueva York.

VII. Composición

Escribe una composición sobre uno de los siguientes temas. (35 puntos)

a. **"Adolfo Miller".** En este cuento del escritor nuevomexicano Sabine Ulibarrí, don Anselmo recibió al gringuito Adolfo Miller como si fuera su propio hijo. ¿Por qué crees que no lo dejó casarse con su hija Francisquita, sabiendo que ella y Adolfo estaban muy enamorados? ¿Por qué aceptó Francisquita casarse con otro? ¿Qué papel habrán tenido las tradiciones familiares o culturales en todo esto?

b. ***Cuando era puertorriqueña.*** Imagínate que, como la autora puertorriqueña Esmeralda Santiago, tú has decidido escribir una novela de una joven estadounidense que decide irse a vivir a un país hispano. ¿Qué problemas biculturales relacionados con el bilingüismo crees que puede tener tu personaje principal? Describe varios.

c. ***Soñar en cubano.*** Relaciona el título de la novela de Cristina García, *Soñar en cubano,* con el fragmento que leíste. ¿Es un título apropiado para ese fragmento? ¿Por qué? Da varios ejemplos.

I. Historia y cultura

España: puente al futuro. El siguiente ejercicio comprueba si has comprendido las lecturas **Del pasado al presente** y **Ventanas al Mundo 21** que aparecen en las tres lecciones de esta unidad. Escoge la respuesta que complete mejor cada oración. (9 puntos)

1. La Giralda de _____ es una hermosa torre que perteneció a una gran mezquita y que luego se convirtió en el campanario de una catedral cristiana.

   a. Granada   **b.** Sevilla   **c.** Córdoba

2. Cristóbal Colón usó el nombre _____ para referirse a las tierras que exploró en 1492 en el hemisferio occidental.

   a. "Las Indias"   **b.** "América"   **c.** "Bahamas"

3. Carlos I de España se hizo coronar emperador del Sacro Imperio Romano Germánico con el nombre de _____.

   a. Carlos II   **b.** Carlos III   **c.** Carlos V

4. Doménikos Theotokópoulos, también conocido como "El Greco", fue un famoso _____.

   a. poeta   **b.** dramaturgo   **c.** pintor

5. La constitución española, que refleja la diversidad de España al designarla como un Estado de Autonomías, se escribió _____.

   a. a mediados del Siglo de Oro

   b. en la primera mitad del siglo XIX

   c. en la segunda mitad del siglo XX

6. En 1898 España cedió sus últimas colonias de Cuba, Puerto Rico, Guam y las Filipinas a _____.

   a. Inglaterra   **b.** Francia   **c.** EE.UU.

7. La Guerra Civil Española fue provocada por _____ en 1936.

   a. una rebelión militar

   b. una intervención francesa

   c. un levantamiento del pueblo español

8. Por su sistema político, España es en la actualidad una _____.

   a. república

   b. dictadura

   c. monarquía constitucional

9. Las jóvenes españolas _____.

   a. superan a las francesas y danesas en los estudios superiores

   b. desempeñan ocupaciones mayormente femeninas

   c. se hallan entre las más educadas de Europa

II. Acentuación y ortografía

Palabras parecidas. Subraya las palabras apropiadas según el contexto del párrafo. (10 puntos)

El (1. célebre / celebre / celebré) malagueño Antonio Banderas nació en 1960 e inició su camino al estrellato cuando se (2. ánimo / animo / animó) a dejar la vida (3. pacífica / pacifica) de Málaga y (4. se / sé) mudó a Madrid. Allí fue descubierto por Pedro Almodóvar, (5. el / él) famoso director de cine. Éste lo (6. estímulo / estimulo / estimuló) a desarrollarse hasta convertirse en el (7. magnífico / magnifico / mangnificó) actor que es hoy día. Como dijo un (8. crítico / critico / criticó) de cine: "Banderas proyecta en la pantalla una naturalidad que (9. solo / sólo) logra un (10. número / numero / numeró) de estrellas muy pequeño".

III. ¡A explorar!

Puntuación: pausa y entonación. Para llegar a saber algo más de Carlos I de España y V de Alemania, coloca la puntuación donde se necesite en el siguiente párrafo. (10 puntos)

Aunque poco después de llegar a España cuando el joven rey tenía diecisiete años el pueblo castellano se levantó en armas en 1520 al grito de Viva Carlos y mueran los malos extranjeros Sin embargo Carlos V Emperador del Sacro Imperio Romano y Rey de España se fue hispanizando gradualmente hasta llegar a ser uno de los reyes más castizos que ha tenido España Gran defensor de la lengua española en una ocasión en presencia del papa dijo Señor obispo entiéndame si quiere y no espere de mí otras palabras que de mi lengua española la cual es tan noble que merece ser sabida y entendida de toda la gente cristiana No cabe duda que España era el principal de sus estados ahí viviría y moriría Desde España Carlos V extendió su reino tanto que pronto llegó a decirse que era un reino donde no se ponía el sol

IV. Estructura en contexto

A

El sábado. ¿Qué hicieron tus amigos el sábado pasado? Emplea el pretérito al contestar. (10 puntos)

1. Rubén / leer una novela histórica

   _____

2. Mónica / dormir toda la tarde

   _____

3. Jaime / venir a mi casa a escuchar música

   _____

4. Susana / hacer la tarea por la mañana

   _____

5. yo / ir a un concierto y / llegar atrasado

_____

6. Lola y Lupe / construir una jaula para el perro

_____

7. Pepe no / saber que / yo tener que trabajar el sábado

_____

8. Tú / andar un total de cinco millas

_____

9. Teresa y Víctor / estar en casa todo el día

_____

10. Nosotros / querer llamarlos pero no / poder

_____

B **Veranos a las orillas del río.** Completa la siguiente narración para saber algo de la juventud de esta joven. Usa el imperfecto de los verbos indicados entre paréntesis. (5 puntos)

De niña, yo _____ (1. vivir) en un pueblo que

_____ (2. quedar) cerca de las montañas. No

_____ (3. ser) muy grande, pero _____

(4. tener) un río, que _____ (5. correr) por la parte norte,

importantísimo para nosotros los niños.

C **En Madrid.** Contesta las preguntas que te hacen unos amigos que quieren saber cómo fue tu visita a Madrid. Emplea pronombres de objeto directo e indirecto en tus respuestas. (5 puntos)

1. ¿Te gustaron las tapas madrileñas?

_____

2. ¿Me las recomiendas?

_____

3. ¿A quiénes les trajiste regalos?

_____

4. ¿Puedes decirme qué les compraste?

_____

5. ¿Nos compraste algo a nosotros?

_____

D   **Un fotógrafo poco activo.** Alberto era el miembro más activo del
Club de Fotografía pero últimamente esto ha cambiado. Para saber cómo
ha cambiado, completa la narración que aparece a continuación usando estas
palabras indefinidas y negativas, según convenga. (6 puntos)

algo	nada	siempre	jamás
alguien	nadie	o/o...o	ni/ni...ni
alguno	ninguno	también	tampoco
alguna vez	nunca	cualquiera	

Alberto se inscribió en nuestro Club de Fotografía y era uno de los miembros

más activos. _____ (1) miembros comentaron que sus presenta-

ciones siempre eran muy claras y que les ayudaban mucho. Sin embargo, últi-

mamente no ha venido a _____ (2) reunión. Es un buen fotógrafo,

pero nadie lo ha visto sacar fotos recientemente. No usa _____ (3)

su cámara _____ (4) su talento ahora. _____ (5)

se ofrece a dar presentaciones para los otros miembros. No hace

_____ (6) por el club. Probablemente está muy ocupado con sus

estudios.

V. Cultura en vivo y Vocabulario

Indica qué palabra o frase de la segunda columna se relaciona mejor con la de la primera. (10 puntos)

_____ **1.** hermanastra

_____ **2.** exposición

_____ **3.** sobrina

_____ **4.** lienzo

_____ **5.** surrealista

_____ **6.** suegro

_____ **7.** fresco

_____ **8.** metro

_____ **9.** parador

_____ **10.** cine

a. arte que representa lo imaginario y lo irracional

b. padre de tu esposa

c. tren subterráneo

d. arte de pintar en una pared recién preparada

e. hotel

f. hija de tu hermana

g. donde se proyectan películas

h. exhibición

i. hija del nuevo esposo de tu madre

j. tela donde pinta un pintor

VI. Lectura

El paseo como tradición

Una de las peculiaridades de las ciudades españolas que sorprenden mucho a los visitantes extranjeros es el gran número de personas de todas las edades y clases sociales que se encuentran en la calle a altas horas de la noche, por las avenidas y plazas y en los lugares de reunión.

Familias enteras, personas mayores, jóvenes y niños salen a dar un paseo después de la cena, pasada la puesta del sol. Dar un paseo es no sólo una sana actividad después de una comida pesada, también es una forma de diversión que muchos españoles han convertido en arte.

Dar un paseo nocturno es una costumbre muy arraigada en Madrid. Esta ciudad de noche es distinta a las demás capitales europeas. En Madrid no sólo hacen vida nocturna las personas que salen para ir al teatro, cine, discoteca o cualquier otro espectáculo. Hacen también vida nocturna en los cafés y las aceras las personas que salen después de la cena para tomar un café, una cerveza o simplemente a pasear por las calles céntricas como el Paseo de la Castellana y la Gran Vía. Al retirarse las familias, las personas mayores y los niños, la vida nocturna continúa con adultos y jóvenes. Por eso en Madrid las calles están animadas todas las noches hasta las dos o tres de la madrugada.

Los paseos. Indica si los siguientes comentarios son ciertos o falsos. (5 puntos)

C   F   **1.** Los visitantes extranjeros a España se sorprenden de la falta de vida nocturna en la mayoría de las ciudades principales.

C   F   **2.** El dar un paseo después de la cena es una costumbre nueva importada que sólo los muy jóvenes siguen.

C   F   **3.** Caminar después de una comida pesada se considera una actividad sana.

C   F   **4.** A diferencia de otras ciudades europeas, en Madrid salen familias enteras a dar un paseo al anochecer.

C   F   **5.** A las doce de la noche cierran todos los cafés y restaurantes de Madrid y por eso hay mucha gente en las calles.

VII. Composición

Escribe una composición sobre uno de los siguientes temas. (30 puntos)

a. **"¡Granada, por don Fernando!"** Describe a la reina en el romance "¡Granada, por don Fernando!" ¿Qué tipo de mujer era? ¿Cuáles son algunos aspectos de su personalidad? ¿Cómo crees que era físicamente? Da ejemplos específicos.

b. ***Don Quijote en el Mundo 21.*** Escribe un breve resumen del episodio que tú escribiste (o estás escribiendo) para la obra titulada *Don Quijote en el Mundo 21*.

c. **"El crimen fue en Granada".** Describe brevemente la muerte de Federico García Lorca, según la describe el poeta español Antonio Machado en su poema "El crimen fue en Granada".

I.   Historia y cultura

El siguiente ejercicio comprueba si has comprendido las lecturas **Del pasado al presente** y **Ventanas al Mundo 21** que aparecen en las tres lecciones de esta unidad. Escoge la respuesta que complete mejor cada oración. (9 puntos)

1. Las primeras civilizaciones que habitaron partes de la Península Ibérica fueron ____.

   a. los fenicios, los griegos y los celtas

   b. los musulmanes y los judíos

   c. los romanos, los vándalos y los visigodos

2. El período de mayor esplendor de la cultura española se conoce como ____.

   a. la Edad de Plata   **b.** el Siglo de Oro   **c.** el Renacimiento

3. La Guerra Civil Española (1936–1939) vio a dos fuerzas enfrentarse la una contra la otra, ____.

   a. las fuerzas democráticas y las republicanas

   b. las fuerzas nacionalistas y las regionalistas

   c. las fuerzas republicanas y las nacionalistas

4. En 1808, Napoleón Bonaparte trasladó a la familia real a Francia, y nombró a su hermano, José Bonaparte, rey de ____.

   a. España

   b. las colonias francesas en América

   c. Francia

5. La constitución española de 1978 refleja la diversidad de España al designarla como ____.

   a. un Estado de Autonomías

   b. una democracia

   c. una federación

6. En los siglos XVI y XVII el oro y la plata de América fueron usados principalmente para _____.

   a. financiar las continuas guerras de España en Europa y para comprar productos importados

   b. impulsar el desarrollo de la economía española

   c. mejorar las condiciones de vida de la mayoría de los españoles

7. Ninguna institución es más importante que _____ en la cultura hispana.

   a. la Real Academia Española

   b. la monarquía

   c. la estabilidad económica

8. Todos los paradores nacionales de España _____.

   a. son viejos castillos y monasterios históricos

   b. edificios modernos con piscinas y restaurantes maravillosos

   c. son o antiguas edificaciones o modernos hoteles de lujo

9. Durante el reinado de los Borbones, España comenzó un proceso de _____ con Europa.

   a. aislamiento

   b. más comunicación y trato

   c. colonización

II. Acentuación y ortografía

Palabras parecidas. Subraya las palabras apropiadas según el contexto del párrafo. (10 puntos)

El (1. célebre / celebre / celebré) malagueño Antonio Banderas nació en 1960 e inició su camino al estrellato cuando se (2. ánimo / animo / animó) a dejar la vida (3. pacífica / pacifica) de Málaga y (4. se / sé) mudó a Madrid. Allí fue descubierto por Pedro Almodóvar, (5. el / él) famoso director de cine. Éste lo (6. estímulo / estimulo / estimuló) a desarrollarse hasta convertirse en el (7. magnífico / magnifico / magnificó) actor que es hoy día. Como dijo un (8. crítico / critico / criticó) de cine: "Banderas proyecta en la pantalla una naturalidad que (9. solo / sólo) logra un (10. número / numero / numeró) de estrellas muy pequeño".

Nombre _____ Fecha _____

Sección _____

III. ¡A explorar!

Puntuación: pausa y entonación. Para llegar a saber algo más de Carlos I de España y V de Alemania, coloca la puntuación donde se necesite en el siguiente párrafo. (1/2 cada puntuación = 10 puntos)

Aunque poco después de llegar a España cuando el joven rey tenía diecisiete años el pueblo castellano se levantó en armas en 1520 al grito de Viva Carlos y mueran los malos extranjeros Sin embargo Carlos V Emperador del Sacro Imperio Romano y Rey de España se fue hispanizando gradualmente hasta llegar a ser uno de los reyes más castizos que ha tenido España Gran defensor de la lengua española en una ocasión en presencia del papa dijo Señor obispo entiéndame si quiere y no espere de mí otras palabras que de mi lengua española la cual es tan noble que merece ser sabida y entendida de toda la gente cristiana No cabe duda que España era el principal de sus estados ahí viviría y moriría Desde España Carlos V extentió su reino tanto que pronto llegó a decirse que era un reino donde no se ponía el sol

IV. Estructura en contexto

A

Un fuerte temblor. Completa la siguiente narración usando el pretérito de los verbos que aparecen entre paréntesis. (10 puntos)

Ayer por la noche todos nosotros _____ (1. tener) un susto tremendo. A las tres de la mañana _____ (2. sentir) un gran ruido y _____ (3. ver) que toda la casa se movía de un lado a otro. _____ (4. Salir) a la calle y _____ (5. permanecer) allí hasta que _____ (6. terminar) el temblor. Al día siguiente el periódico _____ (7. dar) la siguiente información: _____ (8. ser) un temblor de grado 6, _____ (9. durar) dos minutos y _____ (10. causar) daños importantes por toda la ciudad.

B **Una boda.** Empleando el imperfecto de indicativo, completa la descripción de la boda de la hermana de la persona que escribe. (15 puntos)

La iglesia _____ (1. estar) llena de amigos y familiares. Los

novios _____ (2. mirarse) y _____ (3. sonreírse);

se _____ (4. poder) ver que _____ (5. estar-ellos)

muy felices.

C **Un fin de semana de televisión.** Contesta las preguntas que te hace un compañero acerca de los programas de televisión que miraste el fin de semana pasado. Emplea pronombres personales de objeto directo e indirecto en tu respuesta. (5 puntos)

Modelo   ¿Encendiste el televisor el domingo por la mañana?

Sí, lo encendí. (No, no lo encendí.)

1. ¿Miraste las telenovelas el viernes por la noche?

_____

2. ¿Les mencionaste el programa sobre las ciencias medievales a tus amigos?

_____

3. ¿Pudiste ver la final de tenis en el canal ocho?

_____

4. ¿Miraste las noticias el sábado por la tarde?

_____

5. ¿Le recomendaste el reportaje a un amigo?

_____

Nombre _____ Fecha _____

Sección _____

D **Una atleta poco activo.** Beatriz era el miembro más activo del Club
Atlético de la ciudad pero últimamente esto ha cambiado. Para saber cómo
ha cambiado, completa la narración que aparece a continuación usando estas
palabras indefinidas y negativas, según convenga. (6 puntos)

algo	**nada**	**siempre**	**jamás**
alguien	**nadie**	**o/o...o**	**ni/ni...ni**
alguno	**ninguno**	**también**	**tampoco**
alguna vez	**nunca**	**cualquiera**	

Beatriz se inscribió en nuestro club de atletas y era una de los miembros más

activos. _____ (1) miembros creían que era una de las mejores

corredoras del mundo entero. Sin embargo, últimamente no ha venido a

_____ (2) de las prácticas. Es una buena atleta, pero nadie

la ha visto correr recientemente. No usa _____ (3) las pistas

de la universidad _____ (4) el gimnasio para correr ahora.

_____ (5) se ofrece a participar en competiciones. No hace

_____ (6) por el club. Probablemente está muy ocupada con

sus estudios.

V. Cultura en vivo y Vocabulario

Indica qué palabra o frase de la segunda columna se relaciona mejor con la de la primera. (10 puntos)

_____ **1.** balneario

_____ **2.** brillante

_____ **3.** gemelos

_____ **4.** pesar

_____ **5.** dibujante

_____ **6.** mesón

_____ **7.** fresco

_____ **8.** parador

_____ **9.** exposición

_____ **10.** lienzo

a. pintor

b. tela donde pinta un pintor

c. mural

d. hotel

e. exhibición

f. playa

g. condolencia

h. hermanos

i. llamativo

j. fonda

VI. Lectura

Autobiografía del cineasta Pedro Almodóvar

Nací en La Mancha hace más de cuatro décadas. Viví los ocho primeros años de mi vida en mi pueblo natal. Me dejaron una huella profunda y fueron el primer indicativo del tipo de vida que no quería para mí. Después me trasladé con mi familia a Extremadura, sin un centavo. Estudié bachillerato elemental y superior, y dactilografía (escribir a máquina). Este último es lo único que me ha servido en el futuro.

A los dieciséis años rompí con la familia, que me tenía preparado un futuro de oficinista en un banco del pueblo, y me vine a Madrid, a labrarme un presente más de acuerdo con mi naturaleza. Vine decidido a trabajar y estudiar, pero vivir me robaba las veinticuatro horas del día. Aún así tuve que extraer de donde podía ocho horas para trabajar diariamente en la Telefónica, como auxiliar administrativo durante doce años.

Me compré una cámara súper 8 y empecé a rodar. Hasta ahora, he rodado diez películas en formato comercial y múltiples películas de súper 8. Engordo. Escribo y ruedo películas. Triunfo afuera y aquí. Adelgazo. Y de repente me veo en los años 90. Sigo rodando. No me siento feliz; sin embargo, creo que soy un hombre afortunado.

Adaptado de "Autobiografía de Pedro Almodóvar", *El País*.

Pedro Almodóvar. Indica si los siguientes comentarios son ciertos o falsos. (15 puntos)

C   F   **1.** Pedro Almodóvar nació en La Mancha.

C   F   **2.** Al cineasta le gustó el tipo de vida en La Mancha.

C   F   **3.** Su familia quería que él fuera maestro de la escuela del pueblo.

C   F   **4.** Trabajó en la Telefónica de Madrid como auxiliar administrativo durante doce años.

C   F   **5.** Según el artículo, ha filmado diez películas en formato comercial y se cree un hombre afortunado.

VII. Composición

Escribe una composición sobre uno de los siguientes temas. (30 puntos)

a. **"¡Granada, por don Fernando!"** Describe a la reina en el romance "¡Granada, por don Fernando!" ¿Qué tipo de mujer era? ¿Cuáles son algunos aspectos de su personalidad? ¿Cómo crees que era físicamente? Da ejemplos específicos.

b. *Don Quijote en el Mundo 21.* Escribe un breve resumen del episodio que tú escribiste (o estás escribiendo) para la obra titulada *Don Quijote en el Mundo 21.*

c. **"El crimen fue en Granada".** Describe brevemente la muerte de Federico García Lorca, según la describe el poeta español Antonio Machado en su poema "El crimen fue en Granada".

Nombre _____ Fecha _____

Sección _____

I. Historia y cultura

México, Guatemala y El Salvador: raíces de la esperanza. El siguiente ejercicio comprueba si has comprendido las lecturas **Del pasado al presente** y **Ventanas al Mundo 21** que aparecen en las tres lecciones de esta unidad. Escoge la respuesta que complete mejor cada oración. (9 puntos)

1. La capital del Imperio Azteca era _____.

   a. Teotihuacán   **b.** Tula   **c.** Tenochtitlán

2. Cortés usó el mito _____ para su beneficio, dejando creer a los indígenas que él era el dios mesoamericano que había prometido regresar de la región del oriente.

   a. de El Dorado

   b. de Quetzalcóatl

   c. del Popol Vuh

3. El resultado del levantamiento de los criollos contra el poder de los gachupines fue _____.

   a. la independencia de México y Guatemala en 1821

   b. el establecimiento del Virreinato de la Nueva España

   c. la explotación general de la población indígena

4. El presidente conocido como el Abraham Lincoln mexicano por ser un gran reformador y porque resistió y venció a los invasores franceses es _____.

   a. Benito Juárez

   b. Agustín de Iturbide

   c. Porfirio Díaz

5. Durante el siglo XIX en Guatemala, grandes compañías extranjeras _____.

   a. facilitaron la construcción de ferrocarriles, carreteras y líneas telegráficas

   b. ayudaron a miles de campesinos indígenas a salir de la pobreza

   c. repartieron sus grandes plantaciones entre los campesinos indígenas que las trabajaban

6. El pueblo de Guatemala recuerda a Jacobo Arbenz Guzmán por haber _____.

    a. derrocado al coronel Carlos Castillo Armas con la ayuda de la CIA

    b. echado a compañías extranjeras, como la *United Fruit*, del país

    c. repartido más de un millón de hectáreas a familias campesinas

7. En extensión territorial el país más pequeño de Centroamérica es _____.

    a. Costa Rica   **b.** Guatemala   **c.** El Salvador

8. En El Salvador, lo que impulsó el desarrollo económico a finales del siglo XIX, fue la exportación de _____.

    a. café   **b.** bananos   **c.** cacao

9. El título de la pintura de Isaías Mata, *Cipotes en la marcha por la paz*, se refiere a _____.

    a. soldados jóvenes

    b. la juventud mexicana

    c. niños jóvenes

II. Acentuación y ortografía

A

Entrevista. Pon un acento escrito a las palabras en negrilla que lo necesiten en la transcripción de la siguiente entrevista realizada a Jorge Bustamante, especialista mexicano sobre relaciones binacionales México-EE.UU. (4 puntos)

Entrevistador: ¿Desde **cuando** publica usted artículos en el periódico *La Opinión* de Los Ángeles? ¿**Por que** lo hace?

J. Bustamante: Lo hago desde hace más de diez años. En realidad **ese** sólo publica mis artículos sindicalizados.

Entrevistador: ¿**Cual** es su intención al publicar en **ese** diario hispano de EE.UU.?

J. Bustamante: **Esa** es una pregunta muy interesante. Me interesa compartir con el público latino de EE.UU. mi opinión sobre lo que sucede en ambos países.

Entrevistador: ¿**Que** les aconseja a los latinos que viven en EE.UU. ahora?

J. Bustamante: Les aconsejo que se organicen y participen en el sistema político. El problema es que muchos no se han hecho ciudadanos y no votan en las elecciones. **Este** es el desafío que tenemos que superar como comunidad.

B

Deletreo con _g_ o _j_. Completa los espacios en blanco en las siguientes palabras con las letras **g** o **j**. (4 puntos)

1. aprendiza__e

2. tradu__o

3. indí__enas

4. emba__adora

5. extran__ero

6. presti__ioso

7. porcenta__e

8. mane__é

C

Deletreo con _c, q, s_ o _z_. Completa los espacios en blanco en las siguientes palabras con las letras **c, q, s** o **z** más una vocal. (4 puntos)

1. entu____asmo

2. bus____é

3. fra____sar

4. pobre____

5. pala____o

6. ____nquistar

7. monar____ía

8. opre____ón

III. ¡A explorar!

Lectura en voz alta: enlaces. Lee las siguientes redondillas (estrofas de cuatro versos octosílabos, en los cuales riman el primero con el último y el segundo con el tercero) de una de las primeras feministas en las Américas, Sor Juana Inés de la Cruz. Luego marca los enlaces (‿) que faltan en las dos estrofas que restan. Nota que los enlaces ya están marcados en la primera estrofa. (1/2 cada enlace = 4 puntos)

Contra las injusticias de los hombres al hablar de las mujeres

Hombres necios que‿acusáis

a la mujer sin razón,

sin ver que sois la‿ocasión

de lo mismo que culpáis:

si con ansia sin igual

solicitáis su desdén,

¿por qué queréis que obren bien

si las incitáis al mal?

Combatís su resistencia

y luego, con gravedad

decís que fue liviandad

lo que hizo la diligencia.

IV. Estructura en contexto

A

Un accidente en la playa. El verano pasado, durante las vacaciones de Isabel, hubo un accidente en la playa. Para saber qué pasó, completa la siguiente narración usando el pretérito o el imperfecto, según convenga. (7 puntos)

El verano pasado _____ (1. pasar-yo) las vacaciones a orillas

del mar. _____ (2. Vivir) dos semanas en una pensión que

_____ (3. quedar) cerca de la playa. En general,

_____ (4. divertirse) bastante, salvo el día del accidente

en la playa. Ese día, _____ (5. hacer) viento y el mar

_____ (6. estar) muy agitado. No _____

(7. haber) nadie bañándose porque _____ (8. ser) muy peli-

groso. De pronto, un joven imprudente _____ (9. lanzarse)

al agua y _____ (10. salir) mar afuera. Por supuesto, cuando

_____ (11. tratar) de volver no _____

(12. poder) porque la corriente _____ (13. ser) muy fuerte.

Afortunadamente, los salvavidas _____ (14. lograr)

rescatarlo y la aventura terminó bien.

B **Los gustos.** Habla de los gustos de tus amigos y de los gustos tuyos. Emplea adjetivos y pronombres posesivos como en el modelo. (10 puntos)

MODELO   deporte

Elvira / básquetbol

yo / béisbol

¿Cuál es el deporte favorito de Elvira?
El deporte favorito suyo es el básquetbol. El mío es el béisbol.

1. música

   Carlos / jazz

   yo / rock

   _____

   _____

   _____

2. clase

   Miguel y Javier / biología

   tú / historia

   _____

   _____

   _____

3. plato mexicano

   Carmen / tamales

   Uds. / enchiladas

   _____

   _____

   _____

4. programas

   Sofía / las comedias

   nosotros / los noticiarios

   _____

   _____

   _____

5. pasatiempo

Arturo / coleccionar monedas

yo / coleccionar sellos

_____

_____

_____

C **Lectura interesante.** Completa la siguiente narración con las preposiciones que faltan (**a** o **de**) para contar tu experiencia con la novela de Laura Esquivel *Como agua para chocolate*. Escribe **X** si no se necesita ninguna preposición. (5 puntos)

Cuando comencé _____ (1) leer la novela *Como agua para chocolate* no pude

_____ (2) cerrar el libro hasta que terminé _____ (3) leerlo. Aunque me gustaron

mucho las recetas de cocina —aprendí _____ (4) cocinar algunos platos— más

me gustó la historia de amor de Tita y Pedro. Cuando tenga tiempo, voy a

volver _____ (5) leer la novela.

D **Un viaje.** Para saber adónde y cómo piensa viajar esta persona, completa la siguiente narración con las preposiciones **por** o **para**, según convenga. (7 puntos)

Necesito hacer un viaje a Denver, Colorado _____ (1) razones de

familia. Pensaba ir _____ (2) avión, pero creo que voy a ir

_____ (3) tren _____ (4) admirar los bellos

paisajes que se pueden ver. Además, el precio que cobran _____

(5) el boleto es algo más bajo. Tengo que estar allí _____ (6) el

sábado de la semana siguiente, así es que tengo tiempo. Voy a ir a la estación de

tren _____ (7) la tarde para comprar el boleto.

V.   Cultura en vivo y Vocabulario

Indica qué palabra o frase de la segunda columna se relaciona mejor con la de la primera. (10 puntos)

_____ **1.** ancianos   **a.** una verdura

_____ **2.** postular   **b.** bienestar

_____ **3.** diputado   **c.** trato desigual

_____ **4.** apio   **d.** prisionero sin justificación

_____ **5.** salud   **c.** afiliación política

_____ **6.** detención arbitraria   **f.** propina

_____ **7.** nopal   **g.** gente mayor

_____ **8.** demócrata   **h.** legislador

_____ **9.** discriminación   **i.** ser candidato

_____ **10.** pilón   **j.** cactus

VI. Lectura

Introducción a los testimonios

En su mayoría estos testimonios fueron recogidos en octubre y en noviembre de 1968. Los estudiantes que quedaron presos dieron sus testimonios en el curso de los dos años siguientes. Este relato les pertenece. Está hecho con sus palabras, sus luchas, sus errores, su dolor y su asombro. Aparecen también sus "aceleradas", su ingenuidad, su confianza. Sobre todo agradezco a las madres, a los que perdieron al hijo, al hermano, el haber accedido a hablar. El dolor es un acto absolutamente solitario. Hablar de él resulta casi intolerable; indagar, horadar, tiene sabor de insolencia.

Este relato recuerda a una madre que durante días permaneció quieta, endurecida bajo el golpe y, de repente, como animal herido —un animal a quien le extraen las entrañas— dejó salir del centro de su vida, de la vida misma que ella había dado, un ronco, un desgarrado grito. Un grito que daba miedo, miedo por el mal absoluto que se le puede hacer a un ser humano; ese grito distorsionado que todo lo rompe, el "ay" de la herida definitiva, la que no podrá cicatrizar jamás, la muerte del hijo.

Aquí está el eco del grito de los que murieron y el grito de los que quedaron. Aquí está su indignación y su protesta. Es el grito mudo que se ahogó en miles de gargantas, en miles de ojos desorbitados por el espanto el 2 de octubre de 1968, en la noche de Tlatelolco.

Adaptado de *La noche de Tlatelolco* de Elena Poniatowska.

La noche de Tlatelolco. Indica si los siguientes comentarios son ciertos o falsos. (6 puntos)

C   F   **1.** Elena Poniatowska consiguió gran parte de los testimonios que publica en su libro *La noche de Tlatelolco* en octubre y noviembre de 1968.

C   F   **2.** Los estudiantes que fueron capturados no tuvieron la oportunidad de dar sus testimonios.

C   F   **3.** La autora dedica su libro principalmente a los soldados y policías que participaron en la masacre.

C   F   **4.** En su introducción, Elena Poniatowska les da las gracias a los periodistas de los diarios oficiales por la información que publicaron de una manera honesta.

C   F   **5.** El relato trata del dolor de una madre cuyo hijo murió en Tlatelolco.

C F **6.** Elena Poniatowska dice que en las páginas de su libro está la voz de las personas que perdieron su vida y los que sobrevivieron a la masacre del 2 de octubre de 1968.

VII. Composición

Escribe una composición sobre uno de los siguientes temas. (30 puntos)

a. "Tiempo libre". Describe al personaje principal de "Tiempo libre", el cuento del escritor mexicano Guillermo Samperio. ¿Qué tipo de personalidad tenía? ¿Cómo era físicamente? ¿Qué tenía por todo el cuerpo? ¿A quién puedes decir que se parece?

b. *Me llamo Rigoberta Menchú...* En el fragmento que estudiaste de la autobiografía *Me llamo Rigoberta Menchú y así me nació la conciencia,* se relata la vida de la abuela paterna de Rigoberta y la de su padre. Describe, en tus propias palabras, la vida de una de estas dos personas, según lo que leíste.

c. "Los perros mágicos de los volcanes". Haz un resumen del cuento de Manlio Argueta titulado "Los perros mágicos de los volcanes". ¿Dónde tiene lugar el cuento? ¿Quién no quiere a los cadejos? ¿Por qué? ¿Qué sucede al final del cuento? ¿Cuál es la moraleja de este cuento?

UNIDAD 3

PRUEBA ALTERNATIVA

I.   Historia y cultura

México: tierra de contrastes. El siguiente ejercicio comprueba si has comprendido las lecturas **Del pasado al presente** y **Ventanas al Mundo 21** que aparecen en las tres lecciones de esta unidad. Escoge la respuesta que complete mejor cada oración. (9 puntos)

1. Los aztecas fundaron la ciudad de _____, que ahora es la capital de México.

    a. Teotihuacán   **b.** Tenochtitlán   **c.** Chichén-Itzá

2. En 1950, el presidente guatemalteco que fue elegido democráticamente e inició ambiciosas reformas económicas y sociales fue _____.

    a. Jorge Ubico   **b.** Juan José Arévalo   **c.** Jacobo Arbenz Guzmán

3. Al final del siglo XIX el cultivo _____ impulsó un considerable desarrollo económico en El Salvador.

    a. del café   **b.** del maíz   **c.** del azúcar

4. La palabra *quiché* y el término náhuatl de donde se deriva el nombre del país de Guatemala significan ambos _____.

    a. agua   **b.** bosque   **c.** montaña

5. Durante la época colonial, de 1521 a 1821, la Ciudad de México era la capital del _____.

    a. Virreinato de la Nueva España

    b. Virreinato de la Nueva Castilla

    c. Virreinato de Anáhuac

6. En 1932, ocurrió una sangrienta insurrección popular en El Salvador en la cual más de 30.000 personas resultaron muertas. Hasta _____, el propio líder de la insurrección, fue ejecutado.

    a. Óscar Arnulfo Romero

    b. Napoleón Duarte

    c. Agustín Farabundo Martí

7. La mayoría de los guatemaltecos son indígenas de origen _____.

    a. azteca   **b.** olmeca   **c.** maya

8. En 1969 se produjo lo que se conoce como "La guerra del fútbol" entre El Salvador y _____.

    a. Nicaragua   **b.** Honduras   **c.** Guatemala

9. El político que gobernó México como dictador durante más de treinta años a partir de 1877 es _____.

    a. Benito Juárez   **b.** Porfirio Díaz   **c.** Emiliano Zapata

II. Acentuación y ortografía

A

Entrevista. Pon un acento escrito a las palabras en negrilla que lo necesiten en la transcripción de la siguiente entrevista realizada a Jorge Bustamente, especialista mexicano sobre relaciones binacionales México-EE.UU. (4 puntos)

Entrevistador: ¿Desde **cuando** publica usted artículos en el periódico *La Opinión* de Los Ángeles? ¿**Por que** lo hace?

J. Bustamente: Lo hago desde hace más de diez años. En realidad **ese** sólo publica mis artículos sindicalizados.

Entrevistador: ¿**Cual** es su intención al publicar en **ese** diario hispano de EE.UU.?

J. Bustamante: **Esa** es una pregunta muy interesante. Me interesa compartir con el público latino de EE.UU. mi opinión sobre lo que sucede en ambos países.

Entrevistador: ¿**Que** les aconseja a los latinos que viven en EE.UU. ahora?

J. Bustamante: Les aconsejo que se organicen y participen en el sistema político. El problema es que muchos no se han hecho ciudadanos y no votan en las elecciones. **Este** es el desafío que tenemos que superar como comunidad.

B   **Deletreo con _g_ o _j_.** Completa los espacios en blanco en las siguientes palabras con las letras **g** o **j**. (4 puntos)

1. aprendiza__e

2. tradu__o

3. indí__enas

4. emba__adora

5. extran__ero

6. presti__ioso

7. porcenta__e

8. mane__é

C   **Deletreo con _c_, _q_, _s_ o _z_.** Completa los espacios en blanco en las siguientes palabras con las letras **c**, **q**, **s** o **z** más una vocal. (4 puntos)

1. entu__ __asmo

2. bus__ __é

3. fra__ __sar

4. pobre__ __

5. pala__ __o

6. __ __nquistar

7. monar__ __ía

8. opre__ __ón

III. ¡A explorar!

Lectura en voz alta: enlaces. Lee las siguientes redondillas (estrofas de cuatro versos octosílabos, en los cuales riman el primero con el último y el segundo con el tercero) de una de las primeras feministas en las Américas, Sor Juana Inés de la Cruz. Luego marca los enlaces (‿) que faltan en las dos estrofas que restan. Nota que los enlaces ya están marcados en la primera estrofa. (1/2 cada enlace = 4 puntos)

Contra las injusticias de los hombres al hablar de las mujeres

Hombres necios que‿acusáis

a la mujer sin razón,

sin ver que sois la‿ocasión

de lo mismo que culpáis:

si con ansia sin igual

solicitáis su desdén,

¿por qué queréis que obren bien

si las incitáis al mal?

Combatís su resistencia

y luego, con gravedad

decís que fue liviandad

lo que hizo la diligencia.

IV. Estructura en contexto

A

Una sinopsis. Completa esta sinopsis del cuento "Tiempo libre" de Guillermo Samperio, con el pretérito o el imperfecto de los verbos que aparecen entre paréntesis, según convenga. (14 puntos)

Todas las mañanas el protagonista _____ (1. salir) a comprar el

periódico muy temprano y siempre _____ (2. mancharse) los

dedos con tinta al leerlo. Pero esa mañana _____ (3. sentir) un

gran malestar en cuanto _____ (4. tocar) el periódico. Él

_____ (5. creer) que no _____ (6. ser) nada serio

y _____ (7. sentarse) a leer el periódico en su sillón favorito.

Pero pronto la tinta del periódico le _____ (8. cubrir) todo

el cuerpo. Él _____ (9. ir) al baño y _____

(10. lavarse) las manos y los brazos pero _____ (11. ser) inútil.

Preocupado, el señor _____ (12. llamar) al médico pero éste

sólo le _____ (13. recomendar) que tomara unas vacaciones.

Al final del cuento, cuando la señora _____ (14. regresar) a

la casa, el hombre se había convertido en un periódico.

B   **Familias.** La persona que habla compara a la familia de su mejor amigo con su propia familia. Completa el siguiente texto usando las formas apropiadas de los adjetivos o pronombres posesivos. (5 puntos)

Modelo   **Sus** abuelos vinieron de España; **los míos** vinieron de México.

1. _____ padres viven en Colorado; _____ viven en Texas.

2. _____ madre es profesora; _____ es empleada de banco.

3. _____ padre trabaja para una gran empresa; _____ trabaja por cuenta propia.

4. _____ hermanita está en quinto grado; _____ está en sexto grado.

5. _____ hermano mayor va a asistir a la universidad; _____ está en la universidad.

C   **Un día de nieve.** Completa la siguiente narración incluyendo las preposiciones que faltan: **a, con** o **de.** Escribe **X** si no se necesita ninguna preposición. (5 puntos)

Yo acababa _____ (1) desayunar cuando empezó _____ (2) nevar. Contaba _____ (3) quedarme en casa, pero era día de clases y tenía que _____ (4) salir a la escuela. Empecé _____ (5) caminar y durante todo el camino me quejé de tener que ir a la escuela con el mal tiempo que hacía.

D   **Venta de coche.** La semana pasada Mario puso un aviso en el periódico para vender su coche. Completa la siguiente narración para saber si encontró un comprador. Usa las preposiciones **por** o **para**, según convenga. (7 puntos)

Ayer, _____ (1) fin, pude vender mi coche. El aviso estuvo en el periódico _____ (2) más de una semana. Ayer un joven me llamó _____ (3) teléfono _____ (4) informarse del coche y _____ (5) conducirlo _____ (6) un rato. Me ofreció un buen precio _____ (7) él y se lo llevó.

V. Cultura en vivo y Vocabulario

Indica qué palabra o frase de la segunda columna se relaciona mejor con la de la primera. (10 puntos)

_____	**1.** legislador	**a.**	segregación
_____	**2.** nopal	**b.**	liberal
_____	**3.** hongo	**c.**	igualdad de hombres y mujeres
_____	**4.** elote	**d.**	champiñón
_____	**5.** derecho básico	**e.**	conseguir una rebaja
_____	**6.** control de natalidad	**f.**	tuna
_____	**7.** discriminación	**g.**	ofrece mercancía
_____	**8.** izquierdista	**h.**	senador
_____	**9.** regateo	**i.**	maíz
_____	**10.** vendedora	**j.**	derecho de la mujer

VI. Lectura

Descifrando la escritura maya

Los mayas dejaron su historia escrita en libros hechos de cortaza y en piedras que adornaban sus ciudades y templos. Como no conocían el alfabeto romano, usaban un sistema de dibujos o jeroglíficos que, hasta muy recientemente, era imposible de descifrar.

Ya se ha identificado un total de aproximadamente 850 caracteres que los mayas usaban en su escritura. De ésos, sólo se conoce el significado de una tercera parte. Lo que hace difícil leer la escritura maya es que, como la escritura de los egipcios, utiliza un sistema logosilábico. Esto quiere decir que algunos signos de su escritura representan objetos, ideas o acciones, y otros representan sonidos específicos.

La traducción de lo jeroglíficos mayas se complica aun más cuando uno considera que cada tribu maya tiene su propio dialecto (sólo en Guatemala hay más de veinte). A la hora de interpretar, los arqueólogos nunca saben qué dialecto se usaba cuando los jeroglíficos fueron escritos.

La escritura maya. Indica si los siguientes comentarios son ciertos o falsos. (5 puntos)

C   F   **1.** Los mayas tenían una lengua escrita.

C   F   **2.** Los expertos ahora pueden leer toda la lengua escrita de los mayas.

C   F   **3.** La escritura de los mayas es como la escritura de los griegos y los romanos.

C   F   **4.** Todas las tribus mayas hablaban el mismo dialecto.

C   F   **5.** La escritura maya incluye signos que representan ideas o acciones y otros que representan los sonidos de la lengua.

VII. Composición

Escribe una composición sobre uno de los siguientes temas. (29 puntos)

a. "Tiempo libre". Describe al personaje principal de "Tiempo libre", el cuento del escritor mexicano Guillermo Samperio. ¿Qué tipo de personalidad tenía? ¿Cómo era físicamente? ¿Qué tenía por todo el cuerpo? ¿A quién puedes decir que se parece?

b. *Me llamo Rigoberta Menchú...* En el fragmento que estudiaste de la autobiografía *Me llamo Rigoberta Menchú y así me nació la conciencia,* se relata la vida de la abuela paterna de Rigoberta y la de su padre. Describe, en tus propias palabras, la vida de una de estas dos personas, según lo que leíste.

c. "Los perros mágicos de los volcanes". Haz un resumen del cuento de Manlio Argueta titulado "Los perros mágicos de los volcanes". ¿Dónde tiene lugar el cuento? ¿Quién no quiere a los cadejos? ¿Por qué? ¿Qué sucede al final del cuento? ¿Cuál es la moraleja de este cuento?

Nombre _____ Fecha _____

Sección _____

I. Historia y cultura

Cuba, la República Dominicana y Puerto Rico: en el ojo del huracán. El siguiente ejercicio comprueba si has comprendido las lecturas **Del pasado al presente** y **Ventanas al Mundo 21** que aparecen en las tres lecciones de esta unidad. Escoge la respuesta que complete mejor cada oración. (9 puntos)

1. La primera capital del imperio español en América fue _____.

    a. Santo Domingo   **b.** La Habana   **c.** San Juan

2. Los indígenas que habitaban las islas de Cuba, La Española y Puerto Rico eran _____.

    a. los mayas   **b.** los aztecas   **c.** los taínos

3. En 1898, _____.

    a. España cedió a EE.UU. los territorios de Puerto Rico, Guam y las Filipinas

    b. comenzó la primera guerra de la independencia cubana

    c. empezó la ocupación estadounidense de Cuba

4. En la República Dominicana llaman el "padre de la patria" a _____.

    a. José Martí

    b. Juan Pablo Duarte

    c. Pedro Santana

5. José Martí, uno de los grandes poetas y pensadores hispanoamericanos del siglo XIX, es reconocido como _____.

    a. el héroe nacional de Cuba

    b. el precursor del surrealismo en la poesía

    c. un revolucionario comunista

6. En 1917 el Congreso de EE.UU. pasó la Ley Jones que _____.

    a. cedió, a EE.UU., Puerto Rico, Cuba y otras islas

    b. declaró a todos los residentes de la isla de Puerto Rico ciudadanos estadounidenses

    c. cedió a Francia la totalidad de la isla de La Española

7. El dictador Rafael Leónidas Trujillo gobernó la República Dominicana durante _____.

    a. una década   **b.** dos décadas   **c.** tres décadas

8. Los cubanos usan bicicletas como medio de transporte por falta de _____.

    a. guaguas que funcionan

    b. petróleo importado

    c. autos nuevos

9. Un gran número de beisbolistas profesionales en EE.UU. son _____.

    a. puertorriqueños

    b. cubanos

    c. dominicanos

II.   Ortografía

A

Deletreo con *b* o *v*. Completa los espacios en blanco en las siguientes palabras con las letras **b** o **v**. (4 puntos)

1. re__elde

2. en__uelto

3. o__servatorio

4. en__iar

5. tro__ador

6. o__scuro

7. su__levar

8. ad__ersario

B **Deletreo con *c, k* o *q*.** Para repasar unos datos importantes sobre Cuba, la República Dominicana y Puerto Rico, completa los espacios en blanco en las siguientes palabras con las letras **c, k** o **q** más una vocal. (1/4 cada palabra = 5 puntos)

1. __ __ando el gobierno __ __bano na__ __onalizó propiedades e inversiones

   privadas, EE.UU. estable__ __ó un blo__ __eo comercial que

   __ __ntinúa hasta hoy.

2. A pesar de sa__ __eos, interven__ __ones y __ __nflictos, la Repúbli__ __

   Domini__ __na mantiene una __ __ltura e identidad na__ __onal fiel a su

   origen.

3. __ __n una extensión de sólo 9.104 __ __lómetros __ __adrados, la indus-

   tria puetorri__ __eña incluye la farma__ __utica, la petro __ __ímica y la

   electróni__ __.

III. ¡A explorar!

A **Traducciones.** Para saber lo que piensan estos jóvenes puertorriqueños del futuro concierto de Chayanne, traduce estas oraciones al español. Ten cuidado de evitar expresiones coloquiales al traducir. (8 puntos)

1. I hope we can get tickets to the Chayanne concert.

   _____

   _____

2. I doubt that there are still good seats left.

   _____

   _____

3. It's possible that we will have to stand in line for hours.

   _____

   _____

4. As usual, Mom wants us to return home immediately after the concert.

   _____

   _____

B   **Rutina de un artista.** En el siguiente párrafo identifica los diferentes usos de **se: reflexivo, recíproco, impersonal, voz pasiva, objeto indirecto** o **verbos** *ser* o *saber.* (4 puntos)

El siguiente es un día típico en la vida de Juan Luis Guerra. A las seis de la mañana se levanta (1) y sale a correr por el campo cercano a la casa. Al regresar se baña (2) con agua fría y desayuna. Se dice (3) que como Juan Luis y su esposa Nora se conocieron (4) antes que él fuera famoso, ellos se respetan (5) mucho y él siempre le pide su opinión a ella sobre las canciones que compone. Nora se la da (6) siempre con mucha honestidad. Según Nora, su esposo siempre le ha dicho: "Sé (7) sincera y dame tu opinión, aunque sea negativa. Yo sé (8) que no todo lo que hago es perfecto y estoy dispuesto a mejorar lo que produzco".

1. _____

2. _____

3. _____

4. _____

5. _____

6. _____

7. _____

8. _____

IV.   Estructura en contexto

A   **Juan Luis Guerra.** Expresa los siguientes datos acerca del merenguero dominicano Juan Luis Guerra usando el presente perfecto. (3 puntos)

1. Juan Luis Guerra ayuda a los dominicanos pobres.

   _____

   _____

2. Muchos latinoamericanos conocen a este cantante dominicano.

   _____

   _____

3. Este cantante vende millones de discos.

   _____

   _____

B **Tenemos visitas.** Unos primos vienen a visitar a tu familia durante el verano. Quieren saber qué se hace en tu ciudad para divertirse los fines de semana. Contesta usando la construcción del **se** pasivo. (3 puntos)

1. escuchar música

_____

_____

2. salir con los amigos

_____

_____

3. bailar en las discotecas

_____

_____

C **¡Un huracán!** Según un miembro de la defensa civil, ¿qué es importante que ustedes hagan para estar preparados en caso de una alerta de huracán? Contesta usando las expresiones impersonales **Es necesario que (nosotros)..., Es importante que (nosotros)...,** y **Es bueno que (nosotros)...** (6 puntos)

1. llenar el tanque del coche de gasolina

_____

_____

2. poner agua limpia en la bañera

_____

_____

3. congelar botellas de agua

_____

_____

4. saber dónde está la linterna

_____

_____

5. tener un radio en buenas condiciones

_____

_____

6. preparar comida para varios días

_____

_____

D **Pretextos.** Tú quieres ir a un concierto de Juan Luis Guerra el sábado, pero ninguno de tus amigos te puede acompañar. Para saber qué pretextos usan, emplea la primera persona del presente de indicativo o de subjuntivo de los verbos que aparecen entre paréntesis. (5 puntos)

1. Es importante que _____ (terminar) un trabajo de investigación esa noche.

2. Es seguro que _____ (no regresar) hasta el domingo.

3. Es esencial que _____ (asistir) a una fiesta de cumpleaños esa noche.

4. Es mejor que _____ (estudiar) esa noche.

5. Creo que _____ (tener) que cuidar a mi hermanita esa noche.

E **Hay que cuidarse.** ¿Qué recomendaciones generales les hacen los cardiólogos a sus pacientes? Para saber cuáles son, completa estas oraciones con mandatos formales plurales. (5 puntos)

1. _____ (Hacerse) exámenes médicos regularmente.

2. No _____ (subir) de peso.

3. _____ (Comer) con moderación.

4. _____ (Seguir) una dieta equilibrada.

5. No _____ (consumir) demasiados productos grasos.

F **Sugerencias.** Un amigo que no recibe muy buenas notas te pide consejos. Usa mandatos informales para darle consejos. (5 puntos)

1. _____ (Hablar) con tus profesores.

2. _____ (Pedirles) ayuda.

3. _____ (Leer) la lección con atención.

4. _____ (Hacer) una lista de tus dudas.

5. _____ (Reunirse) con otros compañeros para estudiar.

Nombre _____ Fecha _____

Sección _____

V. Cultura en vivo y Vocabulario

Indica qué palabra o frase de la segunda columna se relaciona mejor con la de
la primera. (10 puntos)

_____ **1.** factura   **a.** llegar

_____ **2.** batazo   **b.** juego

_____ **3.** merengue   **c.** nota de compras

_____ **4.** cadencia   **d.** jardinero

_____ **5.** lanzador   **e.** hacer un jit

_____ **6.** aduana   **f.** instrumento musical

_____ **7.** guardabosque   **g.** ritmo

_____ **8.** aterrizar   **h.** donde se registran las maletas

_____ **9.** partido   **i.** un baile

_____ **10.** chequere   **j.** tirar la pelota

VI. Lectura

El Morro

El famoso Castillo de San Felipe del Morro, conocido popularmente como
El Morro, se levanta a la entrada de la bahía de San Juan. La importancia
estratégica de Puerto Rico obligó a los españoles a construir El Morro en
1591 para proteger a la ciudad de San Juan de los frecuentes ataques de
piratas. Algunos años más tarde, en 1625, se construyó la fortaleza de San
Cristóbal en la parte nordeste de la ciudad.

En 1595, Puerto Rico sufrió un ataque de Sir Francis Drake, pero éste no
pudo tomar la ciudad de San Juan. En 1625, una armada holandesa incendió San Juan aunque no consiguió capturar la fortaleza de El Morro.

Los gruesos muros de piedra de El Morro permitían el desplazamiento de
cañones. Aunque El Morro sigue siendo una imponente fortificación, ahora
se ha convertido en uno de los lugares más visitados por turistas y se ha
convertido en el símbolo de la ciudad de San Juan y del espíritu de resistencia de los puertorriqueños.

El Morro. Indica si los siguientes comentarios son ciertos o falsos. (5 puntos)

C   F   **1.** El Castillo de El Morro está en una colina a unas diez millas de la bahía de San Juan.

C   F   **2.** Los españoles construyeron El Morro en 1591 para proteger a la ciudad de San Juan.

C   F   **3.** En 1595, Sir Francis Drake logró ocupar la ciudad de San Juan.

C   F   **4.** Tres años más tarde, en 1598, una armada holandesa capturó e incendió la fortaleza de El Morro.

C   F   **5.** El nombre oficial de El Morro es Fortaleza de San Cristóbal de El Morro.

VII. Composición

Escribe una composición sobre uno de los siguientes temas. (27 puntos)

a. *Versos sencillos.* ¿Qué relación hay entre los *Versos sencillos* de José Martí y la vida del poeta cubano? ¿Qué revelan los versos de la personalidad del poeta? Escribe un breve ensayo relacionando la vida del poeta a su obra.

b. **"El diario inconcluso".** Explica el título del cuento "El diario inconcluso" del popular escritor dominicano Virgilio Díaz Grullón. ¿Por qué quedó el diario sin terminar? ¿Qué crees que le pasó a la persona que lo escribió? ¿Lo terminará alguna vez? ¿Por qué?

c. **"Oh, sey can yu si bai de don-serly lai..."** ¿Era buen maestro Wayne Rodríguez, el protagonista de la novela *Raquelo tiene un mensaje,* del autor puertorriqueño Jaime Carrero? ¿Crees que hizo bien en insistir que los niños de la escuela no cantaran el himno de EE.UU. sin entender todo lo que cantaban? Expresa tu opinión y defiéndela.

UNIDAD 4

PRUEBA ALTERNATIVA

I. Historia y cultura

El siguiente ejercicio comprueba si has comprendido las lecturas **Del pasado al presente** y **Ventanas al Mundo 21** que aparecen en las tres lecciones de esta unidad. Escoge la respuesta que complete mejor cada oración. (9 puntos)

1. Debido al exterminio de la población nativa y la necesidad de trabajadores para el cultivo de la caña de azúcar, los españoles decidieron importar _____ en el siglo XVI.

    a. esclavos africanos

    b. esclavos taínos de La Española

    c. esclavos mayas de Yucatán

2. En 1492, Cristóbal Colón le dio el nombre de _____ a la isla donde ahora se encuentra la República Dominicana.

    a. Isabela   **b.** Santo Domingo   **c.** La Española

3. Los taínos que vivían allí antes de 1492, llamaban a la isla que ahora se conoce como Puerto Rico, _____.

    a. Mayagüez   **b.** Borinquen   **c.** Quisqueya

4. José Martí vivió más de quince años en _____ y escribió la mayoría de sus obras allí.

    a. Nueva York   **b.** Madrid   **c.** México

5. La ciudad de Santo Domingo fue fundada en 1496 por _____.

    a. Cristóbal Colón

    b. Diego Colón, hijo de Cristóbal Colón

    c. Bartolomé Colón, hermano de Cristóbal Colón

6. El conquistador español que fue el fundador de Caparra (el antiguo nombre de la ciudad de San Juan en Puerto Rico) es _____.

    a. Diego Velázquez

    b. Juan Ponce de León

    c. Hernán Cortés

7. Los refugiados cubanos conocidos como "marielitos" se llaman así porque en 1980 _____.

    a. salieron de una provincia cubana llamada Mariel

    b. salieron de Cuba en la celebración de San Mariel

    c. salieron del puerto cubano de Mariel

8. Un deporte muy popular en la República Dominicana y para el cual muchos jugadores dominicanos son contratados por equipos profesionales en EE.UU. es _____.

    a. el baloncesto   **b.** el béisbol   **c.** el fútbol

9. Felisa Rincón de Gautier _____.

    a. es la única mujer que votó en Puerto Rico en 1932

    b. se jubiló a los sesenta años y ahora vive en San Juan

    c. transformó a Puerto Rico en un país industrial

II. Ortografía

A

Deletreo con *b* o *v*. Completa los espacios en blanco en las siguientes palabras con las letras **b** o **v**. (4 puntos)

1. re__elde

2. en__uelto

3. o__servatorio

4. en__iar

5. tro__ador

6. o__scuro

7. su__levar

8. ad__ersario

B **Deletreo con *c, k* o *q*.** Para repasar unos datos importantes sobre Cuba, la República Dominicana y Puerto Rico, completa los espacios en blanco en las siguientes palabras con las letras **c, k** o **q** más una vocal. (1/4 cada palabra = 5 puntos)

1. __ __ando el gobierno __ __bano na__ __onalizó propiedades e inversiones privadas, EE.UU. estable__ __ó un blo__ __eo comercial que __ __ntinúa hasta hoy.

2. A pesar de sa__ __eos, interven__ __ones y __ __nflictos, la Repúbli__ __ Domini__ __na mantiene una __ __ltura e identidad na__ __onal fiel a su origen.

3. __ __n una extensión de sólo 9.104 __ __lómetros __ __adrados, la industria puertorri__ __eña incluye la farma__ __utica, la petro __ __ímica y la electróni__ __.

III. ¡A explorar!

A **Traducciones.** Para saber lo que piensan estos jóvenes puertorriqueños del futuro concierto de Chayanne, traduce estas oraciones al español. Ten cuidado de evitar expresiones coloquiales al traducir. (8 puntos)

1. I hope we can get tickets to the Chayanne concert.

   _____

   _____

2. I doubt that there are still good seats left.

   _____

   _____

3. It's possible that we will have to stand in line for hours.

   _____

   _____

4. As usual, Mom wants us to return home immediately after the concert.

   _____

   _____

B **Rutina de un artista.** En el siguiente párrafo identifica los diferentes usos de **se: reflexivo, recíproco, impersonal, voz pasiva, objeto indirecto** o **verbos** *ser* o *saber*. (4 puntos)

El siguiente es un día típico en la vida de Juan Luis Guerra. A las seis de la mañana se levanta (1) y sale a correr por el campo cercano a la casa. Al regresar se baña (2) con agua fría y desayuna. Se dice (3) que como Juan Luis y su esposa Nora se conocieron (4) antes que él fuera famoso, ellos se respetan (5) mucho y él siempre le pide su opinión a ella sobre las canciones que compone. Nora se la da (6) siempre con mucha honestidad. Según Nora, su esposo siempre le ha dicho: "Sé (7) sincera y dame tu opinión, aunque sea negativa. Yo sé (8) que no todo lo que hago es perfecto y estoy dispuesto a mejorar lo que produzco".

1. _____
2. _____
3. _____
4. _____
5. _____
6. _____
7. _____
8. _____

IV. Estructura en contexto

A

La clase de gramática. La profesora quiere que reescriban estos datos de la historia de Cuba usando el presente perfecto. (3 puntos)

1. Los españoles destruyeron el barco estadounidense *Maine.*

   _____

   _____

2. Estados Unidos atacó a España.

   _____

   _____

3. La armada estadounidense derrotó a la armada española.

   _____

   _____

B **Información.** Tú estás de visita en Cuba y necesitas saber dónde se puede hacer lo siguiente. Escribe la pregunta que debes hacer. Usa el **se** pasivo en tus preguntas. (3 puntos)

1. cambiar / cheques de viajero

   _____

2. tomar / tren

   _____

3. vender / rollos de película

   _____

C **La clase de español.** ¿Qué es importante que ustedes hagan para estar preparados en la clase de español? Contesta usando las expresiones impersonales **Es necesario que (nosotros)..., Es importante que (nosotros)...** y **Es bueno que (nosotros)...** (6 puntos)

1. no hablar todos a la vez

   _____

2. no hacer demasiado ruido

   _____

3. traer las tareas hechas todos los días

   _____

4. poner atención en clase

   _____

5. saber los verbos irregulares

   _____

6. escribir composiciones

   _____

D **Puerto Rico.** Los estudiantes expresan diversas opiniones e ideas acerca de Puerto Rico. Para saber lo que dicen, forma oraciones con los elementos dados. Escoge el presente de indicativo o de subjuntivo de los verbos. (5 puntos)

1. es malo: Puerto Rico / no tener mucha tierra cultivable

_____

_____

2. me parece: el español ser una lengua oficial

_____

_____

3. dudo: los puertorriqueños tener los mismos derechos que los ciudadanos de los Estados Unidos

_____

_____

4. creo: un gobernador administrar la Isla

_____

_____

5. es sorprendente: los puertorriqueños tener que hacer el servicio militar como los ciudadanos estadounidenses

_____

_____

E   **Para buscar trabajo.** Tú y un amigo necesitan conseguir trabajo este verano. ¿Qué consejos les da el consejero? Usa mandatos formales en tus repuestas. (5 puntos)

1. decidir qué tipo de trabajo les interesa

   _____

2. leer las ofertas de empleo en el periódico

   _____

3. ir a algunas agencias de empleo

   _____

4. comunicarse con el jefe de personal de las compañías que les interesan

   _____

5. vestirse con esmero para las entrevistas

   _____

F   **Se vende coche.** Tu mejor amigo quiere vender su coche. ¿Qué consejos le das? Usa mandatos informales en tus respuestas. (5 puntos)

1. poner un aviso en el periódico

   _____

2. decirles a tus amigos que tu coche está en venta

   _____

3. lavarlo y limpiarlo bien por dentro y por fuera

   _____

4. no venderlo demasiado caro ni demasiado barato

   _____

5. no aceptar ningún cheque personal

   _____

V. Cultura en vivo y Vocabulario

Indica qué palabra o frase de la segunda columna se relaciona mejor con la de la primera. (10 puntos)

_____ 1. jardinero   **a.** lanzar

_____ 2. apellido   **b.** barco

_____ 3. compás   **c.** contrabando

_____ 4. aduana   **d.** volarse la cerca

_____ 5. tirar   **e.** boleto de compra

_____ 6. factura   **f.** cadencia

_____ 7. hacer un cuadrangular   **g.** mambo

_____ 8. registrar las maletas   **h.** pasaporte

_____ 9. deporte de vela   **i.** guardabosque

_____ 10. rumba   **j.** nombre de familia

VI. Lectura

Los dominicanos en EE.UU.

Desde la Segunda Guerra Mundial se ha acelerado el proceso de emigración de dominicanos que se dirigen hacia EE.UU. Más de medio millón de dominicanos han emigrado legalmente a este país durante este período. A diferencia de sus vecinos puertorriqueños que son ciudadanos de EE.UU., los dominicanos tienen que hacer trámites para entrar a EE.UU. Cada año más de 40.000 dominicanos reciben visas que les permiten ingresar a EE.UU. para reunirse con sus familiares que son ciudadanos estadounidenses o residentes legales en EE.UU.

En la ciudad de Nueva York se ha establecido la mayor concentración de dominicanos después de Santo Domingo, la capital de la República Dominicana. Los dominicanos son ahora la segunda comunidad hispana en población de la ciudad de Nueva York, después de los puertorriqueños. En el barrio dominicano neoyorquino la música y el sabor de la cultura dominicana vibran por todas partes.

Los dominicanos en EE.UU. Indica si los siguientes comentarios son ciertos o falsos. (5 puntos)

C   F   **1.** Durante los últimos cincuenta años más de medio millón de dominicanos han emigrado legalmente a EE.UU.

C   F   **2.** Como los puertorriqueños, los dominicanos pueden entrar y salir de EE.UU. sin necesidad de visas.

C   F   **3.** Cada año más de 40.000 dominicanos reciben visas para reunirse en EE.UU. con sus familiares que son ciudadanos estadounidenses o residentes legales de EE.UU.

C   F   **4.** En la Ciudad de Nueva York viven más dominicanos que en Santo Domingo, capital de la República Dominicana.

C   F   **5.** Ahora, la comunidad dominicana es la comunidad hispana más grande de Nueva York.

VII. Composición

Escribe una composición sobre uno de los siguientes temas. (28 puntos)

a. *Versos sencillos.* ¿Qué relación hay entre los *Versos sencillos* de José Martí y la vida del poeta cubano? ¿Qué revelan los versos de la personalidad del poeta? Escribe un breve ensayo relacionando la vida del poeta a su obra.

b. **"El diario inconcluso".** Explica el título del cuento "El diario inconcluso" del popular escritor dominicano Virgilio Díaz Grullón. ¿Por qué quedó el diario sin terminar? ¿Qué crees que le pasó a la persona que lo escribió? ¿Lo terminará alguna vez? ¿Por qué?

c. **"Oh, sey can yu si bai de don-serly lai..."** ¿Era buen maestro Wayne Rodríguez, el protagonista de la novela *Raquelo tiene un mensaje,* del autor puertorriqueño Jaime Carrero? ¿Crees que hizo bien en insistir que los niños de la escuela no cantaran el himno de EE.UU. sin entender todo lo que cantaban? Expresa tu opinión y defiéndela.

Nombre _____ Fecha _____

Sección _____

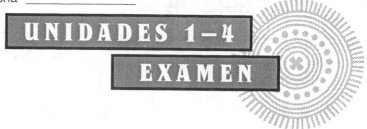

UNIDADES 1–4
EXAMEN

I.   Comprensión oral

Las tres hispanidades. Escucha lo que dicen dos estudiantes después de ver una serie de programas culturales grabados para la televisión por el escritor mexicano Carlos Fuentes. Luego, escoge la respuesta que complete mejor cada oración. (18 puntos-3 c.u.)

1. La serie de cinco programas que grabó Carlos Fuentes para la televisión se titula _____.

   a. *El encuentro de tres mundos*

   b. *El espejo enterrado: reflexiones sobre España y el Nuevo Mundo*

   c. *La realidad multicultural del mundo hispánico*

2. El programa de la serie que más le gustó a Inés se llama _____.

   a. "Las tres hispanidades"

   b. "El precio de la libertad"

   c. "Tres mundos"

3. La primera hispanidad surge en _____.

   a. el mar Caribe   **b.** Norteamérica   **c.** la Península Ibérica

4. Según Carlos Fuentes, en los últimos veinte años España se ha convertido en _____.

   a. una nación donde la agricultura sigue siendo la actividad económica principal

   b. una nación moderna, industrial y democrática

   c. una dictadura con apariencia de democracia

5. En la actualidad, Latinoamérica, o la segunda hispanidad, es una región _____.

   a. donde la mayoría de la población vive en ciudades

   b. donde la cultura tradicional sigue intacta y sin cambios

   c. que no ha sido afectada ni por la urbanización ni por la industrialización

6. La tercera hispanidad está formada por _____.

   a. los mestizos que viven por toda Latinoamérica

   b. todos los hispanos que viven fuera de Latinoamérica

   c. todos los hispanos que viven en EE.UU.

MUNDO 21: Instructor's Resource Manual   **531**

II. Gente del Mundo 21

Comprueba si recuerdas a las personalidades que has conocido en las unidades 1–4. Escoge la respuesta que complete mejor cada oración. (18 puntos-2 c.u.)

1. Considerado el iniciador del teatro chicano, el fundador del Teatro Campesino en 1965 es _____.

   a. Luis Valdez

   b. Edward James Olmos

   c. Cheech Marín

2. La única persona que ha ganado los cuatro premios más prestigiosos del mundo del espectáculo —el "Oscar", el "Emmy", el "Tony" y el "Grammy"— es _____.

   a. Rosie Pérez   b. Chita Rivera   c. Rita Moreno

3. El escritor cubanoamericano _____ fue galardonado con el premio Pulitzer de Ficción en 1990 y es conocido como uno de los mejores escritores de su generación. Su novela *Los reyes del mambo tocan canciones de amor* (1989) fue llevada al cine con mucho éxito con el título de *The Mambo Kings*.

   a. Xavier Suárez   b. Óscar Hijuelos   c. Andy García

4. El pintor español Pablo Picasso (1881–1973) es considerado uno de los creadores del _____.

   a. realismo

   b. surrealismo

   c. cubismo

5. Estos artistas mexicanos reconocidos como dos de los más importantes del siglo XX, él en particular por sus maravillosos murales y ella por sus retratos y autorretratos, son _____.

   a. Luis Miguel y Alejandra Guzmán

   b. Diego Rivera y Frida Kahlo

   c. Carlos Fuentes y Elena Poniatowska

6. La publicación de su biografía en 1983 la hizo famosa por todo el mundo y en 1992, la guatemalteca _____ recibió el Premio Nobel de la Paz.

   a. Rigoberta Menchú

   b. Nancy Morejón

   c. Gabriela Mistral

7. ____ cuyas pinturas reflejan la tradición africana, es un pintor cubano mundialmente reconocido.

   a. Nicolás Guillén   **b.** Wilfredo Lam   **c.** Eliseo Diego

8. El tímido compositor e intérprete dominicano de melódicos 'merengues, tremendamente popular en Latinoamérica, EE.UU. y España, es ____.

   a. Juan Luis Guerra

   b. Joaquín Balaguer

   c. José Rijo

9. El Generalísimo Francisco Franco gobernó España hasta su muerte en 1975, cuando el príncipe ____ tomó el poder.

   a. Miguel de Unamuno

   b. Juan Carlos de Borbón

   c. Carlos IV

III. Del pasado al presente

Comprueba si recuerdas lo que has leído en las secciones **Del pasado al presente** de las unidades 1–4. Escoge la respuesta que complete mejor cada oración. (34 puntos-2 c.u.)

1. El Tratado de Guadalupe-Hidalgo, que se firmó en 1848, terminó la guerra entre _____.

   a. España y EE.UU.   **b.** México y EE.UU.   **c.** México y España

2. La palabra "chicano" hace referencia a un origen _____.

   a. indígena   **b.** hispano   **c.** español

3. En la ciudad de Nueva York viven _____ en San Juan, la capital de Puerto Rico.

   a. más puertorriqueños que

   b. menos puertorriqueños que

   c. casi tantos puertorriqueños como

4. Tanto los puertorriqueños que viven en la isla de Puerto Rico como los que viven en el continente _____.

   a. pueden votar en las elecciones presidenciales de EE.UU.

   b. tienen que pagar impuestos federales

   c. pueden ser llamados a servir en las fuerzas armadas de EE.UU.

5. De todos los hispanos que viven en EE.UU., los que han logrado mayor prosperidad económica son _____.

   a. los puertorriqueños

   b. los cubanoamericanos

   c. los chicanos

6. La constitución española de 1978 refleja la diversidad de España al designarla como _____.

   a. un Estado de Autonomías

   b. una democracia

   c. una federación

7. Dos pintores importantes del Siglo de Oro español son _____.

   a. El Greco y Diego de Velázquez

   b. Pablo Picasso y Salvador Dalí

   c. Antonio Gaudí y Pedro Almodóvar

8. La España del rey Juan Carlos I se caracteriza por ser un país _____.

   a. económicamente desarrollado, con instituciones democráticas consolidadas

   b. en que el gobierno controla la vida política y social mediante la prohibición de los partidos políticos, la censura y la vigilancia estricta

   c. sumergido en una constante lucha entre liberales y reaccionarios con frecuentes rebeliones populares y guerras de guerrillas

9. Tenochtitlán fue fundada en 1325 por los _____, en el lugar que hoy ocupa el centro de la Ciudad de México.

   a. teotihuacanos   **b.** mayas   **c.** aztecas

10. El movimiento social que empezó en 1910 en México y que llevó a la proclamación de una nueva constitución, es _____.

   a. el "porfiriato"

   b. la Revolución Mexicana

   c. la invasión francesa

11. La mayoría de los guatemaltecos son indígenas de origen _____.

   a. azteca   **b.** olmeca   **c.** maya

12. Desde la muerte de Franco, la participación de las mujeres españolas en la educación y en las profesiones _____.

   a. ha disminuido

   b. ha aumentado mucho

   c. ha permanecido igual

13. El héroe nacional de Cuba que vivió más de quince años en Nueva York y escribió la mayoría de sus obras allí es _____.

   a. Fidel Castro

   b. Fulgencio Batista

   c. José Martí

14. En diciembre de 1958, Fidel Castro provocó la caída _____.

   a. del comunismo en Cuba

   b. de Fulgencio Batista

   c. de la Bahía de Cochinos

    MUNDO 21: Instructor's Resource Manual   **535**

15. Se calcula que antes de 1492 había alrededor de un millón de taínos y cincuenta años más tarde esta población indígena había sido reducida a menos de quinientas personas en _____, la primera colonia española de América.

   a. La Española   **b.** Cuba   **c.** Puerto Rico

16. El dictador que dominó la República Dominicana durante más de tres décadas es _____.

   a. José Núñez de Cáceres

   b. Rafael Leónidas Trujillo

   c. Juan Pablo Duarte

17. La constitución aprobada en 1952 convirtió a Puerto Rico en _____.

   a. el estado número cincuenta y uno de EE.UU.

   b. un Estado Libre Asociado de EE.UU.

   c. un país independiente

IV. Estructura

A **Mi rutina.** Habla de tu vida diaria. Escoge el presente de indicativo o subjuntivo de los verbos que aparecen entre paréntesis. (15 puntos)

_____ (1. Creer) que _____ (2. tener) una vida muy interesante. _____ (3. levantarse) temprano, _____ (4. ducharse), _____ (5. arreglarse) y _____ (6. salir) para mis clases. _____ (7. Ser) necesario que _____ (8. salir) antes de las siete para llegar puntualmente. _____ (9. Dudar) que _____ (10. ser) un(a) estudiante excelente, pero siempre _____ (11. sacar) buenas notas. A mis amigos les _____ (12. sorprender) que me _____ (13. gustar) la física porque todos _____ (14. decir) que _____ (15. ser) una materia muy difícil.

B **Sonsonate.** Completa la siguiente narración para conocer una ciudad salvadoreña. Completa el párrafo escogiendo las formas verbales correctas de los verbos que aparecen entre paréntesis. (15 puntos)

Hoy _____ (1. ser / estar) lunes y _____ (2. ser / estar) en San Salvador, la capital de El Salvador. _____ (3. Ser / Estar) aquí dos semanas y media. Ayer _____ (4. pasar) todo el día en Sonsonate, una ciudad salvadoreña que _____ (5. ser / estar) a unos sesenta kilómetros de San Salvador. _____ (6. Ir) a Sonsonate porque _____ (7. querer) conocer una ciudad más pequeña que la capital. _____ (8. Hacer) el viaje por autobús. Al llegar, _____ (9. dar) un paseo rápido por el centro. Luego, _____ (10. ir) al mercado donde _____ (11. comprar) un maletín de cuero. _____ (12. Visitar) el salto de agua del río Sensunayán. En la tarde, _____ (13. estar) cansado, pero muy contento. _____ (14. Creer) que _____ (15. ser) una buena idea ir a Sonsonate.

V.   Composición (optativa)

Escoge uno de los siguientes temas para escribir una composición. Apoya tus opiniones con ejemplos específicos. (50 puntos)

1. **Hispanos en EE.UU.** ¿Hasta qué punto son los hispanos en Estados Unidos producto directo de los países que has estudiado: España, México, Guatemala, El Salvador, Cuba, la República Dominicana y Puerto Rico? ¿Hasta qué punto se han alejado totalmente de sus orígenes?

2. **EE.UU., España, México, Guatemala, El Salvador y el Caribe.** ¿Qué tienen en común estos países? ¿Qué causa que ciertos países se agrupen separados de otros? ¿Cómo los agruparías tú? ¿Por qué? ¿Hay algunos países que tienen que agruparse solos? Si los hay, ¿cuáles son y por qué los separarías?

I. Comprensión oral

Indica la respuesta correcta. (18 puntos-3 c.u.)

1.	a	b	c	**4.**	a	b	c
2.	a	b	c	**5.**	a	b	c
3.	a	b	c	**6.**	a	b	c

II. Gente del Mundo 21

Indica la respuesta correcta. (18 puntos-2 c.u.)

1.	a	b	c	**6.**	a	b	c
2.	a	b	c	**7.**	a	b	c
3.	a	b	c	**8.**	a	b	c
4.	a	b	c	**9.**	a	b	c
5.	a	b	c				

III. Del pasado al presente

Indica la respuesta correcta. (34 puntos-2 c.u.)

1.	a	b	c	**10.**	a	b	c
2.	a	b	c	**11.**	a	b	c
3.	a	b	c	**12.**	a	b	c
4.	a	b	c	**13.**	a	b	c
5.	a	b	c	**14.**	a	b	c
6.	a	b	c	**15.**	a	b	c
7.	a	b	c	**16.**	a	b	c
8.	a	b	c	**17.**	a	b	c
9.	a	b	c				

IV. Estructura

A

Mi rutina. Indica la respuesta correcta. (15 puntos)

1. creo   crea
2. tengo   tenga
3. Me levanto Me levante
4. me ducho   me duche
5. me arreglo me arregle
6. salgo   salga
7. Es   Sea
8. salgo   salga
9. Dudo   Dude
10. soy   sea
11. saco   saque
12. sorprende sorprenda
13. gusta   guste
14. dicen   digan
15. es   sea

B

Sonsonate. Indica la respuesta correcta. (15 puntos)

1. es   está
2. soy   estoy
3. Estoy   He estado
4. pasé   pasaba
5. es   está
6. Fui   Iba
7. quise   quería
8. Hice   Hacía
9. di   daba
10. fui   iba
11. compré   compraba
12. Visité   Visitaba
13. estaba   estuve
14. Creo   Crea
15. fue   era

UNIDADES 1–4
EXAMEN ALTERNATIVO

I. Comprensión oral

Las tres hispanidades. Escucha lo que dicen dos estudiantes después de ver una serie de programas culturales grabados para la televisión por el escritor mexicano Carlos Fuentes. Luego, escoge la respuesta que complete mejor cada oración. (18 puntos-3 c.u.)

1. La tercera hispanidad está formada por _____.

   a. los mestizos que viven por toda Latinoamérica

   b. todos los hispanos que viven fuera de Latinoamérica

   c. todos los hispanos que viven en EE.UU.

2. En la actualidad, Latinoamérica o la segunda hispanidad es una región _____.

   a. donde la mayoría de la población vive en ciudades

   b. donde la cultura tradicional sigue intacta y sin cambios

   c. que no ha sido afectada ni por la urbanización ni por la industrialización

3. Según Carlos Fuentes, en los últimos veinte años España se ha convertido en _____.

   a. una nación donde la agricultura sigue siendo la actividad económica principal

   b. una nación moderna, industrial y democrática

   c. una dictadura con apariencia de democracia

4. La primera hispanidad surge en _____.

   a. el mar Caribe

   b. Norteamérica

   c. la Península Ibérica

5. El programa de la serie que más le gustó a Inés se llama _____.

   a. "Las tres hispanidades"

   b. "El precio de la libertad"

   c. "Tres mundos"

6. La serie de cinco programas que grabó Carlos Fuentes para la televisión se titula _____.

   a. *El encuentro de tres mundos*

   b. *El espejo enterrado: reflexiones sobre España y el Nuevo Mundo*

   c. *La realidad multicultural del mundo hispánico*

II. Gente del Mundo 21

Comprueba si recuerdas a las personalidades que has conocido en las unidades 1–4. Escoge la respuesta que complete mejor cada oración. (18 puntos-2 c.u.)

1. La publicación de su biografía en 1983 la hizo famosa por todo el mundo y en 1992, la guatemalteca _____ recibió el Premio Nobel de la Paz.

    a. Rigoberta Menchú

    b. Nancy Morejón

    c. Gabriela Mistral

2. Estos artistas mexicanos reconocidos como dos de los más importantes del siglo XX, él en particular por sus maravillosos murales y ella por sus retratos y autorretratos, son _____.

    a. Luis Miguel y Alejandra Guzmán

    b. Diego Rivera y Frida Kahlo

    c. Carlos Fuentes y Elena Poniatowska

3. El pintor español Pablo Picasso (1881–1973) es considerado uno de los creadores del _____.

    a. realismo

    b. surrealismo

    c. cubismo

4. El escritor cubanoamericano _____ fue galardonado con el premio Pulitzer de Ficción en 1990 y es conocido como uno de los mejores escritores de su generación. Su novela *Los reyes del mambo tocan canciones de amor* (1989) fue llevada al cine con mucho éxito con el título de *The Mambo Kings*.

    a. Xavier Suárez   **b.** Oscar Hijuelos   **c.** Andy García

5. La única persona que ha ganado los cuatro premios más prestigiosos del mundo del espectáculo: el "Oscar", el "Emmy", el "Tony" y el "Grammy" es _____.

    a. Rosie Pérez   **b.** Chita Rivera   **c.** Rita Moreno

6. Considerado el iniciador del teatro chicano, el fundador del Teatro Campesino en 1965 es _____.

    a. Luis Valdez

    b. Edward James Olmos

    c. Cheech Marín

7. El Generalísimo Francisco Franco gobernó España hasta su muerte
en 1975, cuando el príncipe _____ tomó el poder.

   a. Miguel de Unamuno

   b. Juan Carlos de Borbón

   c. Carlos IV

8. _____ es un pintor cubano mundialmente reconocido, cuyas pinturas reflejan
la tradición africana.

   a. Nicolás Guillén

   b. Wilfredo Lam

   c. Eliseo Diego

9. El tímido compositor e intérprete dominicano de melódicos merengues,
tremendamente popular en Latinoamérica, EE.UU. y España es _____.

   a. Juan Luis Guerra

   b. Jouquín Balaguer

   c. José Rijo

III. Del pasado al presente

Comprueba si recuerdas lo que has leído en las secciones **Del pasado al presente** de la unidades 1–4. Escoge la respuesta que complete mejor cada oración. (34 puntos-2 c.u.)

1. Dos pintores importantes del Siglo de Oro español son _____.

   a. El Greco y Diego Velázquez

   b. Pablo Picasso y Salvador Dalí

   c. Antonio Gaudí y Pedro Almodóvar

2. La constitución española de 1978 refleja la diversidad de España al designarla como _____.

   a. un Estado de Autonomías

   b. una democracia

   c. una federación

3. De todos los hispanos que viven en EE.UU., los que han logrado mayor prosperidad económica son _____.

   a. los puertorriqueños

   b. los cubanoamericanos

   c. los chicanos

4. Tanto los puertorriqueños que viven en la isla de Puerto Rico como los que viven en el continente _____.

   a. pueden votar en las elecciones presidenciales de EE.UU.

   b. tienen que pagar impuestos federales

   c. pueden ser llamados a servir en las fuerzas armadas de EE.UU.

5. En la Ciudad de Nueva York viven _____ en San Juan, la capital de Puerto Rico.

   a. más puertorriqueños que

   b. menos puertorriqueños que

   c. casi tantos puertorriqueños como

6. La palabra "chicano" hace referencia a un origen _____.

   a. indígena   b. hispano   c. español

7. El Tratado de Guadalupe-Hidalgo que se firmó en 1848, terminó la guerra entre _____.

   a. España y EE.UU.   b. México y EE.UU.   c. México y España

8. En diciembre de 1958, Fidel Castro provocó la caída ____.

   a. del comunismo en Cuba

   b. de Fulgencio Batista

   c. de la Bahía de Cochinos

9. El héroe nacional de Cuba que vivió más de quince años en Nueva York y escribió la mayoría de sus obras allí es ____.

   a. Fidel Castro

   b. Fulgencio Batista

   c. José Martí

10. Desde la muerte de Franco, la participación de las mujeres españolas en la educación y en las profesiones ____.

   a. ha disminuido

   b. ha aumentado mucho

   c. ha permanecido igual

11. La mayoría de los guatemaltecos son indígenas de origen ____.

   a. azteca   **b.** olmeca   **c.** maya

12. El movimiento social que empezó en 1910 en México y que llevó a la proclamación de una nueva constitución, es ____.

   a. el "porfiriato"

   b. la Revolución Mexicana

   c. la invasión francesa

13. Tenochtitlán fue fundada en 1325 por los ____, en el lugar que hoy ocupa el centro de la Ciudad de México.

   a. teotihuacanos   **b.** mayas   **c.** aztecas

14. La España del rey Juan Carlos I se caracteriza por ser un país ____.

   a. económicamente desarrollado, con instituciones democráticas consolidadas

   b. donde el gobierno controla la vida política y social mediante la prohibición de los partidos políticos, la censura y la vigilancia estricta

   c. sumergido en una constante lucha entre liberales y reaccionarios con frecuentes rebeliones populares y guerras de guerrillas

15. El dictador que dominó la República Dominicana durante más de tres décadas es _____.

   a. José Núñez de Cáceres

   b. Rafael Leónidas Trujillo

   c. Juan Pablo Duarte

16. La constitución aprobada en 1952 convirtió a Puerto Rico en _____.

   a. el estado número cincuenta y uno de EE.UU.

   b. un Estado Libre Asociado de EE.UU.

   c. un país independiente

17. Se calcula que antes de 1492 había alrededor de un millón de taínos y cincuenta años más tarde esta población indígena había sido reducida a menos de quinientas personas en _____, la primera colonia española de América.

   a. La Española   b. Cuba   c. Puerto Rico

IV. Estructura

A **Sonsonate.** Completa la siguiente narración para conocer una ciudad
salvadoreña. Completa el párrafo escogiendo las formas verbales correctas de
los verbos que aparecen entre paréntesis. (15 puntos)

Hoy _____ (1. ser / estar) lunes y _____ (2. ser /
estar) en San Salvador, la capital de El Salvador. _____ (3. Ser /
Estar) aquí dos semanas y media. Ayer _____ (4. pasar) todo el
día en Sonsonate, una ciudad salvadoreña que _____ (5. ser /
estar) a unos sesenta kilómetros de San Salvador. _____ (6. Ir)
a Sonsonate porque _____ (7. querer) conocer una ciudad más
pequeña que la capital. _____ (8. Hacer) el viaje por autobús.
Al llegar, _____ (9. dar) un paseo rápido por el centro. Luego,
_____ (10. ir) al mercado donde _____ (11. com-
prar) un maletín de cuero. _____ (12. Visitar) el salto de agua del
río Sensunayán. En la tarde, _____ (13. estar) cansado, pero muy
contento. _____ (14. Creer) que _____ (15. ser)
una buena idea ir a Sonsonate.

B **Mi rutina.** Habla de tu vida diaria. Escoge el presente de indicativo o
subjuntivo de los verbos que aparecen entre paréntesis. (15 puntos)

_____ (1. Creer) que _____ (2. tener) una vida
muy interesante. _____ (3. Levantarse) temprano,
_____ (4. ducharse), _____ (5. arreglarse) y
_____ (6. salir) para mis clases. _____ (7. Ser)
necesario que _____ (8. salir) antes de las siete para llegar puntualmente. _____ (9. Dudar) que _____ (10. ser)
un(a) estudiante excelente, pero siempre _____ (11. sacar) buenas notas. A mis amigos les _____ (12. sorprender) que me
_____ (13. gustar) la física porque todos _____
(14. decir) que _____ (15. ser) una materia muy difícil.

V. Composición (optativa)

Escoge uno de los siguientes temas para escribir una composición. Apoya tus opiniones con ejemplos específicos. (50 puntos)

1. **Hispanos en EE.UU.** ¿Hasta qué punto son los hispanos en Estados Unidos producto directo de los países que has estudiado: España, México, Guatemala, El Salvador, Cuba, la República Dominicana y Puerto Rico? ¿Hasta qué punto se han alejado totalmente de sus orígenes? Escribe una composición al contestar estas preguntas.

2. **EE.UU., España, México, Guatemala, El Salvador y el Caribe.** ¿Qué tienen en común estos países? ¿Qué causa que ciertos países se agrupen separados de otros? ¿Cómo los agruparías tú? ¿Por qué? ¿Hay algunos países que tienen que agruparse solos? Si los hay, ¿cuáles son y por qué los separarías?

I. Comprensión oral

Indica la respuesta correcta. (18 puntos-3 c.u.)

1. a   b   c   4. a   b   c
2. a   b   c   5. a   b   c
3. a   b   c   6. a   b   c

II. Gente del Mundo 21

Indica la respuesta correcta. (18 puntos-2 c.u.)

1. a   b   c   6. a   b   c
2. a   b   c   7. a   b   c
3. a   b   c   8. a   b   c
4. a   b   c   9. a   b   c
5. a   b   c

III. Del pasado al presente

Indica la respuesta correcta. (34 puntos-2 c.u.)

1. a   b   c   10. a   b   c
2. a   b   c   11. a   b   c
3. a   b   c   12. a   b   c
4. a   b   c   13. a   b   c
5. a   b   c   14. a   b   c
6. a   b   c   15. a   b   c
7. a   b   c   16. a   b   c
8. a   b   c   17. a   b   c
9. a   b   c

IV. Estructura

A

Sonsonate. Indica la respuesta correcta. (15 puntos)

1. es   está
2. soy   estoy
3. Estoy   He estado
4. pasé   pasaba
5. es   está
6. Fui   Iba
7. quise   quería
8. Hice   Hacía
9. di   daba
10. fui   iba
11. compré   compraba
12. Visité   Visitaba
13. estaba   estuve
14. Creo   Crea
15. fue   era

B

Mi rutina. Indica la respuesta correcta. (15 puntos)

1. Creo   Crea
2. tengo   tenga
3. Me levanto   Me levante
4. me ducho   me duche
5. me arreglo   me arregle
6. salgo   salga
7. Es   Sea
8. salgo   salga
9. Dudo   Dude
10. soy   sea
11. saco   saque
12. sorprende   sorprenda
13. gusta   guste
14. dicen   digan
15. es   sea

UNIDAD 5

PRUEBA

I.   Historia y cultura

El siguiente ejercicio comprueba si has comprendido las lecturas **Del pasado al presente** y **Ventanas al Mundo 21** que aparecen en las tres lecciones de esta unidad. Escoge la respuesta que complete mejor cada oración. (9 puntos)

1. En extensión territorial el país más grande de Centroamérica es _____.

    a. Costa Rica   **b.** Nicaragua   **c.** Honduras

2. Las famosas ruinas mayas de Copán se encuentran en _____.

    a. Nicaragua   **b.** Honduras   **c.** Costa Rica

3. La ciudad que fue elegida capital de su país para terminar el conflicto entre las ciudades de León y Granada es _____.

    a. Managua   **b.** Tegucigalpa   **c.** San José

4. El país con los índices más bajos de analfabetismo y de mortalidad infantil de Latinoamérica es _____.

    a. Honduras   **b.** Costa Rica   **c.** Nicaragua

5. En Honduras, el producto que impulsó el desarrollo económico a principios del siglo XX, fue _____.

    a. el café   **b.** el plátano   **c.** el cacao

6. El creador del modernismo es el poeta _____.

    a. Pedro Joaquín Chamorro

    b. Rubén Darío

    c. Ernesto Cardenal

7. En 1949 Costa Rica disolvió al ejército a favor de _____.

    a. la infraestructura

    b. la ecología

    c. la educación

8. La economía de Honduras se basa principalmente en _____.

    a. la agricultura   **b.** el comercio   **c.** la industria

9. El país más democrático de Centroamérica es _____.

    a. Honduras   **b.** Nicaragua   **c.** Costa Rica

II. Ortografía

A

Deletreo con *c, s* o *z*. Completa los espacios en blanco en las siguientes palabras con las letras **c, s,** o **z**. (4 puntos)

1. gimna__io
2. rique__a
3. colap__o
4. victorio__o
5. descono__ido
6. cru__
7. des__endiente
8. golpa__o

B

Deletreo con *s* o *x*. Para repasar unos datos importantes sobre la educación en Costa Rica, completa los espacios en blanco en las siguientes palabras con las letras **s** o **x**. (6 puntos)

1. En 1949, los gobernantes de Costa Rica e__clamaron que la educación tendría prioridad y di__olvieron el ejército.

2. De__de 1950 se ha vi__to una e__traordinaria e__pan__ión de la educación en la secundaria.

3. Sería bueno que todo el mundo refle__ionara en lo que Costa Rica ha hecho con la educación, e__aminara los re__ultados que se han logrado y se aprovechara de esta e__periencia de los costarricen__es.

III.   ¡A explorar!

A   **"Cognados falsos".** Escribe unas oraciones originales que claramente muestren que sabes el significado de los siguientes "cognados falsos". Si aparecen en inglés, tradúcelos primero. (8 puntos)

1. suceso

   _____

   _____

2. realizar

   _____

   _____

3. *to fault*

   _____

   _____

4. *sane*

   _____

   _____

B   **Uso excesivo de "cosa".** Ayuda a este joven estudiante a modificar el uso excesivo de **cosa(s)** en las siguientes oraciones de una composición que había escrito. (4 puntos)

1. La primera noche después de cruzar la frontera, mi hermana y yo perdimos todas las **cosas** que traíamos.

   _____

   _____

2. Los primeros días en EE.UU. fueron los más difíciles; afortunadamente mi hermana me ayudaba con todas las **cosas.**

   _____

   _____

3. Una **cosa** que no sabíamos era lo difícil que iba a ser comunicarnos con los demás.

   _____

   _____

4. No sé cómo habríamos sobrevivido si la agencia social no nos hubiera ayudado con todas nuestras **cosas.**

   _____

   _____

IV.   Estructura en contexto

A   **San Pedro Sula.** Completa la siguiente información acerca de la segunda ciudad de Honduras usando los pronombres relativos apropiados. (7 puntos)

San Pedro Sula, _____ (1) habitantes se llaman sampedranos, es

la segunda ciudad más importante de Honduras, después de Tegucigalpa. Es

una ciudad _____ (2) está en la parte norte del país, a unos 240

kilómetros de la capital. Es un importante centro de transportación, del

_____ (3) parten autobuses a todas partes del país. Todo turista

_____ (4) viaja por Honduras eventualmente pasa por San Pedro

Sula. Los turistas, a _____ (5) les agradan mucho los festivales,

visitan durante la Semana Sampedrana, _____ (6) se celebra a

fines de junio. Este festival, en el _____ (7) los sampedranos se

pasan una semana entera celebrando, es como Carnaval en otros países latinos.

B   **De compras.** Unos amigos hablan de las compras que esperan hacer cuando visiten el centro comercial. Para saber lo que dicen, escribe la forma apropiada del presente de indicativo o de subjuntivo del verbo entre paréntesis. (6 puntos)

1. Los pantalones que _____ (llevar-yo) están un poco gastados. Necesito unos pantalones que _____ (poder) usar con mi chaqueta azul marino.

2. Quiero comprar una blusa de manga corta que _____ (hacer) juego con mi falda verde. Las blusas que _____ (tener-yo) no van muy bien con esa falda.

3. Me encantan los aretes que _____ (ponerse) Mónica. Quiero encontrar unos que _____ (parecerse) a los de ella.

C   **Los estudios.** Tú y tus amigos hablan de sus estudios. Completa las siguientes oraciones con el presente de indicativo o de subjuntivo del verbo indicado entre paréntesis, según convenga. (5 puntos)

1. Debo ir a la biblioteca ya que _____ (tener) que consultar un diccionario más completo que el mío.

2. Yo no voy a la biblioteca a menos que _____ (tener) que hacer un trabajo de investigación.

3. Yo necesito pasar muchas horas leyendo y aprendiendo cosas de memoria para que _____ (mejorar) mis notas.

4. ¿Han inventado un método para sacar buenas notas sin que nosotros _____ (necesitar) estudiar tanto?

5. Creo que voy a estudiar toda la noche porque el examen que _____ (tener) mañana es dificilísimo.

D **¡Qué día para Jaimito!** La mamá de Jaimito le explica lo que tiene que hacer hoy. Para saber lo que le dice, completa este párrafo con el presente de indicativo o de subjuntivo de los verbos entre paréntesis, según convenga. (8 puntos)

Jaimito, quiero que arregles tu cuarto. Tú sabes que me enfermo cuando

_____ (1. ver) tanto desorden en tu cuarto. Cuando

_____ (2. terminar) de arreglar el cuarto, haz la tarea. Tan pronto

como la _____ (3. hacer), tienes que ir a la tienda a comprar

algunas cosas. Aunque no te _____ (4. agradar) ir de compras,

tienes que ayudar en casa. En cuanto _____ (5. volver) de la

tienda, me ayudarás en el jardín. Sabes que yo necesito ayuda cuando

_____ (6. trabajar) en el jardín. Después que _____

(7. cortar-tú) el césped puedes ir a ver televisión. Pero, recuerda, mi amor,

cuando _____ (8. querer) comer, debes pasar al comedor; no

quiero ver platos en la alfombra.

V. Cultura en vivo y Vocabulario

Indica qué palabra o frase de la segunda columna se relaciona mejor con la de la primera. (10 puntos)

____	**1.** acción	**a.** pasillo en una estación de ferrocarril
____	**2.** sequía	**b.** llanta
____	**3.** ingreso	**c.** tala
____	**4.** contaminación	**d.** incrementar
____	**5.** sin escalas	**e.** peligro natural
____	**6.** banco	**f.** ganancia
____	**7.** andén	**g.** directo
____	**8.** deforestación	**h.** inversión
____	**9.** neumático	**i.** institución financiera
____	**10.** aumentar	**j.** derrame de petróleo

VI. Lectura

Cinco países con un solo pasado

Además de tener muchas características físicas parecidas por estar localizados en la zona volcánica que se llama la cintura de América, Guatemala, Honduras, El Salvador, Nicaragua y Costa Rica son países que comparten una misma historia.

Por siglos los cinco países formaron parte de la Capitanía General de Guatemala que le daba a cada región cierto grado de autonomía. Durante un breve período, de 1822 a 1823, los cinco países formaron parte del Imperio Mexicano establecido por Agustín de Iturbide. Luego en 1823 los cinco países se unieron bajo el nombre de Provincias Unidas de Centroamérica. Pero los intereses particulares de los jefes políticos regionales pudieron más que las fuerzas de integración y en 1838 esta federación se desintegró.

Ha habido muchos intentos, hasta ahora sin mucho éxito, de establecer relaciones más estrechas entre los cinco países. Por ejemplo, en los años 50, se estableció el Mercado Común Centroamericano.

Los habitantes de cada uno de los cinco países consideran a sus vecinos como parte de una gran familia centroamericana aunque cada quien guarda sus propias tradiciones. Entre los centroamericanos, hasta los apodos son familiares: a los guatemaltecos se les conoce como "chapines", a los hondureños como "catrachos", a los salvadoreños como "guanacos", a los nicaragüenses como "nicas" y a los costarricenses como "ticos".

La historia de cinco países. Indica si los siguientes comentarios son ciertos o falsos. (5 puntos)

C F   **1.** Panamá es uno de los cinco países centroamericanos que comparten una misma historia.

C F   **2.** Por siglos los cinco países formaron parte del Virreinato de Nueva Granada.

C F   **3.** La federación llamada Provincias Unidas de Centroamérica duró de 1823 a 1838.

C F   **4.** A los salvadoreños se les conoce como "chapines".

C F   **5.** A los costarricenses se les conoce como "ticos".

VII. Composición

Escribe una composición sobre uno de los siguientes temas. (35 puntos)

a. **"A Margarita Debaile".** En este poema, el nicaragüense Rubén Darío le relata un cuento de fantasía a una niña. Escribe un resumen de ese cuento. ¿Quiénes fueron los protagonistas? ¿En qué consiste la trama? ¿Cómo termina? ¿Cuál fue la intención del poeta al escribir este cuento?

b. **"Paz del solvente".** En este poema el hondureño José Adán Castelar se imagina lo que podría hacer si ganara el sueldo de algunos poetas en EE.UU. ¿Crees que $2.000 es demasiada renumeración para un poeta en EE.UU.? ¿Por qué? ¿Cuánto crees que ganan los poetas en Latinoamérica? ¿Por que habrá tanta diferencia? ¿Por qué hay tanta diferencia en lo que gana un poeta y un futbolista o un actor?

c. **"La paz no tiene fronteras".** ¿Cuál es el significado del título que Óscar Arias le dio al discurso que hizo al serle otorgado el Premio Nobel de la Paz en 1987? ¿Cómo se relaciona el contenido del discurso al título? ¿Crees que es un buen título para ese discurso? ¿Por qué?

UNIDAD 5

PRUEBA ALTERNATIVA

I. Historia y cultura

El siguiente ejercicio comprueba si has comprendido las lecturas **Del pasado al presente** y **Ventanas al Mundo 21** que aparecen en las tres lecciones de esta unidad. Escoge la respuesta que complete mejor cada oración. (9 puntos)

1. La presente capital de Nicaragua se estableció en 1857 para terminar con el conflicto entre las ciudades de _____.

    a. Masaya y León   **b.** Estelí y Granada   **c.** León y Granada

2. El nombre de Honduras tiene su origen en _____.

    a. la tribu de indígenas que recibió a Cristobal Colón

    b. las profundidades del sufrimiento o del terreno del país

    c. la calidad de madera dura que se encuentra en la selva

3. En proporción a su área, el porcentaje de territorio que Costa Rica dedica a parques nacionales es _____.

    a. menor que EE.UU.

    b. más grande que EE.UU.

    c. casi igual que EE.UU

4. Después de ganar su independencia, el mayor conflicto de Honduras fue _____.

    a. la intervención de grandes compañías norteamericanas

    b. la crisis económica relacionada a la exportación de café

    c. la lucha entre conservadores y liberales

5. César Augusto Sandino fue líder de un grupo de guerrilleros nicaragüenses que lucharon _____.

    a. contra las tropas españolas

    b. contra las tropas de EE.UU.

    c. contra las tropas inglesas

6. Durante la época colonial, Costa Rica _____.

    a. fue una región tan rica como México y Perú

    b. tuvo una reducida población española dedicada a la agricultura de subsistencia

    c. permaneció completamente deshabitada

7. En abril de 1997 hubo un cambio en la presidencia en Nicaragua debido a _____.

   a. las elecciones

   b. un golpe militar

   c. la muerte del presidente

8. En 1998, el huracán Mitch destruyó _____ en Honduras.

   a. las plantaciones bananeras

   b. las instalaciones de la *United Fruit Company*

   c. los cafetales

9. Entre 1950 y 1987 la inscripción de estudiantes costarricenses en la enseñanza secundaria _____.

   a. se ha mantenido a un nivel constante

   b. ha experimentado un crecimiento normal

   c. ha tenido un crecimiento espectacular

II. Ortografía

A **Deletreo con *c, s* o *z*.** Completa los espacios en blanco en las siguientes palabras con las letras **c, s** o **z**. (4 puntos)

1. gimna__io

2. rique__a

3. colap__o

4. victorio__o

5. descono__ido

6. cru__

7. des__endiente

8. golpa__o

B **Deletreo con *s* o *x*.** Para repasar unos datos importantes sobre la educación en Costa Rica, completa los espacios en blanco en las siguientes palabras con las letras **s** o **x**. (6 puntos)

1. En 1949, los gobernantes de Costa Rica e__clamaron que la educación tendría prioridad y di__olvieron al ejército.

2. De__de 1950 se ha vi__to una e__traordinaria e__pan__ión de la educación en la secundaria.

3. Sería bueno que todo el mundo refle__ionara en lo que Costa Rica ha hecho con la educación, e__aminara los re__ultados que se han logrado y se aprovechara de esta e__periencia de los costarricen__es.

III. ¡A explorar!

A **"Cognados falsos".** Escribe unas oraciones originales que claramente muestren que sabes el significado de los siguientes "cognados falsos". Si aparecen en inglés, tradúcelos primero. (8 puntos)

1. suceso

_____

_____

2. realizar

_____

_____

3. *to fault*

_____

_____

4. *sane*

_____

_____

B **Uso excesivo de *cosa*.** Ayuda a este joven estudiante a modificar el uso excesivo de **cosa(s)** en las siguientes oraciones de una composición que había escrito. (4 puntos)

1. La primera noche después de cruzar la frontera, mi hermana y yo perdimos todas las **cosas** que traíamos.

_____

_____

2. Los primeros días en EE.UU. fueron los más difíciles, afortunadamente mi hermana me ayudaba con todas las **cosas**.

_____

_____

3. Una **cosa** que no sabíamos era lo difícil que iba a ser comunicarnos con los demás.

_____

_____

4. No sé cómo habríamos sobrevivido si la agencia social no nos hubiera ayudado con todas nuestras **cosas.**

_____

_____

IV. Estructura en contexto

A

Ernesto Cardenal. Completa la siguiente información acerca de la vida del sacerdote y poeta Ernesto Cardenal. Combina las dos oraciones dadas en una sola empleando un pronombre relativo apropiado. (7 puntos)

1. Ernesto Cardenal nació en Granada en 1925. Es un importante poeta nicaragüense.

_____

_____

2. El Colegio Centroamericano está en la ciudad de Granada. Ernesto Cardenal estudió en ese colegio.

_____

_____

3. La denuncia social y el misticismo son temas poéticos. Estos temas aparecen una y otra vez en la obra de Cardenal.

_____

_____

4. En 1964 publicó su obra *Salmos*. El título de esta obra hace pensar en los salmos de la Biblia.

_____

_____

5. *Salmos* es un libro de poesía. En él denuncia la injusticia con una fuerza moral bíblica.

_____

_____

6. Una de sus obras más recientes es *Canto cósmico*. Es un gran poema místico que recuenta la creación del universo.

_____

_____

7. Apoyó al gobierno sandinista. Fue ministro de cultura durante ese gobierno.

_____

_____

B   **El trabajo.** Tu amiga Nora quiere cambiar de trabajo. Para saber por qué, completa las oraciones con los verbos que aparecen entre paréntesis escogiendo la forma apropiada del presente de indicativo o de subjuntivo, según convenga. (6 puntos)

No me gusta el trabajo que _____ (1. tener) ahora. Es un trabajo

que _____ (2. requerir) demasiado esfuerzo muscular. Es un

trabajo que me _____ (3. cansar) mucho. Necesito un trabajo

que _____ (4. ser) menos agotador (*exhausting*) y que

_____ (5. pagar) mejor. Además, quiero un jefe que me

_____ (6. permitir) trabajar y estudiar al mismo tiempo.

C   **Al teatro.** Tú y tus amigos hablan de ir a ver una obra de teatro el fin de semana próximo. Completa la oración con la forma apropiada del presente de indicativo o de subjuntivo del verbo que aparece entre paréntesis. (5 puntos)

1. Con tal de que Uds. _____ (salir) conmigo, voy al teatro.

2. Quiero ir al teatro "Estrellas" porque la obra que ponen me

   _____ (interesar) mucho.

3. Quiero ver la obra antes de que la compañía _____ (irse) a

   otra ciudad.

4. Yo ya _____ (conocer) la obra. Lo que quiero ver es cómo la

   ponen en escena.

5. Voy a avisarle a mi hermano para que él _____ (sacar) las

   entradas.

D **Planes para el verano.** Tú y tus amigos hablan de lo que piensan hacer el verano que viene. Completa las oraciones con el presente de indicativo o subjuntivo del verbo que aparece entre paréntesis. (8 puntos)

1. Voy a quedarme en la ciudad porque _____ (deber) estudiar

   este verano.

2. Yo también me quedo aquí a menos que mis padres

   _____ (decidir) alquilar una casa en la montaña. En ese caso

   me _____ (ir) a quedar con ellos.

3. Tengo ganas de ir a ver a mis primos en Tegucigalpa con tal de que ellos

   _____ (poder) ir conmigo a Copán.

4. Voy a un pueblito cerca de la costa, ya que unos parientes me

   _____ (invitar) cada verano.

5. En caso de que yo no _____ (conseguir) trabajo en una

   oficina, mi tío me va a dejar trabajar en su tienda de ropa.

6. Yo también voy a trabajar en la tienda de tu tío cuando _____

   (regresar) de mis vacaciones en Costa Rica.

7. Pues entonces no nos volvemos a ver hasta después de que

   _____ (terminar) las vacaciones.

V. Cultura en vivo y Vocabulario

Indica qué palabra o frase de la segunda columna se relaciona mejor con la de la primera. (10 puntos)

____ **1.** carretera	**a.** tren
____ **2.** inversionistas	**b.** neumático
____ **3.** ganancia	**c.** derrame de petróleo
____ **4.** tala	**d.** quema de la selva
____ **5.** vuelo	**e.** aumentar
____ **6.** contaminación	**f.** deforestación
____ **7.** bomba de aire	**g.** camino
____ **8.** incendios	**h.** ida y vuelta
____ **9.** ferrocarril	**i.** ingreso
____ **10.** incrementar	**j.** accionistas

VI. Lectura

Frutas del paraíso

En el Mercado Borbón de San José, Costa Rica, o en cualquier típica "feria del agricultor" en la que se cierran calles para la venta de verduras y productos agrícolas, se pueden encontrar frutas tropicales que dan mucho colorido y sabor a las mesas de las familias costarricenses.

La **papaya** es una fruta tropical jugosa, fresca y ligera que recuerda, por su aspecto, al melón. Es originaria de Mesoamérica y se consume como postre, en desayunos, ensaladas, etcétera. Contiene una enzima denominada papaína que facilita la digestión.

La **piña**, denominada también ananás, es originaria de Sudamérica y posee un apreciable contenido de vitaminas A y C, así como una elevada proporción de azúcares y sales minerales.

El **mango** es conocido como el rey oriental de las frutas. Proviene de la India y los portugueses lo trajeron a América. Su contenido de azúcares llega al 20 por ciento. Los mangos se consumen frescos, como postre, en ensaladas y también en conservas y mermeladas.

Frutas tropicales. Indica si los siguientes comentarios son ciertos o falsos. (5 puntos)

C F **1.** La venta de frutas tropicales es algo muy común en Costa Rica.

C F **2.** La papaya es una fruta originaria de África.

C F **3.** La enzima llamada papaína dificulta la digestión.

C F **4.** La piña, que también se llama ananás, es originaria de Sudamérica.

C F **5.** El mango proviene de la India y los portugueses lo llevaron a América.

VII. Composición

Escribe una composición sobre uno de los siguientes temas. (35 puntos)

a. **"A Margarita Debaile".** En este poema, el nicaragüense Rubén Darío le relata un cuento de fantasía a una niña. Escribe un resumen de ese cuento. ¿Quiénes fueron los protagonistas? ¿En qué consiste la trama? ¿Cómo termina? ¿Cuál fue la intención del poeta al escribir este cuento?

b. **"Paz del solvente".** En este poema el hondureño José Adán Castelar se imagina lo que podría hacer si ganara el sueldo de algunos poetas en EE.UU. ¿Crees que $2.000 es demasiada renumeración para un poeta en EE.UU.? ¿Por qué? ¿Cuánto crees que ganan los poetas en Latinoamérica? ¿Por que habrá tanta diferencia? ¿Por qué hay tanta diferencia en lo que gana un poeta y un futbolista o un actor?

c. **"La paz no tiene fronteras".** ¿Cuál es el significado del título que Óscar Arias le dio al discurso que hizo al serle otorgado el Premio Nobel de la Paz en 1987? ¿Cómo se relaciona el contenido del discurso al título? ¿Crees que es un buen título para ese discurso? ¿Por qué?

UNIDAD 6
PRUEBA

I. Historia y cultura

Colombia, Panamá y Venezuela: La modernidad en desafío. El siguiente ejercicio comprueba si has comprendido las lecturas **Del pasado al presente** y **Ventanas al Mundo 21** que aparecen en las tres lecciones de esta unidad. Escoge la respuesta que complete mejor cada oración. (9 puntos)

1. De estos tres países el que tiene el petróleo como la base de su economía es _____.

   a. Panamá   **b.** Colombia   **c.** Venezuela

2. La cultura conocida como la de San Agustín se desarrolló en el territorio que hoy es _____.

   a. Venezuela   **b.** Ecuador   **c.** Colombia

3. Colombia es el país que produce más _____.

   a. esmeraldas   **b.** diamantes   **c.** perlas

4. El canal de Panamá se construyó entre 1904 y _____.

   a. 1914   **b.** 1924   **c.** 1934

5. Una encuesta hecha a mediados de 1970 a la población cuna de Panamá indicaba _____.

   a. que la mayoría de las mujeres trabajaba en la ciudad de Colón

   b. que casi todas las familias cunas habían abandonado sus antiguas costumbres

   c. que sólo el 4% de las mujeres cunas de la comarca vivía fuera de ella

6. La República de la Gran Colombia proclamada en 1819 no incluyó el territorio que hoy es _____.

   a. Ecuador   **b.** Panamá   **c.** Bolivia

7. Simón Bolívar murió en 1830 en una hacienda cerca de Santa Marta _____.

   a. sin realizar su sueño de la unificación de las antiguas colonias españolas en América

   b. cuando todavía era presidente del Perú, Bolivia y de la Gran Colombia

   c. antes de derrotar a los españoles en Sudamérica

8. De 1908 a 1935, Venezuela fue gobernada por Juan Vicente Gómez, _____.

   a. quien fue un presidente liberal

   b. quien fue uno de los dictadores más sanguinarios de Latinoamérica

   c. quien no permitió la explotación de petróleo en el país

9. El Museo del Oro del Banco de la República de Bogotá se fundó en 1939 con el propósito de coleccionar y preservar las obras de oro que son en su mayoría _____.

   a. prehispánicas

   b. coloniales

   c. modernas

II. Ortografía

A

Deletreo con *g* y *j*. Completa los espacios en blanco en las siguientes palabras con las letra **g** o **j**. (6 puntos)

1. La __efatura del narcotráfico y sus aliados si__uen acelerando ataques terroristas en las ciudades para mostrar su oposición al e__ército colombiano.

2. A pesar de eso, la acción del __obierno produ__o el respeto de la __ente colombiana en particular por diri__ir la defensa de las instituciones del país.

3. La muerte de Pablo Escobar, __efe fu__itivo del cartel de Medellín, le ha obligado al mundo entero a fi__arse en la determinación del __obierno colombiano de prote__er al público de los narcotraficantes.

B

Deletreo con *h*. Completa los espacios en blanco en las siguientes palabras con la letra **h** sólo donde sea necesario. (5 puntos)

1. __ostilidad

2. apre__ender

3. ex__austo

4. re__usar

5. co__alición

6. __ormiga

7. __abilidad

8. __uelga

9. __orizonte

10. __ambiente

III.   ¡A explorar!

A   **Tiempos verbales y acentos.** Ponles el acento escrito a los verbos que lo necesiten. (1 cada acento = 8 puntos)

La transferencia del canal a Panamá empezo a efectuarse en 1979, dos años después de que el presidente Carter y Omar Torrijos firmaron los tratados. La transferencia se llevara a cabo el 31 de diciembre de 1999. La construcción del canal, que costo 400 millones de dólares, incluyo la construcción de un lago artificial, el lago Gatún, y la excavación de canales desde cada costa. Un promedio de cuarenta y dos barcos al día pasaron por el canal en 1987, esto a pesar de que se podria tardar hasta quince horas en cruzar y la mitad del tiempo seria en espera. Los aproximadamente 12.000 barcos que cruzaran el canal este año generaran más de 300 millones de dólares en cuotas.

B   **Sobrenombres masculinos y femeninos.** De la segunda columna selecciona los nombres de pila que corresponden a los sobrenombres de la primera columna. (5 puntos)

Sobrenombres	Nombres de pila
___ 1. Pepe	**a.** Isabel
___ 2. Pepa	**b.** Guillermo
___ 3. Chuy	**c.** Dolores
___ 4. Chavela	**d.** Mercedes
___ 5. Memo	**e.** José
___ 6. Meche	**f.** Consuelo
___ 7. Lola	**g.** Concepción
___ 8. Quico	**h.** Josefa
___ 9. Concha	**i.** Jesús
___ 10. Chelo	**j.** Enrique

IV. Estructura en contexto

A

Una telenovela. Cuando ves a tu amiga Clara mirando una telenovela, le dices, en broma, que tú ya sabes lo que va a pasar. Usa el futuro de los verbos que aparecen entre paréntesis para decir lo que les pasará a los personajes principales. (5 puntos)

1. La heroína _____ (sufrir) mucho.

2. El héroe _____ (tener) dificultades para ver a la heroína.

3. Las familias _____ (hacer) difícil el encuentro de los

   protagonistas.

4. El héroe y la heroína _____ (casarse) al final.

5. Todos los familiares _____ (venir) a la boda.

B

Un paquete misterioso. Cuando los Henríquez llegan a casa descubren un paquete que dice simplemente "Familia Henríquez". Todos se hacen preguntas sobre el paquete. Usa el futuro de probabilidad al formular tus preguntas. (5 puntos)

1. ¿_____ (Ser) para mí?

2. ¿_____ (Contener) los discos que pedí por correo?

3. ¿_____ (Haber) un hermoso regalo dentro?

4. ¿_____ (Pertenecer) a los vecinos?

5. ¿_____ (Decir) dentro del paquete para quién es?

C

Para desarrollar los poderes mentales. Una amiga te cuenta que acaba de leer un artículo fascinante en el que se menciona lo que ocurriría si la gente desarrollara más sus poderes mentales. Para saber lo que dice, emplea el condicional de los verbos que aparecen entre paréntesis. (5 puntos)

1. Los medios de comunicación actuales no_____ (desaparecer)

   totalmente.

2. La comunicación escrita _____ (tener) menos importancia.

3. _____ (Comunicarnos) por telepatía.

4. El poder de la memoria _____ (aumentar) inmensamente.

5. Todos nosotros _____ (poder) recitar la lista de nuestros presi-

   dentes sin problema.

D   **Fantasías de verano.** Este verano no tendrás vacaciones porque tienes
que estudiar y trabajar, pero sueñas con lo que te gustaría hacer. Usa el
imperfecto de subjuntivo y el condicional de los verbos que aparecen
entre paréntesis. (5 puntos)

1. Si _____ (estar) en el campo, _____ (montar) a
   caballo frecuentemente.

2. Si _____ (ser) posible, _____ (pasar) un par de
   meses en una isla tropical.

3. Si _____ (ir) a un lago, _____ (pescar) todos los
   días.

4. Si _____ (poder), _____ (hacer) un crucero por
   el Caribe.

5. Si _____ (tener) más imaginación, _____
   (inventar) un plan para hacerme rico rápidamente.

V. Cultura en vivo y Vocabulario

Indica qué palabra o frase de la segunda columna se relaciona mejor con la de la primera. (10 puntos)

_____ 1. clavel   **a.** plomo

_____ 2. alucinógeno   **b.** piedra preciosa

_____ 3. alfarería   **c.** mamífero

_____ 4. esmeralda   **d.** drogadicto

_____ 5. coser   **e.** flor

_____ 6. impresión   **f.** hacer puntadas

_____ 7. alce   **g.** trabajo en barro

_____ 8. aguja   **h.** imagen grabada

_____ 9. mineral   **i.** jeringa

_____ 10. toxicómano   **j.** heroína

Nombre _____ Fecha _____

Sección _____

VI. Lectura

Tres criollos venezolanos y su importancia en la independencia de Sudamérica

Caracas fue una de las ciudades hispanoamericanas donde las ideas ilustradas del siglo XVIII tuvieron mucho efecto. Estas ideas respecto a los derechos naturales del hombre y la crítica de las instituciones tradicionales guiaron la lucha contra la tiranía del Imperio Español. Las familias caraqueñas acomodadas eran principalmente comerciantes que anhelaban hacer negocio con otras naciones además de España y resentían las restricciones burocráticas de sus gobernantes lejanos. Los criollos, es decir, los de origen español nacidos en América, comenzaron a ver a los peninsulares, es decir, los españoles venidos de España, como un obstáculo a sus intereses.

Uno de los precursores de la independencia de Hispanoamérica fue Francisco Miranda (1750–1816), quien nació en Caracas y participó en la guerra de la Independencia estadounidense contra los británicos, llegando a ser teniente coronel en el ejército de George Washington. También participó en la Revolución Francesa, y de regreso a EE.UU., consiguió la ayuda del presidente Thomas Jefferson para su proyecto de una Hispanoamérica independiente. En 1806 desembarcó con un pequeño ejército en la costa venezolana, pero no logró su objetivo.

Simón Bolívar (1783–1830) fue otro criollo caraqueño cuyo ideario político y genio militar fueron decisivos para asegurar el triunfo de la revolución en Sudamérica. El 5 de julio de 1811, el primer Congreso Nacional de Venezuela, reunido en Caracas bajo la dirección de Bolívar, proclamó la independencia de Venezuela, aunque ésta no se logró hasta muchos años después.

El lugarteniente de Simón Bolívar y su brazo derecho en muchas de sus campañas contra los españoles fue Antonio José de Sucre (1795–1830), otro ilustre criollo venezolano que fue el libertador de Ecuador en 1822 y que posteriormente, en 1825, proclamó la independencia de Bolivia.

Tres criollos y la independencia. Indica si los siguientes comentarios son ciertos o falsos. (6 puntos)

C   F   **1.** Las ideas de la Ilustración del siglo XVIII tuvieron muy poca difusión e impacto en la ciudad de Caracas.

C   F   **2.** Los criollos eran los españoles que habían nacido en la Península Ibérica.

C   F   **3.** Francisco Miranda fue un oficial en el ejército de George Washington.

C   F   **4.** Simón Bolívar nació en Caracas de padres españoles.

C   F   **5.** Antonio José de Sucre fue un enemigo político y militar de Simón Bolívar.

C   F   **6.** Los tres criollos venezolanos desempeñaron un papel muy importante en la lucha por la independencia.

VII. Composición

Escribe una composición sobre uno de los siguientes temas. (31 puntos)

a. **"Un día de estos".** Explica el significado del cuento "Un día de estos", del colombiano Gabriel García Márquez. ¿Por qué no quería el dentista ver al alcalde? ¿Por qué dijo el dentista que no podía usar anestesia? ¿Cómo interpretas el final del cuento cuando el alcalde dice "Es la misma vaina"?

b. **"Pena tan grande" y "La única mujer".** A base de estos dos poemas de Bertalicia Peralta, ¿crees que su poesía es feminista o simplemente poesía que expresa simpatía por la mujer? Expresa tu opinión y defiéndela.

c. **"La cascada de Salto de Ángel".** En la tradición oral venezolana, una leyenda explica el origen de esta famosa cascada. Escribe un resumen de esa leyenda e incluye los detalles más importantes.

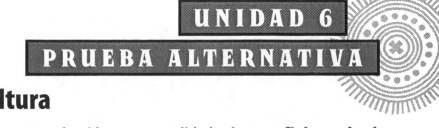

UNIDAD 6

PRUEBA ALTERNATIVA

I.   Historia y cultura

El siguiente ejercicio comprueba si has comprendido las lecturas **Del pasado al presente** y **Ventanas al Mundo 21** que aparecen en las tres lecciones de esta unidad. Escoge la respuesta que complete mejor cada oración. (9 puntos)

1. El único país sudamericano que tiene una costa tanto en el mar Caribe como en el océano Pacífico es ____.

   a. Venezuela   **b.** Colombia   **c.** Ecuador

2. El grupo indígena de los cunas se concentra en ____.

   a. las islas San Blas en el mar Caribe

   b. alrededor de la Ciudad de Panamá

   c. en el interior montañoso de Colombia

3. Venezuela fue el primer país hispanoamericano ____.

   a. en el que tuvo lugar una rebelión para lograr la independencia de España en 1806

   b. que estableció relaciones diplomáticas con EE.UU.

   c. que aceptó el gobierno impuesto por Napoleón en España en 1808

4. En 1739, Panamá pasó a formar parte del Virreinato ____.

   a. del Río de la Plata

   b. de Nueva España

   c. de Nueva Granada

5. La leyenda de El Dorado surgió de un antiguo rito chibcha que consistía en envolver a su jefe en polvo de oro ____.

   a. antes de bañarlo en el lago Guatavita

   b. antes de llevarlo a un pico de los Andes

   c. después de sumergirlo en el mar Caribe

6. El verdadero desarrollo económico y social de Venezuela se inició con la explotación del petróleo después de 1918 en la región ____.

   a. de los Andes

   b. de los llanos

   c. del lago de Maracaibo

7. La compañía que comenzó la construcción del canal de Panamá en 1880 y que luego la abandonó en 1889 era _____.

   a. estadounidense   **b.** inglesa   **c.** francesa

8. Pablo Escobar, líder fugitivo del cartel de Medellín que murió en un encuentro violento con la policía colombiana en 1993, era _____.

   a. narcotraficante

   b. guerrillero de izquierda

   c. periodista de la oposición

9. ¿Cuál de estos tres países sudamericanos tiene el ingreso per cápita más alto?

   a. Venezuela   **b.** Colombia   **c.** Panamá

II. Ortografía

A

Deletreo con *g* y *j*. Completa los espacios en blanco en las siguientes palabras con las letra **g** o **j**. (6 puntos)

1. La __efatura del narcotráfico y sus aliados si__uen acelerando ataques terroristas en las ciudades para mostrar su oposición al e__ército colombiano.

2. A pesar de eso, la acción del __obierno produ__o el respeto de la __ente colombiana en particular por diri__ir la defensa de las instituciones del país.

3. La muerte de Pablo Escobar, __efe fu__itivo del cartel de Medellín, le ha obligado al mundo entero a fi__arse en la determinación del __obierno colombiano de prote__er al público de los narcotraficantes.

B **Deletreo con *h*.** Completa los espacios en blanco en las siguientes palabras con la letra **h** sólo donde sea necesario. (5 puntos)

1. __ostilidad

2. apr__ender

3. ex__austo

4. re__usar

5. co__alición

6. __ormiga

7. __abilidad

8. __uelga

9. __orizonte

10. __ambiente

III. ¡A explorar!

A **Tiempos verbales y acentos.** Ponles el acento escrito a los verbos que lo necesiten. (1 cada acento = 8 puntos)

La transferencia del canal a Panamá empezo a efectuarse en 1979, dos años después de que el presidente Carter y Omar Torrijos firmaron los tratados. La transferencia se llevara a cabo el 31 de diciembre de 1999. La construcción del canal, que costo 400 millones de dólares, incluyo la construcción de un lago artificial, el lago Gatún, y la excavación de canales desde cada costa. Un promedio de cuarenta y dos barcos al día pasaron por el canal en 1987, esto a pesar de que se podria tardar hasta quince horas en cruzar y la mitad del tiempo seria en espera. Los aproximadamente 12.000 barcos que cruzaran el canal este año generaran más de 300 millones de dólares en cuotas.

B **Sobrenombres masculinos y femeninos.** De la segunda columna
selecciona los nombres de pila que corresponden a los sobrenombres de la
primera columna. (5 puntos)

Sobrenombres	Nombres de pila
_____ 1. Pepe	**a.** Isabel
_____ 2. Pepa	**b.** Guillermo
_____ 3. Chuy	**c.** Dolores
_____ 4. Chavela	**d.** Mercedes
_____ 5. Memo	**e.** José
_____ 6. Meche	**f.** Consuelo
_____ 7. Lola	**g.** Concepción
_____ 8. Quico	**h.** Josefa
_____ 9. Concha	**i.** Jesús
_____ 10. Chelo	**j.** Enrique

IV. Estructura en contexto

A **Cambios futuros.** Di cómo imaginas que van a ser tus amigos dentro de diez
años. Usa el futuro. (5 puntos)

1. [*nombre de amigo(a)*] / ser ejecutivo(a) de una gran empresa

_____

2. [*nombre de amigo(a)*] / vivir en el extranjero

_____

3. [*amigo(a)*] / jugar al fútbol en un club profesional

_____

4. [*amigo(a)*] / ejercer la profesión de abogado

_____

5. [*amigo(a)*] / querer presentarse como candidato(a) a diputado(a) o
senador(a)

_____

B   **¿Dónde estaba Irma?** Les cuentas a tus amigos que la noche anterior le telefoneaste a Irma varias veces, pero nadie contestó. Todos dan una razón por la cual no contestó. Utiliza el condicional de probabilidad de los verbos que aparecen entre paréntesis. (5 puntos)

1. _____ (Andar) por la ciudad.

2. _____ (Estar) en casa de una amiga.

3. _____ No (querer) hablar con nadie.

4. _____ (Ser) temprano e Irma no había vuelto.

5. _____ (Tener) que trabajar hasta muy tarde.

C   **Promesas del candidato.** En su discurso, el candidato menciona todas las cosas que él cambiaría si la gente votara por él. Para saber lo que cambiaría, emplea el condicional de los verbos que aparecen entre paréntesis. (5 puntos)

1. La educación y la salud pública _____ (mejorar).

2. Nuestra moneda _____ (valer) más.

3. Todos _____ (ganar) más dinero.

4. Nadie _____ (tener) miedo de caminar por las calles de noche.

5. _____ (Haber) menos inflación.

D   **Deseos no cumplidos.** Esta tarde tú y unos amigos están ocupados con deberes escolares, pero cada uno dice lo que le gustaría hacer. Usa el imperfecto de subjuntivo y el condicional de los verbos que aparecen entre paréntesis. (5 puntos)

1. Si Roberto no _____ (estar) ocupado, _____ (ir) al gimnasio.

2. Si yo _____ (poder) usar mi bicicleta, _____ (salir) al campo.

3. Si Celeste _____ (tener) menos tarea, _____ (asistir) a un concierto de música folklórica.

4. Si Pablo _____ (llegar) temprano de la biblioteca, _____ (ver) el partido de fútbol.

5. Si Lidia _____ (terminar) el informe, _____ (tomar) sol en la playa.

V.   Cultura en vivo y Vocabulario

Indica qué palabra o frase de la segunda columna se relaciona mejor con la de la primera. (10 puntos)

_____ **1.** calmante   **a.** cerámica

_____ **2.** costura   **b.** llamativo

_____ **3.** alfarería   **c.** árbol

_____ **4.** toxicómano   **d.** cuero

_____ **5.** vistoso   **e.** piedra preciosa

_____ **6.** fauna   **f.** cosido

_____ **7.** piel   **g.** animales

_____ **8.** zafiro   **h.** textiles

_____ **9.** abedul   **i.** drogadicto

_____ **10.** tela   **j.** antidepresivo

VI. Lectura

La caída de Manuel Antonio Noriega

Manuel Antonio Noriega nació en 1938 en un barrio popular de la Ciudad de Panamá pero, con el tiempo, llegó a tener, inexplicablemente, más de 20 millones de dólares depositados por el mundo en veintisiete bancos. Después de estudiar en una academia militar en Perú, ingresó a la Guardia Nacional de Panamá. En 1970 fue nombrado jefe de inteligencia militar por haber ayudado a impedir una rebelión militar. Su ambición de poder lo llevó a la jefatura de las Fuerzas de Defensa de Panamá en 1983, y llegó a ser el hombre fuerte de Panamá.

En 1987, Noriega fue acusado por un coronel de haber ordenado el asesinato del líder de la oposición y de la muerte del general Omar Torrijos, ocurrida en un accidente aéreo. Estas revelaciones aumentaron el descontento general entre los panameños, molestos por la crisis económica y la corrupción oficial. Por otro lado, en los tribunales de Miami y Tampa, Noriega fue acusado de ayudar a los traficantes de drogas y otros crímenes. En las elecciones presidenciales de mayo de 1989 resultó triunfador Guillermo Endara, el candidato de la oposición, pero Noriega no reconoció este triunfo y anuló las elecciones.

El gobierno de EE.UU., que en el pasado había apoyado a Noriega, exigió su renuncia pero éste se negó a dejar su puesto. La guerra de nervios entre ambos gobiernos aumentó. Cuando Noriega fue proclamado jefe de estado, las fuerzas armadas de EE.UU. invadieron Panamá. Se calcula que unos 300 civiles murieron como resultado de esta invasión. El 3 de enero de 1990, Noriega se entregó a las fuerzas armadas estadounidenses y fue trasladado a la Florida donde fue sometido a juicio. En 1992 Noriega fue declarado culpable y condenado a cuarenta años de prisión. Actualmente se encuentra en una prisión federal de EE.UU. cumpliendo su sentencia.

La caída de Noriega. Indica si los siguientes comentarios son ciertos o falsos. (5 puntos)

C   F   **1.** La ambición de poder de Manuel Antonio Noriega lo llevó a la jefatura de las Fuerzas de Defensa de Panamá en 1983.

C   F   **2.** En 1987, Noriega fue acusado de haber ordenado la muerte del líder de la oposición y del general Omar Torrijos.

C   F   **3.** En 1989, Noriega reconoció el triunfo del candidato de la oposición, Guillermo Endara.

C   F   **4.** El 3 de enero de 1990, Noriega logró evadir a las autoridades estadounidenses y huyó de Panamá.

C   F   **5.** Actualmente Noriega se encuentra en una prisión federal de EE.UU. cumpliendo una sentencia de cuarenta años.

VII. Composición

Escribe una composición sobre uno de los siguientes temas. (32 puntos)

a. **"Un día de estos".** Explica el significado del cuento "Un día de estos", del colombiano Gabriel García Márquez. ¿Por qué no quería el dentista ver al alcalde? ¿Por qué dijo el dentista que no podía usar anestesia? ¿Cómo interpretas el final del cuento cuando el alcalde dice "Es la misma vaina"?

b. **"Pena tan grande" y "La única mujer".** A base de estos dos poemas de Bertalicia Peralta, ¿crees que su poesía es feminista o simplemente poesía que expresa simpatía por la mujer? Expresa tu opinión y defiéndela.

c. **"La cascada de Salto de Ángel".** En la tradición oral venezolana, una leyenda explica el origen de esta famosa cascada. Escribe un resumen de esa leyenda. Incluye los detalles más importantes.

Nombre _____ Fecha _____

Sección _____

I.   Historia y cultura

Perú, Ecuador y Bolivia: camino al sol. El siguiente ejercicio comprueba si has comprendido las lecturas **Del pasado al presente** y **Ventanas al Mundo 21** que aparecen en las tres lecciones de esta unidad. Escoge la respuesta que complete mejor cada oración. (9 puntos)

1. De estos tres países, el que tiene el volcán activo más alto del mundo es _____.

   a. Perú **b.** Ecuador **c.** Bolivia

2. El Imperio Incaico se llamaba "Tahuantinsuyo", palabra que significa en quechua _____.

   a. "imperio del Sol"

   b. "las cuatro direcciones"

   c. "puma de la montaña"

3. En 1533 Francisco Pizarro condenó a muerte al inca _____.

   a. Huáscar **b.** Atahualpa **c.** Huayna Cápac

4. La papa es una planta originaria de la región andina y su nombre proviene del _____.

   a. quechua **b.** quiché **c.** guaraní

5. Las tumbas reales de Sipán descubiertas en 1987 se han identificado con la civilización _____.

   a. incaica **b.** mochica **c.** aymara

6. El puerto principal de Ecuador es _____.

   a. Guayaquil **b.** Quito **c.** El Callao

7. La ciudad minera que se fundó en 1546 cerca de grandes depósitos de plata y que en el siglo XVII llegó a ser la ciudad más grande de América es _____.

   a. La Paz **b.** Chuquisaca **c.** Potosí

8. Como resultado de la Guerra del Pacífico (1879–1883), Bolivia cedió su única salida al mar a _____.

   a. Chile **b.** Paraguay **c.** Perú

9. A partir de 1972, el producto que se ha convertido en una de las principales exportaciones de Ecuador es _____.

   a. café **b.** plátano **c.** petróleo

II. Ortografía

A   **Deletreo con *y* y *ll*.** Completa los espacios en blanco en las siguientes palabras con las letras **y** o **ll**. (5 puntos)

1. ori__a
2. ensa__o
3. cue__o
4. cabe__o
5. gua__abera

6. le__es
7. __aneros
8. bata__a
9. __erno
10. caudi__o

B   **Deletreo con *r* y *rr*.** Subraya las palabras que correspondan según el contexto en el siguiente párrafo. (5 puntos)

El altiplano siempre sirve de (1. foro / forro) en las bodas aymaras. A diferencia de las bodas en EE.UU., las bodas aymaras no incluyen ni (2. caros / carros) elegantes ni recepciones formales. En el altiplano las bodas son sencillas y humildes. (3. Para / Parra) la ceremonia, las mujeres se visten en tejidos de colores vivos y diseños que simbolizan a sus familias, sus esperanzas y sus sueños. Los padrinos les ofrecen una bebida en una (4. jara / jarra) a los novios y luego hacen un brindis en homenaje a la madre tierra. Durante la ceremonia, los novios aceptan la responsabilidad de ser el principio de la comunidad, encarnando la creencia aymara que dice que de la pareja nace la familia y de la familia nace la comunidad. (5. Pero / Perro) no todo es solemne. Terminada la ceremonia, el novio y la novia inician la fiesta al ritmo de una danza, a la cual se van integrando todos los presentes.

III. ¡A explorar!

A

Traducción de tiempos verbales. Para repasar algunos importantes hechos acerca de la papa, traduce las siguientes oraciones al español. Ten cuidado de traducir correctamente los diferentes tiempos verbales. (12 puntos)

1. The potato began to be cultivated by the Quechuas about five thousand years ago.

   _____

   _____

   _____

2. If it weren't for the potato, where would the Irish be today?

   _____

   _____

   _____

3. Currently the potato is expected to be the principle weapon we have against hunger.

   _____

   _____

   _____

4. It is estimated that the 1988 world consumption of potatoes would have been approximately 297 million tons.

   _____

   _____

   _____

B **Deletreo de palabras parecidas.** Un amigo te pide que le revises una composición que ha escrito sobre sus experiencias en Quito, Ecuador, donde pasó unas semanas durante el verano pasado. Subraya las palabras que están mal deletreadas en español y al lado escribe el deletreo correcto. (4 puntos)

Capital de la República del Ecuador, la ciudad de San Francisco de Quito está situada a 2.850 metros de altitud, y al sur de la línea ecuatorial. El nombre de Quito se derriva de los indígenas *quitus* que estaban establesidos en la región. El immenso Pichincha sirve de marco a la hermosa ciudad de torres de iglesias y monasterios de architectura colonial. La ciudad fue una de las más bellas del Emperio Español. Los quiteños son muy gentiles como lo fueron sus antepassados. No es difícil immaginarse cómo habría sido la vida en esta ciudad antigua y muy special del siglo XVI.

1. _____
2. _____
3. _____
4. _____
5. _____
6. _____
7. _____
8. _____

IV. Estructura en contexto

A **¡No falta mucho para las vacaciones!** Todos tus amigos piensan salir pronto de vacaciones. Para saber cuándo se van, completa las siguientes oraciones con el imperfecto de subjuntivo de los verbos que aparecen entre paréntesis. (5 puntos)

1. Margarita me dijo que saldría de vacaciones tan pronto como

   _____ (acabar) el semestre.

2. Felipe me dijo que saldría en cuanto _____ (dejar) de trabajar

   en julio.

3. Arturo dijo que saldría en cuanto _____ (hacer) un poco más

   de calor, quizás en julio.

4. Catalina dijo que no saldría de vacaciones hasta que sus hermanos

   _____ (volver) de Europa.

5. Raquel me dijo que no saldría de vacaciones antes que _____

   (terminar) las clases de la escuela de verano.

Nombre _____ Fecha _____

Sección _____

B **En la oficina de turismo.** Un amigo cuenta las recomendaciones que le hizo un empleado de la oficina de turismo Dinatur en La Paz. Para saber lo que dice, completa las siguientes oraciones con el imperfecto de indicativo o de subjuntivo de los verbos que aparecen entre paréntesis, según convenga. (5 puntos)

1. El empleado me recomendó que no _____ (tratar) de verlo todo en un solo día.

2. El empleado me sugirió que _____ (visitar) los edificios coloniales de la calle Jaén.

3. El empleado dudaba que el Museo Nacional de Arte _____ (estar) abierto los lunes.

4. El empleado pensaba que los mapas de su oficina _____ (ser) adecuados.

5. El empleado me aconsejó que _____ (pasar) unas horas en el Museo Tiahuanaco.

C **¡A buscar regalos!** Di qué tipo de regalos buscabas para tu mamá para el Día de las Madres. Usa el imperfecto de indicativo o de subjuntivo de los verbos que aparecen entre paréntesis, según convenga. (5 puntos)

1. Quería algo que _____ (ser) muy especial.

2. Pero quería encontrar un regalo que no _____ (costar) una fortuna.

3. Deseaba algo que me _____ (gustar) a mí también.

4. No encontré ningún libro que le _____ (interesar) a mamá.

5. No vi ni un solo disco compacto que me _____ (parecer) apropiado.

D **¡Qué mala nota!** Completa las siguientes oraciones para expresar lo que le dices a un compañero que ha sacado una mala nota en el último examen de física. Usa el presente perfecto de indicativo o de subjuntivo de los verbos que aparecen entre paréntesis, según convenga. (5 puntos)

1. Me dicen que _____ _____ (recibir-tú) una

   mala nota en tu examen de física.

2. ¿Será posible que no _____ _____? (estudiar-tú)

3. Lamento que no _____ _____ (salir-tú) bien.

4. ¿Cuál _____ _____ (ser) el promedio de los

   resultados en tu clase?

5. Se dice que los profesores de física _____

   _____ (suspender) a muchos estudiantes.

V. Cultura en vivo y Vocabulario

Indica qué palabra o frase de la segunda columna se relaciona mejor con la de la primera. (10 puntos)

_____ 1. parrillada	**a.**	caminar
_____ 2. encaje	**b.**	vestidos de máscaras
_____ 3. andar	**c.**	tamaño, medida
_____ 4. zapatillas	**d.**	corredores
_____ 5. estiramiento	**e.**	material
_____ 6. disfraces	**f.**	procesión de gente y una banda
_____ 7. *chasquis*	**g.**	zapatos
_____ 8. talla	**h.**	asado
_____ 9. chanclos	**i.**	pantuflas
_____ 10. desfile	**j.**	preparar los músculos para correr

VI. Lectura

Las ciudades se agigantan

Uno de los cambios más importantes en Latinoamérica desde la Segunda Guerra Mundial ha sido el enorme crecimiento demográfico del continente y la expansión de la población de las ciudades. Al comienzo del siglo XX, ninguna ciudad latinoamericana llegaba al millón de habitantes Ahora es muy común que las ciudades capitales tengan por lo menos esa cantidad. Estas ciudades han absorbido los pueblos y las regiones cercanas para transformarse en grandes aglomeraciones urbanas. Por ejemplo, se calcula que en 1990 la aglomeración urbana de Lima, capital de Perú, tenía una población de seis millones y medio. Muchos de estos habitantes son campesinos provenientes del altiplano peruano que se mudan de las regiones rurales a la gran ciudad en busca de empleo y mejores condiciones de vida. Miles de ellos viven en los "pueblos nuevos" que han surgido alrededor de Lima y que en su mayoría carecen de servicios urbanos básicos como electricidad, alcantarillado y agua potable.

Lo que sucede en Lima se repite en otras ciudades, a veces en escala mayor. Por ejemplo, la aglomeración urbana de la Ciudad de México tiene ahora unos veinte millones de habitantes y ha llegado a ser la mayor ciudad del mundo. En relativamente pocas generaciones, los latinoamericanos han pasado de ser personas típicamente rurales a ser habitantes de zonas urbanas con todos los problemas que conlleva la vida en ciudades muy grandes, a menudo muy pobres, con insuficiencia de servicios para una población que aumenta muy rápidamente.

La explosión urbana ha ocasionado una transformación acelerada de la cultura latinoamericana. Los medios de comunicación, principalmente la radio y la televisión, moldean ahora el gusto y el estilo de vida de grandes sectores de la población, los que en otros tiempos vivían según costumbres basadas en antiguas tradiciones regionales. La ironía es que mientras más radios, televisores y otros aparatos electrónicos de comunicación haya, se hace cada vez más difícil en los grandes centros urbanos la comunicación humana entre los miembros de la familia y la comunidad.

Las grandes ciudades. Indica si los siguientes comentarios son ciertos o falsos. (6 puntos)

C   F   **1.** Uno de los cambios más importantes desde la Segunda Guerra Mundial ha sido el enorme crecimiento de las ciudades latinoamericanas.

C   F   **2.** Al comienzo del siglo XX, diez ciudades latinoamericanas tenían por lo menos un millón de habitantes.

C   F   **3.** Se calcula que en 1990 la aglomeración urbana de Lima, la capital de Perú, tenía una población de seis millones y medio.

C   F   **4.** La mayoría de los habitantes de los "pueblos nuevos" que rodean Lima son gente de la clase alta que ya no quiere vivir en el centro de Lima.

C   F   **5.** Se calcula que en 1994 la aglomeración urbana de la Ciudad de México tenía casi veinte millones de habitantes y ahora se considera la ciudad más poblada del mundo.

C   F   **6.** Ahora la radio y la televisión moldean los gustos y el estilo de vida de las masas, los cuales en otros tiempos derivaban de antiguas tradiciones regionales.

VII. Composición

Escribe una composición sobre uno de los siguientes temas. (29 puntos)

a. Costumbrismo. El poeta y escritor limeño Hernán Velarde pertenece a un grupo de escritores costumbristas peruanos. Explica lo que esto significa. ¿Muestran los costumbristas un punto de vista realista, idealista, optimista o pesimista? ¿Qué tono le dan a sus obras: poético, lírico, sentimental, sofisticado o común y corriente. Apoya tu explicación con ejemplos específicos que recuerdas del poema "Visión de antaño".

b. Sátira. Unas técnicas favoritas del cuentista ecuatoriano José Antonio Campos fueron el humor, la sátira y la burla. Explica cómo utiliza estas técnicas en el cuento "Los tres cuervos". ¿En qué consiste el humor? ¿Qué tipo de sátira utiliza? ¿De quién(es) se burla?

c. Japonesa-boliviana. La autora Maricarmen Ohara es japonesa-boliviana. ¿Hasta qué punto crees que su cuento "Chino-japonés" es autobiográfico? ¿Es posible que ella haya sufrido como Fernando Hidehito Takei Mier? ¿Será la familia de la autora la familia que aparece en el cuento? Decídelo tú mismo(a) y defiende tu opinión con ejemplos específicos del cuento.

I.   Historia y cultura

En el siguiente ejercicio, comprueba si has comprendido las lecturas **Del pasado al presente** y **Ventanas al Mundo 21** que aparecen en las tres lecciones de esta unidad. Escoge la respuesta que complete mejor cada oración. (10 puntos)

1. De estos tres países, el que tiene la extensión territorial más pequeña es _____.

    a. Perú   **b.** Ecuador   **c.** Bolivia

2. La ciudad de Chan Chan era la capital del reino _____.

    a. chimú   **b.** mochica   **c.** shiri

3. La capital del Imperio Inca fue _____.

    a. Cuzco   **b.** Machu Picchu   **c.** Sipán

4. Bolivia tiene dos capitales: la sede del gobierno y el poder legislativo están en La Paz y el Tribunal Supremo se encuentra en _____.

    a. Potosí   **b.** Santa Cruz   **c.** Sucre

5. El metal que constituyó la base de la riqueza de las minas de Potosí durante la colonia fue _____.

    a. el oro   **b.** el estaño   **c.** la plata

6. En 1941, ___ se apoderó de la mayor parte de la región amazónica de Ecuador.

    a. Colombia   **b.** Chile   **c.** Perú

7. Víctor Paz Estenssoro impulsó una ambiciosa reforma agraria en Bolivia que benefició a _____.

    a. la clase alta

    b. los campesinos indígenas

    c. los mineros

8. El presidente de Perú que en 1990 empezó un programa de reformas económicas y políticas con el propósito de controlar la violencia y el terrorismo fue ____.

   a. Ramón Castilla

   b. Alberto Fujimori

   c. Fernando Belaúnde Terry

9. En febrero de 1997 el Congreso ecuatoriano le pidió al presidente que renunciara el puesto y ____ fue nombrado presidente en elecciones nacionales.

   a. Fabián Alarcón   **b.** Rosalía Arteaga   **c.** Sixto Durán Ballén

10. El general boliviano que fue nombrado presidente en 1970 y otra vez en 1997 fue ____.

    a. Hermán Siles Suazo

    b. Gonzalo Sánchez

    c. Hugo Bánzer Suárez

II. Ortografía

A

Deletreo con *y* y *ll*. Completa los espacios en blanco en las siguientes palabras con las letras **y** o **ll**. (5 puntos)

1. ori__a   **6.** le__es

2. ensa__o   **7.** __aneros

3. cue__o   **8.** bata__a

4. cabe__o   **9.** __erno

5. gua__abera   **10.** caudi__o

B   **Deletreo con *r* y *rr*.** Subraya las palabras que correspondan según el contexto en el siguiente párrafo. (5 puntos)

El altiplano siempre sirve de (1. foro / forro) en las bodas aymaras. A diferencia de las bodas en EE.UU., las bodas aymaras no incluyen ni (2. caros / carros) elegantes ni recepciones formales. En el altiplano las bodas son sencillas y humildes. (3. Para / Parra) la ceremonia, las mujeres se visten en tejidos de colores vivos y diseños que simbolizan a sus familias, sus esperanzas y sus sueños. Los padrinos les ofrecen una bebida en una (4. jara / jarra) a los novios y luego hacen un brindis en homenaje a la madre tierra. Durante la ceremonia, los novios aceptan la responsabilidad de ser el principio de la comunidad, encarnando la creencia aymara que dice que de la pareja nace la familia y de la familia nace la comunidad. (5. Pero / Perro) no todo es solemne. Terminada la ceremonia, el novio y la novia inician la fiesta al ritmo de una danza, a la cual se van integrando todos los presentes.

III. ¡A explorar!

A

Traducción de tiempos verbales. Para repasar algunos importantes hechos acerca de la papa, traduce las siguientes oraciones al español. Ten cuidado de traducir correctamente los diferentes tiempos verbales. (12 puntos)

1. The potato began to be cultivated by the Quechuas about five thousand years ago.

   _____

   _____

   _____

2. If it had not been for the potato, where would the Irish be today?

   _____

   _____

   _____

3. Currently the potato is expected to be the principal weapon we have against hunger.

   _____

   _____

   _____

4. It is estimated that the 1988 world consumption of potatoes would have been approximately 297 million tons.

   _____

   _____

   _____

B   **Deletreo de palabras parecidas.** Un amigo te pide que le revises una
composición que ha escrito sobre sus experiencias en Quito, Ecuador,
donde pasó unas semanas durante el verano pasado. Subraya las palabras
que están mal deletreadas en español y al lado escribe el deletreo correcto.
(4 puntos)

Capital de la República del Ecuador, la ciudad
de San Francisco de Quito está situada a 2.850
metros de altitud, y al sur de la línea ecuatorial. El nombre de Quito se derriva de los indígenas *quitus* que estaban establesidos en la
región. El immenso Pichincha sirve de marco
a la hermosa ciudad de torres de iglesias y
monasterios de architectura colonial. La ciudad fue una de las más bellas del emperio español. Los quiteños son muy gentiles como lo
fueron sus antepassados. No es difícil immaginarse cómo habría sido la vida en esta ciudad
antigua y muy special del siglo XVI.

1. _____

2. _____

3. _____

4. _____

5. _____

6. _____

7. _____

8. _____

MUNDO 21 Instructor's Resource Manual   595

IV. Estructura en contexto

A

En la oficina de turismo. Un amigo cuenta las recomendaciones que le hizo un empleado de la oficina de turismo Dinatur en la Paz. Para saber lo que dice, completa las siguientes oraciones con el imperfecto de indicativo o de subjuntivo de los verbos que aparecen entre paréntesis, según convenga. (5 puntos)

1. El empleado me recomendó que no _____ (tratar) de verlo todo en un solo día.

2. El empleado me sugirió que _____ (visitar) los edificios coloniales de la calle Jaén.

3. El empleado dudaba que el Museo Nacional de Arte _____ (estar) abierto los lunes.

4. El empleado pensaba que los mapas de su oficina _____ (ser) adecuados.

5. El empleado me aconsejó que _____ (pasar) unas horas en el Museo Tiahuanaco.

B

¡No falta mucho para las vacaciones! Todos tus amigos piensan salir pronto de vacaciones. Para saber cuándo se van, completa las siguientes oraciones con el imperfecto de subjuntivo de los verbos que aparecen entre paréntesis. (5 puntos)

1. Margarita me dijo que saldría de vacaciones tan pronto como _____ (acabar) el semestre.

2. Felipe me dijo que saldría en cuanto _____ (dejar) de trabajar en julio.

3. Arturo dijo que saldría en cuanto _____ (hacer) un poco más de calor, quizás en julio.

4. Catalina dijo que no saldría de vacaciones hasta que sus hermanos _____ (volver) de Europa.

5. Raquel me dijo que no saldría de vacaciones antes que _____ (terminar) las clases de la escuela de verano.

C ¡**Qué mala nota!** Completa las siguientes oraciones para expresar lo que le dices a un compañero que ha sacado una mala nota en el último examen de física. Usa el presente perfecto de indicativo o de subjuntivo de los verbos que aparecen entre paréntesis, según convenga. (5 puntos)

1. Me dicen que _____ _____ (recibir-tú) una mala nota en tu examen de física.

2. ¿Será posible que no _____ _____ (estudiar-tú)?

3. Lamento que no _____ _____ (salir-tú) bien.

4. ¿Cuál _____ _____ (ser) el promedio de los resultados en tu clase?

5. Se dice que los profesores de física _____ _____ (suspender) a muchos estudiantes.

D ¡**A buscar regalos!** Di qué tipo de regalos buscabas para tu mamá para el Día de la Madre. Usa el imperfecto de indicativo o de subjuntivo de los verbos que aparecen entre paréntesis, según convenga. (5 puntos)

1. Quería algo que _____ (ser) muy especial.

2. Pero quería encontrar un regalo que no _____ (costar) una fortuna.

3. Deseaba algo que me _____ (gustar) a mí también.

4. No encontré ningún libro que le _____ (interesar) a mamá.

5. No vi ni un solo disco compacto que me _____ (parecer) apropiado.

V. Cultura en vivo y Vocabulario

Indica qué palabra o frase de la segunda columna se relaciona mejor con la de la primera. (10 puntos)

_____	**1.** fuegos artificiales	**a.** Carnaval
_____	**2.** mezclilla	**b.** Miércoles de Ceniza
_____	**3.** trotar	**c.** jeans
_____	**4.** bombines	**d.** falda
_____	**5.** doblar	**e.** hacer jogging
_____	**6.** Cuaresma	**f.** abrigo
_____	**7.** respirar	**g.** Día de la Independencia
_____	**8.** pollera	**h.** brazos o piernas
_____	**9.** impermeable	**i.** exhalar
_____	**10.** tamborileros	**j.** sombreros

VI. Lectura

El estaño: el oro de Bolivia

Durante la época colonial, el territorio que es ahora Bolivia era el mayor productor de plata del mundo. Ciudades enteras fueron construidas para abastecer a las zonas mineras. En el siglo XX, el estaño (*tin*) sustituyó a la plata como el principal producto de exportación. Bolivia pasó a ser, durante un período, el principal productor occidental de este mineral. Simón Patiño (1860–1947), de ascendencia indígena, fue uno de los industriales que más se benefició con el auge del estaño. Nació en la pobreza, pero logró levantar un imperio mundial de la industria del estaño y llegó a ser uno de los hombres más ricos del mundo.

Hasta hace poco Bolivia todavía era un país monoexportador. En 1963, el 92 por ciento de sus exportaciones de 72.122.723 dólares eran de minerales, de los cuales un 80 por ciento eran del estaño. Los productos agrícolas formaban únicamente el 5,6 por ciento de estas exportaciones y el petróleo, otro 1,9 por ciento. Por otro lado, la exportación de productos manufacturados representaba un insignificante 0,08 por ciento. En las últimas tres décadas esta situación ha cambiado sustancialmente debido a un esfuerzo del gobierno para diversificar la economía del país. Aunque los minerales todavía constituyen una parte considerable de las exportaciones bolivianas, ya no son el factor económico decisivo.

El estaño boliviano. Indica si los siguientes comentarios son ciertos o falsos. (6 puntos)

C F **1.** En el siglo XX, el estaño sustituyó a la plata como el principal producto de exportación de Bolivia.

C F **2.** Simón Patiño (1860–1947), de ascendencia indígena, fue una de las personas que más se benefició con la prosperidad del estaño en Bolivia.

C F **3.** En 1928, Simón Patiño fue elegido presidente de Bolivia.

C F **4.** Según un estudio de 1963, la plata era el principal producto de exportación de Bolivia.

C F **5.** El mismo estudio demostró que los productos manufacturados representaban un porcentaje insignificante de las exportaciones bolivianas.

C F **6.** Aunque los minerales todavía constituyen una parte considerable de las exportaciones bolivianas, ya no son el factor económico decisivo.

vII. Composición

Escribe una composición sobre uno de los siguientes temas. (28 puntos)

a. Costumbrismo. El poeta y escritor limeño Hernán Velarde pertenece a un grupo de escritores costumbristas peruanos. Explica lo que esto significa. ¿Muestran los costumbristas un punto de vista realista, idealista, optimista o pesimista? ¿Qué tono le dan a sus obras: poético, lírico, sentimental, sofisticado o común y corriente. Apoya tu explicación con ejemplos específicos que recuerdas del poema "Visión de antaño".

b. Sátira. Unas técnicas favoritas del cuentista ecuatoriano José Antonio Campos fueron el humor, la sátira y la burla. Explica cómo utiliza estas técnicas en el cuento "Los tres cuervos". ¿En qué consiste el humor? ¿Qué tipo de sátira utiliza? ¿De quién(es) se burla?

c. Japonesa-boliviana. La autora Maricarmen Ohara es japonesa-boliviana. ¿Hasta qué punto crees que su cuento "Chino-japonés" es autobiográfico? ¿Es posible que ella haya sufrido como Fernando Hidehito Takei Mier? ¿Será la familia de la autora la familia que aparece en el cuento? Decídelo tú mismo(a) y defiende tu opinión con ejemplos específicos del cuento.

Nombre _____ Fecha _____

Sección _____

I. Historia y cultura

Argentina, Uruguay, Paraguay y Chile: Aspiraciones y contrastes. El siguiente ejercicio comprueba si has comprendido las lecturas **Del pasado al presente** y **Ventanas al Mundo 21** que aparecen en las tres lecciones de esta unidad. Escoge la respuesta que complete mejor cada oración. (9 puntos)

1. De estos tres países, el que tiene la extensión territorial más grande es _____.

   a. Chile   **b.** Paraguay   **c.** Argentina

2. El Río de la Plata se llamó así _____.

   a. por los barcos españoles cargados de plata que se hundieron en sus aguas

   b. por la leyenda indígena de una sierra hecha de plata

   c. porque había mucha plata en sus orillas

3. _____ nunca fue parte del Virreinato del Río de la Plata.

   a. Uruguay   **b.** Paraguay   **c.** Chile

4. La actividad principal del gaucho era _____.

   a. la agricultura   **b.** la ganadería   **c.** la minería

5. El territorio de _____ también fue conocido como la Banda Oriental.

   a. Paraguay   **b.** Uruguay   **c.** Chile

6. La primera Copa Mundial se celebró en Montevideo, Uruguay, en 1930 y el país que ganó la copa fue _____.

   a. Brasil   **b.** Argentina   **c.** Uruguay

7. _____ fue elegida primero vice presidenta y luego fue nombrada presidenta de Argentina.

   a. Eva Duarte de Perón, conocida como Evita Perón,

   b. María Estela Martínez, conocida como Isabel Perón,

   c. Cristina Peri Rossi, conocida también por sus escritos,

8. La presa de Itaipú, el proyecto hidroeléctrico más grande del mundo, fue construido por Brasil y _____.

   a. Argentina   **b.** Paraguay   **c.** Uruguay

9. Salvador Allende fue derrocado en un golpe militar en _____.

   a. 1973   **b.** 1983   **c.** 1993

II. Ortografía

A

Palabras parónimas. Dos amigos hablan de un cuento de Julio Cortázar. Para saber lo que dicen, completa cada espacio en blanco con **ay, hay, a, ah** o **ha**. (1/2 cada una = 5 puntos)

—Acabo de leer el cuento de Cortázar, "Continuidad de los parques" y...

¡_____ Dios!, estoy tan confundido.

—Cálmate, cálmate. _____ ver, ¿qué es lo que no entiendes?

—Pues, tengo una confusión tremenda con los personajes. No sé cuántos personajes _____ en el cuento. Por ejemplo, está la persona a quien va _____ matar el novio de la mujer en la novela.

—Sí, sí, Eso queda bien claro.

—_____ , sí, pero también está el señor que _____ estado leyendo la novela desde el principio. Mi impresión es que _____ él es a quien van _____ matar. Pero, ¿cómo es posible? Él no es personaje en la novela, sólo en el cuento... ¡_____! ¡Qué confusión!

—Hombre, cálmate. No es para tanto. _____ que aceptar que es un cuento del realismo mágico y nada más.

B

Más palabras parónimas. Dos amigos hablan de un cuento de Isabel Allende. Para saber lo que dicen, completa los espacios en blanco con **ésta, esta** o **está.** (1/2 cada una = 5 puntos)

—Meche, ¿has leído _____ novela?

—¿Cuál es? No puedo ver el título desde aquí.

—_____. *El plan infinito.* Es la última novela de Isabel Allende.

—Sí, sí, la acabo de terminar. Mira, aquí _____ en mi bolso. Es fantástica. Me encanta porque tiene lugar en EE.UU.

—Bueno, pues es donde la autora _____ viviendo ahora. _____ allá desde 1988. Oye, si mal no recuerdo, _____ tarde hay una conferencia sobre Isabel Allende en el departamento de lenguas. ¿Quieres ir?

—_____ bien. Pero sólo si termino de escribir _____ composición para mi clase de francés. _____ es mi última oportunidad para hacerlo.

—Ay, siempre andas atrasada con tus trabajos. _____ lista para las cinco y media. Yo paso por ti.

III. ¡A explorar!

A

Refranes. Escoge las definiciones de la segunda columna que corresponden a los refranes de la primera columna. (8 puntos)

_____ **1.** Al mejor nadador se lo lleva el río.

_____ **2.** Cuando el villano es rico no tiene pariente ni amigo.

_____ **3.** Escoba que no se gasta, casa que no se limpia.

_____ **4.** Vino y amores, de viejo los mejores.

_____ **5.** El que mucho abarca, poco acaba.

_____ **6.** En diciembre, tiembla hasta el más valiente.

_____ **7.** A carne dura, diente de perro.

_____ **8.** Más vale un mal enchufe que una buena recomendación.

a. La comida mala debe darse a los animales.

b. Ciertas cosas mejoran con la edad.

c. Siempre ayuda tener un conocido donde solicitas empleo.

d. Aun los expertos pueden equivocarse.

e. El frío afecta a todo el mundo.

f. Por muchas herramientas que tengas, no valen nada si no las usas.

g. A nadie le gustan las personas malas.

h. Las personas que tratan de hacer demasiado, con frecuencia no hacen nada.

Homófonos. Para repasar algunos datos sobre "Mafalda", algunos de sus amigos y su creador, subraya las palabras que corresponden según el contexto en el siguiente párrafo. (4 puntos)

El argentino Joaquín Lavado, uno de los dibujantes más importantes del mundo hispano, es mejor conocido como Quino, creador de "Mafalda". Alguna (1. ves / vez) (2. has / haz) de (3. a ver / haber) leído algunas tiras cómicas de (4. esta / está) niña precoz de pelo negro a quien todo el mundo conoce por curiosa y respondona. Entre las personas más importantes en la vida de Mafalda está su madre, que en la cocina no sabe (5. cocer / coser) y (6. a / ha) quien, según Mafalda, le faltan horizontes. También está su amiga Susanita, que siempre sueña con llegar (7. a ser / hacer) madre. Miguelito es un personaje que continuamente (8. se rebela / revela) que está en crisis de adolescencia anticipada.

IV.   Estructura en contexto

A

¡Atraso! Llegaste a clase, pero tarde. Usa el pluscuamperfecto de indicativo de los verbos que aparecen entre paréntesis para decir lo que encontraste. (5 puntos)

1. Cuando entré, la clase ya _____ _____ (empezar).

2. Los estudiantes ya _____ _____ _____ (sentarse).

3. El profesor ya _____ _____ (devolver) la última prueba.

4. El profesor ya _____ _____ (corregir) la tarea para ese día.

5. Algunos estudiantes ya _____ _____ (hacer) el ejercicio A.

B **Predicciones.** Tus amigos argentinos expresan su opinión acerca de lo que habrá ocurrido antes de que termine la década. Usa el futuro perfecto de los verbos que aparecen entre paréntesis en tus respuestas. (5 puntos)

1. Antes de que termine la década, nuestra moneda se _____

   _____ (devaluar) muchas veces.

2. Los problemas de límites con los países vecinos se _____

   _____ (resolver).

3. Nuestro gobierno _____ _____ (renegociar) la

   deuda externa varias veces.

4. _____ _____ (comenzar) la explotación de la

   Antártida.

5. La población de la parte sur del país _____

   _____ (aumentar) considerablemente.

C **Mala semana para la familia.** Ha habido varios problemas esta semana en la familia de Jorge. Para saber cómo le han afectado, completa las siguientes oraciones con el presente perfecto de subjuntivo o el pluscuamperfecto de subjuntivo de los verbos que aparecen entre paréntesis, según convenga. (5 puntos)

1. Me entristeció que mi hermanito _____ _____

   (perder) su partido de fútbol el sábado pasado.

2. Es una lástima que la abuelita _____ _____

   _____ (caerse).

3. Lamenté mucho que un conductor irresponsable _____

   _____ (chocar) con el coche de papá.

4. Sentí mucho que mi hermana _____ _____

   (tener) que guardar cama por la gripe.

5. Siento que mis primos no _____ _____ (poder)

   venir a vernos.

Problemas en el trabajo. Hablas de diversas posibilidades relacionadas con tu trabajo. Usa el presente de indicativo, el imperfecto de subjuntivo o el pluscuamperfecto de subjuntivo de los verbos que aparecen entre paréntesis, según convenga. (5 puntos)

1. Creo que me habrían ascendido si yo _____

   _____ (saber) otro idioma.

2. Estaría contento si el jefe me _____ (dar) menos trabajo.

3. Cambiaré de trabajo si el jefe _____ (enfadarse) conmigo otra

   vez.

4. Yo ahorraría más si _____ (ganar) más.

5. Yo aceptaré trabajar horas extraordinarias si se _____ (presen-

   tar) la oportunidad.

V. Cultura en vivo y Vocabulario

Indica qué palabra o frase de la segunda columna se relaciona mejor con la de la primera. (10 puntos)

_____	1. mestizo	**a.** español nacido en las Américas
_____	2. arquero	**b.** la Federación Internacional de Fútbol Asociado
_____	3. MERCOSUR	**c.** blanco e indígena
_____	4. convenios	**d.** hacer goles
_____	5. criollo	**e.** Tratado de Libre Comercio de América del Norte
_____	6. tiro	**f.** Mercado Común del Sur
_____	7. FIFA	**g.** quechua
_____	8. NAFTA	**h.** portero
_____	9. anotar puntos	**i.** acuerdos
_____	10. inca	**j.** golpe de cabeza

Nombre _____   Fecha _____

Sección _____

VI. Lectura

Tierra del Fuego: la punta de Sudamérica

El territorio insular que forma la punta sur de Sudamérica se llama Tierra del Fuego y se divide entre Chile y Argentina. Fue descubierta en 1520 por el navegante Fernando de Magallanes durante el primer viaje alrededor del mundo. Magallanes fue quien le dio su denominación actual al territorio después de observar desde lejos la multitud de hogueras que hacían los indígenas para calentarse en la noche. El clima es frío. La isla Grande de Tierra del Fuego tiene una forma triangular, y está separada del continente por el estrecho de Magallanes.

Aunque en 1881 se fijaron las fronteras entre Chile y Argentina, la posesión de algunas islas del canal del Beagle quedó en duda. La cuestión territorial llevó a reclamaciones estrepitosas y amenazas de acción militar. El conflicto entre Chile y Argentina se resolvió mediante el arbitraje del papa Juan Pablo II en 1987.

En la parte argentina de Tierra del Fuego se encuentra el puerto pesquero de Ushuaia, la ciudad más cercana al Polo Sur. La población más al sur de Chile es otro puerto pesquero llamado Porvenir. Así, desde la parte más al sur del continente americano, el Cabo de Hornos, el nombre de Porvenir resume las aspiraciones de millones de hombres, mujeres y niños que habitan el continente llamado América.

Tierra del Fuego. Indica si los siguientes comentarios son ciertos o falsos. (6 puntos)

C   F   **1.** Tierra del Fuego se divide entre Chile y Argentina.

C   F   **2.** Fernando de Magallanes descubrió este territorio en 1520 mientras realizaba el primer viaje alrededor del mundo.

C   F   **3.** Magallanes nombró este territorio Tierra del Fuego porque hacía un calor terrible allí.

C   F   **4.** El conflicto entre Chile y Argentina se resolvió mediante el arbitraje del papa Juan Pablo II en 1987.

C   F   **5.** No hay pueblos en la parte argentina de Tierra del Fuego.

C   F   **6.** El puerto más al sur de Chile se llama Porvenir y en su nombre se resumen las aspiraciones de millones de americanos.

Composición

Escribe una composición sobre uno de los siguientes temas. (33 puntos)

a. El realismo mágico. Explica el título del cuento de Julio Cortázar "Continuidad de los parques". ¿Por qué se considera parte del realismo mágico? ¿Qué es lo real y qué es lo ficticio o mágico de este cuento?

b. *Patas arriba.* Relaciona "El derecho al delirio", el fragmento que leíste del escritor uruguayo Eduardo Galeano, al título del libro de donde viene: *Patas arriba.* ¿Cuál es el mensaje que Galeano trata de comunicar aquí, a principios del nuevo milenio?

c. "La United Fruit Co." ¿Cuál es el tema del poema "La United Fruit Co." del chileno Pablo Neruda? ¿Crees que su punto de vista es compartido por otros latinoamericanos? ¿Por qué? ¿Qué opinas tú de lo que el poeta dice?

UNIDAD 8
PRUEBA ALTERNATIVA

I. Historia y cultura

El siguiente ejercicio comprueba si has comprendido las lecturas **Del pasado al presente** y **Ventana al Mundo 21** que aparecen en las tres lecciones de esta unidad. Escoge la respuesta que complete mejor cada oración. (10 puntos)

1. La riqueza de las treinta y dos reducciones o misiones paraguayas se basaba en _____.

    a. la explotación de ricas minas de oro

    b. una próspera producción agrícola y artesanal

    c. la venta de esclavos indígenas

2. En 1865, la Triple Alianza formada por Argentina, Brasil y Uruguay tuvo una sangrienta guerra contra _____.

    a. Chile

    b. Paraguay

    c. Perú

3. En la década de los años 20 se empezaba a describir Uruguay como _____ por su prosperidad y estabilidad institucional.

    a. el "granero del mundo"

    b. El Dorado

    c. la "Suiza de América"

4. El general Alfredo Stroessner fue nombrado presidente en 1954 y siguió en el poder hasta que fue derrocado en _____.

    a. 1969   **b.** 1979   **c.** 1989

5. A lo largo de los doce años de gobierno militar que empezó en 1972, se exiliaron más de _____ uruguayos por razones económicas o políticas.

    a. 30.000   **b.** 100.000   **c.** 300.000

6. De 1830 a 1973 la historia política de Chile se distingue de las otras naciones latinoamericanas por _____.

    a. tener gobiernos democráticos interrumpidos únicamente por dos períodos de gobiernos militares

    b. nunca haber tenido un gobierno militar en su historia

    c. las constantes guerras civiles que devastaron al país

7. Cuando Perón murió en 1974, su esposa María Estela Martínez (conocida como Isabel Perón) se convirtió en la primera mujer latinoamericana en _____.

   a. rechazar la presidencia de su país

   b. acceder al cargo de vicepresidente

   c. acceder al cargo de presidente

8. El presidente socialista Salvador Allende _____.

   a. fue vencido en nuevas elecciones presidenciales

   b. fue derrocado por un violento golpe militar

   c. renunció a la presidencia después de protestas pacíficas

9. En 1990, el dictador Augusto Pinochet entregó el poder cuando el demócrata-cristiano Patricio Aylwin _____.

   a. ganó las elecciones presidenciales

   b. dirigió una rebelión militar

   c. fue escogido por los jefes militares como sucesor de Pinochet

10. En 1999, el ex-alcalde de Buenos Aires y candidato izquierdista _____ ganó las elecciones presidenciales.

    a. Carlos Menem

    b. Fernando de la Rua

    c. Raúl Alfonsín

II. Ortografía

A

Palabras parónimas. Dos amigos hablan de un cuento de Julio Cortázar. Para saber lo que dicen, completa cada espacio en blanco con **ay, hay, a, ah** o **ha.** (1/2 cada una = 5 puntos)

—Acabo de leer el cuento de Cortázar, "Continuidad de los parques" y...

¡_____ Dios!, estoy tan confundido.

—Cálmate, cálmate. _____ ver, ¿qué es lo que no entiendes?

—Pues, tengo una confusión tremenda con los personajes. No sé cuántos personajes _____ en el cuento. Por ejemplo, está la persona a quien va

_____ matar el novio de la mujer en la novela.

—Sí, sí, Eso queda bien claro.

—_____ , sí, pero también está el señor que _____ estado leyendo

la novela desde el principio. Mi impresión es que _____ él es a quien

van _____ matar. Pero, ¿cómo es posible? Él no es personaje en la

novela, sólo en el cuento... ¡_____! ¡Qué confusión!

—Hombre, cálmate. No es para tanto. _____ que aceptar que es un cuento

del realismo mágico y nada más.

B   **Más palabras parónimas.** Dos amigos hablan de un cuento de Isabel Allende.
Para saber lo que dicen, completa los espacios en blanco con **ésta, esta** o **está.**
(1/2 cada una = 5 puntos)

—Meche, ¿has leído _____ novela?

—¿Cuál es? No puedo ver el título desde aquí.

—_____. *El plan infinito.* Es la última novela de Isabel Allende.

—Sí, sí, la acabo de terminar. Mira, aquí _____ en mi bolso. Es fantás-

tica. Me encanta porque tiene lugar en EE.UU.

—Bueno, pues es donde la autora _____ viviendo ahora. _____

allá desde 1988. Oye, si mal no recuerdo, _____ tarde hay una conferen-

cia sobre Isabel Allende en el departamento de lenguas. ¿Quieres ir?

—_____ bien. Pero sólo si termino de escribir _____ composición

para mi clase de francés. _____ es mi última oportunidad para hacerlo.

—Ay, siempre andas atrasada con tus trabajos. _____ lista para las

cinco y media. Yo paso por ti.

¡A explorar!

A

Refranes. Escoge las definiciones de la segunda columna que corresponden a los refranes de la primera columna. (8 puntos)

_____ **1.** Al mejor nadador se lo lleva el río.

_____ **2.** Cuando el villano es rico no tiene pariente ni amigo.

_____ **3.** Escoba que no se gasta, casa que no se limpia.

_____ **4.** Vino y amores, de viejo los mejores.

_____ **5.** El que mucho abarca, poco acaba.

_____ **6.** En diciembre, tiembla hasta el más valiente.

_____ **7.** A carne dura, diente de perro.

_____ **8.** Más vale un mal enchufe que una buena recomendación.

a. La comida mala debe darse a los animales.

b. Ciertas cosas mejoran con la edad.

c. Siempre ayuda tener un conocido donde solicitas empleo.

d. Aun los expertos pueden equivocarse.

e. El frío afecta a todo el mundo.

f. Por muchas herramientas que tengas, no valen nada si no las usas.

g. A nadie le gustan las personas malas.

h. Las personas que tratan de hacer demasiado, con frecuencia no hacen nada.

B **Homófonos.** Para repasar algunos datos sobre "Mafalda", algunos de sus amigos y su creador, subraya las palabras que corresponden según el contexto en el siguiente párrafo. (4 puntos)

El argentino Joaquín Lavado, uno de los dibujantes más importantes del mundo hispano, es mejor conocido como Quino, creador de "Mafalda". Alguna (1. ves / vez) (2. has / haz) de (3. a ver / haber) leído algunas tiras cómicas de (4. esta / está) niña precoz de pelo negro a quien todo el mundo conoce por curiosa y respondona. Entre las personas más importantes en la vida de Mafalda está su madre, que en la cocina no sabe (5. cocer / coser) y (6. a / ha) quien, según Mafalda, le faltan horizontes. También está su amiga Susanita, que siempre sueña con llegar (7. a ser / hacer) madre. Miguelito es un personaje que continuamente (8. se rebela / revela) que está en crisis de adolescencia anticipada.

IV. Estructura en contexto

A **Mala semana para la familia.** Ha habido varios problemas esta semana en la familia de Jorge. Para saber cómo le han afectado, completa las siguientes oraciones con el presente perfecto de subjuntivo o el pluscuamperfecto de subjuntivo de los verbos que aparecen entre paréntesis, según convenga. (5 puntos)

1. Me entristeció que mi hermanito _____ _____ (perder) su partido de fútbol el sábado pasado.

2. Es una lástima que la abuelita _____ _____ _____ (caerse).

3. Lamenté mucho que un conductor irresponsable _____ _____ (chocar) con el coche de papá.

4. Sentí mucho que mi hermana _____ _____ (tener) que guardar cama por la gripe.

5. Siento que mis primos no _____ _____ (poder) venir a vernos.

Problemas en el trabajo. Hablas de diversas posibilidades relacionadas con tu trabajo. Usa el presente de indicativo, el imperfecto de subjuntivo o el pluscuamperfecto de subjuntivo de los verbos que aparecen entre paréntesis, según convenga. (5 puntos)

1. Creo que me habrían ascendido si yo _____

   _____ (saber) otro idioma.

2. Estaría contento si el jefe me _____ (dar) menos trabajo.

3. Cambiaré de trabajo si el jefe _____ (enfadarse) conmigo otra

   vez.

4. Yo ahorraría más si _____ (ganar) más.

5. Yo aceptaré trabajar horas extraordinarias si se _____ (presen-

   tar) la oportunidad.

C **¡Atraso!** Llegaste a clase, pero tarde. Usa el pluscuamperfecto de indicativo de los verbos que aparecen entre paréntesis para decir lo que encontraste. (5 puntos)

1. Cuando entré, la clase ya _____ _____

   (empezar).

2. Los estudiantes ya _____ _____

   _____ (sentarse).

3. El profesor ya _____ _____ (devolver) la

   última prueba.

4. El profesor ya _____ _____ (corregir) la tarea

   para ese día.

5. Algunos estudiantes ya _____ _____ (hacer) el

   ejercicio A.

D **Predicciones.** Tus amigos argentinos expresan su opinión acerca de lo que habrá ocurrido antes de que termine la década. Usa el futuro perfecto de los verbos que aparecen entre paréntesis en tus respuestas. (5 puntos)

1. Antes de que termine la década, nuestra moneda se _____

   _____ (devaluar) muchas veces.

2. Los problemas de límites con los países vecinos se _____

   _____ (resolver).

3. Nuestro gobierno _____ _____ (renegociar) la

   deuda externa varias veces.

4. _____ _____ (comenzar) la explotación de la

   Antártida.

5. La población de la parte sur del país _____

   _____ (aumentar) considerablemente.

Cultura en vivo y Vocabulario

Indica qué palabra o frase de la segunda columna se relaciona con la de la primera. (10 puntos)

_____ 1. mulato

_____ 2. portero

_____ 3. Mercado Común del Sur

_____ 4. acuerdo

_____ 5. zambo

_____ 6. cobrar un penal

_____ 7. la Federación Internacional de Fútbol Asociado

_____ 8. Tratado de Libre Comercio de América del Norte

_____ 9. guaraní

_____ 10. náhuatl

a. indígena y negro

b. FIFA

c. blan co y negro

d. Paraguay

e. NAFTA

f. MERCOSUR

g. aztecas

h. arquero

i. convenio

j. contar una falta

Nombre _____ Fecha _____

Sección _____

VI. Lectura

Con Gabriela Mistral
el Premio Nobel de Literatura llegó a Hispanoamérica

Lucila Godoy Alcayaga nació en Vicuña, Chile, el 7 de abril de 1889. Pasó su infancia en las regiones desoladas del norte de Chile. A los quince años se hizo maestra de escuela. Como escritora, adoptó el seudónimo literario de Gabriela Mistral en homenaje al escritor italiano Gabriele D'Annunzio y al francés Frédéric Mistral. Con este seudónimo la poeta se hizo famosa cuando en 1914 ganó un premio nacional con los "Sonetos de la Muerte", que aparecieron en su primer libro, *Desolación* (1922). En este libro, que muchos críticos consideran su mejor, se expresa el dolor, la tristeza y la soledad que siente la poeta por el suicidio de un novio de su juventud cuando ella sólo tenía diecisiete años. Su poesía nunca deja de tener un tono personal, muy íntimo. "El poeta hace casi siempre autobiografía", dijo la poeta al respecto.

En su segundo libro, *Ternura* (1924), la poeta canta al amor maternal a los niños y por los que más sufren en el mundo. Este sentimiento de solidaridad humana es el tema central de su tercer libro, *Tala* (1938). Gabriela Mistral abandonó la enseñanza para desempeñar cargos diplomáticos en Europa. En 1945 recibió el Premio Nobel de Literatura, siendo la primera mujer hispana y la primera figura literaria de Hispanoamérica galardonada con este honor. Continuó viajando por todo el mundo y publicando libros de poemas consciente de su papel de escritora. "En la literatura de la lengua española", escribió Gabriela Mistral, "represento la reacción contra la forma purista del idioma metropolitano español". Murió en Hampstead, en el estado de Nueva Jersey, EE.UU., el 10 de enero de 1957.

Gabriela Mistral. Indica si los siguientes comentarios son ciertos o falsos.
(6 puntos)

C   F   **1.** Lucila Godoy Alcayaga es el nombre verdadero de la famosa escritora chilena conocida por el seudónimo de Gabriela Mistral.

C   F   **2.** Gabriel Mistral es el nombre completo de un escritor francés.

C   F   **3.** Gabriela Mistral pasó su infancia en las regiones fértiles de bosques y lagos del sur de Chile.

C   F   **4.** En su primer libro, *Desolación* (1922), se expresa la tristeza que siente la poeta por el suicidio de un novio de su juventud cuando ella sólo tenía diecisiete años.

C   F   **5.** Gabriela Mistral fue maestra y después diplomática.

C   F   **6.** Gabriela Mistral fue la primera figura literaria hispanoamericana a quien se le otorgó el Premio Nobel de Literatura.

VII. Composición

Escribe una composición sobre uno de los siguientes temas. (32 puntos)

a. El realismo mágico. Explica el título del cuento de Julio Cortázar "Continuidad de los parques". ¿Por qué se considera parte del realismo mágico? ¿Qué es lo real y qué es lo ficticio o mágico de este cuento?

b. *Patas arriba.* Relaciona "El derecho al delirio", el fragmento que leíste del escritor uruguayo Eduardo Galeano, al título del libro de donde viene: *Patas arriba.* ¿Cuál es el mensaje que Galeano trata de comunicar aquí, a principios del nuevo milenio?

c. "La United Fruit Co." ¿Cuál es el tema del poema "La United Fruit Co." del chileno Pablo Neruda? ¿Crees que su punto de vista es compartido por otros latinoamericanos? ¿Por qué? ¿Qué opinas tú de lo que el poeta dice?

I. Comprensión oral

La integración del mundo hispano. Escucha lo que dicen dos comentaristas de radio sobre la realidad política del mundo hispano. Luego, escoge la respuesta que complete mejor cada oración. (12 puntos-2 c.u.)

1. La reunión anual de gobernantes hispanos que se celebró en Cartagena de Indias, Colombia, en junio de 1994, fue _____.
   a. la primera Cumbre Iberoamericana
   b. la segunda Cumbre Iberoamericana
   c. la cuarta Cumbre Iberoamericana

2. En esta Cumbre Iberoamericana, la mayoría de los gobernantes presentes _____.
   a. llegaron al poder a través de golpes de estado
   b. representaban sistemas democráticos
   c. eran dictadores militares

3. Todos los líderes que participaron en la Cumbre eran de países democráticos salvo _____.
   a. Fidel Castro de Cuba
   b. Carlos Saúl Menem de Argentina
   c. Violeta Barrios de Chamorro de Nicaragua

4. A la Cumbre Iberoamericana fueron invitados los gobernantes de _____.
   a. Latinoamérica exclusivamente
   b. los dieciocho países independientes latinoamericanos de lengua española más Brasil, España y Portugal
   c. veintiuna naciones del mundo hispano incluyendo EE.UU.

5. En la actualidad los gobiernos democráticos de Latinoamérica, España y Portugal están muy interesados en _____.
   a. comprar armamentos y mantener grandes ejércitos
   b. ampliar intercambios comerciales y relaciones multilaterales a todos los niveles
   c. formar una alianza militar

6. Los países que forman el llamado Grupo de los Tres y que firmaron un tratado de libre comercio como parte de la Cumbre Iberoamericana de 1994 son _____.
   a. Ecuador, Perú y Bolivia
   b. Argentina, Uruguay y Paraguay
   c. México, Colombia y Venezuela

II. Gente del Mundo 21

Comprueba si recuerdas a las personalidades que has conocido en las unidades 5–8. Escoge la respuesta que complete mejor cada oración. (13 puntos-1.c.u.)

1. Manlio Argueta es un escritor salvadoreño que comenzó su carrera literaria como poeta pero que se ha distinguido como _____.

    a. dramaturgo   **b.** guionista   **c.** novelista

2. Violeta Barrios de Chamorro llegó a la presidencia de Nicaragua en 1990 _____.

    a. como resultado de un golpe militar

    b. después de una invasión con la ayuda de EE.UU.

    c. después de triunfar en elecciones libres

3. La moneda nacional de Honduras debe su nombre _____.

    a. al cacique Lempira

    b. a las ruinas de Copán

    c. a San Pedro Sula

4. El político costarricense que fue galardonado en 1987 con el Premio Nobel de la Paz por su activa participación en las negociaciones por la paz en Centroamérica es _____.

    a. José Figueres Ferrer

    b. Óscar Arias Sánchez

    c. Rafael Ángel Calderón Fournier

5. El escritor colombiano galardonado con el Premio Nobel de Literatura en 1982, conocido sobre todo por su novela *Cien años de soledad* (1967), es _____.

    a. José Eustasio Rivera

    b. Gabriel García Márquez

    c. Fernando Botero

6. El militar y político panameño que, después de un largo proceso de negociación, firmó con el presidente estadounidense Jimmy Carter dos tratados que estipulan la cesión *(transfer)* del canal a Panamá en el año 2000 fue _____.

    a. Guillermo Endara

    b. Manuel Antonio Noriega

    c. Omar Torrijos

7. Teresa de la Parra (1890–1936) es una novelista venezolana reconocida como una de las primeras novelistas hispanoamericanas ____.

   a. que reflejan la perspectiva de la mujer

   b. que publican en Europa

   c. cuyas obras han sido traducidas a más de veinte lenguas

8. El escritor peruano que habla de sus experiencias personales en una escuela militar en su primera novela *La ciudad y los perros* (1963), es ____.

   a. Mario Vargas Llosa

   b. Mario Benedetti

   c. Julio Cortázar

9. El novelista y dramaturgo ecuatoriano cuya obra más conocida, *Huasipungo* (1934), describe la explotación de los indígenas ecuatorianos es ____.

   a. Gustavo Vásconez   **b.** Enrique Tábara   **c.** Jorge Icaza

10. El escritor boliviano cuya novela *Raza de bronce* (1919) se considera una de las mejores novelas indigenistas es ____.

    a. Augusto Roa Bastos   **b.** Alcides Arguedas   **c.** Pablo Neruda

11. El escritor argentino que desde 1955 quedó ciego y se vio obligado a dictar sus textos, y cuyas obras incluyen antologías de cuentos como *Ficciones* (1944), *El Aleph* (1949) y *El hacedor* (1960), es ____.

    a. Julio Cortázar   **b.** Ernesto Sábato   **c.** Jorge Luis Borges

12. La escritora uruguaya ____, que se exilió de su país en 1972, es autora de varias colecciones de cuentos, varios libros de poemas y una novela.

    a. Cristina Peri Rossi

    b. Gabriela Mistral

    c. María Luisa Bombal

13. El novelista paraguayo ____ fue galardonado con el prestigioso Premio Miguel de Cervantes. Sus dos novelas principales, *Hijo de hombre* (1960) y *Yo, el supremo* (1974), tienen como tema central la historia de la violencia política de su país.

    a. Jorge Luis Borges   **b.** Jorge Icaza   **c.** Augusto Roa Bastos

III. Del pasado al presente

Comprueba si recuerdas lo que has leído en las secciones **Del pasado al presente** de las unidades 5–8. Escoge la respuesta que complete mejor cada oración. (21 puntos-1 c.u.)

1. En 1969 se produjo lo que se conoce como "La guerra del fútbol" entre El Salvador y _____.

   a. Nicaragua   **b.** Honduras   **c.** Guatemala

2. El Frente Farabundo Martí para la Liberación Nacional (FMLN) es _____ en El Salvador.

   a. una organización política de derecha

   b. una organización política de izquierda

   c. una organización del Partido Demócrata Cristiano

3. Una de las grandes compañías norteamericanas que a principios del siglo XX llegó a controlar grandes territorios hondureños para la producción y exportación masivas de plátanos es _____.

   a. *Associated Grocers Inc.*   **b.** *Standard Oil*   **c.** *United Fruit Co.*

4. La familia que dominó Nicaragua de 1937 a 1979 son _____.

   a. los Somoza   **b.** los Chamorro   **c.** los Cáceres

5. César Augusto Sandino fue líder de un grupo de guerrilleros nicaragüenses que lucharon _____.

   a. contra las tropas españolas

   b. contra las tropas de EE.UU.

   c. contra las tropas inglesas

6. De acuerdo con la constitución de 1949, Costa Rica es el único país de Latinoamérica que no tiene _____.

   a. ejército   **b.** elecciones   **c.** corte suprema

7. El país de habla hispana que tiene un alto nivel de vida con los índices más bajos de analfabetismo y de mortalidad infantil es _____.

   a. Chile   **b.** México   **c.** Costa Rica

8. En 1914, EE.UU. compensó a Colombia por el reconocimiento de la independencia de Panamá con _____.

   a. la entrega de todos los cafetales colombianos que estaban en manos de compañías estadounidenses

   b. el permiso de comerciar libremente con EE.UU. por 25 años

   c. 25 millones de dólares

9. La muerte de Pablo Escobar, líder fugitivo del cartel de Medellín que murió en un encuentro violento con la policía colombiana en 1993, muestra _____.

   a. la resistencia de los grupos guerrilleros a pactar con el gobierno colombiano

   b. la determinación del gobierno colombiano de controlar a los narcotraficantes

   c. que los jefes del narcotráfico han acelerado los ataques terroristas en determinadas ciudades

10. Según la constitución panameña de 1904, cuando se reanudó la construcción del canal, Panamá se convirtió en un protectorado de EE.UU., pues el gobierno estadounidense tenía el derecho de _____.

   a. intervenir en Panamá con fuerzas armadas de EE.UU. en caso de desórdenes públicos

   b. usar, controlar y operar a perpetuidad la Zona del Canal

   c. representar al gobierno panameño en cualquier asunto relacionado con la Zona del Canal

11. El presidente panameño que fue derrocado en 1989 por una intervención militar estadounidense es _____.

   a. Manuel Antonio Noriega

   b. Guillermo Endara

   c. Omar Torrijos

12. En 1976 el presidente Carlos Andrés Pérez nacionalizó la industria petrolera, lo que proporcionó a Venezuela _____.

   a. una dictadura militar que duró diez años

   b. una rebelión popular dirigida por oficiales jóvenes del ejército

   c. mayores ingresos para impulsar el desarrollo industrial

13. Dos culturas que florecieron en Perú miles de años antes de la conquista española son _____.

   a. la olmeca y la tolteca

   b. la chavín y la mochica

   c. la aymara y la guaraní

14. A finales de los 80, Perú se vio cada vez más agobiado por la crisis económica, la penetración del narcotráfico y _____.

  a. el terrorismo del grupo guerrillero Sendero Luminoso

  b. conflictos con Chile sobre los depósitos minerales del desierto de Atacama

  c. la escasez de guano en las islas de la costa del Pacífico

15. Las islas Galápagos son parte del territorio de _____.

  a. Perú   **b.** Ecuador   **c.** Argentina

16. Actualmente la actividad más importante para la economía de Ecuador es la exportación de _____.

  a. plátanos   **b.** café   **c.** petróleo

17. Bolivia tiene dos capitales: la sede de gobierno y el poder legislativo están en La Paz y la capital constitucional y el Tribunal Supremo están en _____.

  a. Potosí   **b.** Santa Cruz   **c.** Sucre

18. La llamada Revolución Nacional Boliviana que se inició en 1952 bajo la dirección de Víctor Paz Estenssoro, impuso una ambiciosa reforma agraria que benefició a _____.

  a. los campesinos indígenas

  b. las compañías de petróleo

  c. la clase más acomodada

19. Durante los nueve años que _____ estuvo en el poder en Argentina, su segunda esposa participó activamente en el gobierno a favor de los "descamisados".

  a. Raúl Alfonsín   **b.** Juan Domingo Perón   **c.** Carlos Saúl Menem

20. En 1976 se inició en Argentina un período de siete años de gobiernos militares durante el cual la deuda externa aumentó colosalmente, el aparato productivo del país se arruinó y _____.

  a. miles de personas "desaparecieron"

  b. se legalizó el divorcio

  c. se impuso la enseñanza religiosa obligatoria

21. Durante la década de los 20, Uruguay conoció un período de gran prosperidad económica y estabilidad institucional que le valió el nombre de _____.

  a. "granero del mundo"

  b. "El Dorado"

  c. la "Suiza de América"

IV. Estructura

A   **Un estudiante de intercambio.** Le escribes a una amiga acerca de tus experiencias en Caracas, donde pasas unos meses como estudiante de intercambio. Termina tu carta escogiendo la forma correcta de los verbos que aparecen entre paréntesis. (24 puntos-2 c.u.)

Estoy en Caracas, que es una ciudad mucho más grande de lo que me

_____ (1. imaginar). _____ (2. Llegar) hace como

una semana y no creo que me _____ (3. acostumbrar) todavía a la

vida en una gran urbe. Me molesta que _____ (4. haber) tantos

vehículos en las calles. A veces pienso que _____ (5. haber) más

vehículos que gente en esta ciudad. Estaría más contento si _____

(6. haber) menos problemas de tráfico. Por otra parte, me encanta el metro, tan

moderno, rápido y cómodo. A menos que las líneas no _____

(7. ir) adonde yo necesito ir, es el medio de transporte que _____

(8. emplear) todo el tiempo. Todavía no _____ (9. tener) la opor-

tunidad de visitar muchos museos; hasta ahora sólo _____

(10. visitar) la Casa Natal del Libertador, Simón Bolívar.

Estoy muy a gusto con la familia con la cual vivo. Hay dos hijos de mi edad

con quienes hasta ahora me _____ (11. entender) muy bien. Sin

embargo, tengo problemas con la inmensa mayoría de los caraqueños porque

hablan muy rápido. Si _____ (12. hablar) más lentamente, enten-

dería mucho más. Mi familia me dice que pronto me convertiré en un verdadero

caraqueño.

B   **Un viaje al pasado.** Pedro habla de sus impresiones de una visita que acaba de hacer al pueblo donde pasó su infancia. Para saber lo que dice, escoge la forma correcta de los verbos que aparecen entre paréntesis. (30 puntos-2 c.u.)

Hasta hace poco yo nunca _____ (1. regresar) al pueblo donde

viví cuando _____ (2. ser) niño. Hace dos semanas, sin embargo,

_____ (3. tener) la oportunidad de pasar un par de días en el

pueblo de mi infancia. Aunque pensaba que _____ (4. haber)

muchos cambios, no estaba totalmente preparado para los muchos cam-

bios que _____ (5. ver). Me paseé por la plaza que cruzaba

cada domingo cuando _____ (6. ir) a la iglesia. Encontré

que no _____ (7. cambiar) mucho; la iglesia también

_____ (8. estar) casi igual. Busqué una heladería que había en

una de las calles que bordean la plaza, pero no la _____

(9. encontrar). Me dio mucha pena que esa heladería _____

(10. desaparecer). Si hubiera encontrado la heladería, _____

(11. pedir) un helado de chocolate como solía hacer en mi niñez. No

_____ (12. reconocer) tampoco mi vieja escuela. El edificio de

un piso que yo recordaba se _____ (13. convertir) en un

edificio moderno de varios pisos. Cuando traté de encontrar la casa donde yo

_____ (14. vivir), lo único que vi fueron edificios de apartamen-

tos. Me sentí feliz de regresar al pueblo de mi niñez, pero me entristeció

un poco también que una parte de mi pasado _____

(15. desaparecer).

V.   Composición (optativa)

Mundo 21: **aspiraciones y contrastes.** ¿Te parece que "aspiraciones y contrastes" es un subtítulo apropiado para *Mundo 21*? ¿Por qué? ¿Cuáles son las
aspiraciones más notables de las veintiuna naciones hispanohablantes? ¿Cuáles
son los contrastes más sobresalientes dentro de estos países? (50 puntos)

UNIDADES 5–8
EXAMEN

I.   Comprensión oral

Indica la respuesta correcta. (12 puntos-2 c.u.)

1.	a	b	c	**4.**	a	b	c
2.	a	b	c	**5.**	a	b	c
3.	a	b	c	**6.**	a	b	c

Total _____

Nota final _____

II.   Gente del Mundo 21

Indica la respuesta correcta. (13 puntos-1 c.u.)

1.	a	b	c	**8.**	a	b	c
2.	a	b	c	**9.**	a	b	c
3.	a	b	c	**10.**	a	b	c
4.	a	b	c	**11.**	a	b	c
5.	a	b	c	**12.**	a	b	c
6.	a	b	c	**13.**	a	b	c
7.	a	b	c				

III.   Del pasado al presente

Indica la respuesta correcta. (21 puntos-1 c.u.)

1.	a	b	c	**12.**	a	b	c
2.	a	b	c	**13.**	a	b	c
3.	a	b	c	**14.**	a	b	c
4.	a	b	c	**15.**	a	b	c
5.	a	b	c	**16.**	a	b	c
6.	a	b	c	**17.**	a	b	c
7.	a	b	c	**18.**	a	b	c
8.	a	b	c	**19.**	a	b	c
9.	a	b	c	**20.**	a	b	c
10.	a	b	c	**21.**	a	b	c
11.	a	b	c				

IV. Estructura

A

Un estudiante de intercambio. Indica la respuesta correcta. (24 puntos-2 c.u.)

1. había imaginado   haya imaginado
2. Llegué   Llegaba
3. he acostumbrado   haya acostumbrado
4. hay   haya
5. hay   haya
6. hay   hubiera
7. van   vayan
8. empleo   emplee
9. tuve   he tenido
10. visité   he visitado
11. entendí   he entendido
12. hablan   hablaran

B

Un viaje al pasado. Indica la respuesta correcta. (30 puntos-2 c.u.)

1. he regresado   había regresado
2. fui   era
3. tuve   tenía
4. hay   habría
5. vi   vea
6. fue   iba
7. cambiaba   había cambiado
8. estuvo   estaba
9. encontré   encontraba
10. había desaparecido   hubiera desaparecido
11. haya pedido   habría pedido
12. reconocí   reconocía
13. convertía   había convertido
14. vivía   viviría
15. había desaparecido   hubiera desaparecido

UNIDADES 5–8
EXAMEN ALTERNATIVO

I. Comprensión oral

La integración del mundo hispano. Escucha lo que dicen dos comentaristas de radio sobre la realidad política del mundo hispano. Luego, escoge la respuesta que complete mejor cada oración. (12 puntos-2 c.u.)

1. Los países que forman el llamado Groupo de los Tres y que firmaron un tratado de libre comercio como parte de la Cumbre Iberoamericana de 1994 son _____.

    a. Ecuador, Perú y Bolivia

    b. Argentina, Uruguay y Paraguay

    c. México, Colombia y Venezuela

2. En la actualidad los gobiernos democráticos de Latinoamérica, España y Portugal están muy interesados en _____.

    a. comprar armamentos y mantener grandes ejércitos

    b. ampliar intercambios comerciales y relaciones multilaterales a todos los niveles

    c. formar una alianza militar

3. A la Cumbre Iberoamericana fueron invitados los gobernantes de _____.

    a. Latinoamérica exclusivamente

    b. los dieciocho países independientes latinoamericanos de lengua española más Brasil, España y Portugal

    c. veintiuna naciones del mundo hispano incluyendo EE.UU.

4. Todos los líderes que participaron en la Cumbre eran de países democráticos salvo _____.

    a. Fidel Castro de Cuba

    b. Carlos Saúl Menem de Argentina

    c. Violeta Barrios de Chamorro de Nicaragua

5. En esta Cumbre Iberoamericana, la mayoría de los gobernantes presentes _____.

    a. llegaron al poder a través de golpes de estado

    b. representaban sistemas democráticos

    c. eran dictadores militares

6. La reunión anual de gobernantes hispanos que se celebró en Cartagena de Indias, Colombia, en junio de 1994, fue _____.

   a. la primera Cumbre Iberoamericana

   b. la segunda Cumbre Iberoamericana

   c. la cuarta Cumbre Iberoamericana

II. Gente del Mundo 21

Comprueba si recuerdas a las personalidades que has conocido en las unidades 5–8. Escoge la respuesta que complete mejor cada oración. (13 puntos-1 c.u.)

1. Teresa de la Parra (1890–1936) es una novelista venezolana reconocida como una de las primeras novelistas hispanoamericanas _____.

   a. que reflejan la perspectiva de la mujer

   b. que publican en Europa

   c. cuyas obras han sido traducidas a más de veinte lenguas

2. El militar y político panameño que, después de un largo proceso de nego-ciación, firmó con el presidente estadounidense Jimmy Carter dos tratados que estipulan la cesión *(transfer)* del canal a Panamá en el año 2000 fue _____.

   a. Guillermo Endara

   b. Manuel Antonio Noriega

   c. Omar Torrijos

3. El escritor colombiano galardonado con el Premio Nobel de Literatura en 1982, conocido sobre todo por su novela *Cien años de soledad* (1967), es _____.

   a. José Eustasio Rivera

   b. Gabriel García Márquez

   c. Fernando Botero

4. El político costarricense que fue galardonado en 1987 con el Premio Nobel de la Paz por su activa partcipación en las negociaciones por la paz en Centroamérica es _____.

   a. José Figueres Ferrer

   b. Óscar Arias Sánchez

   c. Rafael Ángel Calderón Fournier

5. La moneda nacional de Honduras debe su nombre _____.

   a. al cacique Lempira

   b. a las ruinas de Copán

   c. a San Pedro Sula

6. Violeta Barrios de Chamorro llegó a la presidencia de Nicaragua en 1990 _____.

   a. como resultado de un golpe militar

   b. después de una invasión con la ayuda de EE.UU.

   c. después de triunfar en elecciones libres

7. Manlio Argueta es un escritor salvadoreño que comenzó su carrera literaria como poeta pero que se ha distinguido como _____.

   a. dramaturgo   **b.** guionista   **c.** novelista

8. El novelista paraguayo _____ fue galardonado con el prestigioso Premio Miguel de Cervantes. Sus dos novelas principales, *Hijo de hombre* (1960) y *Yo, el supremo* (1974), tienen como tema central la historia de la violencia política de su país.

   a. Jorge Luis Borges   **b.** Jorge Icaza   **c.** Augusto Roa Bastos

9. La escritora uruguaya _____, que se exilió de su país en 1972, es autora de varias colecciones de cuentos, varios libros de poemas y una novela.

   a. Cristina Peri Rossi   **b.** Gabriela Mistral   **c.** María Luisa Bombal

10. El escritor argentino que desde 1955 quedó ciego y se vio obligado a dictar sus textos, y cuyas obras incluyen antologías de cuentos como *Ficciones* (1944), *El Aleph* (1949) y *El hacedor* (1960), es _____.

   a. Julio Cortázar   **b.** Ernesto Sábato   **c.** Jorge Luis Borges

11. El escritor boliviano cuya novela *Raza de bronce* (1919) se considera una de las mejores novelas indigenistas es _____.

   a. Augusto Roa Bastos   **b.** Alcides Arguedas   **c.** Pablo Neruda

12. El novelista y dramaturgo ecuatoriano cuya obra más conocida, *Huasipungo* (1934), describe la explotación de los indígenas ecuatorianos, es _____.

   a. Gustavo Vásconez   **b.** Enrique Tábara   **c.** Jorge Icaza

13. El escritor peruano que habla de sus experiencias personales en una escuela militar en su primera novela *La ciudad y los perros* (1963), es _____.

   a. Mario Vargas Llosa   **b.** Mario Benedetti   **c.** Julio Cortázar

III. Del pasado al presente

Comprueba si recuerdas lo que has leído en las secciones **Del pasado al pre-sente** de las unidades 5–8. Escoge la respuesta que complete mejor cada oración. (21 puntos-1 c.u.)

1. El país de habla hispana que tiene un alto nivel de vida con los índices más bajos de analfabetismo y de mortalidad infantil es _____.

    a. Chile　　　　**b.** México　　　　**c.** Costa Rica

2. De acuerdo con la constitución de 1949, Costa Rica es el único país de Latinoamérica que no tiene _____.

    a. ejército　　　**b.** elecciones　　　**c.** corte suprema

3. César Augusto Sandino fue líder de un grupo de guerrilleros nicaragüenses que lucharon _____.

    a. contra las tropas españolas

    b. contra las tropas de EE.UU.

    c. contra las tropas inglesas

4. La familia que dominó Nicaragua de 1937 a 1979 son _____.

    a. los Somoza　　**b.** los Chamorro　　**c.** los Cáceres

5. Una de las grandes compañías norteamericanas que a principios del siglo XX llegó a controlar grandes territorios hondureños para la producción y exportación masivas de plátanos es _____.

    a. *Associated Grocers Inc.*　　**b.** *Standard Oil*　　**c.** *United Fruit Co.*

6. El Frente Farabundo Martí para la Liberación Nacional (FMLN) es _____ en El Salvador.

    a. una organización política de derecha

    b. una organización política de izquierda

    c. una organización del Partido Demócrata Cristiano

7. En 1969 se produjo lo que se conoce como "La guerra del fútbol" entre El Salvador y _____.

    a. Nicaragua　　**b.** Honduras　**c.** Guatemala

8. Dos culturas que florecieron en Perú miles de años antes de la conquista española son _____.

    a. la olmeca y la tolteca

    b. la chavín y la mochica

    c. la aymara y la guaraní

9. En 1976 el presidente Carlos Andrés Pérez nacionalizó la industria petrolera, lo que proporcionó a Venezuela _____.

    a. una dictadura militar que duró diez años

    b. una rebelión popular dirigida por oficiales jóvenes del ejército

    c. mayores ingresos para impulsar el desarrollo industrial

10. El presidente panameño que fue derrocado en 1989 por una intervención militar estadounidense es _____.

    a. Manuel Antonio Noriega

    b. Guillermo Endara

    c. Omar Torrijos

11. Según la constitución panameña de 1904, cuando se reanudó la construcción del canal, Panamá se convirtió en un protectorado de EE.UU., pues el gobierno estadounidense tenía el derecho de _____.

    a. intervenir en Panamá con fuerzas armadas de EE.UU. en caso de desórdenes públicos

    b. usar, controlar y operar a perpetuidad la Zona del Canal

    c. representar al gobierno panameño en cualquier asunto relacionado con la Zona del Canal

12. La muerte de Pablo Escobar, líder fugitivo del cartel de Medellín que murió en un encuentro violento con la policía colombiana en 1993, muestra _____.

    a. la resistencia de los grupos guerrilleros a pactar con el gobierno colombiano

    b. la determinación del gobierno colombiano de controlar a los narcotraficantes

    c. que los jefes del narcotráfico han acelerado los ataques terroristas en determinadas ciudades

13. En 1914, los EE.UU. compensó a Colombia por el reconocimiento de la independencia de Panamá con _____.

    a. la entrega de todos los cafetales colombianos que estaban en manos de compañías estadounidenses

    b. el permiso de comerciar libremente con EE.UU. por 25 años

    c. 25 millones de dólares

14. En 1976 se inició en Argentina un período de siete años de gobiernos militares durante el cual la deuda externa aumentó colosalmente, el aparato productivo del país se arruinó y _____.

a. miles de personas "desaparecieron"

b. se legalizó el divorcio

c. se impuso la enseñanza religiosa obligatoria

15. Durante los nueve años que _____ estuvo en el poder en Argentina, su segunda esposa participó activamente en el gobierno a favor de los "descamisados".

a. Raúl Alfonsín   **b.** Juan Domingo Perón   **c.** Carlos Saúl Menem

16. La llamada Revolución Nacional Boliviana que se inició en 1952 bajo la dirección de Víctor Paz Estenssoro, impuso una ambiciosa reforma agraria que benefició a _____.

a. los campesinos indígenas

b. las compañías de petróleo

c. la clase más acomodada

17. Bolivia tiene dos capitales: la sede de gobierno y el poder legislativo están en La Paz y la capital constitucional y el Tribunal Supremo están en _____.

a. Potosí   **b.** Santa Cruz   **c.** Sucre

18. Actualmente la actividad más importante para la economía de Ecuador es la exportación de _____.

a. plátanos   **b.** café   **c.** petróleo

19. Las islas Galápagos son parte del territorio de _____.

a. Perú   **b.** Ecuador   **c.** Argentina

20. A finales de la década de los 80, Perú se vio cada vez más agobiado por la crisis económica, la penetración del narcotráfico y _____.

a. el terrorismo del grupo guerrillero Sendero Luminoso

b. conflictos con Chile sobre los depósitos minerales del desierto de Atacama

c. la escasez de guano en las islas de la costa del Pacífico

21. En 1973, el presidente socialista Salvador Allende _____.

a. fue vencido en nuevas elecciones presidenciales

b. fue derrocado por un violento golpe militar

c. renunció a la presidencia después de protestas pacíficas

634   **Unidades 5–8 EXAMEN ALTERNATIVO: Hispanohablantes**

IV. Estructura

A **Un viaje al pasado.** Pedro habla de sus impresiones de una visita que acaba de hacer al pueblo donde pasó su infancia. Para saber lo que dice, escoge la forma correcta de los verbos qe aparecen entre paréntesis. (30 puntos-2 c.u.)

Hasta hace poco yo nunca _____ (1. regresar) al pueblo donde

viví cuando _____ (2. ser) niño. Hace dos semanas, sin embargo,

_____ (3. tener) la oportunidad de pasar un par de días en el

pueblo de mi infancia. Aunque pensaba que _____ (4. haber)

muchos cambios, no estaba totalmente preparado para los muchos cam-

bios que _____ (5. ver). Me paseé por la plaza que cruzaba

cada domingo cuando _____ (6. ir) a la iglesia. Encontré

que no _____ (7. cambiar) mucho; la iglesia también

_____ (8. estar) casi igual. Busqué una heladería que había

en una de las calles que bordean la plaza, pero no la _____

(9. encontrar). Me dio mucha pena que esa heladería _____

(10. desaparecer). Si hubiera encontrado la heladería, _____

(11. pedir) un helado de chocolate como solía hacer en mi niñez. No

_____ (12. reconocer) tampoco mi vieja escuela. El edificio de

un piso que yo recordaba se _____ (13. convertir) en un edificio

moderno de varios pisos. Cuando traté de encontrar la casa donde yo

_____ (14. vivir), lo único que vi fueron edificios de apartamen-

tos. Me sentí feliz de regresar al pueblo de mi niñez, pero me entristeció un poco

también que una parte de mi pasado _____ (15. desaparecer).

B **Un estudiante de intercambio.** Le escribes a una amiga acerca de tus experiencias en Caracas, donde pasas unos meses como estudiante de intercambio. Termina tu carta escogiendo la forma correcta de los verbos que aparecen entre paréntesis. (24 puntos-2 c.u.)

Estoy en Caracas, que es una ciudad mucho más grande de lo que me

_____ (1. imaginar). _____ (2. Llegar) hace como

una semana y no creo que me _____ (3. acostumbrar) todavía a la

vida en una gran urbe. Me molesta que _____ (4. haber) tantos ve-

hículos en las calles. A veces pienso que _____ (5. haber) más ve-

hículos que gente en esta ciudad. Estaría más contento si _____

(6. haber) menos problemas de tráfico. Por otra parte, me encanta el metro,

tan moderno, rápido y cómodo. A menos que las líneas no _____

(7. ir) adonde yo necesito ir, es el medio de transporte que _____

(8. emplear) todo el tiempo. Todavía no _____ (9. tener) la

oportunidad de visitar muchos museos; hasta ahora sólo _____

(10. visitar) la Casa Natal del Libertador, Simón Bolívar.

Estoy muy a gusto con la familia con la cual vivo. Hay dos hijos de mi edad

con quienes hasta ahora me _____ (11. entender) muy bien. Sin

embargo, tengo problemas con la inmensa mayoría de los caraqueños porque

hablan muy rápido. Si _____ (12. hablar) más lentamente, enten-

dería mucho más. Mi familia me dice que pronto me convertiré en un verdadero

caraqueño.

V. Composición (optativa)

Mundo 21. Aunque las veintiuna naciones del *Mundo 21* tienen mucho en común, también son muy diferentes la una de la otra. ¿Por qué? ¿Cuáles son algunas de esas diferencias? ¿Qué ha causado que sean así? ¿Cuáles son algunas de las semejanzas más notables entre estos países? (50 puntos)

UNIDADES 5–8
EXAMEN ALTERNATIVO

I. Comprensión oral

Indica la respuesta correcta. (12 puntos-2 c.u.)

1.	a	b	c	**4.**	a	b	c
2.	a	b	c	**5.**	a	b	c
3.	a	b	c	**6.**	a	b	c

Total _____

Nota final _____

II. Gente del Mundo 21

Indica la respuesta correcta. (13 puntos-1 c.u.)

1.	a	b	c	**8.**	a	b	c
2.	a	b	c	**9.**	a	b	c
3.	a	b	c	**10.**	a	b	c
4.	a	b	c	**11.**	a	b	c
5.	a	b	c	**12.**	a	b	c
6.	a	b	c	**13.**	a	b	c
7.	a	b	c				

III. Del pasado al presente

Indica la respuesta correcta. (21 puntos-1 c.u.)

1.	a	b	c	**12.**	a	b	c
2.	a	b	c	**13.**	a	b	c
3.	a	b	c	**14.**	a	b	c
4.	a	b	c	**15.**	a	b	c
5.	a	b	c	**16.**	a	b	c
6.	a	b	c	**17.**	a	b	c
7.	a	b	c	**18.**	a	b	c
8.	a	b	c	**19.**	a	b	c
9.	a	b	c	**20.**	a	b	c
10.	a	b	c	**21.**	a	b	c
11.	a	b	c				

IV. Estructura

A **Un viaje al pasado.** Indica la respuesta correcta. (30 puntos-2 c.u.)

1. he regresado   había regresado

2. fui   era

3. tuve   tenía

4. hay   habría

5. vi   vea

6. fue   iba

7. cambiaba   había cambiado

8. estuvo   estaba

9. encontré   encontraba

10. había desaparecido   hubiera desaparecido

11. haya pedido   habría pedido

12. reconocí   reconocía

13. convertía   había convertido

14. vivía   viviría

15. había desaparecido   hubiera desaparecido

B **Un estudiante de intercambio.** Indica la respuesta correcta. (24 puntos-2 c.u.)

1. había imaginado   haya imaginado

2. Llegué   Llegaba

3. he acostumbrado   haya acostumbrado

4. hay   haya

5. hay   haya

6. hay   hubiera

7. van   vayan

8. empleo   emplee

9. tuve   he tenido

10. visité   he visitado

11. entendí   he entendido

12. hablan   hablaran

Clave de respuestas (con guión integrado)

UNIDAD 1
PRUEBA

I. Historia y cultura
1. c   3. b   5. a   7. a   9. c
2. b   4. c   6. a   8. c

II. Acentuación y ortografía
1. bá-<u>si</u>-co
2. di-á-<u>lo</u>-gos
3. i-nau-gu-<u>rar</u>
4. me-<u>lo</u>-dí-a
5. des-<u>crip</u>-ción
6. at-lé-<u>ti</u>-co
7. an-glo-<u>sa</u>-jón
8. dra-ma-<u>tur</u>-go
9. bo-<u>ri</u>-cuas
10. or-to-<u>gra</u>-fí-a

III. ¡A explorar!
A 1. En — preposición
sufrió — verbo
un — artículo
y — conjunción
cerebral — adjetivo

2. Carlos Fuentes — sustantivo
escritor — sustantivo
mexicano — adjetivo
muy — adverbio
famoso — adjetivo

B 1. sujeto: — Óscar Hijuelos
verbo: — dedicó
objeto directo: — novelas
objeto indirecto: — pueblo cubano-americano

2. sujeto: — Sandra Cisneros
verbo: — proporcionó
objeto directo: — información
pronombre de objeto directo: — les

3. sujeto: — Rosie Pérez
verbo: — inició
objeto directo: — carrera
objeto indirecto: — *no hay objeto indirecto*

C 1. Nadi sabía de dónde venía, si tenía familia o qué quería. Lo único que se supo es que allí estaba. Dijo que se llamaba Adolfo Miller.

2. Víctor dice, "Voy a darme un baño". Adolfo dice, "Voy por cigarrillos y una botella de whiskey". (*o* Victor dice: "Voy a darme un baño". Adolfo dice: "Voy por cigarrillos y una botella de whiskey".)

3. ¿Quién puede saber el por qué de todo esto? Uno se pregunta, ¿Por qué lo hizo? (*o* Uno se Pregunta, ¿por qué lo hizo?)

IV. Estructura en contexto
A 1. Piensas   4. Te sientes
2. Puedo   5. Se divierte
3. comienza

B 1. voy   6. puedo
2. Vienes   7. agradezco
3. Supongo   8. hacemos
4. dices   9. Sé
5. Estoy   10. propongo

V. Cultura en vivo y Vocabulario
1. h   4. b   7. j   9. a
2. e   5. i   8. c   10. d
3. f   6. g

VI. Lectura
1. F   3. C   5. F
2. F   4. F

UNIDAD 1
PRUEBA ALTERNATIVA

I. Historia y cultura
1. c   3. b   5. a   7. a   9. c
2. b   4. c   6. a   8. c

II. Acentuación
1. lí—der
2. co-<u>lec</u>-ción
3. ju-ven-<u>tud</u>
4. ma-<u>yo</u>-rí-a
5. in-mi-<u>gra</u>-ción
6. a-grí-<u>co</u>-las
7. e-na-mo-<u>ra</u>-do
8. e-jér-<u>ci</u>-to
9. cul-tu-<u>ral</u>
10. ciu-da-<u>da</u>-ní-a

III. ¡A explorar!

A 1. En — preposición
   se inició — verbo
   y — conjunción
   ahora — adverbio
   a — preposición

2. Rita Moreno — sustantivo
   bailarina — sustantivo
   puertorriqueña — adjetivo
   muy — adverbio
   famosa — adjetivo

B 1. sujeto: Fundación
   verbo: ha distribuido
   objeto directo: becas
   objeto indirecto: jóvenes

2. sujeto: Edward James Olmos
   verbo: ha ayudado
   objeto indirecto: jóvenes
   pronombre de objeto indirecto: les

3. sujeto: ser bilingüe
   verbo: encanta
   objeto indirecto: Gloria Estefan

C 1. ¿Quién puede saber el por qué de todo esto? Uno se pregunta, ¿Por qué lo hizo? (*o* Uno se pregunta, ¿por qué lo hizo?)

2. Nadie sabía de dónde venía, si tenía familia o qué quería. Lo único que se supo es que allí estaba. Dijo que se llamaba Adolfo Miller.

3. Víctor dice, "Voy a darme un baño". Adolfo dice, "Voy por cigarrillos y una botella de whiskey". (*o* Victor dice: "Voy a darme un baño." Adolfo dice: "Voy por cigarillos y una botella de whiskey".)

IV. Estructura en contexto

A 1. sugiere
   2. recomiendo
   3. viene
   4. incluye
   5. Puede
   6. traigo

B 1. prefiero
   2. quiero
   3. recomiendo
   4. repito
   5. pienso
   6. podemos
   7. dicen
   8. propongo

V. Cultura en vivo y Vocabulario

1. e   3. i   5. h   7. a   9. f
2. g   4. b   6. c   8. j   10. d

VI. Lectura

1. F   3. C   5. C
2. F   4. C

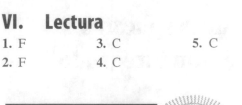

I. Historia y cultura

1. b.   3. c   5. c   7. a   9. c
2. a   4. c   6. c   8. c

II. Acentuación y ortografía

1. célebre
2. animó
3. pacífica
4. se
5. el
6. estimuló
7. magnífico
8. crítico
9. sólo
10. número

III. ¡A explorar!

Aunque poco después de llegar a España, cuando el joven rey tenía diecisiete años, el pueblo castellano se levantó en armas en 1520 al grito de "Viva Carlos y mueran los malos extranjeros". Sin embargo, Carlos V, Emperador del Sacro Imperio Romano y Rey de España, se fue hispanizando gradualmente hasta llegar a ser uno de los reyes más castizos que ha tenido España. Gran defensor de la lengua española, en una ocasión en presencia del papa dijo: "Señor obispo, entiéndame si quiere y no espere de mí otras palabras que de mi lengua española, la cual es tan noble que merece ser sabida y entendida de toda la gente cristiana,..." No cabe duda que España era el principal de sus estados; ahí viviría y moriría. Desde España, Carlos V extendió su reino tanto que pronto llegó a decirse que era un reino donde no se ponía el sol.

IV. Estructura en contexto

A 1. Rubén leyó una novela histórica.

2. Mónica durmió toda la tarde.

3. Jaime vino a mi casa a escuchar música.

4. Susana hizo la tarea por la mañana.

5. Yo fui a un concierto y llegué atrasado.

6. Lola y Lupe construyeron una jaula para el perro.

7. Pepe no supo que tuve que trabajar el sábado.

8. Tú anduviste un total de cinco millas.

9. Teresa y Víctor estuvieron en casa todo el día.

10. Nosotros quisimos llamarlos pero no pudimos.

B 1. vivía   4. tenía

2. quedaba   5. corría

3. era

C *Las respuestas van a variar un poco.*

1. Sí, me gustaron muchísimo. (*o* No, no me gustaron.)

2. Sí, te las recomiendo. (*o* No, no te las recomiendo.)

3. Les traje regalos a mis familiares. (*o* No le traje regalos a nadie.)

4. Les compré libros a todos. (*o* No les compré nada.)

5. Claro que les compré algo. (*o* No, no les compré nada.)

D 1. Algunos   4. ni

2. ninguna   5. Nunca

3. ni   6. nada

V. Cultura en vivo y Vocabulario

1. i   3. f   5. a   7. d   9. e

2. h   4. j   6. b   8. c   10. g

VI. Lectura

1. F   3. C   5. F

2. F   4. C

UNIDAD 2
PRUEBA ALTERNATIVA

I. Historia y cultura

1. a   3. c   5. a   7. a   9. b

2. b   4. c   6. a   8. c

II. Acentuación y ortografía

1. célebre   6. estimuló

2. animó   7. magnífico

3. pacífica   8. crítico

4. se   9. sólo

5. el   10. número

III. ¡A explorar!

Aunque poco después de llegar a España, cuando el joven rey tenía diecisiete años, el pueblo castellano se levantó en armas en 1520 al grito de "Viva Carlos y mueran los malos extranjeros". Sin embargo, Carlos V, Emperador del Sacro Imperio Romano y Rey de España, se fue hispanizando gradualmente hasta llegar a ser uno de los reyes más castizos que ha tenido España. Gran defensor de la lengua española, en una ocasión en presencia del papa dijo: "Señor obispo, entiéndame si quiere y no espere de mí otras palabras que de mi lengua española, la cual es tan noble que merece ser sabida y entendida de toda la gente cristiana,…" No cabe duda que España era el principal de sus estados; ahí viviría y moriría. Desde España, Carlos V extendió su reino tanto que pronto llegó a decirse que era un reino donde no se ponía el sol.

IV. Estructura en contexto

A 1. tuvimos   6. terminó

2. sentimos   7. dio

3. vimos   8. fue

4. Salimos   9. duró

5. permanecimos   10. causó

B 1. estaba   4. podía

2. se miraban   5. estaban

3. se sonreían

C 1. Sí, las miré. (No, no las miré.)

2. Sí, se lo mencioné. (No, no se lo mencioné.)

3. Sí, pude verla / la pude ver. (No, no pude verla / no la pude ver.)

4. Sí, las miré. (No, no las miré.)

5. Sí, se lo recomendé. (No, no se lo recomendé.)

D 1. Algunos   4. ni

2. ninguna   5. Nunca

3. ni   6. nada

V. Cultura en vivo y Vocabulario

1. f   3. h   5. a   7. c   9. e

2. i   4. g   6. j   8. d   10. b

VI. Lectura

1. C   3. F   5. C

2. F   4. C

UNIDAD 3
PRUEBA

I. Historia y cultura

1. c   3. a   5. a   7. c   9. c

2. b   4. a   6. c   8. a

II. Acentuación y ortografía

A Entrevistador: cuándo, Por qué

    J. Bustamante: ése

    Entrevistador: Cuál, ese

    J. Bustamante: Ésa

    Entrevistador: Qué

    J. Bustamante: Éste

B
1. aprendizaje
2. tradujo
3. indígenas
4. embajadora
5. extranjero
6. prestigioso
7. porcentaje
8. manejé

C
1. entusiasmo
2. busqué
3. fracasar
4. pobreza
5. palacio
6. conquistar
7. monarquía
8. opresión

III. ¡A explorar!

Hombres necios que_acusáis

a la mujer sin razón,

sin ver que sois la_ocasión

de lo mismo que culpáis:

si con_ansia sin_igual

solicitais_su desdén,

¿por qué queréis que_obren bien

si las_incitáis_al mal?

Combatís_su resistencia

y luego, con gravedad

decís que fue liviandad

lo que_hizo la diligencia.

IV. Estructura en contexto

A
1. pasé
2. Viví
3. quedaba
4. me divertí
5. hacía
6. estaba
7. había
8. era
9. se lanzó
10. salió
11. trató
12. pudo
13. era
14. lograron

B
1. ¿Cuál es la música favorita de Carlos? La música favorita suya (de él) es el jazz. La mía es el rock.
2. ¿Cuál es la clase favorita de Miguel y Javier? La clase favorita suya (de ellos) es biología. La tuya es historia.
3. ¿Cuál es el plato mexicano favorito de Carmen? El plato mexicano favorito suyo (de ella) son los tamales. El de Uds. (El suyo) son las enchiladas.

4. ¿Cuáles son los programas favoritos de Sofía? Los programas favoritos suyos (de ella) son las comedias. Los nuestros son los noticiarios.
5. ¿Cuál es el pasatiempo favorito de Arturo? El pasatiempo favorito suyo (de él) es coleccionar monedas. El mío es coleccionar sellos.

C
1. a
2. X
3. de
4. a
5. a

D
1. por
2. por
3. por
4. para
5. por
6. para
7. por

V. Cultura en vivo y Vocabulario

1. g   3. h   5. b   7. j   9. c

2. i   4. a   6. d   8. e   10. f

VI. Lectura

1. C   3. F   5. C

2. F   4. F   6. C

UNIDAD 3
PRUEBA ALTERNATIVA

I. Historia y cultura

1. b   3. a   5. a   7. c   9. b

2. c   4. b   6. c   8. b

II. Acentuación y ortografía

A Entrevistador: cuándo, Por qué

    J. Bustamante: ése

    Entrevistador: Cuál, ese

    J. Bustamante: Ésa

    Entrevistador: Qué

    J. Bustamante: Éste

B
1. aprendizaje
2. tradujo
3. indígenas
4. embajadora
5. extranjero
6. prestigioso
7. porcentaje
8. manejé

C
1. entusiasmo
2. busqué
3. fracasar
4. pobreza
5. palacio
6. conquistar
7. monarquía
8. opresión

III. ¡A explorar!

Hombres necios que_acusáis
a la mujer sin razón,
sin ver que sois la_ocasión
de lo mismo que culpáis:

si con_ansia sin_igual
solicitais_su desdén,
¿por qué queréis que_obren bien
si las_incitáis_al mal?

Combatís_su resistencia
y luego, con gravedad
decís que fue liviandad
lo que_hizo la diligencia.

IV. Estructura en contexto

A
1. salía
2. se manchaba
3. sintió
4. tocó
5. creía
6. era
7. se sentó
8. cubrió
9. fue
10. se lavó
11. fue
12. llamó
13. recomendó
14. regresó

B
1. Sus padres viven en Colorado; los míos viven en Texas.
2. Su madre es profesora; la mía es empleada de banco.
3. Su padre trabaja para una gran empresa; el mío trabaja por cuenta propia.
4. Su hermanita está en quinto grado; la mía está en sexto grado.
5. Su hermano mayor va a asistir a la universidad; el mío está en la universidad.

C
1. de
2. a
3. con
4. X
5. a

D
1. por
2. por
3. por
4. para
5. para
6. por
7. por

V. Cultura en vivo y Vocabulario

1. h   3. d   5. c   7. a   9. e
2. f   4. i   6. j   8. b   10. g

VI. Lectura

1. C   3. F   5. C
2. F   4. F

I. Historia y cultura

1. a   **2.** c   **3.** a   **4.** b   **5.** a
6. b   **7.** c   **8.** b   **9.** c

II. Ortografía

A
1. rebelde
2. envuelto
3. observatorio
4. enviar
5. trovador
6. obscuro
7. sublevar
8. adversario

B
1. **Cu**ando el gobierno **cu**bano nacionalizó propiedades e inversiones privadas, EE.UU. estableció un blo**qu**eo comercial que **continúa** hasta hoy.

2. A pesar de sa**qu**eos, interven**c**iones y **c**onflictos, la Repúbli**c**a Dominic**a**na mantiene una **cu**ltura e identidad nacional fieles a su origen.

3. **C**on una extensión de sólo 9.104 **ki**lómetros **cu**adrados, la industria puertorri**qu**eña incluye la farma**c**éutica, la petro**qu**ímica y la ele**c**tróni**c**a.

III. ¡A explorar!

A
1. Ojalá que podamos conseguir boletos para el concierto de Chayanne.

2. Dudo que todavía haya buenos asientos disponibles.

3. Es posible que tengamos que hacer cola por horas.

4. Como de costumbre, mamá quiere que regresemos a casa inmediatamente después del concierto.

B
1. reflexivo
2. reflexivo
3. impersonal
4. recíproco
5. recíproco
6. objeto indirecto
7. verbo **ser**
8. verbo **saber**

IV. Estructura en contexto

A
1. Juan Luis Guerra ha ayudado a los dominicanos pobres.

2. Muchos latinoamericanos han conocido a este cantante dominicano.

3. Este cantante ha vendido millones de discos.

B
1. Se escucha música.

2. Se sale con los amigos.

3. Se baila en las discotecas.

C *Las respuestas pueden variar.*

1. Es importante que llenemos de gasolina el tanque del coche.
2. Es necesario que pongamos agua limpia en la bañera.
3. Es bueno que congelemos botellas de agua.
4. Es importante que sepamos dónde está la linterna.
5. Es necesario que tengamos un radio en buenas condiciones.
6. Es importante que preparemos comida para varios días.

D 1. termine
2. no regreso
3. asista
4. estudie
5. tengo

E 1. Háganse
2. suban
3. Coman
4. Sigan
5. consuman

V. Cultura en vivo y Vocabulario

1. c
2. e
3. i
4. g
5. j
6. h
7. d
8. a
9. b
10. f

VI. Lectura

1. F
2. F
3. F
4. F
5. F

UNIDAD 4

PRUEBA ALTERNATIVA

I. Historia y cultura

1. a
2. c
3. b
4. a
5. c
6. b
7. c
8. b
9. a

II. Ortografía

A 1. rebelde
2. envuelto
3. observatorio
4. enviar
5. trovador
6. obscuro
7. sublevar
8. adversario

B 1. **Cu**ando el gobierno **cu**bano na**c**ionalizó propiedades e inversiones privadas, EE.UU. estable**c**ió un blo**qu**eo comercial que **c**ontinúa hasta hoy.

2. A pesar de sa**qu**eos, inter**v**en**c**iones y **c**onflictos, la Repúbli**c**a Domini**c**ana mantiene una **c**ultura e identidad na**c**ional fieles a su origen.

3. Con una extensión de sólo 9.104 **kil**ómetros **cu**adrados, la industria puertorri**qu**eña incluye la farma**c**éutica, la petro**qu**ímica y la electró**ni**ca.

III. ¡A explorar!

A 1. Ojalá que podamos conseguir boletos para el concierto de Chayanne.
2. Dudo que todavía haya buenos asientos disponibles.
3. Es posible que tengamos que hacer cola por horas.
4. Como de costumbre, mamá quiere que regresemos a casa inmediatamente después del concierto.

B 1. reflexivo
2. reflexivo
3. impersonal
4. recíproco
5. recíproco
6. objeto indirecto
7. verbo **ser**
8. verbo **saber**

IV. Estructura en contexto

A 1. Los españoles han destruido el barco estadounidense *Maine*.
2. Estados Unidos ha atacado a España.
3. La armada estadounidense ha derrotado a la armada española.

B 1. ¿Dónde se cambian los cheques de viajero?
2. ¿Dónde se toma el tren?
3. ¿Dónde se venden rollos de película?

C 1. Es necesario que no hablemos todos a la vez.
2. Es importante que no hagamos demasiado ruido.
3. Es necesario que traigamos las tareas hechas todos los días.
4. Es bueno que pongamos atención en clase.
5. Es importante que sepamos los verbos irregulares.
6. Es necesario que escribamos composiciones.

D 1. Es malo que Puerto Rico no tenga mucha tierra cultivable.
2. Me parece que el español es una lengua oficial.
3. Dudo que los puertorriqueños tengan los mismos derechos que los ciudadanos de los Estados Unidos.
4. Creo que un gobernador administra la isla.
5. Es soprendente que los puertorriqueños tengan que hacer el servicio militar como los ciudadanos estadounidenses.

E **1.** Decidan qué tipo de trabajo les interesa.

2. Lean las ofertas de empleo en el periódico.

3. Vayan a algunas agencias de empleo.

4. Comuníquense con el jefe de personal de las compañías que les interesan.

5. Vístanse con esmero para las entrevistas.

F **1.** Pon un aviso en el periódico.

2. Diles a tus amigos que tu coche está en venta.

3. Lávalo y límpialo bien por dentro y por fuera.

4. No lo vendas demasiado caro ni demasiado barato.

5. No aceptes ningún cheque personal.

V.   Cultura en vivo y Vocabulario

1. i.	**3.** f	**5.** a	**7.** d	**9.** b
2. j	**4.** h	**6.** e	**8.** c	**10.** g

VI.   Lectura

1. C   **2.** F   **3.** C   **4.** F   **5.** F

I.   Comprensión oral

Las tres hispanidades. Escucha lo que dicen dos estudiantes después de ver una serie de programas culturales grabados para la televisión por el escritor mexicano Carlos Fuentes. Luego, escoge la respuesta que complete mejor cada oración.

Antonio: Después de ver la serie completa de cinco programas titulada *El espejo enterrado: reflexiones sobre España y el Nuevo Mundo* que el escritor mexicano Carlos Fuentes hizo para la televisión, he comenzado a entender más la cultura del mundo hispano. A ti, Inés, ¿cuál de los cinco programas te gustó más?

Inés: El último, el programa llamado "Las tres hispanidades".

Antonio: A mí también me gustó ese programa, aunque no está muy claro por qué se llama así. ¿Cuáles son "las tres hispanidades"?

Inés: Carlos Fuentes lo explica muy bien. "La primera hispanidad" surge en la Península Ibérica y es el resultado de la mezcla de muchos pueblos: iberos, celtas, fenicios, griegos, romanos, visigodos, árabes, judíos y otros más. Esta "primera hispanidad" se

ha transformado de una manera acelerada en los últimos veinte años. Según Fuentes, España es un país con una herencia muy antigua pero es también muy moderno, industrial y democrático.

Antonio: ¿Entonces Latinoamérica es "la segunda hispanidad"?

Inés: Sí. Y esta "segunda hispanidad" también se ha transformado rápidamente. Ahora la gran mayoría de los latinoamericanos vive en las ciudades. Esta creciente urbanización ha afectado la cultura de grandes sectores de la población.

Antonio: ¿Cuál es entonces "la tercera hispanidad"?

Inés: Tú y yo que somos latinos y vivimos en los E.E.U.U., somos parte de "la tercera hispanidad" que la forman todos los hispanos de los E.E.U.U. Se calcula que hay más de 25 millones de hispanos en este país. La mayoría son jóvenes como tú y yo. ¡Qué bueno que somos bilingües y podemos comunicarnos tanto en inglés como en español! En el próximo siglo los sueños enterrados de "las tres hispanidades" pueden hacerse realidad.

Escucha una vez más para verificar tus respuestas.

(Repeat passage.)

1. b	**3.** c	**5.** a
2. a	**4.** b	**6.** c

II.   Gente del Mundo 21

1. a	**3.** b	**5.** b	**7.** b	**9.** b
2. c	**4.** c	**6.** a	**8.** a	

III.   Del pasado al presente

1. b	**5.** b	**9.** c	**12.** b	**15.** a
2. a	**6.** a	**10.** b	**13.** c	**16.** b
3. a	**7.** a	**11.** c	**14.** b	**17.** b
4. c	**8.** a			

IV.   Estructura

A **1.** Creo   **9.** Dudo

2. tengo   **10.** sea

3. Me levanto   **11.** saco

4. me ducho   **12.** sorprende

5. me arreglo   **13.** guste

6. salgo   **14.** dicen

7. Es   **15.** es

8. salga

B 1. es 9. di
2. estoy 10. fui
3. He estado 11. compré
4. pasé 12. Visité
5. está 13. estaba
6. Fui 14. Creo
7. quería 15. fue
8. Hice

UNIDADES 1-4
EXAMEN ALTERNATIVO

I. Comprensión oral

Las tres hispanidades. Escucha lo que dicen dos estudiantes después de ver una serie de programas culturales grabados para la televisión por el escritor mexicano Carlos Fuentes. Luego, escoge la respuesta que complete mejor cada oración.

Antonio: Después de ver la serie completa de cinco programas titulada *El espejo enterrado: reflexiones sobre España y el Nuevo Mundo* que el escritor mexicano Carlos Fuentes hizo para la televisión, he comenzado a entender más la cultura del mundo hispano. A ti, Inés, ¿cuál de los cinco programas te gustó más?

Inés: El último, el programa llamado "Las tres hispanidades".

Antonio: A mí también me gustó ese programa, aunque no está muy claro por qué se llama así. ¿Cuáles son "las tres hispanidades"?

Inés: Carlos Fuentes lo explica muy bien. "La primera hispanidad" surge en la Península Ibérica y es el resultado de la mezcla de muchos pueblos: iberos, celtas, fenicios, griegos, romanos, visigodos, árabes, judíos y otros más. Esta "primera hispanidad" se ha transformado de una manera acelerada en los últimos viente años. Según Fuentes, España es un país con una herencia muy antigua pero es también muy moderno, industrial y democrático.

Antonio: ¿Entonces Latinoamérica es "la segunda hispanidad"?

Inés: Sí. Y esta "segunda hispanidad" también se ha transformado rápidamente. Ahora la gran mayoría de los latinoamericanos vive en las ciudades. Esta creciente urbanización ha afectado la cultura de grandes sectores de la población.

Antonio: ¿Cuál es entonces "la tercera hispanidad"?

Inés: Tú y yo que somos latinos y vivimos en los EE.UU., somos parte de "la tercera hispanidad" que la forman todos los hispanos de los EE.UU. Se calcula que hay más de 25 millones de hispanos en este país. La mayoría son jóvenes como tú y yo. ¡Qué bueno que somos bilingües y podemos comunicarnos tanto en inglés como en español! En el próximo siglo los sueños enterrados de "las tres hispanidades" pueden hacerse realidad.

Escucha una vez más para verificar tus respuestas.

(Repeat passage.)

1. c 3. b 5. a
2. a 4. c 6. b

II. Gente del Mundo 21
1. a 2. b 3. c 4. b 5. c
6. a 7. b 8. b 9. a

III. Del pasado al presente
1. a 5. a 9. c 12. b 15. b
2. a 6. a 10. b 13. c 16. b
3. b 7. b 11. c 14. a 17. a
4. c 8. b

IV. Estructura
A 1. es 9. di
2. estoy 10. fui
3. He estado 11. compré
4. pasé 12. Visité
5. está 13. estaba
6. Fui 14. Creo
7. quería 15. fue
8. Hice

B 1. Creo 9. Dudo
2. tengo 10. sea
3. Me levanto 11. saco
4. me ducho 12. sorprende
5. me arreglo 13. guste
6. salgo 14. dicen
7. Es 15. es
8. salga

I. Historia y cultura

1. b   **2.** b   **3.** a   **4.** b   **5.** b
6. b   **7.** c   **8.** a   **9.** c

II. Ortografía

A 1. gimnasio   **5.** desconocido
2. riqueza   **6.** cruz
3. colapso   **7.** descendiente
4. victorioso   **8.** golpazo

B 1. En 1949, los gobernantes de Costa Rica exclamaron que la educación tendría prioridad y disolvió el ejército.

2. Desde 1950 se ha visto una extraordinaria expansión de la educación en la secundaria.

3. Sería bueno que todo el mundo reflexionara en lo que Costa Rica ha hecho con la educación, examinara los resultados que se han logrado y se aprovechara de esta experiencia de los costarricenses.

III. ¡A explorar!

A *Las respuestas van a variar.*
B *Las respuestas van a variar.*

1. La primera noche después de cruzar la frontera, mi hermana y yo perdimos *las maletas y el dinero* que traíamos.

2. Los primeros días en EE.UU. fueron los más difíciles, afortunadamente mi hermana me ayudaba *a lavar la ropa y con la preparación de la comida.*

3. *Algo* que no sabíamos era lo difícil que iba a ser comunicarnos con los demás.

4. No sé cómo habríamos sobrevivido si la agencia social no nos hubiera ayudado con todas nuestras *necesidades básicas: comida, alojamiento y empleo.*

IV. Estructura en contexto

A 1. cuyos   **5.** quienes
2. que   **6.** la cual
3. cual   **7.** cual
4. que

B 1. llevo; pueda   **3.** se pone; se parezcan
2. haga; tengo

C 1. tengo   **4.** necesitemos
2. tenga   **5.** tengo
3. mejoren

D 1. veo   **5.** vuelvas
2. termines   **6.** trabajo
3. hagas   **7.** cortes
4. agrada   **8.** quieras

V. Cultura en vivo y Vocabulario

1. h   **3.** f   **5.** g   **7.** a   **9.** b
2. e   **4.** j   **6.** i   **8.** c   **10.** d

VI. Lectura

1. F   **2.** F   **3.** C   **4.** F   **5.** C

I. Historia y cultura

1. c   **3.** b   **5.** b   **7.** a   **9.** c
2. b   **4.** a   **6.** b   **8.** a

II. Ortografía

A 1. gimnasio   **5.** desconocido
2. riqueza   **6.** cruz
3. colapso   **7.** descendiente
4. victorioso   **8.** golpazo

B 1. En 1949, los gobernantes de Costa Rica exclamaron que la educación tendría prioridad y disolvió el ejército.

2. Desde 1950 se ha visto una extraordinaria expansión de la educación en la secundaria.

3. Sería bueno que todo el mundo reflexionara en lo que Costa Rica ha hecho con la educación, examinara los resultados que se han logrado y se aprovechara de esta experiencia de los costarricenses.

III. ¡A explorar!

A *Las respuestas van a variar.*
B *Las respuestas van a variar.*

1. La primera noche después de cruzar la frontera, mi hermana y yo perdimos *las maletas y el dinero* que traíamos.

2. Los primeros días en EE.UU. fueron los más difíciles, afortunadamente mi hermana me ayudaba *a lavar la ropa y con la preparación de la comida*.

3. *Algo* que no sabíamos era lo difícil que iba a ser comunicarnos con los demás.

4. No sé cómo habríamos sobrevivido si la agencia social no nos hubiera ayudado con todas nuestras *necesidades básicas; comida, alojamiento y empleo*.

IV. Estructura en contexto

A 1. Ernesto Cardenal, quien es un importante poeta nicaragüense, nació en Granada en 1925.

2. El Colegio Centroamericano, en el cual estudió Ernesto Cardenal, está en la ciudad de Granada.

3. La denuncia social y el misticismo son temas poéticos que aparecen una y otra vez en la obra de Cardenal.

4. En 1964 publicó su obra *Salmos*, cuyo título hace pensar en los salmos de la Biblia.

5. *Salmos*, el cual denuncia la injusticia con una fuerza moral bíblica, es un libro de poesía.

6. Una de sus obras más recientes, en la cual recuenta la creación del universo, es el gran poema místico *Canto cósmico*.

7. Cardenal fue ministro de cultura durante el gobierno sandinista, al cual él apoyó.

B 1. tengo 　　　　 4. sea
2. requiere 　　　 5. pague
3. cansa 　　　　 6. permita

C 1. salgan 　　　 4. conozco
2. interesa 　　　 5. saque
3. se vaya

D 1. debo 　　　　 5. consiga
2. decidan; voy 　 6. regrese
3. puedan 　　　 7. terminen
4. invitan

V. Cultura en vivo y Vocabulario

1. g 　 3. i 　 5. h 　 7. b 　 9. a
2. j 　 4. f 　 6. c 　 8. d 　 10. e

VI. Lectura

1. C 　 2. F 　 3. F 　 4. C 　 5. C

UNIDAD 6 PRUEBA

I. Historia y cultura

1. c 　 3. a 　 5. c 　 7. a 　 9. a
2. c 　 4. a 　 6. c 　 8. b

II. Ortografía

A 1. La **j**efatura del narcotráfico y sus aliados si**g**uen acelerando ataques terroristas en las ciudades para mostrar su oposición al e**j**ército colombiano.

2. A pesar de eso, la acción del **g**obierno produ**j**o el respeto de la **g**ente colombiana en particular por diri**g**ir la defensa de las instituciones del país.

3. La muerte de Pablo Escobar, **j**efe fu**g**itivo del cartel de Medellín, ha obligado al mundo entero a fi**j**arse en la determinación del **g**obierno colombiano de prote**g**er al público de los narcotraficantes.

B 1. **h**ostilidad 　　 6. **h**ormiga
2. apre**h**ender 　 7. **h**abilidad
3. ex**h**austo 　　 8. **h**uelga
4. re**h**usar, reusar 　 9. **h**orizonte
5. coalición 　　 10. ambiente

III. ¡A explorar!

A La transferencia del canal a Panamá empez**ó** a efectuarse en 1979, dos años después de que el presidente Carter y Omar Torrijos firmaron los tratados. La transferencia se llevar**á** a cabo el 31 de diciembre de 1999. La construcción del canal, que cost**ó** 400 millones de dólares, incluy**ó** la construcción de un lago artificial, el lago Gatún, y la excavación de canales desde cada costa. Un promedio de cuarenta y dos barcos al día pasaron por el canal en 1987, esto a pesar de que se podr**í**a tardar hasta quince horas en cruzar y la mitad del tiempo ser**í**a en espera. Los aproximadamente 12.000 barcos que cruzar**á**n el canal este año generar**á**n más de $300 millones de dólares en cuotas.

B 1. e 　 3. i 　 5. b 　 7. f 　 9. g
2. h 　 4. a 　 6. d 　 8. j 　 10. c

IV. Estructura en contexto

A 1. sufrirá 　　　 4. se casarán
2. tendrá 　　　 5. vendrán
3. harán

B 1. Será
2. Contendrá
3. Habrá
4. Pertenecerá
5. Dirá

C 1. desaparecerían
2. tendría
3. Nos comunicaríamos
4. aumentaría
5. podríamos

D 1. estuviera / montaría
2. fuera / pasaría
3. fuera / pescaría
4. pudiera / haría
5. tuviera / inventaría

V. Cultura en vivo y Vocabulario
1. e   3. g   5. f   7. c   9. a
2. j   4. b   6. h   8. i   10. d

VI. Lectura
1. F   3. C   5. F
2. F   4. C   6. C

UNIDAD 6

PRUEBA ALTERNATIVA

I. Historia y cultura
1. b   3. a   5. a   7. c   9. a
2. a   4. c   6. c   8. a

II. Ortografía
A 1. La **j**e**f**atura del narcotrá**f**ico y sus aliados siguen acelerando ataques terroristas en las ciudades para mostrar su oposición al e**j**ército colombiano.

2. A pesar de eso, la acción del **g**obierno produjo el respeto de la **g**ente colombiana en particular por dirigir la defensa de las instituciones del país.

3. La muerte de Pablo Escobar, **j**efe fugitivo del cartel de Medellín, ha obligado al mundo entero a fijarse en la determinación del **g**obierno colombiano de prote**g**er al público de los narcotraficantes.

B 1. hostilidad
2. aprehender
3. exhausto
4. rehusar, reusar
5. coalición
6. hormiga
7. habilidad
8. huelga
9. horizonte
10. ambiente

III. ¡A explorar!
A La transferencia del canal a Panamá empezó a efectuarse en 1979, dos años después de que el presidente Carter y Omar Torrijos firmaron los tratados. La transferencia se llevará a cabo el 31 de diciembre de 1999. La construcción del canal, que costó 400 millones de dólares, incluyó la construcción de un lago artificial, el lago Gatún, y la excavación de canales desde cada costa. Un promedio de cuarenta y dos barcos al día pasaron por el canal en 1987, esto a pesar de que se podría tardar hasta quince horas en cruzar y la mitad del tiempo sería en espera. Los aproximadamente 12.000 barcos que cruzarán el canal este año generarán más de 300 millones de dólares en cuotas.

B 1. e   3. i   5. b   7. f   9. g
2. h   4. a   6. d   8. j   10. c

IV. Estructura en contexto
A 1. [*Nombre*] será ejecutivo(a) de una gran empresa.
2. [*Nombre*] vivirá en el extranjero.
3. [*Nombre*] jugará al fútbol en un club profesional.
4. [*Nombre*] ejercerá la profesión de abogado.
5. [*Nombre*] querrá presentarse como candidato(a) a diputado(a) o senador(a).

B 1. Andaría
2. Estaría
3. querría
4. Sería
5. Tendría

C 1. mejorarían
2. valdría
3. ganarían
4. tendría
5. Habría

D 1. estuviera / iría
2. pudiera / saldría
3. tuviera / asistiría
4. llegara / vería
5. terminara / tomaría

V. Cultura en vivo y Vocabulario
1. j   3. a   5. b   7. d   9. c
2. f   4. i   6. g   8. e   10. h

VI. Lectura
1. C   2. C   3. F   4. F   5. C

UNIDAD 7
PRUEBA

I. Historia y cultura
1. b   3. b   5. b   7. c   9. c
2. b   4. a   6. a   8. a

II. Ortografía
A 1. orilla   6. leyes
2. ensayo   7. llaneros
3. cuello   8. batalla
4. cabello   9. yerno
5. guayabera   10. caudillo
B 1. foro   4. jarra
2. carros   5. Pero
3. Para

III. ¡A explorar!
A 1. La papa empezó a ser cultivada por los quechuas hace unos cinco mil años.
2. Si no fuera por la papa, ¿dónde estarían los irlandeses hoy?
3. Actualmente, se espera que la papa sea el arma principal que tenemos contra el hambre.
4. Se estima que el consumo mundial de la papa en 1988 habría sido aproximadamente 297 millones de toneladas.
B 1. deriva   5. Imperio
2. establecidos   6. antepasados
3. inmenso   7. imaginarse
4. arquitectura   8. especial

IV. Estructura en contexto
A 1. acabara   4. volvieran
2. dejara   5. terminaran
3. hiciera
B 1. tratara   4. eran
2. visitara   5. pasara
3. estuviera
C 1. fuera   4. interesara
2. costara   5. pareciera
3. gustara

D 1. has recibido
2. hayas estudiado
3. hayas salido
4. ha sido
5. han suspendido

V. Cultura en vivo y Vocabulario
1. h   3. a   5. j   7. d   9. g
2. e   4. i   6. b   8. c   10. f

VI. Lectura
1. C   3. C   5. C
2. F   4. F   6. C

UNIDAD 7
PRUEBA ALTERNATIVA

I. Historia y cultura
1. b.   3. a   5. c   7. b   9. a
2. a   4. c   6. c   8. b   10. c

II. Ortografía
A 1. orilla   6. leyes
2. ensayo   7. llaneros
3. cuello   8. batalla
4. cabello   9. yerno
5. guayabera   10. caudillo
B 1. foro   4. jarra
2. carros   5. Pero
3. Para

III. ¡A explorar!
A 1. La papa empezó a ser cultivada por los quechuas hace unos cinco mil años.
2. Si no fuera por la papa, ¿dónde estarían los irlandeses hoy?
3. Actualmente, se espera que la papa sea el arma principal que tenemos contra el hambre.
4. Se estima que el consumo mundial de la papa en 1988 habría sido aproximadamente 297 millones de toneladas.
B 1. deriva   5. Imperio
2. establecidos   6. antepasados
3. inmenso   7. imaginarse
4. arquitectura   8. especial

IV. Estructura en contexto

A
1. tratara
2. visitara
3. estuviera
4. eran
5. pasara

B
1. acabara
2. dejara
3. hiciera
4. volvieran
5. terminaran

C
1. has recibido
2. hayas estudiado
3. hayas salido
4. ha sido
5. han suspendido

D
1. fuera
2. costara
3. gustara
4. interesara
5. pareciera

V. Cultura en vivo y Vocabulario

1. g   3. e   5. h   7. i   9. f
2. c   4. j   6. b   8. d   10. a

VI. Lectura

1. C   3. F   5. C
2. C   4. F   6. C

UNIDAD 8
PRUEBA ALTERNATIVA

I. Historia y cultura

1. c   3. c   5. b   7. b   9. a
2. b   4. b   6. c   8. b

II. Ortografía

A
—Acabo de leer el cuento de Cortázar, "Continuidad de los parques" y... ¡Ay Dios!, estoy tan confundido.

—Cálmate, cálmate. **A** ver, ¿qué es lo que no entiendes?

—Pues, tengo una confusión tremenda con los personajes. No sé cuántos personajes **hay** en el cuento. Por ejemplo, está la persona a quien va **a** matar el novio de la mujer en la novela.

—Sí, sí. Eso queda bien claro.

—**Ah**, sí, pero también está el señor que **ha** estado leyendo la novela desde el principio. Mi impresión es que **a** él es a quien van **a** matar. Pero, ¿cómo es posible? Él no es personaje en la novela, sólo en el cuento... ¡Ay! ¡Qué confusión!

—Hombre, cálmate. No es para tanto. **Hay** que aceptar que es un cuento del realismo mágico y nada más.

B
—Meche, ¿has leído **esta** novela?

—¿Cuál es? No puedo ver el título desde aquí.

—**Ésta**. *El plan infinito*. Es la última novela de Isabel Allende.

—Sí, sí, la acabo de terminar. Mira, aquí **está** en mi bolso. Es fantástica. Me encanta porque tiene lugar en EE.UU.

—Bueno, pues es donde la autora **está** viviendo ahora. **Está** allá desde 1988. Oye, si mal no recuerdo, **esta** tarde hay una conferencia sobre Isabel Allende en el departamento de lenguas. ¿Quieres ir?

—**Está** bien. Pero sólo si termino de escribir **esta** composición para mi clase de francés. **Ésta** es mi última oportunidad para hacerlo.

—Ay, siempre andas atrasada con tus trabajos. **Está** lista para las cinco y media. Yo paso port ti.

III. ¡A explorar!

A
1. d   3. f   5. h   7. a
2. g   4. b   6. e   8. c

B
1. vez
2. has
3. haber
4. esta
5. cocer
6. a
7. a ser
8. revela

IV. Estructura en contexto

A
1. había empezado
2. se habían sentado
3. había devuelto
4. había corregido
5. habían hecho

B
1. habrá devaluado
2. habrán resuelto
3. habrá renegociado
4. Habrá comenzado
5. habrá aumentado

C
1. hubiera perdido
2. se haya caído
3. hubiera chocado
4. hubiera tenido
5. hayan podido

D
1. hubiera sabido
2. diera
3. se enfada
4. ganara
5. presenta

V. Cultura en vivo y Vocabulario

1. c   3. f   5. a   7. b   9. d
2. h   4. i   6. j   8. e   10. g

VI. Lectura

1. C	**3.** F	**5.** F
2. C	**4.** C	**6.** C

UNIDADES 5-8
PRUEBA ALTERNATIVA

I. Historia y cultura

1. b	**3.** c	**5.** c	**7.** c	**9.** a
2. b	**4.** c	**6.** b	**8.** b	**10.** b

II. Ortografía

A —Acabo de leer el cuento de Cortázar, "Continuidad de los parques" y... ¡**Ay** Dios!, estoy tan confundido.

—Cálmate, cálmate. A ver, ¿qué es lo que no entiendes?

—Pues, tengo una confusión tremenda con los personajes. No sé cuántos personajes **hay** en el cuento. Por ejemplo, está la persona a quien va **a** matar el novio de la mujer en la novela.

—Sí, sí. Eso queda bien claro.

—**Ah**, sí, pero también está el señor que **ha** estado leyendo la novela desde el principio. Mi impresión es que **a** él es a quien van **a** matar. Pero, ¿cómo es posible? Él no es personaje en la novela, sólo en el cuento... ¡**Ay**! ¡Qué confusión!

—Hombre, cálmate. No es para tanto. **Hay** que aceptar que es un cuento del realismo mágico y nada más.

B —Meche, ¿has leído **esta** novela?

—¿Cuál es? No puedo ver el título desde aquí.

—**Ésta**. *El plan infinito*. Es la última novela de Isabel Allende.

—Sí, sí, la acabo de terminar. Mira, aquí **está** en mi bolso. Es fantástica. Me encanta porque tiene lugar en EE.UU.

—Bueno, pues es donde la autora **está** viviendo ahora. **Está** allá desde 1988. Oye, si mal no recuerdo, **esta** tarde hay una conferencia sobre Isabel Allende en el departamento de lenguas. ¿Quieres ir?

—**Está** bien. Pero sólo si termino de escribir **esta** composición para mi clase de francés. **Ésta** es mi última oportunidad para hacerlo.

—Ay, siempre andas atrasada con tus trabajos. **Está** lista para las cinco y media. Yo paso port ti.

III. ¡A explorar!

A
1. d	**3.** f	**5.** h	**7.** a
2. g	**4.** b	**6.** e	**8.** c

B
1. vez		**5.** cocer
2. has		**6.** a
3. haber		**7.** a ser
4. esta		**8.** revela

IV. Estructura en contexto

A
1. hubiera perdido	**4.** hubiera tenido
2. se haya caído	**5.** hayan podido
3. hubiera chocado	

B
1. hubiera sabido	**4.** ganara
2. diera	**5.** presenta
3. se enfada	

C
1. había empezado
2. se habían sentado
3. había devuelto
4. había corregido
5. habían hecho

D
1. habrá devaluado
2. habrán resuelto
3. habrá renegociado
4. Habrá comenzado
5. habrá aumentado

V. Cultura en vivo y Vocabulario

1. c	**3.** f	**5.** a	**7.** b	**9.** d
2. h	**4.** i	**6.** j	**8.** e	**10.** g

VI. Lectura

1. C	**3.** F	**5.** C
2. F	**4.** C	**6.** C

UNIDADES 5-8
EXAMEN

I. Comprensión oral

La integración del mundo hispano. Escucha lo que dicen dos comentaristas de radio sobre la realidad política del mundo hispano. Luego, escoge la respuesta que complete mejor cada oración.

Luis: De Cartagena de Indias, Colombia, en donde en estos días de junio de 1994 se está realizando la cuarta Cumbre Iberoamericana, nos llega este reportaje.

Marta: Buenas tardes, Luis, y estimados radioescuchas. A esta cuarta Cumbre Iberoamericana, que se está celebrando en Cartagena de Indias, Colombia, han sido invitados los gobernantes de veintiuna naciones iberoamericanas, o sea, los dieciocho países latinoamericanos independientes de habla española más Brasil, España y Portugal.

Es importante señalar que los gobiernos democráticos han reemplazado a las dictaduras militares que hasta hace poco eran comunes en muchos países latinoamericanos. A esta cuarta Cumbre Iberoamericana, la gran mayoría de los gobernantes invitados representan sistemas democráticos, con la excepción de Fidel Castro de Cuba.

En vez de invertir en armamentos ultramodernos y en el mantenimiento de grandes ejércitos, los gobiernos democráticos de Latinoamérica, España y Portugal están más interesados en ampliar sus intercambios comerciales y relaciones multilaterales a todos los niveles. Estas relaciones entre los países podrían llevar en el futuro al establecimiento de una Comunidad Iberoamericana parecida a la Comunidad Económica Europea que luego se convirtió en la Unión Europea.

Los países que forman el llamado Grupo de los Tres —México, Colombia y Venezuela— han firmado un tratado de libre comercio que luego podría incluir a otros países del hemisferio. Por otro lado, Chile parece perfilarse como el primer país sudamericano que entrará en el Tratado de Libre Comercio de Norteamérica puesto en vigencia el primero de enero de 1992 por Canadá, EE.UU. y México. La unión de las economías del mundo hispano se ha convertido en un tema que reaparece constantemente en esta cuarta Cumbre Iberoamericana.

Escucha una vez más para verificar tus respuestas.

(Repeat passage.)

1. c	**3.** a	**5.** b
2. b	**4.** b	**6.** c

II.   Gente del Mundo 21

1. c	**4.** b	**7.** a	**10.** b	**12.** a
2. c	**5.** b	**8.** a	**11.** c	**13.** c
3. a	**6.** c	**9.** c		

III.   Del pasado al presente

1. b	**6.** a	**10.** a	**14.** a	**18.** a
2. b	**7.** c	**11.** a	**15.** b	**19.** b
3. c	**8.** c	**12.** c	**16.** c	**20.** a
4. a	**9.** b	**13.** b	**17.** c	**21.** c
5. b				

IV.   Estructura

A 1. había imaginado
   2. Llegué
   3. haya acostumbrado
   4. haya
   5. hay
   6. hubiera
   7. vayan
   8. empleo
   9. he tenido
   10. he visitado
   11. he entendido
   12. hablaran

B 1. había regresado
   2. era
   3. tuve
   4. habría
   5. vi
   6. iba
   7. había cambiado
   8. estaba
   9. encontré
   10. hubiera desaparecido
   11. había pedido
   12. reconocí
   13. había convertido
   14. vivía
   15. hubiera desaparecido

La integración del mundo hispano. Escucha lo que dicen dos comentaristas de radio sobre la realidad política del mundo hispano. Luego, escoge la respuesta que complete mejor cada oración.

Luis: De Cartagena de Indias, Colombia, en donde en estos días de junio de 1994 se está realizando la cuarta Cumbre Iberoamericana, nos llega este reportaje.

Marta: Buenas tardes, Luis, y estimados radioescuchas. A esta cuarta Cumbre Iberoamericana, que se está celebrando en Cartagena de Indias, Colombia, han sido invitados los gobernantes de veintiuna naciones iberoamericanas, o sea, los dieciocho países latinoamericanos independientes de habla española más Brasil, España y Portugal.

Es importante señalar que los gobiernos democráticos han reemplazado a las dictaduras militares que hasta hace poco eran comunes en muchos países latinoamericanos. A esta cuarta Cumbre Iberoamericana, la gran mayoría de los gobernantes invitados representan sistemas democráticos, con la excepción de Fidel Castro de Cuba.

En vez de invertir en armamentos ultramodernos y en el mantenimiento de grandes ejércitos, los gobiernos democráticos de Latinoamérica, España y Portugal están más interesados en ampliar sus intercambios comerciales y relaciones multilaterales a todos los niveles. Estas relaciones entre los países podrían llevar en el futuro al establecimiento de una Comunidad Iberoamericana parecida a la Comunidad Económica Europea que luego se convirtió en la Unión Europea.

Los países que forman el llamado Grupo de los Tres —México, Colombia y Venezuela— han firmado un tratado de libre comercio que luego podría incluir a otros países del hemisferio. Por otro lado, Chile parece perfilarse como el primer país sudamericano que entrará en el Tratado de Libre Comercio de Norteamérica puesto en vigencia el primero de enero de 1992 por Canadá, EE.UU. y México. La unión de las economías del mundo hispano se ha convertido en un tema que reaparece constantemente en esta cuarta Cumbre Iberoamericana.

Escucha una vez más para verificar tus respuestas.

(Repeat passage.)

1. c   **3.** b   **5.** b
2. b   **4.** a   **6.** c

II.   Gente del Mundo 21

1. a   **4.** b   **7.** c   **10.** c   **12.** c
2. c   **5.** a   **8.** c   **11.** b   **13.** a
3. b   **6.** c   **9.** a

III.   Del pasado al presente

1. c   **6.** b   **10.** a   **14.** a   **18.** c
2. a   **7.** b   **11.** a   **15.** b   **19.** b
3. b   **8.** b   **12.** b   **16.** a   **20.** a
4. a   **9.** c   **13.** c   **17.** c   **21.** b
5. c

IV.   Estructura

A 1. había regresado
  2. era
  3. tuve
  4. habría
  5. vi
  6. iba
  7. había cambiado
  8. estaba
  9. encontré
  10. hubiera desaparecido
  11. habría pedido
  12. reconocí
  13. había convertido
  14. vivía
  15. hubiera desaparecido
B 1. había imaginado
  2. Llegué
  4. haya acostumbrado
  4. haya
  5. hay
  6. hubiera
  8. vayan
  8. empleo
  9. he tenido
  10. he visitado
  11. he entendido
  13. hablaran